中国中药资源大典

湖北卷

①

黄璐琦 / 总主编

吴和珍　王　平　刘合刚 / 主　编

北京科学技术出版社

图书在版编目（CIP）数据

中国中药资源大典．湖北卷．1 / 吴和珍，王平，刘合刚主编．-- 北京：北京科学技术出版社，2024.6.
ISBN 978-7-5714-4046-6

Ⅰ．R281.4

中国国家版本馆 CIP 数据核字第 2024GD3981 号

责任编辑：吕　慧　庞璐璐　吴　丹　李兆弟　侍　伟
责任校对：贾　荣
图文制作：樊润琴
责任印制：李　茗
出 版 人：曾庆宇
出版发行：北京科学技术出版社
社　　址：北京西直门南大街16号
邮政编码：100035
电　　话：0086-10-66135495（总编室）　　0086-10-66113227（发行部）
网　　址：www.bkydw.cn
印　　刷：北京博海升彩色印刷有限公司
开　　本：889 mm × 1 194 mm　　1/16
字　　数：1 206千字
印　　张：54.5
版　　次：2024年6月第1版
印　　次：2024年6月第1次印刷
审 图 号：GS京（2023）1758号
ISBN 978-7-5714-4046-6

定　　价：490.00元

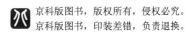

《中国中药资源大典·湖北卷》

编写委员会

指导单位 湖北省卫生健康委员会

湖北省中医药管理局

总 主 编 黄璐琦

主 编 王 平 吴和珍 刘合刚

副 主 编 陈家春 李晓东 康四和 甘啟良 熊兴军 聂 晶 余 坤

黄 晓 艾中柱 游秋云 周重建 万定荣 汪乐原

编 委（按姓氏笔画排序）

力 华	万 智	万定荣	万舜民	马艳丽	马哲学	王 平	王 东
王 伟	王 旭	王 玮	王 诚	王 倩	王 涛	王 涵	王 斌
王 路	王 静	王玉兵	王正军	王臣林	王庆华	王红星	王志平
王迎丽	王建华	王艳丽	王绪新	王智勇	王毅斌	方 丹	方 琛
方 震	方优妮	尹 超	孔庆旭	邓 丰	邓 旻	邓 娟	邓 静
邓中富	邓爱平	甘 泉	甘啟良	艾中柱	艾伦强	石 晗	卢 琼
卢 锋	卢妍瑛	卢晓莉	帅 超	申雪阳	田万安	田守付	田经龙
史峰波	付卫军	包凤君	冯 煜	冯启光	冯建华	冯晓红	兰 洲
成刘志	成润芳	吕 沐	吕 露	朱 明	朱 霞	朱建军	向 栋
向 莉	向子成	向华林	刘 启	刘 迪	刘 晖	刘 敏	刘 渊
刘 博	刘 辉	刘 斌	刘 磊	刘义飞	刘义梅	刘丹萍	刘传福
刘合刚	刘兴艳	刘军昌	刘军锋	刘丽珍	刘国玲	刘建平	刘建涛
刘新平	闫明媚	江玲兴	许明军	许萌晖	阮 伟	阮爱萍	孙 媛
孙云华	孙立敏	孙仲谋	牟红兵	纪少波	严少明	严星宇	严雪梅
严德超	杜鸿志	李 平	李 立	李 芳	李 凯	李 洋	李 莉
李 浩	李 超	李 靖	李小红	李小玲	李丰华	李太彬	李文涛

李方涛　李世洋　李兴伟　李兴娇　李利荣　李宏焘　李建芝　李秋怡
李晓东　李海波　李乾富　李梓豪　李德凤　李德平　杨建　杨瑞
杨万宏　杨小宙　杨卫民　杨玉莹　杨光明　杨红兵　杨明荣　杨欣霜
杨学芳　杨振中　杨焰明　肖光　肖帆　肖浪　肖权衡　肖惟丹
吴丹　吴迪　吴勇　吴涛　吴亚立　吴自勇　吴志德　吴和珍
吴洪来　吴海新　何博　何文建　何江城　余坤　余艳　余亚心
邹远锦　邹志威　汪婧　汪静　汪文杰　汪乐原　张宇　张红
张芳　张明　张沐　张星　张俊　张格　张健　张银
张翔　张磊　张才士　张子良　张华良　张旭荣　张志君　张松保
张国利　张明高　张南方　张美娅　张晓勇　张梦林　张景景　张颖柔
陈乐　陈泉　陈俊　陈峰　陈途　陈锐　陈从量　陈秀梅
陈茂华　陈国健　陈泽璇　陈宗政　陈顺俭　陈家春　陈智国　陈霖林
范钊　范又良　范海洲　林良生　林祖武　明晶　季光琼　周艳
周密　周晶　周卫忠　周兴明　周丽华　周建国　周重建　周根群
周瑞忠　周新星　周啟兵　庞聪雅　郑宗敬　赵云　赵晖　赵翔
赵鹏　赵东瑞　赵君宇　赵昌礼　郝欲平　胡文　胡红　胡天云
胡文华　胡志刚　胡建华　胡敦全　胡嫦娥　柯源　柯美仓　柏仲华
柳卫东　柳成盟　钟艳　郜邦鹏　姜在铎　姜荣才　洪祥云　姚奇
秦思　袁杰　耿维东　聂晶　夏千明　夏斌斌　晏哲　钱特
徐雷　徐卫权　徐友滨　徐华丽　徐拂然　徐昌恕　徐泽鹤　徐德耀
高志平　郭丹丹　郭文华　唐鼎　涂育明　谈发明　黄莉　黄晓
黄楚　黄必胜　黄发慧　黄智洪　曹百惠　戚倩倩　龚玲　龚颜
龚绪毅　康四和　梁明华　寇章丽　彭宇　彭义平　彭建波　彭荣越
彭宣文　彭家庆　葛关平　董喜　董小阳　韩永界　韩劲松　森林
喻剑　喻涛　喻志华　喻雄华　程志　程月明　程淑琴　答国政
舒勇　舒佳惠　舒朝辉　童志军　曾凡奇　游秋云　蒯梦婷　雷普
雷大勇　雷志红　雷梦玉　詹建平　詹爱明　蔡志江　蔡宏涛　蔡洪容
蔡清萍　蔡朝晖　裴光明　廖敏　谭卫民　谭文勇　谭洪波　熊睿

熊小燕　熊兴军　熊志恒　熊林波　熊国飞　熊德琴　黎　曙　黎钟强

潘云霞　薛　辉　魏　敏　魏继雄

品种审定委员会（按姓氏笔画排序）

王志平　刘合刚　杨红兵　吴和珍　汪乐原　黄　晓　森　林　潘宏林

审稿委员（按姓氏笔画排序）

王　平　艾中柱　刘合刚　李建强　李晓东　肖　凌　吴和珍　余　坤

汪乐原　张　燕　陈林霖　陈科力　陈家春　苟君波　袁德培　聂　晶

徐　雷　黄　晓　黄必胜　康四和　詹亚华　廖朝林

3

《中国中药资源大典·湖北卷 1》

编写委员会

主　编　吴和珍　王　平　刘合刚

副主编　甘啟良　蔡洪容　刘　迪　刘丹萍

黄 序

　　湖北省位于我国中部，地处亚热带季风气候区，位于第二级阶梯向第三级阶梯的过渡地带，温暖湿润的气候和复杂多样的地貌类型孕育了丰富的中药资源。

　　中药资源是中医药事业和中药产业发展的重要物质基础，是国家重要的战略性资源。湖北省作为第四次全国中药资源普查的试点省区之一，于 2011 年 12 月启动中药资源普查工作，历时 11 年，完成了 103 个县（自治县、市、区、林区）的中药资源普查工作，摸清了湖北省中药资源情况。《中国中药资源大典·湖北卷》由湖北省卫生健康委员会、湖北省中医药管理局组织编写，以普查获取的数据资料为基础，凝聚了全体普查"伙计"的共同心血与智慧，以较全面地展现了湖北省中药资源现状，具有重要的学术价值。

　　我曾多次与湖北省的"伙计们"一起跋山涉水开展中药资源调查，其间有许多新发现和新认识，如在蕲春县仙人台发现了失传已久的"九牛草"[*Artemisia stolonifera* (Maxim.) Komar.]。"伙计们"的专业精神令人感动，该书付梓之际，欣然为序。

中国工程院院士

中国中医科学院院长

第四次全国中药资源普查技术指导专家组组长

2024 年 3 月

前　言

湖北省地处我国中部，属于典型的亚热带季风气候区。全省地势大致为东、西、北三面环山，中间低平，略呈向南敞开的不完整盆地。湖北省西部的武陵山区、秦巴山区为我国第二级阶梯山地地区，海拔落差大，小气候明显；东南部属于我国第三级阶梯，日照充足，降水丰富，环境适宜。多样的地理环境与气候特征孕育了湖北省丰富的中药资源，湖北省历来被称为"华中药库"，为我国中药生产的重要基地。

2011年，在第四次全国中药资源普查试点工作启动之际，湖北省系统梳理本省在中药资源普查队伍、产业规模、政策支持等方面的优势，向全国中药资源普查办公室提交试点申请，获得批准，并于2011年12月18日正式启动普查工作。湖北省历时11年，分6批完成了全省103个县（自治县、市、区、林区）的野外普查工作。为进一步梳理普查成果，促进成果转化应用，湖北省于2019年7月29日启动《中国中药资源大典·湖北卷》的编写工作。

《中国中药资源大典·湖北卷》分为上、中、下三篇，共10册。上篇主要介绍湖北省的地理环境和气候特征、第四次中药资源普查实施情况、中药资源概况、中药资源开发利用情况、中药资源发展规划简介，以及湖北省新种、新记录种。中篇介绍湖北省道地、大宗药材，每种药材包括来源、原植物形态、野生资源、栽培资源、采收加工、药材性状、功能主治、用法用量、附注 9 项内容。下篇主要按照《中国植物志》的分类方法，以科、属为主线，分类介绍湖北省植物类中药资源，以便于读者了解湖北省植物类中药资源的种类、分布及应用现状等。

湖北省第四次中药资源普查共普查到植物类中药资源 4 834 种，其中具有药用历史的植物类中药资源 4 346 种。《中国中药资源大典·湖北卷》共收载植物类中药资源 3 298 种。普查过程中，发现新属 1 个、新种 17 个，重新采集模式标本 4 个，发现新分布记录科 2 个、新分布记录属 6 个。

《中国中药资源大典·湖北卷》目前收载的主要为植物类中药资源，动物类中药资源、矿物类中药资源和部分暂未收载的植物类中药资源将在补编中收载。

《中国中药资源大典·湖北卷》的编写工作由湖北省卫生健康委员会、湖北省中医药管理局组织，湖北省中药资源普查办公室、湖北中医药大学普查工作专班承担。本书是参与湖北省中药资源普查工作的全体同志智慧的结晶，在编写过程中得到了全国中药资源普查办公室和湖北省相关部门的大力支持，全省各普查单位、相关高校及科研院所的无私帮助，有关专家的悉心指导。在此，对所有领导、专家学者、普查队员等的辛勤付出表示诚挚的谢意和崇高的敬意！

本书可能存在不足之处，敬请读者不吝指正，以期后续完善和提高。

编　者

2024 年 2 月

凡 例

（1）本书共 10 册，分为上、中、下篇。上篇综述了湖北省的地理环境和气候特征、第四次中药资源普查实施情况、中药资源概况、中药资源开发利用情况、中药资源发展规划及新种、新记录种；中篇论述了 121 种湖北省道地、大宗药材；下篇共收录植物类中药资源 3 298 种。

（2）本书下篇主要介绍各中药资源，以中药资源名为条目名，下设药材名、形态特征、生境分布、资源情况、采收加工、功能主治及附注等，其中资源情况、采收加工、附注为非必要项，资料不详者项目从略。各项目编写原则简述如下。

1）条目名。该项记述中药资源物种及其科属的中文名、拉丁学名。其中菌类、苔藓类的名称主要参考《中华本草》，蕨类、裸子植物、被子植物的名称主要参考《中国植物志》。

2）药材名。该项记述中药资源的药材名。凡《中华人民共和国药典》等法定标准收载者，原则上采用法定药材名；法定标准未收载者，主要参考《中华本草》《全国中草药名鉴》《中国中药资源志要》。

3）形态特征。该项简要描述中药资源的形态特征，突出鉴别特征。主要参考《中国植物志》，并结合普查实际所获取的信息进行描述。

4）生境分布。该项记述中药资源在湖北省的生存环境与分布区域。生存环境主要源于普查实际获取的生境信息，并参考相关志书的描述。分布区域主要介绍中药资源的分布情况，源于植物标本采集地。

5）资源情况。该项记述中药资源的蕴藏量情况，用丰富、较丰富、一般、较少、稀少来表示；并用"野生"或"栽培"记述药材的主要来源。

6）采收加工。该项记述药材的采收时间与加工方法。

7）功能主治。该项主要记述药材的功能和主治。

8）附注。该项记载中药资源最新的分类学地位与接受名的变动情况；记载《中华人民共和国药典》与地方标准收载的物种学名；描述物种其他医药相关用途，以及本草、地方志书中的相关记载情况等。

（3）附录。以名录形式收载中篇、下篇没有收载的湖北药用植物资源。

第1册

上 篇

湖北省中药资源概论

第一章　湖北省地理环境和气候特征 ⸱⸱⸱⸱⸱⸱⸱⸱⸱⸱⸱⸱⸱⸱⸱⸱⸱⸱⸱⸱⸱⸱⸱⸱⸱⸱ [1] 3

一、地理环境 ⸱⸱ [1] 4

二、气候特征 ⸱⸱ [1] 6

第二章　湖北省第四次中药资源普查实施情况 ⸱⸱⸱⸱⸱⸱⸱⸱⸱⸱⸱⸱⸱⸱⸱ [1] 7

一、普查实施阶段 ⸱⸱⸱ [1] 8

二、普查工作概况 ⸱⸱⸱ [1] 9

三、普查工作的主要特色 ⸱⸱⸱⸱⸱⸱⸱⸱⸱⸱⸱⸱⸱⸱⸱⸱⸱⸱⸱⸱⸱⸱⸱⸱⸱⸱⸱⸱⸱⸱⸱⸱ [1] 11

四、普查工作取得的主要成果 ⸱⸱⸱⸱⸱⸱⸱⸱⸱⸱⸱⸱⸱⸱⸱⸱⸱⸱⸱⸱⸱⸱⸱⸱⸱⸱⸱ [1] 13

第三章　湖北省中药资源概况 ⸱⸱⸱⸱⸱⸱⸱⸱⸱⸱⸱⸱⸱⸱⸱⸱⸱⸱⸱⸱⸱⸱⸱⸱⸱⸱⸱⸱⸱ [1] 17

一、湖北省中药资源分布区概况 ⸱⸱⸱⸱⸱⸱⸱⸱⸱⸱⸱⸱⸱⸱⸱⸱⸱⸱⸱⸱⸱⸱⸱⸱ [1] 18

二、湖北省民族（土家族）药概况 ⸱⸱⸱⸱⸱⸱⸱⸱⸱⸱⸱⸱⸱⸱⸱⸱⸱⸱⸱⸱⸱ [1] 22

三、湖北省药用植（动）物栽培（养殖）资源概况 ⸱⸱⸱ [1] 23

四、湖北省中药材市场流通概况 ⸱⸱⸱⸱⸱⸱⸱⸱⸱⸱⸱⸱⸱⸱⸱⸱⸱⸱⸱⸱⸱⸱⸱⸱ [1] 27

第四章　湖北省中药资源开发利用情况 ⸱⸱⸱⸱⸱⸱⸱⸱⸱⸱⸱⸱⸱⸱⸱⸱⸱⸱ [1] 51

一、中药资源利用特点 ⸱⸱⸱⸱⸱⸱⸱⸱⸱⸱⸱⸱⸱⸱⸱⸱⸱⸱⸱⸱⸱⸱⸱⸱⸱⸱⸱⸱⸱⸱⸱⸱ [1] 52

二、中药资源发展中存在的问题 ················· [1] 52

第五章　湖北省中药资源发展规划（省级、县级规划）简介 ········· [1] 55

一、湖北省规划 ······················· [1] 56

二、具代表性的县（林区）规划 ··············· [1] 57

第六章　湖北省新种、新记录种 ················· [1] 59

中 篇

湖北省道地、大宗药材

艾叶 ················· [1] 85

八角莲 ··············· [1] 89

白及 ················· [1] 92

白前 ················· [1] 96

白芍 ················· [1] 100

白芷 ················· [1] 102

白术 ················· [1] 105

白扁豆 ··············· [1] 108

白附子 ··············· [1] 110

白首乌 ··············· [1] 113

百部 ················· [1] 116

百合 ················· [1] 120

板蓝根 ··············· [1] 124

半夏 ················· [1] 126

半枝莲 ··············· [1] 130

薄荷 ················· [1] 134

鳖甲 ················· [1] 138

苍术 ················· [1] 142

柴胡 ················· [1] 146

车前子 ··············· [1] 149

陈皮 ················· [1] 151

重楼 ················· [1] 154

川牛膝 ··············· [1] 158

刺五加 ··············· [1] 161

大黄 ················· [1] 164

大枣 ················· [1] 168

丹参 ················· [1] 172

当归 ················· [1] 179

党参 ················· [1] 182

地黄 ················· [1] 186

独活 ················· [1] 189

杜鹃花根、杜鹃花叶、
　杜鹃花 ············· [1] 192

杜仲 ················· [1] 195

防风 ················· [1] 202

佛手 ················· [1] 205

茯苓 ················· [1] 208

附子 ················· [1] 214

藁本 ················· [1] 218

葛根、葛花 ············· [1] 220

瓜蒌 ················· [1] 224

何首乌 ··············· [1] 229

红花 ················· [1] 233

红豆杉 ··············· [1] 236

厚朴 ················· [1] 239

湖北贝母 ·············· [1] 242

花椒	[1] 245	丝瓜络	[1] 366
黄柏	[1] 247	太子参	[1] 369
黄精	[1] 251	天冬	[1] 372
黄连	[1] 255	天麻	[1] 375
黄芩	[1] 268	天南星	[1] 377
桔梗	[1] 271	甜叶菊	[1] 380
菝葜	[1] 275	龟甲	[1] 382
菊花	[1] 278	吴茱萸	[1] 386
决明子	[1] 281	蜈蚣	[1] 390
苦参	[1] 284	五倍子	[1] 394
款冬花	[1] 287	五加皮	[1] 398
雷公藤	[1] 289	夏枯草	[1] 402
莲子	[1] 292	仙鹤草	[1] 405
猕猴桃	[1] 296	小茴香	[1] 408
牡丹皮	[1] 299	续断	[1] 410
木瓜	[1] 302	玄参	[1] 414
闹羊花	[1] 306	延胡索	[1] 417
牛膝	[1] 309	益母草	[1] 419
牛蒡子	[1] 313	薏苡仁	[1] 423
糯稻根	[1] 316	白果、银杏叶	[1] 425
佩兰	[1] 318	鱼腥草	[1] 429
枇杷叶	[1] 321	玉竹	[1] 433
前胡	[1] 324	预知子、木通	[1] 437
芡实	[1] 328	月季花	[1] 442
桑叶、桑枝、桑白皮	[1] 331	皂角刺、猪牙皂、大皂角	[1] 445
山药	[1] 336	泽泻	[1] 449
山楂	[1] 339	知母	[1] 452
山茱萸	[1] 342	栀子	[1] 455
射干	[1] 346	枳实	[1] 459
升麻	[1] 349	猪苓	[1] 463
生姜	[1] 352	竹节参	[1] 466
石斛	[1] 355	紫苏叶	[1] 470
石菖蒲	[1] 359	紫菀	[1] 473
水蛭	[1] 363		

下 篇

湖北省中药资源各论

菌类植物 ················· [1] 479

  曲霉科 ················· [1] 480

    红曲 ················· [1] 480

  木耳科 ················· [1] 482

    木耳 ················· [1] 482

    毛木耳 ················· [1] 484

  陵齿蕨科 ················· [1] 486

    乌蕨 ················· [1] 486

  多孔菌科 ················· [1] 488

    彩绒革盖菌 ················· [1] 488

    树舌 ················· [1] 490

    赤芝 ················· [1] 492

    紫芝 ················· [1] 494

    猪苓 ················· [1] 496

    茯苓 ················· [1] 498

  鬼笔科 ················· [1] 500

    竹荪 ················· [1] 500

    深红鬼笔 ················· [1] 502

地衣类植物 ················· [1] 505

  牛皮叶科 ················· [1] 506

    老龙皮 ················· [1] 506

    网肺衣 ················· [1] 508

  石耳科 ················· [1] 510

    石耳 ················· [1] 510

  松萝科 ················· [1] 512

    长松萝 ················· [1] 512

苔藓类植物 ················· [1] 515

  蛇苔科 ················· [1] 516

    蛇苔 ················· [1] 516

  地钱科 ················· [1] 518

    地钱 ················· [1] 518

  泥炭藓科 ················· [1] 520

    泥炭藓 ················· [1] 520

  葫芦藓科 ················· [1] 522

    葫芦藓 ················· [1] 522

  真藓科 ················· [1] 524

    暖地大叶藓 ················· [1] 524

  万年藓科 ················· [1] 526

    万年藓 ················· [1] 526

  羽藓科 ················· [1] 528

    大羽藓 ················· [1] 528

  灰藓科 ················· [1] 530

    大灰藓 ················· [1] 530

  金发藓科 ················· [1] 532

    东亚小金发藓 ················· [1] 532

    金发藓 ················· [1] 534

蕨类植物 ················· [1] 537

  瓶尔小草科 ················· [1] 538

    尖头瓶尔小草 ················· [1] 538

    心脏叶瓶尔小草 ················· [1] 540

    狭叶瓶尔小草 ················· [1] 542

    瓶尔小草 ················· [1] 544

  阴地蕨科 ················· [1] 546

    华东阴地蕨 ················· [1] 546

    粗壮阴地蕨 ················· [1] 548

    阴地蕨 ················· [1] 550

    蕨萁 ················· [1] 552

  紫萁科 ················· [1] 554

    绒紫萁 ················· [1] 554

紫萁 — [1] 556

瘤足蕨科 — [1] 558
　耳形瘤足蕨 — [1] 558

海金沙科 — [1] 560
　海金沙 — [1] 560
　小叶海金沙 — [1] 562

莎草蕨科 — [1] 564
　莎草蕨 — [1] 564

里白科 — [1] 566
　大芒萁 — [1] 566
　芒萁 — [1] 568
　铁芒萁 — [1] 570
　里白 — [1] 572
　光里白 — [1] 574

膜蕨科 — [1] 576
　小果蕗蕨 — [1] 576

蚌壳蕨科 — [1] 578
　金毛狗脊 — [1] 578

姬蕨科 — [1] 580
　细毛碗蕨 — [1] 580
　溪洞碗蕨 — [1] 582
　姬蕨 — [1] 584
　边缘鳞盖蕨 — [1] 586

凤尾蕨科 — [1] 588
　凤尾蕨 — [1] 588
　岩凤尾蕨 — [1] 590
　刺齿半边旗 — [1] 592
　剑叶凤尾蕨 — [1] 594
　溪边凤尾蕨 — [1] 596
　狭叶凤尾蕨 — [1] 598
　井栏边草 — [1] 600
　半边旗 — [1] 602
　蜈蚣草 — [1] 604

中国蕨科 — [1] 606
　银粉背蕨 — [1] 606
　陕西粉背蕨 — [1] 608

中华隐囊蕨 — [1] 610
毛轴碎米蕨 — [1] 612
野雉尾金粉蕨 — [1] 614
湖北金粉蕨 — [1] 616
凤尾旱蕨 — [1] 618

铁线蕨科 — [1] 620
　毛足铁线蕨 — [1] 620
　团羽铁线蕨 — [1] 622
　铁线蕨 — [1] 624
　鞭叶铁线蕨 — [1] 626
　肾盖铁线蕨 — [1] 628
　扇叶铁线蕨 — [1] 630
　假鞭叶铁线蕨 — [1] 632
　灰背铁线蕨 — [1] 634
　掌叶铁线蕨 — [1] 636

裸子蕨科 — [1] 638
　峨眉凤丫蕨 — [1] 638
　普通凤丫蕨 — [1] 640
　无毛凤丫蕨 — [1] 642
　凤丫蕨 — [1] 644
　黑轴凤丫蕨 — [1] 646

书带蕨科 — [1] 648
　书带蕨 — [1] 648
　平肋书带蕨 — [1] 650
　小叶书带蕨 — [1] 652

蹄盖蕨科 — [1] 654
　日本蹄盖蕨 — [1] 654
　光蹄盖蕨 — [1] 656
　中华蹄盖蕨 — [1] 658
　华中蹄盖蕨 — [1] 660
　冷蕨 — [1] 662
　介蕨 — [1] 664
　单叶双盖蕨 — [1] 666
　鄂西介蕨 — [1] 668
　华中介蕨 — [1] 670

肿足蕨科 ---------------- [1] 672
　肿足蕨 ---------------- [1] 672
金星蕨科 ---------------- [1] 674
　渐尖毛蕨 -------------- [1] 674
　干旱毛蕨 -------------- [1] 676
　齿牙毛蕨 -------------- [1] 678
　毛蕨 ------------------ [1] 680
　华南毛蕨 -------------- [1] 682
　针毛蕨 ---------------- [1] 684
　普通针毛蕨 ------------ [1] 686
　金星蕨 ---------------- [1] 688
　中日金星蕨 ------------ [1] 690
　延羽卵果蕨 ------------ [1] 692
　披针新月蕨 ------------ [1] 694
　西南假毛蕨 ------------ [1] 696
　普通假毛蕨 ------------ [1] 698
铁角蕨科 ---------------- [1] 700
　华南铁角蕨 ------------ [1] 700
　齿果铁角蕨 ------------ [1] 702
　虎尾铁角蕨 ------------ [1] 704
　胎生铁角蕨 ------------ [1] 706
　宝兴铁角蕨 ------------ [1] 708
　倒挂铁角蕨 ------------ [1] 710
　北京铁角蕨 ------------ [1] 712
　长叶铁角蕨 ------------ [1] 714
　华中铁角蕨 ------------ [1] 716
　铁角蕨 ---------------- [1] 718
　三翅铁角蕨 ------------ [1] 720
　变异铁角蕨 ------------ [1] 722
　闽浙铁角蕨 ------------ [1] 724
　狭翅铁角蕨 ------------ [1] 726
球子蕨科 ---------------- [1] 728
　东方荚果蕨 ------------ [1] 728
　荚果蕨 ---------------- [1] 730
岩蕨科 ------------------ [1] 732
　岩蕨 ------------------ [1] 732

耳羽岩蕨 ---------------- [1] 734
乌毛蕨科 ---------------- [1] 736
　乌毛蕨 ---------------- [1] 736
　苏铁蕨 ---------------- [1] 738
　荚囊蕨 ---------------- [1] 740
　东方狗脊 -------------- [1] 742
鳞毛蕨科 ---------------- [1] 744
　多距复叶耳蕨 ---------- [1] 744
　斜方复叶耳蕨 ---------- [1] 746
　异羽复叶耳蕨 ---------- [1] 748
　镰羽贯众 -------------- [1] 750
　刺齿贯众 -------------- [1] 752
　全缘贯众 -------------- [1] 754
　贯众 ------------------ [1] 756
　小羽贯众 -------------- [1] 758
　大叶贯众 -------------- [1] 760
　低头贯众 -------------- [1] 762
　秦岭贯众 -------------- [1] 764
　两色鳞毛蕨 ------------ [1] 766
　阔鳞鳞毛蕨 ------------ [1] 768
　红盖鳞毛蕨 ------------ [1] 770
　黑足鳞毛蕨 ------------ [1] 772
　黑鳞鳞毛蕨 ------------ [1] 774
　半岛鳞毛蕨 ------------ [1] 776
　尖齿耳蕨 -------------- [1] 778
　镰羽耳蕨 -------------- [1] 780
　鞭叶耳蕨 -------------- [1] 782
　对生耳蕨 -------------- [1] 784
　宜昌耳蕨 -------------- [1] 786
　亮叶耳蕨 -------------- [1] 788
　黑鳞耳蕨 -------------- [1] 790
　革叶耳蕨 -------------- [1] 792
　对马耳蕨 -------------- [1] 794
　剑叶耳蕨 -------------- [1] 796
骨碎补科 ---------------- [1] 798
　骨碎补 ---------------- [1] 798

第 2 册

被子植物 ———————————— [2] 1

水龙骨科 ———————————— [2] 2
节肢蕨 ———————————— [2] 2
龙头节肢蕨 ————————— [2] 4
矩圆线蕨 ————————— [2] 6
丝带蕨 ———————————— [2] 8
伏石蕨 ———————————— [2] 10
披针骨牌蕨 ————————— [2] 12
抱石莲 ———————————— [2] 14
中间骨牌蕨 ————————— [2] 16
梨叶骨牌蕨 ————————— [2] 18
骨牌蕨 ———————————— [2] 20
鳞果星蕨 ————————— [2] 22
黄瓦韦 ———————————— [2] 24
二色瓦韦 ————————— [2] 26
大瓦韦 ———————————— [2] 28
有边瓦韦 ————————— [2] 30
粤瓦韦 ———————————— [2] 32
鳞瓦韦 ———————————— [2] 34
棕鳞瓦韦 ————————— [2] 36
瓦韦 ————————————— [2] 38
乌苏里瓦韦 ————————— [2] 40
江南星蕨 ————————— [2] 42
星蕨 ————————————— [2] 44
盾蕨 ————————————— [2] 46
三角叶盾蕨 ————————— [2] 48
交连假瘤蕨 ————————— [2] 50
大果假瘤蕨 ————————— [2] 52
金鸡脚假瘤蕨 ———————— [2] 54
宽底假瘤蕨 ————————— [2] 56
斜下假瘤蕨 ————————— [2] 58
友水龙骨 ————————— [2] 60
中华水龙骨 ————————— [2] 62

日本水龙骨 ————————— [2] 64
贴生石韦 ————————— [2] 66
相近石韦 ————————— [2] 68
光石韦 ———————————— [2] 70
华北石韦 ————————— [2] 72
毡毛石韦 ————————— [2] 74
西南石韦 ————————— [2] 76
石韦 ————————————— [2] 78
有柄石韦 ————————— [2] 80
柔软石韦 ————————— [2] 82
庐山石韦 ————————— [2] 84
相似石韦 ————————— [2] 86
石蕨 ————————————— [2] 88

槲蕨科 ———————————— [2] 90
槲蕨 ———————————— [2] 90

剑蕨科 ———————————— [2] 92
褐柄剑蕨 ————————— [2] 92
台湾剑蕨 ————————— [2] 94
匙叶剑蕨 ————————— [2] 96
柳叶剑蕨 ————————— [2] 98

苹科 —————————————— [2] 100
苹 ——————————————— [2] 100

石杉科 ———————————— [2] 102
蛇足石杉 ————————— [2] 102

石松科 ———————————— [2] 104
扁枝石松 ————————— [2] 104
藤石松 ———————————— [2] 106
石松 ————————————— [2] 108
玉柏 ————————————— [2] 110
垂穗石松 ————————— [2] 112

卷柏科 ———————————— [2] 114
布朗卷柏 ————————— [2] 114
蔓出卷柏 ————————— [2] 116

薄叶卷柏 ················· [2] 118

深绿卷柏 ················· [2] 120

粗叶卷柏 ················· [2] 122

兖州卷柏 ················· [2] 124

小翠云 ················· [2] 126

细叶卷柏 ················· [2] 128

江南卷柏 ················· [2] 130

伏地卷柏 ················· [2] 132

垫状卷柏 ················· [2] 134

旱生卷柏 ················· [2] 136

卷柏 ················· [2] 138

翠云草 ················· [2] 140

鞘舌卷柏 ················· [2] 142

木贼科 ················· [2] 144

问荆 ················· [2] 144

披散木贼 ················· [2] 146

木贼 ················· [2] 148

节节草 ················· [2] 150

笔管草 ················· [2] 152

松叶蕨科 ················· [2] 154

松叶蕨 ················· [2] 154

苏铁科 ················· [2] 156

叉叶苏铁 ················· [2] 156

苏铁 ················· [2] 158

银杏科 ················· [2] 160

银杏 ················· [2] 160

松科 ················· [2] 164

秦岭冷杉 ················· [2] 164

冷杉 ················· [2] 166

巴山冷杉 ················· [2] 168

雪松 ················· [2] 170

铁坚油杉 ················· [2] 172

落叶松 ················· [2] 174

日本落叶松 ················· [2] 176

长白鱼鳞云杉 ················· [2] 178

华山松 ················· [2] 180

白皮松 ················· [2] 182

高山松 ················· [2] 184

马尾松 ················· [2] 186

油松 ················· [2] 188

黑松 ················· [2] 190

金钱松 ················· [2] 192

杉科 ················· [2] 194

池杉 ················· [2] 194

柏科 ················· [2] 196

美国扁柏 ················· [2] 196

台湾扁柏 ················· [2] 198

日本柳杉 ················· [2] 200

柳杉 ················· [2] 202

杉木 ················· [2] 204

柏木 ················· [2] 206

福建柏 ················· [2] 208

圆柏 ················· [2] 210

刺柏 ················· [2] 212

杜松 ················· [2] 214

水杉 ················· [2] 216

侧柏 ················· [2] 218

千头柏 ················· [2] 220

窄冠侧柏 ················· [2] 222

龙柏 ················· [2] 223

塔柏 ················· [2] 224

金叶桧 ················· [2] 226

朝鲜崖柏 ················· [2] 228

罗汉松科 ················· [2] 230

罗汉松 ················· [2] 230

三尖杉科 ················· [2] 232

三尖杉 ················· [2] 232

篦子三尖杉 ················· [2] 234

粗榧 ················· [2] 236

红豆杉科 ················· [2] 238

穗花杉 ················· [2] 238

红豆杉 ················· [2] 240

南方红豆杉 ----- [2] 242
巴山榧树 ----- [2] 244
榧树 ----- [2] 246

香蒲科 ----- [2] 248
长苞香蒲 ----- [2] 248
宽叶香蒲 ----- [2] 250
香蒲 ----- [2] 252

黑三棱科 ----- [2] 254
黑三棱 ----- [2] 254

眼子菜科 ----- [2] 256
菹草 ----- [2] 256
眼子菜 ----- [2] 258
浮叶眼子菜 ----- [2] 260

泽泻科 ----- [2] 262
窄叶泽泻 ----- [2] 262
草泽泻 ----- [2] 264
东方泽泻 ----- [2] 266
小慈姑 ----- [2] 268
矮慈姑 ----- [2] 270
野慈姑 ----- [2] 272
慈姑 ----- [2] 274

禾本科 ----- [2] 276
看麦娘 ----- [2] 276
荩草 ----- [2] 278
矛叶荩草 ----- [2] 280
野古草 ----- [2] 282
芦竹 ----- [2] 284
莜麦 ----- [2] 286
野燕麦 ----- [2] 288
燕麦 ----- [2] 290
凤尾竹 ----- [2] 292
菵草 ----- [2] 294
白羊草 ----- [2] 296
雀麦 ----- [2] 298
疏花雀麦 ----- [2] 300
拂子茅 ----- [2] 302

细柄草 ----- [2] 304
沿沟草 ----- [2] 306
刺黑竹 ----- [2] 308
刺竹子 ----- [2] 310
薏米 ----- [2] 312
薏苡 ----- [2] 314
橘草 ----- [2] 316
狗牙根 ----- [2] 318
龙常草 ----- [2] 320
十字马唐 ----- [2] 322
马唐 ----- [2] 324
紫马唐 ----- [2] 326
长芒稗 ----- [2] 328
光头稗 ----- [2] 330
稗 ----- [2] 332
湖南稗子 ----- [2] 334
牛筋草 ----- [2] 336
鹅观草 ----- [2] 338
大画眉草 ----- [2] 340
知风草 ----- [2] 342
乱草 ----- [2] 344
小画眉草 ----- [2] 346
黑穗画眉草 ----- [2] 348
画眉草 ----- [2] 350
鲫鱼草 ----- [2] 352
假俭草 ----- [2] 354
蔗茅 ----- [2] 356
野黍 ----- [2] 358
拟金茅 ----- [2] 360
白竹 ----- [2] 362
牛鞭草 ----- [2] 364
黄茅 ----- [2] 366
大麦 ----- [2] 368
白茅 ----- [2] 370
丝茅 ----- [2] 372
阔叶箬竹 ----- [2] 374

箬竹 ----------------- [2] 376
鄂西箬竹 ------------- [2] 378
柳叶箬 --------------- [2] 380
假稻 ----------------- [2] 382
秕壳草 --------------- [2] 384
黑麦草 --------------- [2] 386
淡竹叶 --------------- [2] 388
中华淡竹叶 ----------- [2] 390
甘肃臭草 ------------- [2] 392
臭草 ----------------- [2] 394
五节芒 --------------- [2] 396
南荻 ----------------- [2] 398
芒 ------------------- [2] 400
慈竹 ----------------- [2] 402
竹叶草 --------------- [2] 404
求米草 --------------- [2] 406
稻 ------------------- [2] 408
糯稻 ----------------- [2] 410
糠稷 ----------------- [2] 412
稷 ------------------- [2] 414
双穗雀稗 ------------- [2] 416
圆果雀稗 ------------- [2] 418
雀稗 ----------------- [2] 420
丝毛雀稗 ------------- [2] 422
狼尾草 --------------- [2] 424
白草 ----------------- [2] 426
茅根 ----------------- [2] 428
显子草 --------------- [2] 430
鬼蜡烛 --------------- [2] 432
芦苇 ----------------- [2] 434
水竹 ----------------- [2] 436
淡竹 ----------------- [2] 438
毛竹 ----------------- [2] 440
篌竹 ----------------- [2] 442
紫竹 ----------------- [2] 444
金竹 ----------------- [2] 446

苦竹 ----------------- [2] 448
早熟禾 --------------- [2] 450
硬质早熟禾 ----------- [2] 452
金丝草 --------------- [2] 454
棒头草 --------------- [2] 456
筒轴茅 --------------- [2] 458
斑茅 ----------------- [2] 460
甘蔗 ----------------- [2] 462
囊颖草 --------------- [2] 464
大狗尾草 ------------- [2] 466
西南莩草 ------------- [2] 468
棕叶狗尾草 ----------- [2] 470
皱叶狗尾草 ----------- [2] 472
金色狗尾草 ----------- [2] 474
狗尾草 --------------- [2] 476
高粱 ----------------- [2] 478
油芒 ----------------- [2] 480
大油芒 --------------- [2] 482
鼠尾粟 --------------- [2] 484
苞子草 --------------- [2] 486
黄背草 --------------- [2] 488
菅 ------------------- [2] 490
虱子草 --------------- [2] 492
荻 ------------------- [2] 494
小麦 ----------------- [2] 496
玉蜀黍 --------------- [2] 498
菰 ------------------- [2] 500
莎草科 ----------- [2] 502
球柱草 --------------- [2] 502
浆果薹草 ------------- [2] 504
垂穗薹草 ------------- [2] 506
青绿薹草 ------------- [2] 508
褐果薹草 ------------- [2] 510
中华薹草 ------------- [2] 512
无喙囊薹草 ----------- [2] 514
签草 ----------------- [2] 516

穹隆薹草 ———————— [2] 518
日本薹草 ———————— [2] 520
舌叶薹草 ———————— [2] 522
翼果薹草 ———————— [2] 524
大理薹草 ———————— [2] 526
宽叶薹草 ———————— [2] 528
三穗薹草 ———————— [2] 530
阿穆尔莎草 ——————— [2] 532
扁穗莎草 ———————— [2] 534
异型莎草 ———————— [2] 536
穗穗莎草 ———————— [2] 538
头状穗莎草 ——————— [2] 540
风车草 ————————— [2] 542
碎米莎草 ———————— [2] 544
旋麟莎草 ———————— [2] 546
具芒碎米莎草 —————— [2] 548
白鳞莎草 ———————— [2] 550
三轮草 ————————— [2] 552
毛轴莎草 ———————— [2] 554
香附子 ————————— [2] 556
丛毛羊胡子草 —————— [2] 558
两歧飘拂草 ——————— [2] 560
短尖飘拂草 ——————— [2] 562
水虱草 ————————— [2] 564
烟台飘拂草 ——————— [2] 566
双穗飘拂草 ——————— [2] 568
荸荠 —————————— [2] 570
牛毛毡 ————————— [2] 572
水莎草 ————————— [2] 574
短叶水蜈蚣 ——————— [2] 576
三头水蜈蚣 ——————— [2] 578
磚子苗 ————————— [2] 580
球穗扁莎 ———————— [2] 582
红鳞扁莎 ———————— [2] 584

萤蔺 —————————— [2] 586
水毛花 ————————— [2] 588
水葱 —————————— [2] 590
三棱水葱 ———————— [2] 592
华东藨草 ———————— [2] 594
百球藨草 ———————— [2] 596
类头状花序藨草 ————— [2] 598
棕榈科 ————————— [2] 600
　棕榈 ————————— [2] 600
天南星科 ———————— [2] 602
　石菖蒲 ———————— [2] 602
　天南星 ———————— [2] 604
　半夏 ————————— [2] 606
　独角莲 ———————— [2] 608
浮萍科 ————————— [2] 610
　浮萍 ————————— [2] 610
　紫萍 ————————— [2] 612
谷精草科 ———————— [2] 614
　谷精草 ———————— [2] 614
　白药谷精草 —————— [2] 616
鸭跖草科 ———————— [2] 618
　饭包草 ———————— [2] 618
　鸭跖草 ———————— [2] 620
　大苞鸭跖草 —————— [2] 622
　波缘鸭跖草 —————— [2] 624
　疣草 ————————— [2] 626
　裸花水竹叶 —————— [2] 628
　水竹叶 ———————— [2] 630
　杜若 ————————— [2] 632
　川杜若 ———————— [2] 634
　竹叶吉祥草 —————— [2] 636
　竹叶子 ———————— [2] 638
　紫露草 ———————— [2] 640
　吊竹梅 ———————— [2] 642

第 3 册

被子植物 ———————————————— [3] 1

  雨久花科 ———————————————— [3] 2
    凤眼莲 ———————————————— [3] 2
  灯心草科 ———————————————— [3] 4
    翅茎灯心草 —————————————— [3] 4
    葱状灯心草 —————————————— [3] 6
    灯心草 ———————————————— [3] 8
    扁茎灯心草 —————————————— [3] 10
    野灯心草 —————————————— [3] 12
  百部科 ———————————————— [3] 14
    蔓生百部 —————————————— [3] 14
    直立百部 —————————————— [3] 16
    对叶百部 —————————————— [3] 18
  百合科 ———————————————— [3] 20
    粉条儿菜 —————————————— [3] 20
    狭瓣粉条儿菜 ————————————— [3] 22
    野葱 ———————————————— [3] 24
    葱 ————————————————— [3] 26
    玉簪叶韭 —————————————— [3] 28
    宽叶韭 ———————————————— [3] 30
    薤白 ———————————————— [3] 32
    卵叶韭 ———————————————— [3] 34
    天蒜 ———————————————— [3] 36
    太白韭 ———————————————— [3] 38
    野韭 ———————————————— [3] 40
    蒜 ————————————————— [3] 42
    茖葱 ———————————————— [3] 44
    知母 ———————————————— [3] 46
    天门冬 ———————————————— [3] 48
    湖北贝母 —————————————— [3] 50
    野百合 ———————————————— [3] 52
    百合 ———————————————— [3] 54
    禾叶山麦冬 —————————————— [3] 56

    长梗山麦冬 —————————————— [3] 58
    阔叶山麦冬 —————————————— [3] 60
    山麦冬 ———————————————— [3] 62
    棒叶沿阶草 —————————————— [3] 64
    异药沿阶草 —————————————— [3] 66
    间型沿阶草 —————————————— [3] 68
    麦冬 ———————————————— [3] 70
    西南沿阶草 —————————————— [3] 72
    阴生沿阶草 —————————————— [3] 74
    巴山重楼 —————————————— [3] 76
    七叶一枝花 —————————————— [3] 78
    华重楼 ———————————————— [3] 80
    云南重楼 —————————————— [3] 82
    毛重楼 ———————————————— [3] 84
    北重楼 ———————————————— [3] 86
    卷叶黄精 —————————————— [3] 88
    多花黄精 —————————————— [3] 90
    独花黄精 —————————————— [3] 92
    滇黄精 ———————————————— [3] 94
    大苞黄精 —————————————— [3] 96
    节根黄精 —————————————— [3] 98
    玉竹 ———————————————— [3] 100
    对叶黄精 —————————————— [3] 102
    黄精 ———————————————— [3] 104
    轮叶黄精 —————————————— [3] 106
    湖北黄精 —————————————— [3] 108
    吉祥草 ———————————————— [3] 110
    万年青 ———————————————— [3] 112
    金边虎尾兰 —————————————— [3] 114
    绵枣儿 ———————————————— [3] 116
    菝葜 ———————————————— [3] 118
  石蒜科 ———————————————— [3] 120
    龙舌兰 ———————————————— [3] 120

剑麻 ---------------------- [3] 122
仙茅 ---------------------- [3] 124
朱顶红 ---------------------- [3] 126
小金梅草 ---------------------- [3] 128
安徽石蒜 ---------------------- [3] 130
忽地笑 ---------------------- [3] 132
中国石蒜 ---------------------- [3] 134
长筒石蒜 ---------------------- [3] 136
葱莲 ---------------------- [3] 138
韭莲 ---------------------- [3] 140

薯蓣科 ---------------------- [3] 142
蜀葵叶薯蓣 ---------------------- [3] 142
黄独 ---------------------- [3] 144
薯茛 ---------------------- [3] 146
叉蕊薯蓣 ---------------------- [3] 148
粉背薯蓣 ---------------------- [3] 150
甘薯 ---------------------- [3] 152
绵萆薢 ---------------------- [3] 154
纤细薯蓣 ---------------------- [3] 156
高山薯蓣 ---------------------- [3] 158
日本薯蓣 ---------------------- [3] 160
毛芋头薯蓣 ---------------------- [3] 162
黑珠芽薯蓣 ---------------------- [3] 164
穿龙薯蓣 ---------------------- [3] 166
薯蓣 ---------------------- [3] 168
黄山药 ---------------------- [3] 170
五叶薯蓣 ---------------------- [3] 172
山萆薢 ---------------------- [3] 174
盾叶薯蓣 ---------------------- [3] 176

鸢尾科 ---------------------- [3] 178
射干 ---------------------- [3] 178
雄黄兰 ---------------------- [3] 180
唐菖蒲 ---------------------- [3] 182
单苞鸢尾 ---------------------- [3] 184
扁竹兰 ---------------------- [3] 186
蝴蝶花 ---------------------- [3] 188

白蝴蝶花 ---------------------- [3] 190
鸢尾 ---------------------- [3] 192
黄花鸢尾 ---------------------- [3] 194

姜科 ---------------------- [3] 196
高良姜 ---------------------- [3] 196
姜黄 ---------------------- [3] 198
姜花 ---------------------- [3] 200
蘘荷 ---------------------- [3] 202
姜 ---------------------- [3] 204
阳荷 ---------------------- [3] 206

美人蕉科 ---------------------- [3] 208
粉美人蕉 ---------------------- [3] 208

兰科 ---------------------- [3] 210
无柱兰 ---------------------- [3] 210
金线兰 ---------------------- [3] 212
白及 ---------------------- [3] 214
广东石豆兰 ---------------------- [3] 216
毛药卷瓣兰 ---------------------- [3] 218
斑唇卷瓣兰 ---------------------- [3] 220
伞花石豆兰 ---------------------- [3] 222
泽泻虾脊兰 ---------------------- [3] 224
流苏虾脊兰 ---------------------- [3] 226
剑叶虾脊兰 ---------------------- [3] 228
虾脊兰 ---------------------- [3] 230
钩距虾脊兰 ---------------------- [3] 232
银兰 ---------------------- [3] 234
金兰 ---------------------- [3] 236
独花兰 ---------------------- [3] 238
蜈蚣兰 ---------------------- [3] 240
杜鹃兰 ---------------------- [3] 242
建兰 ---------------------- [3] 244
蕙兰 ---------------------- [3] 246
多花兰 ---------------------- [3] 248
春兰 ---------------------- [3] 250
兔耳兰 ---------------------- [3] 252
杓兰 ---------------------- [3] 254

大叶构兰 ----------- [3] 256

绿花构兰 ----------- [3] 258

扇脉构兰 ----------- [3] 260

大花构兰 ----------- [3] 262

钩状石斛 ----------- [3] 264

流苏石斛 ----------- [3] 266

细叶石斛 ----------- [3] 268

霍山石斛 ----------- [3] 270

罗河石斛 ----------- [3] 272

细茎石斛 ----------- [3] 274

金钗石斛 ----------- [3] 276

铁皮石斛 ----------- [3] 278

广东石斛 ----------- [3] 280

单叶厚唇兰 --------- [3] 282

火烧兰 ------------- [3] 284

大叶火烧兰 --------- [3] 286

细毛火烧兰 --------- [3] 288

毛萼山珊瑚 --------- [3] 290

台湾盆距兰 --------- [3] 292

天麻 --------------- [3] 294

小斑叶兰 ----------- [3] 296

斑叶兰 ------------- [3] 298

西南手参 ----------- [3] 300

毛葶玉凤花 --------- [3] 302

长距玉凤花 --------- [3] 304

裂瓣玉凤花 --------- [3] 306

瘦房兰 ------------- [3] 308

镰翅羊耳蒜 --------- [3] 310

二褶羊耳蒜 --------- [3] 312

小羊耳蒜 ----------- [3] 314

羊耳蒜 ------------- [3] 316

香花羊耳蒜 --------- [3] 318

纤叶钗子股 --------- [3] 320

山兰 --------------- [3] 322

阔蕊兰 ------------- [3] 324

黄花鹤顶兰 --------- [3] 326

蝴蝶兰 ------------- [3] 328

云南石仙桃 --------- [3] 330

密花舌唇兰 --------- [3] 332

舌唇兰 ------------- [3] 334

尾瓣舌唇兰 --------- [3] 336

小舌唇兰 ----------- [3] 338

独蒜兰 ------------- [3] 340

绶草 --------------- [3] 342

带唇兰 ------------- [3] 344

小花蜻蜓兰 --------- [3] 346

三白草科 ----------- [3] 348

蕺菜 --------------- [3] 348

三白草 ------------- [3] 350

胡椒科 ------------- [3] 352

草胡椒 ------------- [3] 352

小叶爬崖香 --------- [3] 354

山蒟 --------------- [3] 356

毛蒟 --------------- [3] 358

石南藤 ------------- [3] 360

金粟兰科 ----------- [3] 362

狭叶金粟兰 --------- [3] 362

多穗金粟兰 --------- [3] 364

丝穗金粟兰 --------- [3] 366

宽叶金粟兰 --------- [3] 368

湖北金粟兰 --------- [3] 370

毛脉金粟兰 --------- [3] 372

银线草 ------------- [3] 374

及己 --------------- [3] 376

金粟兰 ------------- [3] 378

草珊瑚 ------------- [3] 380

杨柳科 ------------- [3] 382

垂柳 --------------- [3] 382

黄花柳 ------------- [3] 384

腺柳 --------------- [3] 386

川鄂柳 ------------- [3] 388

旱柳 --------------- [3] 390

红皮柳 ----------------------- [3] 392
三蕊柳 ----------------------- [3] 394
皂柳 ----------------------- [3] 396
紫柳 ----------------------- [3] 398
杨梅科 ----------------------- [3] 400
杨梅 ----------------------- [3] 400
胡桃科 ----------------------- [3] 402
山核桃 ----------------------- [3] 402
青钱柳 ----------------------- [3] 404
野核桃 ----------------------- [3] 406
胡桃楸 ----------------------- [3] 408
胡桃 ----------------------- [3] 410
化香树 ----------------------- [3] 412
湖北枫杨 ----------------------- [3] 414
枫杨 ----------------------- [3] 416
桦木科 ----------------------- [3] 418
桤木 ----------------------- [3] 418
江南桤木 ----------------------- [3] 420
西桦 ----------------------- [3] 422
亮叶桦 ----------------------- [3] 424
糙皮桦 ----------------------- [3] 426
华千金榆 ----------------------- [3] 428
川陕鹅耳枥 ----------------------- [3] 430
湖北鹅耳枥 ----------------------- [3] 432
昌化鹅耳枥 ----------------------- [3] 434
雷公鹅耳枥 ----------------------- [3] 436
华榛 ----------------------- [3] 438
藏刺榛 ----------------------- [3] 440
榛 ----------------------- [3] 442
川榛 ----------------------- [3] 444
毛榛 ----------------------- [3] 446
滇榛 ----------------------- [3] 448
壳斗科 ----------------------- [3] 450
锥栗 ----------------------- [3] 450
栗 ----------------------- [3] 452
茅栗 ----------------------- [3] 454

钩锥 ----------------------- [3] 456
黄毛青冈 ----------------------- [3] 458
青冈 ----------------------- [3] 460
小叶青冈 ----------------------- [3] 462
米心水青冈 ----------------------- [3] 464
水青冈 ----------------------- [3] 466
柯 ----------------------- [3] 468
灰柯 ----------------------- [3] 470
木姜叶柯 ----------------------- [3] 472
麻栎 ----------------------- [3] 474
槲栎 ----------------------- [3] 476
橿子栎 ----------------------- [3] 478
槲树 ----------------------- [3] 480
匙叶栎 ----------------------- [3] 482
巴东栎 ----------------------- [3] 484
白栎 ----------------------- [3] 486
乌冈栎 ----------------------- [3] 488
高山栎 ----------------------- [3] 490
枹栎 ----------------------- [3] 492
栓皮栎 ----------------------- [3] 494
榆科 ----------------------- [3] 496
紫弹树 ----------------------- [3] 496
黑弹树 ----------------------- [3] 500
朴树 ----------------------- [3] 502
兴山榆 ----------------------- [3] 504
大果榆 ----------------------- [3] 506
榔榆 ----------------------- [3] 508
榆树 ----------------------- [3] 510
桑科 ----------------------- [3] 514
藤构 ----------------------- [3] 514
楮 ----------------------- [3] 516
构树 ----------------------- [3] 518
大麻 ----------------------- [3] 520
构棘 ----------------------- [3] 522
柘树 ----------------------- [3] 524
水蛇麻 ----------------------- [3] 528

无花果 ------ [3] 530

异叶榕 ------ [3] 534

薜荔 ------ [3] 538

珍珠莲 ------ [3] 540

爬藤榕 ------ [3] 544

黄葛树 ------ [3] 546

桑 ------ [3] 548

鸡桑 ------ [3] 550

蒙桑 ------ [3] 552

荨麻科 ------ [3] 554

序叶苎麻 ------ [3] 554

细野麻 ------ [3] 556

大叶苎麻 ------ [3] 558

苎麻 ------ [3] 560

长叶苎麻 ------ [3] 562

赤麻 ------ [3] 564

小赤麻 ------ [3] 566

悬铃叶苎麻 ------ [3] 568

长叶水麻 ------ [3] 570

水麻 ------ [3] 574

短齿楼梯草 ------ [3] 578

宜昌楼梯草 ------ [3] 580

楼梯草 ------ [3] 582

托叶楼梯草 ------ [3] 584

庐山楼梯草 ------ [3] 586

疣果楼梯草 ------ [3] 588

大蝎子草 ------ [3] 590

糯米团 ------ [3] 592

珠芽艾麻 ------ [3] 594

艾麻 ------ [3] 596

花点草 ------ [3] 598

毛花点草 ------ [3] 600

紫麻 ------ [3] 604

墙草 ------ [3] 606

赤车 ------ [3] 608

波缘冷水花 ------ [3] 610

隆脉冷水花 ------ [3] 612

大叶冷水花 ------ [3] 614

小叶冷水花 ------ [3] 616

冷水花 ------ [3] 618

矮冷水花 ------ [3] 620

石筋草 ------ [3] 622

透茎冷水花 ------ [3] 624

粗齿冷水花 ------ [3] 626

疣果冷水花 ------ [3] 628

雾水葛 ------ [3] 630

荨麻 ------ [3] 632

宽叶荨麻 ------ [3] 634

铁青树科 ------ [3] 636

青皮木 ------ [3] 636

檀香科 ------ [3] 638

秦岭米面蓊 ------ [3] 638

米面蓊 ------ [3] 640

百蕊草 ------ [3] 642

桑寄生科 ------ [3] 644

桐树桑寄生 ------ [3] 644

桑寄生 ------ [3] 646

锈毛钝果寄生 ------ [3] 648

毛叶钝果寄生 ------ [3] 650

槲寄生 ------ [3] 652

枫香槲寄生 ------ [3] 654

马兜铃科 ------ [3] 656

北马兜铃 ------ [3] 656

葫芦叶马兜铃 ------ [3] 658

马兜铃 ------ [3] 660

贯叶马兜铃 ------ [3] 664

广防己 ------ [3] 666

宝兴马兜铃 ------ [3] 668

异叶马兜铃 ------ [3] 670

广西马兜铃 ------ [3] 672

木通马兜铃 ------ [3] 674

寻骨风 ------ [3] 676

管花马兜铃	[3] 678	单叶细辛	[3] 696
大叶马蹄香	[3] 680	小叶马蹄香	[3] 698
短尾细辛	[3] 682	金耳环	[3] 700
尾花细辛	[3] 684	大花细辛	[3] 702
双叶细辛	[3] 686	祁阳细辛	[3] 704
川北细辛	[3] 688	长毛细辛	[3] 706
铜钱细辛	[3] 690	华细辛	[3] 708
川滇细辛	[3] 692	青城细辛	[3] 710
杜衡	[3] 694	马蹄香	[3] 712

第 4 册

被子植物 ⸺ [4] 1

蛇菰科 ⸺ [4] 2

宜昌蛇菰 ⸺ [4] 2

筒鞘蛇菰 ⸺ [4] 4

日本蛇菰 ⸺ [4] 6

疏花蛇菰 ⸺ [4] 8

蓼科 ⸺ [4] 10

金线草 ⸺ [4] 10

金荞麦 ⸺ [4] 12

荞麦 ⸺ [4] 14

细柄野荞麦 ⸺ [4] 16

长柄野荞麦 ⸺ [4] 18

苦荞麦 ⸺ [4] 20

卷茎蓼 ⸺ [4] 22

齿翅蓼 ⸺ [4] 24

何首乌 ⸺ [4] 26

毛脉蓼 ⸺ [4] 28

中华抱茎蓼 ⸺ [4] 30

萹蓄 ⸺ [4] 34

拳参 ⸺ [4] 36

头花蓼 ⸺ [4] 38

火炭母 ⸺ [4] 40

蓼子草 ⸺ [4] 42

大箭叶蓼 ⸺ [4] 44

稀花蓼 ⸺ [4] 46

长箭叶蓼 ⸺ [4] 48

水蓼 ⸺ [4] 52

蚕茧草 ⸺ [4] 56

愉悦蓼 ⸺ [4] 60

酸模叶蓼 ⸺ [4] 64

长鬃蓼 ⸺ [4] 68

圆基长鬃蓼 ⸺ [4] 72

小蓼花 ⸺ [4] 76

尼泊尔蓼 ⸺ [4] 78

红蓼 ⸺ [4] 80

草血竭 ⸺ [4] 82

杠板归 ⸺ [4] 84

春蓼 ⸺ [4] 86

习见蓼 ⸺ [4] 88

丛枝蓼 ⸺ [4] 92

疏蓼 ⸺ [4] 96

伏毛蓼 ⸺ [4] 98

赤胫散 ⸺ [4] 100

刺蓼 ⸺ [4] 102

箭叶蓼 ⸺ [4] 104

支柱蓼 ⸺ [4] 108

细叶蓼 -------------------------------- [4] 112
戟叶蓼 -------------------------------- [4] 114
香蓼 ---------------------------------- [4] 118
珠芽蓼 -------------------------------- [4] 120
翼蓼 ---------------------------------- [4] 124
虎杖 ---------------------------------- [4] 126
药用大黄 ------------------------------ [4] 128
掌叶大黄 ------------------------------ [4] 132
酸模 ---------------------------------- [4] 134
小酸模 -------------------------------- [4] 136
皱叶酸模 ------------------------------ [4] 138
齿果酸模 ------------------------------ [4] 140
羊蹄 ---------------------------------- [4] 142
尼泊尔酸模 ---------------------------- [4] 144
钝叶酸模 ------------------------------ [4] 146
巴天酸模 ------------------------------ [4] 148
长刺酸模 ------------------------------ [4] 150
藜科 ---------------------------------- [4] 152
千针苋 -------------------------------- [4] 152
藜 ------------------------------------ [4] 154
刺藜 ---------------------------------- [4] 156
杖藜 ---------------------------------- [4] 158
灰绿藜 -------------------------------- [4] 160
细穗藜 -------------------------------- [4] 162
小藜 ---------------------------------- [4] 164
地肤 ---------------------------------- [4] 166
菠菜 ---------------------------------- [4] 168
苋科 ---------------------------------- [4] 170
土牛膝 -------------------------------- [4] 170
牛膝 ---------------------------------- [4] 172
柳叶牛膝 ------------------------------ [4] 174
喜旱莲子草 ---------------------------- [4] 176
莲子草 -------------------------------- [4] 178
尾穗苋 -------------------------------- [4] 180
繁穗苋 -------------------------------- [4] 182
千穗谷 -------------------------------- [4] 184

凹头苋 -------------------------------- [4] 186
反枝苋 -------------------------------- [4] 188
刺苋 ---------------------------------- [4] 190
苋 ------------------------------------ [4] 192
皱果苋 -------------------------------- [4] 194
青葙 ---------------------------------- [4] 196
鸡冠花 -------------------------------- [4] 200
土荆芥 -------------------------------- [4] 202
千日红 -------------------------------- [4] 204
紫茉莉科 ------------------------------ [4] 206
光叶子花 ------------------------------ [4] 206
紫茉莉 -------------------------------- [4] 208
商陆科 -------------------------------- [4] 210
商陆 ---------------------------------- [4] 210
垂序商陆 ------------------------------ [4] 212
番杏科 -------------------------------- [4] 214
心叶日中花 ---------------------------- [4] 214
粟米草 -------------------------------- [4] 216
马齿苋科 ------------------------------ [4] 218
大花马齿苋 ---------------------------- [4] 218
马齿苋 -------------------------------- [4] 220
四瓣马齿苋 ---------------------------- [4] 222
土人参 -------------------------------- [4] 224
落葵科 -------------------------------- [4] 226
落葵薯 -------------------------------- [4] 226
落葵 ---------------------------------- [4] 228
石竹科 -------------------------------- [4] 230
麦仙翁 -------------------------------- [4] 230
老牛筋 -------------------------------- [4] 232
无心菜 -------------------------------- [4] 234
长叶实蕨 ------------------------------ [4] 236
簇生卷耳 ------------------------------ [4] 238
簇生泉卷耳 ---------------------------- [4] 240
球序卷耳 ------------------------------ [4] 242
毛蕊卷耳 ------------------------------ [4] 244
鄂西卷耳 ------------------------------ [4] 246

狗筋蔓 -------------------------- [4] 248
须苞石竹 ------------------------ [4] 250
石竹 --------------------------- [4] 252
瞿麦 --------------------------- [4] 254
长蕊石头花 ---------------------- [4] 256
剪春罗 ------------------------- [4] 258
剪秋罗 ------------------------- [4] 260
剪红纱花 ------------------------ [4] 262
蔓孩儿参 ------------------------ [4] 264
孩儿参 ------------------------- [4] 266
细叶孩儿参 ---------------------- [4] 268
漆姑草 ------------------------- [4] 270
肥皂草 ------------------------- [4] 272
女娄菜 ------------------------- [4] 274
高雪轮 ------------------------- [4] 276
坚硬女娄菜 ---------------------- [4] 278
鹤草 --------------------------- [4] 280
蝇子草 ------------------------- [4] 282
湖北蝇子草 ---------------------- [4] 284
石生蝇子草 ---------------------- [4] 286
雀舌草 ------------------------- [4] 288
鹅肠菜 ------------------------- [4] 290
中国繁缕 ------------------------ [4] 292
银柴胡 ------------------------- [4] 294
禾叶繁缕 ------------------------ [4] 296
繁缕 --------------------------- [4] 298
鸡肠繁缕 ------------------------ [4] 300
峨眉繁缕 ------------------------ [4] 302
箐姑草 ------------------------- [4] 304
巫山繁缕 ------------------------ [4] 306
麦蓝菜 ------------------------- [4] 308

睡莲科 ----------------------- [4] 310
莼菜 --------------------------- [4] 310
芡实 --------------------------- [4] 312
莲 ----------------------------- [4] 314
萍蓬草 ------------------------- [4] 316

睡莲 --------------------------- [4] 318
金鱼藻科 --------------------- [4] 320
金鱼藻 ------------------------- [4] 320
领春木科 --------------------- [4] 322
领春木 ------------------------- [4] 322
连香树科 --------------------- [4] 324
连香树 ------------------------- [4] 324
毛茛科 ----------------------- [4] 326
乌头 --------------------------- [4] 326
紫乌头 ------------------------- [4] 330
赣皖乌头 ------------------------ [4] 332
伏毛铁棒锤 ---------------------- [4] 334
瓜叶乌头 ------------------------ [4] 336
川鄂乌头 ------------------------ [4] 338
北乌头 ------------------------- [4] 340
花葶乌头 ------------------------ [4] 342
聚叶花葶乌头 -------------------- [4] 344
高乌头 ------------------------- [4] 346
狭盔高乌头 ---------------------- [4] 348
类叶升麻 ------------------------ [4] 350
升麻 --------------------------- [4] 352
蜀侧金盏花 ---------------------- [4] 354
裂苞鹅掌草 ---------------------- [4] 356
鹅掌草 ------------------------- [4] 358
打破碗花花 ---------------------- [4] 360
草玉梅 ------------------------- [4] 362
大火草 ------------------------- [4] 364
野棉花 ------------------------- [4] 366
无距楼斗菜 ---------------------- [4] 368
秦岭楼斗菜 ---------------------- [4] 370
甘肃楼斗菜 ---------------------- [4] 372
楼斗菜 ------------------------- [4] 374
华北楼斗菜 ---------------------- [4] 376
星果草 ------------------------- [4] 380
铁破锣 ------------------------- [4] 382
鸡爪草 ------------------------- [4] 384

驴蹄草 ----------- [4] 386

小升麻 ----------- [4] 388

兴安升麻 ----------- [4] 390

单穗升麻 ----------- [4] 392

女萎 ----------- [4] 394

钝齿铁线莲 ----------- [4] 396

粗齿铁线莲 ----------- [4] 398

小木通 ----------- [4] 400

短尾铁线莲 ----------- [4] 402

威灵仙 ----------- [4] 404

毛叶威灵仙 ----------- [4] 406

大花威灵仙 ----------- [4] 408

山木通 ----------- [4] 410

铁线莲 ----------- [4] 412

圆锥铁线莲 ----------- [4] 414

小蓑衣藤 ----------- [4] 416

金佛铁线莲 ----------- [4] 418

单叶铁线莲 ----------- [4] 420

大叶铁线莲 ----------- [4] 422

巴山铁线莲 ----------- [4] 424

毛蕊铁线莲 ----------- [4] 426

锈毛铁线莲 ----------- [4] 428

绣球藤 ----------- [4] 430

钝萼铁线莲 ----------- [4] 432

须蕊铁线莲 ----------- [4] 434

五叶铁线莲 ----------- [4] 436

辣蓼铁线莲 ----------- [4] 438

柱果铁线莲 ----------- [4] 440

尾叶铁线莲 ----------- [4] 442

飞燕草 ----------- [4] 444

黄连 ----------- [4] 446

短萼黄连 ----------- [4] 450

五裂黄连 ----------- [4] 452

还亮草 ----------- [4] 454

卵瓣还亮草 ----------- [4] 458

大花还亮草 ----------- [4] 460

秦岭翠雀花 ----------- [4] 462

翠雀 ----------- [4] 464

毛茎翠雀花 ----------- [4] 466

纵肋人字果 ----------- [4] 468

人字果 ----------- [4] 470

川鄂獐耳细辛 ----------- [4] 472

獐耳细辛 ----------- [4] 474

芍药 ----------- [4] 476

草芍药 ----------- [4] 480

牡丹 ----------- [4] 482

白头翁 ----------- [4] 484

禺毛茛 ----------- [4] 486

茴茴蒜 ----------- [4] 488

西南毛茛 ----------- [4] 490

毛茛 ----------- [4] 492

刺果毛茛 ----------- [4] 496

石龙芮 ----------- [4] 498

扬子毛茛 ----------- [4] 502

猫爪草 ----------- [4] 506

天葵 ----------- [4] 508

尖叶唐松草 ----------- [4] 512

唐松草 ----------- [4] 514

珠芽唐松草 ----------- [4] 516

大叶唐松草 ----------- [4] 518

西南唐松草 ----------- [4] 520

华东唐松草 ----------- [4] 522

爪哇唐松草 ----------- [4] 524

长喙唐松草 ----------- [4] 526

小果唐松草 ----------- [4] 530

川鄂唐松草 ----------- [4] 532

弯柱唐松草 ----------- [4] 534

尾囊草 ----------- [4] 536

木通科 ----------- [4] 538

木通 ----------- [4] 538

三叶木通 ----------- [4] 540

白木通 ----------- [4] 544

猫儿屎 ----------------- [4] 546
鹰爪枫 ----------------- [4] 550
五月瓜藤 --------------- [4] 552
牛姆瓜 ----------------- [4] 554
串果藤 ----------------- [4] 556
野木瓜 ----------------- [4] 558

小檗科 ----------------- [4] 562
川鄂小檗 --------------- [4] 562
豪猪刺 ----------------- [4] 564
刺黑珠 ----------------- [4] 566
假豪猪刺 --------------- [4] 568
芒齿小檗 --------------- [4] 570
红毛七 ----------------- [4] 572
小八角莲 --------------- [4] 576
贵州八角莲 ------------- [4] 578
六角莲 ----------------- [4] 580
川八角莲 --------------- [4] 582
八角莲 ----------------- [4] 584
粗毛淫羊藿 ------------- [4] 586
淫羊藿 ----------------- [4] 588
宝兴淫羊藿 ------------- [4] 590
木鱼坪淫羊藿 ----------- [4] 592
黔岭淫羊藿 ------------- [4] 594
天平山淫羊藿 ----------- [4] 596
柔毛淫羊藿 ------------- [4] 598
三枝九叶草 ------------- [4] 600
四川羊藿 --------------- [4] 604
巫山淫羊藿 ------------- [4] 606
阔叶十大功劳 ----------- [4] 608
鄂西十大功劳 ----------- [4] 612
宽苞十大功劳 ----------- [4] 614
十大功劳 --------------- [4] 616
细柄十大功劳 ----------- [4] 618
小叶十大功劳 ----------- [4] 620
长阳十大功劳 ----------- [4] 622
南天竹 ----------------- [4] 624

防己科 ----------------- [4] 628
木防己 ----------------- [4] 628
毛木防己 --------------- [4] 632
轮环藤 ----------------- [4] 634
秤钩风 ----------------- [4] 636
蝙蝠葛 ----------------- [4] 638
细圆藤 ----------------- [4] 640
风龙 ------------------- [4] 642
金线吊乌龟 ------------- [4] 644
江南地不容 ------------- [4] 646
草质千金藤 ------------- [4] 648
桐叶千金藤 ------------- [4] 650
千金藤 ----------------- [4] 652
粉防己 ----------------- [4] 656
黄叶地不容 ------------- [4] 658
金果榄 ----------------- [4] 660
青牛胆 ----------------- [4] 662

木兰科 ----------------- [4] 664
厚朴 ------------------- [4] 664
红茴香 ----------------- [4] 666
红毒茴 ----------------- [4] 668
八角茴香 --------------- [4] 670
野八角 ----------------- [4] 672
黑老虎 ----------------- [4] 674
异形南五味子 ----------- [4] 676
南五味子 --------------- [4] 678
冷饭藤 ----------------- [4] 680
天目木兰 --------------- [4] 682
望春玉兰 --------------- [4] 684
玉兰 ------------------- [4] 686
荷花玉兰 --------------- [4] 690
紫玉兰 ----------------- [4] 694
凹叶厚朴 --------------- [4] 700
武当玉兰 --------------- [4] 702
巴东木莲 --------------- [4] 706
白兰 ------------------- [4] 708

含笑花 ———————— [4] 710
黄心夜合 ———————— [4] 712
深山含笑 ———————— [4] 714
光叶拟单性木兰 ———— [4] 716
翼梗五味子 —————— [4] 718
铁箍散 ———————— [4] 722
红花五味子 —————— [4] 726
华中五味子 —————— [4] 728
黄山玉兰 ———————— [4] 730
蜡梅科 ———————— [4] 732
山蜡梅 ———————— [4] 732
樟科 ———————————— [4] 734
红果黄肉楠 —————— [4] 734
无根藤 ———————— [4] 738
华南桂 ———————— [4] 740
猴樟 —————————— [4] 742
樟 ——————————— [4] 744
肉桂 —————————— [4] 748
阔叶樟 ———————— [4] 750
香桂 —————————— [4] 752
川桂 —————————— [4] 754

乌药 —————————— [4] 756
香叶树 ———————— [4] 760
山胡椒 ———————— [4] 762
三桠乌药 ———————— [4] 766
香粉叶 ———————— [4] 768
川钓樟 ———————— [4] 770
山橿 —————————— [4] 772
豹皮樟 ———————— [4] 776
山鸡椒 ———————— [4] 778
清香木姜子 —————— [4] 780
湖北木姜子 —————— [4] 782
宜昌木姜子 —————— [4] 784
毛叶木姜子 —————— [4] 788
木姜子 ———————— [4] 790
红叶木姜子 —————— [4] 792
川鄂新樟 ———————— [4] 794
簇叶新木姜子 ———— [4] 796
竹叶楠 ———————— [4] 798
楠木 —————————— [4] 800
檫木 —————————— [4] 802

第 5 册

被子植物 ———————— [5] 1
罂粟科 ———————— [5] 2
白屈菜 ———————— [5] 2
川东紫堇 ———————— [5] 4
湖北紫堇 ———————— [5] 6
北越紫堇 ———————— [5] 8
地柏枝 ———————— [5] 10
伏生紫堇 ———————— [5] 12
紫堇 —————————— [5] 14
北岭黄堇 ———————— [5] 16
刻叶紫堇 ———————— [5] 18

蛇果黄堇 ———————— [5] 20
黄堇 —————————— [5] 22
小花黄堇 ———————— [5] 24
全叶延胡索 —————— [5] 26
石生黄堇 ———————— [5] 28
长距元胡 ———————— [5] 30
地锦苗 ———————— [5] 32
毛黄堇 ———————— [5] 34
川鄂黄堇 ———————— [5] 36
延胡索 ———————— [5] 38
紫金龙 ———————— [5] 40

荷包牡丹 —————— [5] 42
血水草 ———————— [5] 44
多裂荷青花 —————— [5] 46
锐裂荷青花 —————— [5] 48
荷青花 ———————— [5] 50
博落回 ———————— [5] 52
小果博落回 —————— [5] 54
柱果绿绒蒿 —————— [5] 56
五脉绿绒蒿 —————— [5] 58
野罂粟 ———————— [5] 60
虞美人 ———————— [5] 62
罂粟 ————————— [5] 64
金罂粟 ———————— [5] 66

山柑科 ——————— [5] 68
白花菜 ———————— [5] 68
醉蝶花 ———————— [5] 70
黄花草 ———————— [5] 72

十字花科 —————— [5] 74
匍匐南芥 —————— [5] 74
圆锥南芥 —————— [5] 76
垂果南芥 —————— [5] 78
芸苔 ————————— [5] 80
青菜 ————————— [5] 82
雪里蕻 ———————— [5] 84
欧洲油菜 —————— [5] 86
甘蓝 ————————— [5] 88
白菜 ————————— [5] 90
荠 —————————— [5] 92
光头山碎米荠 ———— [5] 94
弯曲碎米荠 —————— [5] 96
碎米荠 ———————— [5] 98
湿生碎米荠 —————— [5] 100
弹裂碎米荠 —————— [5] 102
白花碎米荠 —————— [5] 104
水田碎米荠 —————— [5] 106
大叶碎米荠 —————— [5] 108

三小叶碎米荠 ———— [5] 110
华中碎米荠 —————— [5] 112
臭荠 ————————— [5] 114
播娘蒿 ———————— [5] 116
葶苈 ————————— [5] 118
小花糖芥 —————— [5] 120
山萮菜 ———————— [5] 122
菘蓝 ————————— [5] 124
独行菜 ———————— [5] 126
北美独行菜 —————— [5] 128
诸葛菜 ———————— [5] 130
萝卜 ————————— [5] 134
广州蔊菜 —————— [5] 136
无瓣蔊菜 —————— [5] 138
风花菜 ———————— [5] 140
蔊菜 ————————— [5] 142
沼生蔊菜 —————— [5] 144
菥蓂 ————————— [5] 146

茅膏菜科 —————— [5] 148
茅膏菜 ———————— [5] 148

景天科 ——————— [5] 150
八宝 ————————— [5] 150
轮叶八宝 —————— [5] 152
晚红瓦松 —————— [5] 154
瓦松 ————————— [5] 156
费菜 ————————— [5] 158
乳毛费菜 —————— [5] 160
小丛红景天 —————— [5] 162
菱叶红景天 —————— [5] 164
库页红景天 —————— [5] 166
云南红景天 —————— [5] 168
东南景天 —————— [5] 170
珠芽景天 —————— [5] 172
轮叶景天 —————— [5] 174
细叶景天 —————— [5] 176
凹叶景天 —————— [5] 178

小山飘风 ----------- [5] 180

佛甲草 ----------- [5] 182

山飘风 ----------- [5] 184

齿叶景天 ----------- [5] 186

大苞景天 ----------- [5] 188

南川景天 ----------- [5] 190

垂盆草 ----------- [5] 192

石莲 ----------- [5] 194

虎耳草科 ----------- [5] 196

落新妇 ----------- [5] 196

大落新妇 ----------- [5] 198

多花落新妇 ----------- [5] 200

岩白菜 ----------- [5] 202

草绣球 ----------- [5] 204

金腰 ----------- [5] 206

肾萼金腰 ----------- [5] 208

绵毛金腰 ----------- [5] 210

大叶金腰 ----------- [5] 212

毛金腰 ----------- [5] 214

中华金腰 ----------- [5] 216

赤壁木 ----------- [5] 218

叉叶蓝 ----------- [5] 220

大花溲疏 ----------- [5] 222

粉背溲疏 ----------- [5] 224

宁波溲疏 ----------- [5] 226

长江溲疏 ----------- [5] 228

四川溲疏 ----------- [5] 230

常山 ----------- [5] 232

冠盖绣球 ----------- [5] 234

马桑绣球 ----------- [5] 236

中国绣球 ----------- [5] 238

西南绣球 ----------- [5] 240

白背绣球 ----------- [5] 242

莼兰绣球 ----------- [5] 244

绣球 ----------- [5] 246

蜡莲绣球 ----------- [5] 248

柔毛绣球 ----------- [5] 250

鼠刺 ----------- [5] 252

冬青叶鼠刺 ----------- [5] 254

突隔梅花草 ----------- [5] 256

白耳菜 ----------- [5] 258

梅花草 ----------- [5] 260

鸡肫梅花草 ----------- [5] 262

扯根菜 ----------- [5] 264

山梅花 ----------- [5] 266

太平花 ----------- [5] 268

绢毛山梅花 ----------- [5] 270

冰川茶藨子 ----------- [5] 272

宝兴茶藨子 ----------- [5] 274

七叶鬼灯檠 ----------- [5] 276

鬼灯檠 ----------- [5] 278

西南鬼灯檠 ----------- [5] 280

异叶虎耳草 ----------- [5] 282

齿瓣虎耳草 ----------- [5] 284

红毛虎耳草 ----------- [5] 286

扇叶虎耳草 ----------- [5] 288

球茎虎耳草 ----------- [5] 290

虎耳草 ----------- [5] 292

钻地风 ----------- [5] 294

黄水枝 ----------- [5] 296

海桐花科 ----------- [5] 298

短萼海桐 ----------- [5] 298

皱叶海桐 ----------- [5] 300

光叶海桐 ----------- [5] 302

狭叶海桐 ----------- [5] 304

异叶海桐 ----------- [5] 306

海金子 ----------- [5] 308

长果海桐 ----------- [5] 310

柄果海桐 ----------- [5] 312

海桐 ----------- [5] 314

棱果海桐 ----------- [5] 316

崖花子 ----------- [5] 318

木果海桐	[5] 320	东京樱花	[5] 394
金缕梅科	[5] 322	毛叶木瓜	[5] 396
蜡瓣花	[5] 322	皱皮木瓜	[5] 398
秃蜡瓣花	[5] 324	灰栒子	[5] 402
小叶蚊母树	[5] 326	匍匐栒子	[5] 404
中华蚊母树	[5] 328	矮生栒子	[5] 406
蚊母树	[5] 330	木帚栒子	[5] 408
牛鼻栓	[5] 332	平枝栒子	[5] 410
金缕梅	[5] 334	小叶栒子	[5] 412
缺萼枫香树	[5] 336	西北栒子	[5] 414
枫香树	[5] 338	野山楂	[5] 416
檵木	[5] 340	湖北山楂	[5] 418
红花檵木	[5] 342	毛山楂	[5] 422
水丝梨	[5] 344	山楂	[5] 424
杜仲科	[5] 346	山里红	[5] 426
杜仲	[5] 346	华中山楂	[5] 428
蔷薇科	[5] 348	牛筋条	[5] 430
龙芽草	[5] 348	蛇莓	[5] 432
唐棣	[5] 352	大花枇杷	[5] 434
粘核毛桃变种	[5] 354	枇杷	[5] 436
山桃	[5] 358	白鹃梅	[5] 438
桃	[5] 360	草莓	[5] 440
榆叶梅	[5] 364	黄毛草莓	[5] 442
洪平杏	[5] 366	东方草莓	[5] 444
梅	[5] 368	五叶草莓	[5] 446
山杏	[5] 370	野草莓	[5] 448
假升麻	[5] 372	路边青	[5] 450
微毛樱桃	[5] 374	柔毛路边青	[5] 452
华中樱桃	[5] 376	棣棠花	[5] 454
襄阳山樱桃	[5] 378	花红	[5] 456
麦李	[5] 380	垂丝海棠	[5] 458
樱桃	[5] 382	湖北海棠	[5] 460
细齿樱桃	[5] 386	尖嘴林檎	[5] 464
山樱花	[5] 388	西府海棠	[5] 466
四川樱桃	[5] 390	苹果	[5] 468
毛樱桃	[5] 392	三叶海棠	[5] 470

海棠花 .... [5] 472

毛叶绣线梅 .... [5] 474

中华绣线梅 .... [5] 476

绣线梅 .... [5] 478

短梗稠李 .... [5] 480

樱木 .... [5] 482

中华石楠 .... [5] 484

贵州石楠 .... [5] 486

椤木石楠 .... [5] 488

光叶石楠 .... [5] 492

小叶石楠 .... [5] 494

绒毛石楠 .... [5] 496

石楠 .... [5] 498

毛叶石楠 .... [5] 502

蛇莓委陵菜 .... [5] 504

委陵菜 .... [5] 506

黄花委陵菜 .... [5] 508

狼牙委陵菜 .... [5] 510

翻白草 .... [5] 512

莓叶委陵菜 .... [5] 514

三叶委陵菜 .... [5] 516

西南委陵菜 .... [5] 518

蛇含委陵菜 .... [5] 520

银叶委陵菜 .... [5] 524

多茎委陵菜 .... [5] 526

多裂委陵菜 .... [5] 528

绢毛匍匐委陵菜 .... [5] 530

钉柱委陵菜 .... [5] 532

朝天委陵菜 .... [5] 534

杏 .... [5] 536

樱桃李 .... [5] 538

郁李 .... [5] 540

李 .... [5] 542

杏李 .... [5] 544

窄叶火棘 .... [5] 546

全缘火棘 .... [5] 548

火棘 .... [5] 550

杜梨 .... [5] 552

豆梨 .... [5] 554

川梨 .... [5] 556

沙梨 .... [5] 558

麻梨 .... [5] 560

木梨 .... [5] 562

刺蔷薇 .... [5] 564

单瓣白木香 .... [5] 566

木香花 .... [5] 568

硕苞蔷薇 .... [5] 570

百叶蔷薇 .... [5] 572

月季花 .... [5] 574

小果蔷薇 .... [5] 576

卵果蔷薇 .... [5] 580

软条七蔷薇 .... [5] 582

金樱子 .... [5] 584

野蔷薇 .... [5] 588

粉团蔷薇 .... [5] 590

缫丝花 .... [5] 592

单瓣缫丝花 .... [5] 594

悬钩子蔷薇 .... [5] 596

玫瑰 .... [5] 598

绢毛蔷薇 .... [5] 600

钝叶蔷薇 .... [5] 602

刺梗蔷薇 .... [5] 604

腺毛莓 .... [5] 606

粗叶悬钩子 .... [5] 608

秀丽莓 .... [5] 610

周毛悬钩子 .... [5] 612

竹叶鸡爪茶 .... [5] 614

寒莓 .... [5] 616

华东覆盆子 .... [5] 618

毛萼莓 .... [5] 620

蛇泡筋 .... [5] 622

山莓 .... [5] 624

插田泡 ------------------------------ [5] 626
三叶悬钩子 -------------------------- [5] 628
桉叶悬钩子 -------------------------- [5] 630
大红泡 ------------------------------ [5] 632
弓茎悬钩子 -------------------------- [5] 634
鸡爪茶 ------------------------------ [5] 636
蓬藟 -------------------------------- [5] 638
宜昌悬钩子 -------------------------- [5] 640
覆盆子 ------------------------------ [5] 642
白叶莓 ------------------------------ [5] 645
红花悬钩子 -------------------------- [5] 648
灰毛泡 ------------------------------ [5] 650
高粱泡 ------------------------------ [5] 652
绵果悬钩子 -------------------------- [5] 656
白花悬钩子 -------------------------- [5] 658
喜阴悬钩子 -------------------------- [5] 660
大乌泡 ------------------------------ [5] 662
红泡刺藤 ---------------------------- [5] 664
太平莓 ------------------------------ [5] 666
乌泡子 ------------------------------ [5] 668
茅莓 -------------------------------- [5] 670
黄泡 -------------------------------- [5] 672
盾叶莓 ------------------------------ [5] 674
多腺悬钩子 -------------------------- [5] 676
红毛悬钩子 -------------------------- [5] 678
针刺悬钩子 -------------------------- [5] 680
空心泡 ------------------------------ [5] 682
川莓 -------------------------------- [5] 684
刺毛白叶莓 -------------------------- [5] 686

红腺悬钩子 -------------------------- [5] 688
木莓 -------------------------------- [5] 690
灰白毛莓 ---------------------------- [5] 692
地榆 -------------------------------- [5] 696
长叶地榆 ---------------------------- [5] 698
高丛珍珠梅 -------------------------- [5] 700
珍珠梅 ------------------------------ [5] 702
水榆花楸 ---------------------------- [5] 704
美脉花楸 ---------------------------- [5] 706
石灰花楸 ---------------------------- [5] 708
湖北花楸 ---------------------------- [5] 710
毛序花楸 ---------------------------- [5] 712
陕甘花楸 ---------------------------- [5] 714
大果花楸 ---------------------------- [5] 716
华西花楸 ---------------------------- [5] 718
绣球绣线菊 -------------------------- [5] 720
麻叶绣线菊 -------------------------- [5] 722
中华绣线菊 -------------------------- [5] 724
石蚕叶绣线菊 ------------------------ [5] 726
翠蓝绣线菊 -------------------------- [5] 728
疏毛绣线菊 -------------------------- [5] 730
狭叶绣线菊 -------------------------- [5] 732
光叶绣线菊 -------------------------- [5] 734
土庄绣线菊 -------------------------- [5] 736
绣线菊 ------------------------------ [5] 738
三裂绣线菊 -------------------------- [5] 742
华空木 ------------------------------ [5] 744
红果树 ------------------------------ [5] 748

第 6 册

被子植物 ------------------------ [6] 1
  豆科 -------------------------- [6] 2
    合萌 -------------------------- [6] 2

天香藤 ------------------------------ [6] 6
合欢 -------------------------------- [6] 8
山槐 -------------------------------- [6] 12

紫穗槐	[6] 16	山黑豆	[6] 106
两型豆	[6] 20	黄毛野扁豆	[6] 108
三籽两型豆	[6] 22	野扁豆	[6] 110
土圝儿	[6] 24	龙牙花	[6] 114
落花生	[6] 26	刺桐	[6] 116
紫云英	[6] 30	皂荚	[6] 118
龙须藤	[6] 34	大豆	[6] 122
云实	[6] 36	野大豆	[6] 124
梳子梢	[6] 40	川鄂米口袋	[6] 128
刀豆	[6] 42	少花米口袋	[6] 130
树锦鸡儿	[6] 44	肥皂荚	[6] 132
锦鸡儿	[6] 46	羽叶长柄山蚂蟥	[6] 134
短叶决明	[6] 50	长柄山蚂蟥	[6] 136
含羞草决明	[6] 52	宽卵叶长柄山蚂蟥	[6] 138
豆茶决明	[6] 54	尖叶长柄山蚂蟥	[6] 140
钝叶决明	[6] 58	河北木蓝	[6] 142
望江南	[6] 60	苏木蓝	[6] 144
决明	[6] 62	庭藤	[6] 146
紫荆	[6] 66	华东木蓝	[6] 148
湖北紫荆	[6] 70	马棘	[6] 150
垂丝紫荆	[6] 72	木蓝	[6] 152
响铃豆	[6] 74	长萼鸡眼草	[6] 154
假地蓝	[6] 76	鸡眼草	[6] 158
农吉利	[6] 78	扁豆	[6] 162
大金刚藤	[6] 80	胡枝子	[6] 164
藤黄檀	[6] 84	绿叶胡枝子	[6] 168
黄檀	[6] 86	中华胡枝子	[6] 170
象鼻藤	[6] 88	截叶铁扫帚	[6] 172
单节假木豆	[6] 90	兴安胡枝子	[6] 176
小槐花	[6] 92	大叶胡枝子	[6] 178
圆锥山蚂蝗	[6] 94	多花胡枝子	[6] 180
假地豆	[6] 96	美丽胡枝子	[6] 182
小叶三点金	[6] 98	阴山胡枝子	[6] 184
饿蚂蝗	[6] 100	尖叶铁扫帚	[6] 186
长波叶山蚂蝗	[6] 102	铁马鞭	[6] 188
小鸡藤	[6] 104	绒毛胡枝子	[6] 190

细梗胡枝子 ———————— [6] 192

百脉根 ————————————— [6] 194

天蓝苜蓿 ———————— [6] 196

小苜蓿 ————————————— [6] 198

南苜蓿 ————————————— [6] 200

白花草木樨 ——————— [6] 202

草木樨 ————————————— [6] 204

香花崖豆藤 ——————— [6] 208

网络崖豆藤 ——————— [6] 210

含羞草 ————————————— [6] 212

常春油麻藤 ——————— [6] 214

红豆树 ————————————— [6] 218

硬毛棘豆 ———————— [6] 220

豆薯 ———————————————— [6] 222

菜豆 ———————————————— [6] 226

豌豆 ———————————————— [6] 228

野葛 ———————————————— [6] 232

粉葛 ———————————————— [6] 236

三裂叶野葛 ——————— [6] 240

菱叶鹿藿 ———————— [6] 242

刺槐 ———————————————— [6] 246

白刺花 ————————————— [6] 250

苦参 ———————————————— [6] 252

槐 —————————————————— [6] 256

红车轴草 ———————— [6] 260

白车轴草 ———————— [6] 262

中华狸尾豆 ——————— [6] 266

大花野豌豆 ——————— [6] 268

广布野豌豆 ——————— [6] 270

蚕豆 ———————————————— [6] 274

大野豌豆 ———————— [6] 278

小巢菜 ————————————— [6] 280

大叶野豌豆 ——————— [6] 282

救荒野豌豆 ——————— [6] 284

野豌豆 ————————————— [6] 286

歪头菜 ————————————— [6] 290

赤豆 ———————————————— [6] 292

贼小豆 ————————————— [6] 294

赤小豆 ————————————— [6] 296

豇豆 ———————————————— [6] 298

绿豆 ———————————————— [6] 300

短豇豆亚种 ——————— [6] 302

野豇豆 ————————————— [6] 304

紫藤 ———————————————— [6] 308

酢浆草科 ——————————— [6] 312

酢浆草 ————————————— [6] 312

红花酢浆草 ——————— [6] 316

山酢浆草 ———————— [6] 320

黄花酢浆草 ——————— [6] 322

牻牛儿苗科 ——————— [6] 324

牻牛儿苗 ———————— [6] 324

野老鹳草 ———————— [6] 326

灰岩紫地榆 ——————— [6] 328

兴安老鹳草 ——————— [6] 330

尼泊尔老鹳草 ————— [6] 332

中日老鹳草 ——————— [6] 336

草地老鹳草 ——————— [6] 338

湖北老鹳草 ——————— [6] 340

鼠掌老鹳草 ——————— [6] 344

反毛老鹳草 ——————— [6] 346

老鹳草 ————————————— [6] 348

天竺葵 ————————————— [6] 352

旱金莲科 ——————————— [6] 354

旱金莲 ————————————— [6] 354

亚麻科 ——————————————— [6] 356

野亚麻 ————————————— [6] 356

亚麻 ———————————————— [6] 358

蒺藜科 ——————————————— [6] 360

蒺藜 ———————————————— [6] 360

芸香科 ——————————————— [6] 362

臭节草 ————————————— [6] 362

酸橙 ———————————————— [6] 364

宜昌橙 ———————————— [6] 366

香橼 ———————————————— [6] 368

佛手 ———————————————— [6] 370

柑橘 ———————————————— [6] 372

甜橙 ———————————————— [6] 376

香圆 ———————————————— [6] 378

白鲜 ———————————————— [6] 380

臭檀吴萸 ———————————— [6] 382

楝叶吴萸 ———————————— [6] 384

吴茱萸 ———————————————— [6] 386

波氏吴萸 ———————————— [6] 390

石虎 ———————————————— [6] 392

臭常山 ———————————————— [6] 394

黄檗 ———————————————— [6] 396

黄皮树 ———————————————— [6] 398

秃叶黄檗 ———————————— [6] 400

枳 ——————————————————— [6] 402

裸芸香 ———————————————— [6] 406

茵芋 ———————————————— [6] 408

飞龙掌血 ———————————— [6] 410

毛刺花椒 ———————————— [6] 412

椿叶花椒 ———————————— [6] 414

竹叶花椒 ———————————— [6] 416

花椒 ———————————————— [6] 420

砚壳花椒 ———————————— [6] 424

小花花椒 ———————————— [6] 428

两面针 ———————————————— [6] 430

异叶花椒 ———————————— [6] 432

刺异叶花椒 ———————— [6] 434

尖叶花椒 ———————————— [6] 436

花椒簕 ———————————————— [6] 438

青花椒 ———————————————— [6] 440

野花椒 ———————————————— [6] 442

狭叶花椒 ———————————— [6] 446

梗花椒 ———————————————— [6] 448

浪叶花椒 ———————————— [6] 450

苦木科 ———————————————— [6] 452

臭椿 ———————————————— [6] 452

毛臭椿 ———————————————— [6] 454

苦木 ———————————————— [6] 456

香椿 ———————————————— [6] 458

橄榄科 ———————————————— [6] 460

橄榄 ———————————————— [6] 460

楝科 ———————————————————— [6] 462

楝 ——————————————————— [6] 462

川楝 ———————————————— [6] 466

远志科 ———————————————— [6] 470

荷包山桂花 ———————— [6] 470

尾叶远志 ———————————— [6] 472

香港远志 ———————————— [6] 474

狭叶香港远志 ————————— [6] 476

瓜子金 ———————————————— [6] 478

西伯利亚远志 ————————— [6] 482

小扁豆 ———————————————— [6] 484

远志 ———————————————— [6] 486

长毛籽远志 ———————— [6] 488

大戟科 ———————————————— [6] 492

铁苋菜 ———————————————— [6] 492

裂苞铁苋菜 ———————— [6] 496

红背山麻秆 ———————— [6] 498

五月茶 ———————————————— [6] 500

重阳木 ———————————————— [6] 502

交让木 ———————————————— [6] 504

假奓包叶 ———————————— [6] 506

猩猩草 ———————————————— [6] 508

乳浆大戟 ———————————— [6] 510

狼毒大戟 ———————————— [6] 512

泽漆 ———————————————— [6] 514

飞扬草 ———————————————— [6] 518

地锦 ———————————————— [6] 520

湖北大戟 ———————————— [6] 522

通奶草 ———————————————— [6] 526

甘遂 ----------------------- [6] 530

续随子 --------------------- [6] 532

斑地锦 --------------------- [6] 534

大戟 ----------------------- [6] 536

钩腺大戟 ------------------- [6] 540

黄苞大戟 ------------------- [6] 544

千根草 --------------------- [6] 546

一叶萩 --------------------- [6] 548

革叶算盘子 ----------------- [6] 550

毛果算盘子 ----------------- [6] 552

算盘子 --------------------- [6] 554

湖北算盘子 ----------------- [6] 558

雀儿舌头 ------------------- [6] 560

白背叶 --------------------- [6] 562

野梧桐 --------------------- [6] 566

野桐 ----------------------- [6] 568

粗糠柴 --------------------- [6] 572

石岩枫 --------------------- [6] 574

杠香藤 --------------------- [6] 578

木薯 ----------------------- [6] 582

山靛 ----------------------- [6] 584

落萼叶下珠 ----------------- [6] 586

青灰叶下珠 ----------------- [6] 588

叶下珠 --------------------- [6] 590

蜜甘草 --------------------- [6] 594

黄珠子草 ------------------- [6] 596

蓖麻 ----------------------- [6] 598

山乌桕 --------------------- [6] 600

白木乌桕 ------------------- [6] 602

乌桕 ----------------------- [6] 604

广东地构叶 ----------------- [6] 608

地构叶 --------------------- [6] 612

滑桃树 --------------------- [6] 614

油桐 ----------------------- [6] 616

黄杨科 --------------------- [6] 620

雀舌黄杨 ------------------- [6] 620

匙叶黄杨 ------------------- [6] 622

大花黄杨 ------------------- [6] 624

大叶黄杨 ------------------- [6] 626

尖叶黄杨 ------------------- [6] 628

黄杨 ----------------------- [6] 630

板凳果 --------------------- [6] 632

顶花板凳果 ----------------- [6] 636

双蕊野扇花 ----------------- [6] 640

长叶柄野扇花 --------------- [6] 642

野扇花 --------------------- [6] 644

马桑科 --------------------- [6] 648

马桑 ----------------------- [6] 648

漆树科 --------------------- [6] 652

南酸枣 --------------------- [6] 652

黄栌 ----------------------- [6] 654

厚皮树 --------------------- [6] 658

黄连木 --------------------- [6] 660

盐肤木 --------------------- [6] 664

青麸杨 --------------------- [6] 668

红麸杨 --------------------- [6] 670

野漆 ----------------------- [6] 672

毛漆树 --------------------- [6] 674

漆 ------------------------- [6] 676

五列木科 ------------------- [6] 678

杨桐 ----------------------- [6] 678

翅柃 ----------------------- [6] 680

微毛柃 --------------------- [6] 682

柃木 ----------------------- [6] 684

细枝柃 --------------------- [6] 686

格药柃 --------------------- [6] 690

细齿叶柃 ------------------- [6] 692

厚皮香 --------------------- [6] 694

冬青科 --------------------- [6] 696

刺叶冬青 ------------------- [6] 696

华中枸骨 ------------------- [6] 698

冬青 ----------------------- [6] 700

珊瑚冬青 .... [6] 704

枸骨 .... [6] 706

大别山冬青 .... [6] 710

厚叶冬青 .... [6] 712

长叶枸骨 .... [6] 714

光叶细刺枸骨 .... [6] 716

大叶冬青 .... [6] 718

大果冬青 .... [6] 720

具柄冬青 .... [6] 724

猫儿刺 .... [6] 726

香冬青 .... [6] 730

四川冬青 .... [6] 732

尾叶冬青 .... [6] 734

云南冬青 .... [6] 736

卫矛科 .... [6] 738

过山枫 .... [6] 738

苦皮藤 .... [6] 740

大芽南蛇藤 .... [6] 742

灰叶南蛇藤 .... [6] 744

青江藤 .... [6] 746

粉背南蛇藤 .... [6] 748

南蛇藤 .... [6] 750

短梗南蛇藤 .... [6] 754

刺果卫矛 .... [6] 756

卫矛 .... [6] 758

南川卫矛 .... [6] 762

肉花卫矛 .... [6] 764

百齿卫矛 .... [6] 766

角翅卫矛 .... [6] 768

裂果卫矛 .... [6] 770

扶芳藤 .... [6] 772

大花卫矛 .... [6] 774

西南卫矛 .... [6] 776

常春卫矛 .... [6] 778

冬青卫矛 .... [6] 780

长叶卫矛 .... [6] 782

白杜 .... [6] 784

小果卫矛 .... [6] 786

大果卫矛 .... [6] 788

矩叶卫矛 .... [6] 792

垂丝卫矛 .... [6] 794

栓翅卫矛 .... [6] 796

紫花卫矛 .... [6] 798

石枣子 .... [6] 800

陕西卫矛 .... [6] 802

无柄卫矛 .... [6] 804

曲脉卫矛 .... [6] 806

疣点卫矛 .... [6] 808

刺茶美登木 .... [6] 810

核子木 .... [6] 812

昆明山海棠 .... [6] 814

雷公藤 .... [6] 816

省沽油科 .... [6] 818

野鸦椿 .... [6] 818

省沽油 .... [6] 822

膀胱果 .... [6] 826

无患子科 .... [6] 828

三角槭 .... [6] 828

房县槭 .... [6] 830

血皮槭 .... [6] 832

建始槭 .... [6] 834

五尖槭 .... [6] 836

色木槭 .... [6] 838

茶条枫 .... [6] 840

四蕊槭 .... [6] 842

元宝槭 .... [6] 844

青榨槭 .... [6] 846

光叶槭 .... [6] 848

飞蛾槭 .... [6] 850

鸡爪槭 .... [6] 852

中华槭 .... [6] 856

金钱槭 .... [6] 856

七叶树 — [6] 858
天师栗 — [6] 860
复羽叶栾树 — [6] 862
栾树 — [6] 864
无患子 — [6] 866
清风藤科 — [6] 870
垂枝泡花树 — [6] 870
鄂西清风藤 — [6] 872
凹萼清风藤 — [6] 874
清风藤 — [6] 878
多花清风藤 — [6] 880
尖叶清风藤 — [6] 882
凤仙花科 — [6] 886
锐齿凤仙花 — [6] 886
凤仙花 — [6] 888

睫毛萼凤仙花 — [6] 890
牯岭凤仙花 — [6] 892
耳叶凤仙花 — [6] 894
齿萼凤仙花 — [6] 896
细柄凤仙花 — [6] 898
长翼凤仙花 — [6] 900
路南凤仙花 — [6] 904
水金凤 — [6] 906
红雉凤仙花 — [6] 908
块节凤仙花 — [6] 910
湖北凤仙花 — [6] 912
翼萼凤仙花 — [6] 914
黄金凤 — [6] 918
窄萼凤仙花 — [6] 920
野凤仙花 — [6] 922

第 7 册

被子植物 — [7] 1
鼠李科 — [7] 2
黄背勾儿茶 — [7] 2
多花勾儿茶 — [7] 4
大叶勾儿茶 — [7] 6
牯岭勾儿茶 — [7] 8
峨眉勾儿茶 — [7] 10
多叶勾儿茶 — [7] 12
光枝勾儿茶变种 — [7] 14
勾儿茶 — [7] 16
云南勾儿茶 — [7] 18
长叶冻绿 — [7] 20
枳椇 — [7] 22
铜钱树 — [7] 26
马甲子 — [7] 28
猫乳 — [7] 30

多脉猫乳 — [7] 32
卵叶鼠李 — [7] 34
鼠李 — [7] 36
湖北鼠李 — [7] 38
钩齿鼠李 — [7] 40
薄叶鼠李 — [7] 42
小冻绿树 — [7] 44
皱叶鼠李 — [7] 46
冻绿 — [7] 48
梗花雀梅藤 — [7] 50
少脉雀梅藤 — [7] 52
皱叶雀梅藤 — [7] 54
尾叶雀梅藤 — [7] 56
雀梅藤 — [7] 58
枣 — [7] 60
无刺枣 — [7] 62

酸枣 ------------------------------ [7] 64

葡萄科 -------------------------- [7] 66

乌头叶蛇葡萄 -------------------- [7] 66

蓝果蛇葡萄 ---------------------- [7] 68

广东蛇葡萄 ---------------------- [7] 70

三裂蛇葡萄 ---------------------- [7] 72

掌裂蛇葡萄 ---------------------- [7] 74

蛇葡萄 -------------------------- [7] 76

显齿蛇葡萄 ---------------------- [7] 80

异叶蛇葡萄 ---------------------- [7] 82

东北蛇葡萄 ---------------------- [7] 84

光叶蛇葡萄 ---------------------- [7] 86

牯岭蛇葡萄 ---------------------- [7] 88

葎叶蛇葡萄 ---------------------- [7] 90

白蔹 ---------------------------- [7] 92

大叶蛇葡萄 ---------------------- [7] 94

白毛乌蔹莓 ---------------------- [7] 96

乌蔹莓 -------------------------- [7] 98

尖叶乌蔹莓 ---------------------- [7] 100

华中乌蔹莓 ---------------------- [7] 102

三叶乌蔹莓 ---------------------- [7] 104

异叶地锦 ------------------------ [7] 106

花叶地锦 ------------------------ [7] 108

绿叶地锦 ------------------------ [7] 110

五叶地锦 ------------------------ [7] 112

三叶地锦 ------------------------ [7] 114

三叶崖爬藤 ---------------------- [7] 116

崖爬藤 -------------------------- [7] 118

菱叶崖爬藤 ---------------------- [7] 120

山葡萄 -------------------------- [7] 122

桦叶葡萄 ------------------------ [7] 124

蘡薁 ---------------------------- [7] 126

东南葡萄 ------------------------ [7] 128

刺葡萄 -------------------------- [7] 130

葛藟葡萄 ------------------------ [7] 132

毛葡萄 -------------------------- [7] 134

桑叶葡萄 ------------------------ [7] 138

变叶葡萄 ------------------------ [7] 140

华东葡萄 ------------------------ [7] 142

秋葡萄 -------------------------- [7] 144

湖北葡萄 ------------------------ [7] 146

小叶葡萄 ------------------------ [7] 148

葡萄 ---------------------------- [7] 150

网脉葡萄 ------------------------ [7] 152

大果俞藤 ------------------------ [7] 154

俞藤 ---------------------------- [7] 156

杜英科 -------------------------- [7] 158

杜英 ---------------------------- [7] 158

日本杜英 ------------------------ [7] 160

椴树科 -------------------------- [7] 162

光果田麻 ------------------------ [7] 162

田麻 ---------------------------- [7] 164

甜麻 ---------------------------- [7] 166

黄麻 ---------------------------- [7] 168

扁担杆 -------------------------- [7] 170

小花扁担杆 ---------------------- [7] 172

华椴 ---------------------------- [7] 174

毛糯米椴 ------------------------ [7] 176

粉椴 ---------------------------- [7] 178

少脉椴 -------------------------- [7] 180

椴树 ---------------------------- [7] 182

刺蒴麻 -------------------------- [7] 184

锦葵科 -------------------------- [7] 186

咖啡黄葵 ------------------------ [7] 186

黄蜀葵 -------------------------- [7] 188

刚毛黄蜀葵 ---------------------- [7] 190

黄葵 ---------------------------- [7] 192

箭叶秋葵 ------------------------ [7] 194

华苘麻 -------------------------- [7] 196

苘麻 ---------------------------- [7] 198

蜀葵 ---------------------------- [7] 200

梧桐 ---------------------------- [7] 202

草棉 ----------------------------------- [7] 204
陆地棉 -------------------------------- [7] 206
木芙蓉 -------------------------------- [7] 208
朱槿 ----------------------------------- [7] 210
木槿 ----------------------------------- [7] 212
野西瓜苗 ------------------------------ [7] 214
三月花葵 ------------------------------ [7] 216
冬葵 ----------------------------------- [7] 218
圆叶锦葵 ------------------------------ [7] 220
锦葵 ----------------------------------- [7] 222
野葵 ----------------------------------- [7] 224
马松子 -------------------------------- [7] 226
黄花稔 -------------------------------- [7] 228
心叶黄花稔 ---------------------------- [7] 230
白背黄花稔 ---------------------------- [7] 232
拔毒散 -------------------------------- [7] 234
地桃花 -------------------------------- [7] 236
梵天花 -------------------------------- [7] 238

猕猴桃科 ---------------------------- [7] 240
软枣猕猴桃 ---------------------------- [7] 240
硬齿猕猴桃 ---------------------------- [7] 242
异色猕猴桃 ---------------------------- [7] 244
京梨猕猴桃 ---------------------------- [7] 246
中华猕猴桃 ---------------------------- [7] 248
硬毛猕猴桃 ---------------------------- [7] 252
狗枣猕猴桃 ---------------------------- [7] 254
阔叶猕猴桃 ---------------------------- [7] 256
大籽猕猴桃 ---------------------------- [7] 258
黑蕊猕猴桃 ---------------------------- [7] 260
葛枣猕猴桃 ---------------------------- [7] 262
红茎猕猴桃 ---------------------------- [7] 266
革叶猕猴桃 ---------------------------- [7] 268
四萼猕猴桃 ---------------------------- [7] 270
巴东猕猴桃 ---------------------------- [7] 272
毛蕊猕猴桃 ---------------------------- [7] 274
对萼猕猴桃 ---------------------------- [7] 276

山茶科 ------------------------------ [7] 278
尖连蕊茶 ------------------------------ [7] 278
山茶 ----------------------------------- [7] 280
油茶 ----------------------------------- [7] 284
滇山茶 -------------------------------- [7] 288
茶 ------------------------------------- [7] 290
窄叶柃 -------------------------------- [7] 292
紫茎 ----------------------------------- [7] 294

藤黄科 ------------------------------ [7] 296
黄海棠 -------------------------------- [7] 296
赶山鞭 -------------------------------- [7] 300
挺茎遍地金 ---------------------------- [7] 302
小连翘 -------------------------------- [7] 304
扬子小连翘 ---------------------------- [7] 306
川滇金丝桃 ---------------------------- [7] 308
地耳草 -------------------------------- [7] 310
长柱金丝桃 ---------------------------- [7] 312
金丝桃 -------------------------------- [7] 314
金丝梅 -------------------------------- [7] 318
贯叶连翘 ------------------------------ [7] 322
元宝草 -------------------------------- [7] 326

柽柳科 ------------------------------ [7] 330
柽柳 ----------------------------------- [7] 330

堇菜科 ------------------------------ [7] 332
鸡腿堇菜 ------------------------------ [7] 332
戟叶堇菜 ------------------------------ [7] 334
双花堇菜 ------------------------------ [7] 336
南山堇菜 ------------------------------ [7] 338
球果堇菜 ------------------------------ [7] 340
心叶堇菜 ------------------------------ [7] 342
深圆齿堇菜 ---------------------------- [7] 344
大叶堇菜 ------------------------------ [7] 346
七星莲 -------------------------------- [7] 348
长梗紫花堇菜 -------------------------- [7] 350
阔萼堇菜 ------------------------------ [7] 352
紫花堇菜 ------------------------------ [7] 354

如意草 ----------------- [7] 356
巫山堇菜 --------------- [7] 358
长萼堇菜 --------------- [7] 360
白花堇菜 --------------- [7] 362
犁头叶堇菜 ------------- [7] 364
萱 --------------------- [7] 366
白花地丁 --------------- [7] 368
茜堇菜 ----------------- [7] 370
匍匐堇菜 --------------- [7] 372
柔毛堇菜 --------------- [7] 374
早开堇菜 --------------- [7] 376
浅圆齿堇菜 ------------- [7] 378
深山堇菜 --------------- [7] 380
庐山堇菜 --------------- [7] 382
光叶堇菜 --------------- [7] 384
三色堇 ----------------- [7] 386
斑叶堇菜 --------------- [7] 388
堇菜 ------------------- [7] 390
紫花地丁 --------------- [7] 392
大风子科 --------------- [7] 396
山羊角树 --------------- [7] 396
山桐子 ----------------- [7] 398
柞木 ------------------- [7] 400
旌节花科 --------------- [7] 402
中国旌节花 ------------- [7] 402
西域旌节花 ------------- [7] 404
矩圆叶旌节花 ----------- [7] 406
西番莲科 --------------- [7] 408
杯叶西番莲 ------------- [7] 408
鸡蛋果 ----------------- [7] 410
秋海棠科 --------------- [7] 412
美丽秋海棠 ------------- [7] 412
南川秋海棠 ------------- [7] 414
紫背天葵 --------------- [7] 416
秋海棠 ----------------- [7] 418
中华秋海棠 ------------- [7] 420

独牛 ------------------- [7] 424
裂叶秋海棠 ------------- [7] 428
掌裂叶秋海棠 ----------- [7] 430
四季秋海棠 ------------- [7] 433
长柄秋海棠 ------------- [7] 434
一点血 ----------------- [7] 436
仙人掌科 --------------- [7] 438
梨果仙人掌 ------------- [7] 438
仙人掌 ----------------- [7] 440
蟹爪兰 ----------------- [7] 442
瑞香科 ----------------- [7] 444
尖瓣瑞香 --------------- [7] 444
滇瑞香 ----------------- [7] 446
芫花 ------------------- [7] 448
黄瑞香 ----------------- [7] 450
小娃娃皮 --------------- [7] 452
毛瑞香 ----------------- [7] 454
瑞香 ------------------- [7] 456
白瑞香 ----------------- [7] 458
唐古特瑞香 ------------- [7] 460
野梦花 ----------------- [7] 462
草瑞香 ----------------- [7] 463
结香 ------------------- [7] 464
狼毒 ------------------- [7] 466
岩杉树 ----------------- [7] 468
荛花 ------------------- [7] 470
小黄构 ----------------- [7] 472
北江荛花 --------------- [7] 474
细轴荛花 --------------- [7] 476
胡颓子科 --------------- [7] 478
佘山羊奶子 ------------- [7] 478
长叶胡颓子 ------------- [7] 480
毛木半夏 --------------- [7] 482
长柄胡颓子 ------------- [7] 484
巴东胡颓子 ------------- [7] 486
蔓胡颓子 --------------- [7] 488

宜昌胡颓子 ············ [7] 490
披针叶胡颓子 ············ [7] 492
银果牛奶子 ············ [7] 494
木半夏 ············ [7] 496
胡颓子 ············ [7] 498
牛奶子 ············ [7] 500
绿叶胡颓子 ············ [7] 502
巫山牛奶子 ············ [7] 504
千屈菜科 ············ [7] 506
水苋菜 ············ [7] 506
紫薇 ············ [7] 508
南紫薇 ············ [7] 512
千屈菜 ············ [7] 514
节节菜 ············ [7] 516
圆叶节节菜 ············ [7] 518
石榴科 ············ [7] 520
石榴 ············ [7] 520
白石榴 ············ [7] 522
蓝果树科 ············ [7] 524
喜树 ············ [7] 524
珙桐 ············ [7] 526
八角枫科 ············ [7] 528
八角枫 ············ [7] 528
深裂八角枫 (亚种) ············ [7] 530
小花八角枫 ············ [7] 532
阔叶八角枫 ············ [7] 534
毛八角枫 ············ [7] 536
瓜木 ············ [7] 538
桃金娘科 ············ [7] 540
赤楠 ············ [7] 540
野牡丹科 ············ [7] 542
秀丽野海棠 ············ [7] 542
长萼野海棠 ············ [7] 544
金锦香 ············ [7] 546
假朝天罐 ············ [7] 548
朝天罐 ············ [7] 550

楮头红 ············ [7] 552
菱科 ············ [7] 554
菱 ············ [7] 554
细果野菱 ············ [7] 556
柳叶菜科 ············ [7] 558
高山露珠草 ············ [7] 558
露珠草 ············ [7] 560
谷蓼 ············ [7] 562
南方露珠草 ············ [7] 564
毛脉柳叶菜 ············ [7] 566
光滑柳叶菜亚种 ············ [7] 570
柳兰 ············ [7] 572
短叶柳叶菜 ············ [7] 574
圆柱柳叶菜 ············ [7] 576
柳叶菜 ············ [7] 578
锐齿柳叶菜 ············ [7] 580
沼生柳叶菜 ············ [7] 582
小花柳叶菜 ············ [7] 584
阔柱柳叶菜 ············ [7] 586
长籽柳叶菜 ············ [7] 588
中华柳叶菜 ············ [7] 590
小花山桃草 ············ [7] 594
草龙 ············ [7] 596
黄花水龙 ············ [7] 598
细花丁香蓼 ············ [7] 600
丁香蓼 ············ [7] 602
月见草 ············ [7] 604
黄花月见草 ············ [7] 608
裂叶月见草 ············ [7] 610
待宵草 ············ [7] 612
小二仙草科 ············ [7] 614
小二仙草 ············ [7] 614
穗状狐尾藻 ············ [7] 616
狐尾藻 ············ [7] 618
五加科 ············ [7] 620
吴茱萸五加 ············ [7] 620

红毛五加 ---------- [7] 622
五加 ---------- [7] 624
细柱五加 ---------- [7] 626
糙叶五加 ---------- [7] 628
藤五加 ---------- [7] 630
糙叶藤五加变种 ---------- [7] 632
匙叶五加 ---------- [7] 634
刺五加 ---------- [7] 636
蜀五加 ---------- [7] 640
刚毛五加 ---------- [7] 642
白簕 ---------- [7] 644
毛叶楤木 ---------- [7] 646
食用土当归 ---------- [7] 648
棘茎楤木 ---------- [7] 650
楤木 ---------- [7] 652
龙眼独活 ---------- [7] 654
湖北楤木 ---------- [7] 656
长刺楤木 ---------- [7] 658
树参 ---------- [7] 660
八角金盘 ---------- [7] 662

洋常春藤 ---------- [7] 664
尼泊尔常春藤 ---------- [7] 666
常春藤 ---------- [7] 668
菱叶常春藤 ---------- [7] 670
刺楸 ---------- [7] 672
深裂刺楸变种 ---------- [7] 676
短梗大参 ---------- [7] 678
掌叶梁王茶 ---------- [7] 680
人参 ---------- [7] 682
竹节参 ---------- [7] 684
珠子参 ---------- [7] 688
三七 ---------- [7] 690
羽叶三七 ---------- [7] 692
秀丽假人参 ---------- [7] 694
大叶三七变种 ---------- [7] 696
锈毛五叶参 ---------- [7] 698
短序鹅掌柴 ---------- [7] 700
穗序鹅掌柴 ---------- [7] 702
鹅掌柴 ---------- [7] 704
通脱木 ---------- [7] 706

第 8 册

被子植物 ---------- [8] 1
　伞形科 ---------- [8] 2
　　巴东羊角芹 ---------- [8] 2
　　莳萝 ---------- [8] 4
　　东当归 ---------- [8] 6
　　重齿当归 ---------- [8] 8
　　白芷 ---------- [8] 10
　　杭白芷 ---------- [8] 12
　　紫花前胡 ---------- [8] 14
　　疏叶当归 ---------- [8] 16
　　拐芹 ---------- [8] 18

　　毛当归 ---------- [8] 20
　　重齿毛当归 ---------- [8] 22
　　当归 ---------- [8] 26
　　秦岭当归 ---------- [8] 28
　　峨参 ---------- [8] 30
　　旱芹 ---------- [8] 32
　　细叶旱芹 ---------- [8] 34
　　线叶柴胡 ---------- [8] 36
　　金黄柴胡 ---------- [8] 38
　　北柴胡 ---------- [8] 40
　　多伞北柴胡 ---------- [8] 42

贵州柴胡 ⋯⋯⋯⋯⋯⋯⋯ [8] 44

空心柴胡 ⋯⋯⋯⋯⋯⋯⋯ [8] 46

大叶柴胡 ⋯⋯⋯⋯⋯⋯⋯ [8] 48

紫花大叶柴胡 ⋯⋯⋯⋯⋯ [8] 50

竹叶柴胡 ⋯⋯⋯⋯⋯⋯⋯ [8] 52

狭叶柴胡 ⋯⋯⋯⋯⋯⋯⋯ [8] 54

小柴胡 ⋯⋯⋯⋯⋯⋯⋯⋯ [8] 56

积雪草 ⋯⋯⋯⋯⋯⋯⋯⋯ [8] 58

细叶芹 ⋯⋯⋯⋯⋯⋯⋯⋯ [8] 60

明党参 ⋯⋯⋯⋯⋯⋯⋯⋯ [8] 62

川明参 ⋯⋯⋯⋯⋯⋯⋯⋯ [8] 64

蛇床 ⋯⋯⋯⋯⋯⋯⋯⋯⋯ [8] 66

高山芹 ⋯⋯⋯⋯⋯⋯⋯⋯ [8] 68

山芎 ⋯⋯⋯⋯⋯⋯⋯⋯⋯ [8] 70

芫荽 ⋯⋯⋯⋯⋯⋯⋯⋯⋯ [8] 72

鸭儿芹 ⋯⋯⋯⋯⋯⋯⋯⋯ [8] 74

野胡萝卜 ⋯⋯⋯⋯⋯⋯⋯ [8] 76

胡萝卜 ⋯⋯⋯⋯⋯⋯⋯⋯ [8] 78

马蹄芹 ⋯⋯⋯⋯⋯⋯⋯⋯ [8] 80

茴香 ⋯⋯⋯⋯⋯⋯⋯⋯⋯ [8] 82

珊瑚菜 ⋯⋯⋯⋯⋯⋯⋯⋯ [8] 84

白亮独活 ⋯⋯⋯⋯⋯⋯⋯ [8] 86

短毛独活 ⋯⋯⋯⋯⋯⋯⋯ [8] 88

永宁独活 ⋯⋯⋯⋯⋯⋯⋯ [8] 90

中华天胡荽 ⋯⋯⋯⋯⋯⋯ [8] 92

裂叶天胡荽 ⋯⋯⋯⋯⋯⋯ [8] 94

红马蹄草 ⋯⋯⋯⋯⋯⋯⋯ [8] 96

柄花天胡荽 ⋯⋯⋯⋯⋯⋯ [8] 98

天胡荽 ⋯⋯⋯⋯⋯⋯⋯ [8] 100

破铜钱 ⋯⋯⋯⋯⋯⋯⋯ [8] 104

肾叶天胡荽 ⋯⋯⋯⋯⋯ [8] 106

鄂西天胡荽 ⋯⋯⋯⋯⋯ [8] 108

欧当归 ⋯⋯⋯⋯⋯⋯⋯ [8] 110

香芹 ⋯⋯⋯⋯⋯⋯⋯⋯ [8] 112

尖叶藁本 ⋯⋯⋯⋯⋯⋯ [8] 114

川芎 ⋯⋯⋯⋯⋯⋯⋯⋯ [8] 116

羽苞藁本 ⋯⋯⋯⋯⋯⋯ [8] 118

藁本 ⋯⋯⋯⋯⋯⋯⋯⋯ [8] 120

白苞芹 ⋯⋯⋯⋯⋯⋯⋯ [8] 122

川白苞芹 ⋯⋯⋯⋯⋯⋯ [8] 124

宽叶羌活 ⋯⋯⋯⋯⋯⋯ [8] 126

短辐水芹 ⋯⋯⋯⋯⋯⋯ [8] 128

细叶水芹 ⋯⋯⋯⋯⋯⋯ [8] 130

水芹 ⋯⋯⋯⋯⋯⋯⋯⋯ [8] 132

线叶水芹 ⋯⋯⋯⋯⋯⋯ [8] 134

卵叶水芹 ⋯⋯⋯⋯⋯⋯ [8] 136

隔山香 ⋯⋯⋯⋯⋯⋯⋯ [8] 138

大齿山芹 ⋯⋯⋯⋯⋯⋯ [8] 140

山芹 ⋯⋯⋯⋯⋯⋯⋯⋯ [8] 142

竹节前胡 ⋯⋯⋯⋯⋯⋯ [8] 144

广西前胡 ⋯⋯⋯⋯⋯⋯ [8] 146

鄂西前胡 ⋯⋯⋯⋯⋯⋯ [8] 148

华中前胡 ⋯⋯⋯⋯⋯⋯ [8] 150

白花前胡 ⋯⋯⋯⋯⋯⋯ [8] 154

石防风 ⋯⋯⋯⋯⋯⋯⋯ [8] 156

宽叶石防风 ⋯⋯⋯⋯⋯ [8] 158

锐叶茴芹 ⋯⋯⋯⋯⋯⋯ [8] 160

异叶茴芹 ⋯⋯⋯⋯⋯⋯ [8] 162

菱叶茴芹 ⋯⋯⋯⋯⋯⋯ [8] 164

囊瓣芹 ⋯⋯⋯⋯⋯⋯⋯ [8] 166

脉叶翅棱芹 ⋯⋯⋯⋯⋯ [8] 168

变豆菜 ⋯⋯⋯⋯⋯⋯⋯ [8] 170

薄片变豆菜 ⋯⋯⋯⋯⋯ [8] 174

直刺变豆菜 ⋯⋯⋯⋯⋯ [8] 176

防风 ⋯⋯⋯⋯⋯⋯⋯⋯ [8] 178

宜昌东俄芹 ⋯⋯⋯⋯⋯ [8] 180

城口东俄芹 ⋯⋯⋯⋯⋯ [8] 182

小窃衣 ⋯⋯⋯⋯⋯⋯⋯ [8] 184

窃衣 ⋯⋯⋯⋯⋯⋯⋯⋯ [8] 186

山茱萸科 ⋯⋯⋯⋯⋯⋯ [8] 188

斑叶珊瑚 ⋯⋯⋯⋯⋯⋯ [8] 188

桃叶珊瑚 ⋯⋯⋯⋯⋯⋯ [8] 190

长叶珊瑚 -------- [8] 192

倒心叶珊瑚 -------- [8] 194

头状四照花 -------- [8] 196

川鄂山茱萸 -------- [8] 198

灯台树 -------- [8] 200

红椋子 -------- [8] 202

四照花 -------- [8] 204

山茱萸 -------- [8] 206

小梾木 -------- [8] 210

毛梾 -------- [8] 212

中华青荚叶 -------- [8] 214

西域青荚叶 -------- [8] 216

青荚叶 -------- [8] 218

峨眉青荚叶 -------- [8] 220

梾木 -------- [8] 222

长圆叶梾木 -------- [8] 224

光皮梾木 -------- [8] 226

角叶鞘柄木 -------- [8] 228

有齿鞘柄木 -------- [8] 230

鞘柄木 -------- [8] 232

桤叶树科 -------- [8] 234

城口桤叶树 -------- [8] 234

鹿蹄草科 -------- [8] 236

喜冬草 -------- [8] 236

水晶兰 -------- [8] 238

鹿蹄草 -------- [8] 240

普通鹿蹄草 -------- [8] 242

小叶鹿蹄草 -------- [8] 244

杜鹃花科 -------- [8] 246

灯笼树 -------- [8] 246

齿缘吊钟花 -------- [8] 248

珍珠花 -------- [8] 250

小果珍珠花 -------- [8] 252

狭叶珍珠花 -------- [8] 254

毛叶珍珠花 -------- [8] 256

马醉木 -------- [8] 258

耳叶杜鹃 -------- [8] 260

丁香杜鹃 -------- [8] 262

云锦杜鹃 -------- [8] 264

粉白杜鹃 -------- [8] 268

高山杜鹃 -------- [8] 270

黄花杜鹃 -------- [8] 272

满山红 -------- [8] 274

照山白 -------- [8] 276

羊踯躅 -------- [8] 278

粉红杜鹃 -------- [8] 280

马银花 -------- [8] 282

鄂西杜鹃 -------- [8] 284

杜鹃 -------- [8] 286

长蕊杜鹃 -------- [8] 288

四川杜鹃 -------- [8] 292

南烛 -------- [8] 294

扁枝越桔 -------- [8] 298

江南越桔 -------- [8] 300

笃斯越桔 -------- [8] 302

紫金牛科 -------- [8] 304

九管血 -------- [8] 304

朱砂根 -------- [8] 306

百两金 -------- [8] 308

狭叶紫金牛 -------- [8] 310

紫金牛 -------- [8] 312

湖北杜茎山 -------- [8] 314

杜茎山 -------- [8] 316

铁仔 -------- [8] 318

报春花科 -------- [8] 320

点地梅 -------- [8] 320

虎尾草 -------- [8] 322

展枝过路黄 -------- [8] 324

泽珍珠菜 -------- [8] 326

细梗香草 -------- [8] 330

长穗珍珠菜 -------- [8] 332

过路黄 -------- [8] 334

露珠珍珠菜 ---------- [8] 336
矮桃 ---------- [8] 338
临时救 ---------- [8] 342
管茎过路黄 ---------- [8] 344
红根草 ---------- [8] 346
缫瓣珍珠菜 ---------- [8] 348
金爪儿 ---------- [8] 350
点腺过路黄 ---------- [8] 352
叶苞过路黄 ---------- [8] 354
黑腺珍珠菜 ---------- [8] 356
巴山过路黄 ---------- [8] 358
轮叶过路黄 ---------- [8] 360
山萝过路黄 ---------- [8] 362
小果香草 ---------- [8] 364
南川过路黄 ---------- [8] 366
峨眉过路黄 ---------- [8] 368
落地梅 ---------- [8] 370
小叶珍珠菜 ---------- [8] 372
巴东过路黄原变型 ---------- [8] 374
狭叶珍珠菜 ---------- [8] 376
叶头过路黄 ---------- [8] 380
疏头过路黄 ---------- [8] 382
点叶落地梅 ---------- [8] 384
显苞过路黄 ---------- [8] 386
北延叶珍珠菜 ---------- [8] 388
腺药珍珠菜 ---------- [8] 390
无粉报春 ---------- [8] 392
鄂报春 ---------- [8] 394
卵叶报春 ---------- [8] 396
藏报春 ---------- [8] 398
云南报春 ---------- [8] 400

柿科 ---------- [8] 402
柿 ---------- [8] 402
野柿 ---------- [8] 406
君迁子 ---------- [8] 410
油柿 ---------- [8] 412

山矾科 ---------- [8] 416
薄叶山矾 ---------- [8] 416
总状山矾 ---------- [8] 418
华山矾 ---------- [8] 421
光叶山矾 ---------- [8] 424
光亮山矾 ---------- [8] 426
白檀 ---------- [8] 428
老鼠矢 ---------- [8] 430
山矾 ---------- [8] 432

安息香科 ---------- [8] 436
野茉莉 ---------- [8] 436

木犀科 ---------- [8] 438
流苏树 ---------- [8] 438
连翘 ---------- [8] 440
金钟花 ---------- [8] 442
白蜡树 ---------- [8] 444
光蜡树 ---------- [8] 448
湖北梣 ---------- [8] 450
苦枥木 ---------- [8] 454
探春花 ---------- [8] 456
矮探春 ---------- [8] 458
清香藤 ---------- [8] 460
野迎春 ---------- [8] 462
迎春花 ---------- [8] 464
茉莉花 ---------- [8] 466
长叶女贞 ---------- [8] 468
扩展女贞 ---------- [8] 470
丽叶女贞 ---------- [8] 472
日本女贞 ---------- [8] 474
蜡子树 ---------- [8] 476
女贞 ---------- [8] 478
总梗女贞 ---------- [8] 482
小叶女贞 ---------- [8] 484
小蜡 ---------- [8] 486
宜昌女贞 ---------- [8] 488
木犀榄 ---------- [8] 490

红柄木犀 -------- [8] 492

木犀 -------- [8] 494

野桂花 -------- [8] 496

紫丁香 -------- [8] 498

马钱科 -------- [8] 500

巴东醉鱼草 -------- [8] 500

大叶醉鱼草 -------- [8] 502

紫花醉鱼草 -------- [8] 504

醉鱼草 -------- [8] 506

密蒙花 -------- [8] 510

灰莉 -------- [8] 512

蓬莱葛 -------- [8] 514

大叶度量草 -------- [8] 516

龙胆科 -------- [8] 518

华南龙胆 -------- [8] 518

条叶龙胆 -------- [8] 520

流苏龙胆 -------- [8] 522

红花龙胆 -------- [8] 524

深红龙胆 -------- [8] 528

水繁缕叶龙胆 -------- [8] 532

龙胆 -------- [8] 536

鳞叶龙胆 -------- [8] 538

笔龙胆 -------- [8] 540

花锚 -------- [8] 542

椭圆叶花锚 -------- [8] 544

大花花锚 -------- [8] 546

大钟花 -------- [8] 548

睡菜 -------- [8] 550

金银莲花 -------- [8] 552

莕菜 -------- [8] 554

獐牙菜 -------- [8] 558

川东獐牙菜 -------- [8] 562

歧伞獐牙菜 -------- [8] 564

北方獐牙菜 -------- [8] 566

红直獐牙菜 -------- [8] 568

贵州獐牙菜 -------- [8] 570

大籽獐牙菜 -------- [8] 572

显脉獐牙菜 -------- [8] 574

瘤毛獐牙菜 -------- [8] 576

紫红獐牙菜 -------- [8] 578

双蝴蝶 -------- [8] 582

峨眉双蝴蝶 -------- [8] 584

湖北双蝴蝶 -------- [8] 586

尼泊尔双蝴蝶 -------- [8] 588

夹竹桃科 -------- [8] 590

长春花 -------- [8] 590

腰骨藤 -------- [8] 592

夹竹桃 -------- [8] 594

白花夹竹桃 -------- [8] 596

欧洲夹竹桃 -------- [8] 598

毛药藤 -------- [8] 600

羊角拗 -------- [8] 602

紫花络石 -------- [8] 604

细梗络石 -------- [8] 606

湖北络石 -------- [8] 608

络石 -------- [8] 610

石血 -------- [8] 612

蔓长春花 -------- [8] 614

萝藦科 -------- [8] 616

乳突果 -------- [8] 616

宽叶秦岭藤 -------- [8] 618

巴东吊灯花 -------- [8] 620

合掌消 -------- [8] 622

白薇 -------- [8] 624

牛皮消 -------- [8] 626

蔓剪草 -------- [8] 630

峨眉牛皮消 -------- [8] 632

芫花叶白前 -------- [8] 634

竹灵消 -------- [8] 636

毛白前 -------- [8] 638

徐长卿 -------- [8] 640

柳叶白前 -------- [8] 642

狭叶白前 ———— [8] 644

地梢瓜 ———— [8] 646

蔓生白薇 ———— [8] 648

隔山消 ———— [8] 650

苦绳 ———— [8] 652

贯筋藤 ———— [8] 654

牛奶菜 ———— [8] 656

华萝藦 ———— [8] 658

萝藦 ———— [8] 660

青蛇藤 ———— [8] 662

黑龙骨 ———— [8] 664

杠柳 ———— [8] 666

七层楼 ———— [8] 668

娃儿藤 ———— [8] 670

贵州娃儿藤 ———— [8] 672

云南娃儿藤 ———— [8] 674

旋花科 ———— [8] 676

心萼薯 ———— [8] 676

打碗花 ———— [8] 678

旋花 ———— [8] 680

田旋花 ———— [8] 682

南方菟丝子 ———— [8] 684

菟丝子 ———— [8] 686

金灯藤 ———— [8] 688

马蹄金 ———— [8] 690

土丁桂 ———— [8] 692

蕹菜 ———— [8] 694

番薯 ———— [8] 696

牵牛 ———— [8] 698

三裂叶薯 ———— [8] 700

篱栏网 ———— [8] 702

北鱼黄草 ———— [8] 704

圆叶牵牛 ———— [8] 706

飞蛾藤 ———— [8] 708

茑萝松 ———— [8] 710

紫草科 ———— [8] 712

斑种草 ———— [8] 712

柔弱斑种草 ———— [8] 714

小花琉璃草 ———— [8] 716

琉璃草 ———— [8] 718

粗糠树 ———— [8] 720

厚壳树 ———— [8] 722

田紫草 ———— [8] 724

紫草 ———— [8] 726

梓木草 ———— [8] 728

短蕊车前紫草 ———— [8] 730

车前紫草 ———— [8] 732

聚合草 ———— [8] 734

弯齿盾果草 ———— [8] 736

盾果草 ———— [8] 738

钝萼附地菜 ———— [8] 740

附地菜 ———— [8] 742

马鞭草科 ———— [8] 744

紫珠 ———— [8] 744

华紫珠 ———— [8] 746

白棠子树 ———— [8] 748

杜虹花 ———— [8] 750

老鸦糊 ———— [8] 752

湖北紫珠 ———— [8] 754

窄叶紫珠 ———— [8] 756

红紫珠 ———— [8] 758

灰毛莸 ———— [8] 760

兰香草 ———— [8] 762

三花莸 ———— [8] 764

臭牡丹 ———— [8] 766

大青 ———— [8] 768

海州常山 ———— [8] 770

马缨丹 ———— [8] 772

过江藤 ———— [8] 774

臭黄荆 ———— [8] 776

豆腐柴 ———— [8] 778

狐臭柴 ———— [8] 780

马鞭草 —————— [8] 782

黄荆 —————— [8] 784

牡荆 —————— [8] 786

单叶蔓荆 —————— [8] 788

第 9 册

被子植物 —————— [9] 1

唇形科 —————— [9] 2

藿香 —————— [9] 2

筋骨草原变种 —————— [9] 6

筋骨草微毛变种 —————— [9] 9

多花筋骨草 —————— [9] 12

紫背金盘 —————— [9] 14

药水苏 —————— [9] 18

心叶石蚕 —————— [9] 20

风轮菜 —————— [9] 22

邻近风轮菜 —————— [9] 24

细风轮菜 —————— [9] 28

寸金草 —————— [9] 32

灯笼草 —————— [9] 34

匍匐风轮菜 —————— [9] 36

麻叶风轮菜 —————— [9] 38

肉叶鞘蕊花 —————— [9] 40

五彩苏 —————— [9] 42

藤状火把花 —————— [9] 44

绵穗苏 —————— [9] 46

香青兰 —————— [9] 48

水虎尾 —————— [9] 50

水蜡烛 —————— [9] 52

紫花香薷 —————— [9] 56

香薷 —————— [9] 60

野草香 —————— [9] 62

鸡骨柴 —————— [9] 66

异叶香薷 —————— [9] 68

海州香薷 —————— [9] 70

穗状香薷 —————— [9] 72

木香薷 —————— [9] 74

小野芝麻 —————— [9] 76

块根小野芝麻 —————— [9] 78

白透骨消 —————— [9] 80

活血丹 —————— [9] 82

异野芝麻 —————— [9] 86

细齿异野芝麻 —————— [9] 88

粉红动蕊花 —————— [9] 90

动蕊花 —————— [9] 92

镰叶动蕊花 —————— [9] 96

夏至草 —————— [9] 98

独一味 —————— [9] 102

宝盖草 —————— [9] 104

野芝麻 —————— [9] 106

益母草 —————— [9] 110

大花益母草 —————— [9] 114

錾菜 —————— [9] 116

细叶益母草 —————— [9] 118

小叶地笋 —————— [9] 122

华西龙头草 —————— [9] 124

梗花龙头草 —————— [9] 126

龙头草 —————— [9] 128

蜜蜂花 —————— [9] 130

薄荷 —————— [9] 132

留兰香 —————— [9] 136

冠唇花 —————— [9] 138

小花荠苎 —————— [9] 140

石香薷 —————— [9] 142

小鱼仙草 —————— [9] 144

石荠苎 —————— [9] 146

荆芥 ············· [9] 148
心叶荆芥 ············· [9] 152
罗勒 ············· [9] 154
牛至 ············· [9] 158
白花假糙苏 ············· [9] 162
小叶假糙苏 ············· [9] 166
紫苏 ············· [9] 168
回回苏 ············· [9] 172
野生紫苏 ············· [9] 174
大花糙苏 ············· [9] 176
柴续断 ············· [9] 178
糙苏 ············· [9] 180
南方糙苏 ············· [9] 184
珍珠菜 ············· [9] 186
广藿香 ············· [9] 190
夏枯草 ············· [9] 192
香茶菜 ············· [9] 196
尾叶香茶菜 ············· [9] 198
拟缺香茶菜 ············· [9] 200
鄂西香茶菜 ············· [9] 202
大萼香茶菜 ············· [9] 204
显脉香茶菜 ············· [9] 206
总序香茶菜 ············· [9] 210
碎米桠 ············· [9] 212
黄花香茶菜 ············· [9] 214
溪黄草 ············· [9] 216
南丹参 ············· [9] 220
贵州鼠尾草 ············· [9] 222
血盆草 ············· [9] 224
华鼠尾草 ············· [9] 226
河南鼠尾草 ············· [9] 230
鼠尾草 ············· [9] 232
鄂西鼠尾草 ············· [9] 236
丹参 ············· [9] 238
丹参白花变型 ············· [9] 240
南川鼠尾草 ············· [9] 242

荔枝草 ············· [9] 244
长冠鼠尾草 ············· [9] 248
甘西鼠尾草 ············· [9] 250
地埂鼠尾草 ············· [9] 252
一串红 ············· [9] 254
佛光草 ············· [9] 258
荫生鼠尾草 ············· [9] 260
多裂叶荆芥 ············· [9] 262
裂叶荆芥 ············· [9] 264
四棱草 ············· [9] 266
四齿四棱草 ············· [9] 268
黄芩 ············· [9] 270
半枝莲 ············· [9] 272
莸状黄芩 ············· [9] 276
岩藿香 ············· [9] 278
河南黄芩 ············· [9] 280
韩信草 ············· [9] 282
京黄芩 ············· [9] 284
少毛甘露子 ············· [9] 286
毛水苏 ············· [9] 288
地蚕 ············· [9] 290
水苏 ············· [9] 292
针筒菜 ············· [9] 296
狭齿水苏 ············· [9] 300
甘露子 ············· [9] 304
二齿香科科 ············· [9] 308
穗花香科科 ············· [9] 310
庐山香科科 ············· [9] 312
铁轴草 ············· [9] 314
血见愁 ············· [9] 316

茄科 ············· [9] 320
金鱼草 ············· [9] 320
颠茄 ············· [9] 322
天蓬子 ············· [9] 324
木本曼陀罗 ············· [9] 326
辣椒 ············· [9] 328

樱桃椒 .... [9] 332

朝天椒 .... [9] 334

树番茄 .... [9] 336

毛曼陀罗 .... [9] 338

白花曼陀罗 .... [9] 340

曼陀罗 .... [9] 344

红丝线 .... [9] 348

单花红丝线 .... [9] 350

中华红丝线 .... [9] 352

枸杞 .... [9] 354

番茄 .... [9] 358

假酸浆 .... [9] 360

烟草 .... [9] 364

碧冬茄 .... [9] 366

江南散血丹 .... [9] 368

酸浆 .... [9] 370

挂金灯 .... [9] 374

苦蘵 .... [9] 376

小酸浆 .... [9] 380

灯笼果 .... [9] 382

毛酸浆 .... [9] 384

千年不烂心 .... [9] 386

欧白英 .... [9] 390

刺天茄 .... [9] 392

野海茄 .... [9] 396

喀西茄 .... [9] 398

白英 .... [9] 400

茄 .... [9] 402

龙葵 .... [9] 404

少花龙葵 .... [9] 408

海桐叶白英 .... [9] 410

珊瑚樱 .... [9] 412

珊瑚豆 .... [9] 416

青杞 .... [9] 418

牛茄子 .... [9] 420

阳芋 .... [9] 422

黄果茄 .... [9] 424

玄参科 .... [9] 428

毛麝香 .... [9] 428

来江藤 .... [9] 430

胡麻草 .... [9] 432

毛地黄 .... [9] 434

狭叶母草 .... [9] 436

泥花草 .... [9] 438

母草 .... [9] 440

宽叶母草 .... [9] 442

陌上菜 .... [9] 444

纤细通泉草 .... [9] 446

通泉草 .... [9] 448

匍茎通泉草 .... [9] 452

长匍通泉草 .... [9] 454

美丽通泉草 .... [9] 456

毛果通泉草 .... [9] 458

弹刀子菜 .... [9] 460

山罗花 .... [9] 462

四川沟酸浆 .... [9] 464

沟酸浆 .... [9] 466

沙氏鹿茸草 .... [9] 468

兰考泡桐 .... [9] 470

川泡桐 .... [9] 472

白花泡桐 .... [9] 474

毛泡桐 .... [9] 478

埃氏马先蒿 .... [9] 480

大卫氏马先蒿 .... [9] 482

亨氏马先蒿 .... [9] 484

薛生马先蒿 .... [9] 486

藓菜叶马先蒿 .... [9] 488

返顾马先蒿 .... [9] 490

返顾马先蒿粗茎亚种 .... [9] 492

穗花马先蒿 .... [9] 494

四川马先蒿 .... [9] 496

扭旋马先蒿 .... [9] 498

松蒿 ---- [9] 500
细裂叶松蒿 ---- [9] 502
苦玄参 ---- [9] 504
天目地黄 ---- [9] 506
地黄 ---- [9] 508
湖北地黄 ---- [9] 510
长梗玄参 ---- [9] 512
玄参 ---- [9] 514
阴行草 ---- [9] 516
腺毛阴行草 ---- [9] 522
光叶蝴蝶草 ---- [9] 524
紫萼蝴蝶草 ---- [9] 528
呆白菜 ---- [9] 532
北水苦荬 ---- [9] 534
直立婆婆纳 ---- [9] 538
婆婆纳 ---- [9] 542
华中婆婆纳 ---- [9] 544
疏花婆婆纳 ---- [9] 546
蚊母草 ---- [9] 548
阿拉伯婆婆纳 ---- [9] 550
水苦荬 ---- [9] 552
爬岩红 ---- [9] 556
四方麻 ---- [9] 558
宽叶腹水草 ---- [9] 560
腹水草 ---- [9] 562
细穗腹水草 ---- [9] 564

紫葳科 ---- [9] 568
凌霄 ---- [9] 568
厚萼凌霄 ---- [9] 572
灰楸 ---- [9] 574
梓 ---- [9] 576

胡麻科 ---- [9] 580
脂麻 ---- [9] 580

列当科 ---- [9] 584
野菰 ---- [9] 584
黄筒花 ---- [9] 588

苦苣苔科 ---- [9] 590
直瓣苣苔 ---- [9] 590
大花旋蒴苣苔 ---- [9] 592
旋蒴苣苔 ---- [9] 594
革叶粗筒苣苔 ---- [9] 598
川鄂粗筒苣苔 ---- [9] 600
牛耳朵 ---- [9] 602
珊瑚苣苔 ---- [9] 606
半蒴苣苔 ---- [9] 608
降龙草 ---- [9] 610
裂叶金盏苣苔 ---- [9] 614
吊石苣苔 ---- [9] 616
长瓣马铃苣苔 ---- [9] 618
厚叶蛛毛苣苔 ---- [9] 622
蛛毛苣苔 ---- [9] 624
石山苣苔 ---- [9] 628

爵床科 ---- [9] 630
白接骨 ---- [9] 630
杜根藤 ---- [9] 634
黄猄草 ---- [9] 638
狗肝菜 ---- [9] 640
水蓑衣 ---- [9] 642
九头狮子草 ---- [9] 646
翅柄马蓝 ---- [9] 648
爵床 ---- [9] 650

透骨草科 ---- [9] 654
北美透骨草 ---- [9] 654
透骨草 ---- [9] 656

车前科 ---- [9] 658
车前 ---- [9] 658
平车前 ---- [9] 660
大车前 ---- [9] 662
北美车前 ---- [9] 666

茜草科 ---- [9] 668
水团花 ---- [9] 668
细叶水团花 ---- [9] 672

风箱树 ----------------------------- [9] 674
流苏子 ----------------------------- [9] 676
虎刺 ------------------------------- [9] 678
柳叶虎刺 --------------------------- [9] 680
四川虎刺 --------------------------- [9] 682
香果树 ----------------------------- [9] 684
拉拉藤 ----------------------------- [9] 686
猪殃殃 ----------------------------- [9] 688
六叶葎 ----------------------------- [9] 690
四叶葎 ----------------------------- [9] 692
狭叶四叶葎 ------------------------- [9] 694
小红参 ----------------------------- [9] 696
湖北拉拉藤 ------------------------- [9] 698
显脉拉拉藤 ------------------------- [9] 700
车轴草 ----------------------------- [9] 702
林猪殃殃 --------------------------- [9] 704
麦仁珠 ----------------------------- [9] 706
小叶猪殃殃 ------------------------- [9] 708
蓬子菜 ----------------------------- [9] 710
栀子 ------------------------------- [9] 712
白蟾 ------------------------------- [9] 716
大黄栀子 --------------------------- [9] 718
狭叶栀子 --------------------------- [9] 720
耳草 ------------------------------- [9] 722
金毛耳草 --------------------------- [9] 724
伞房花耳草 ------------------------- [9] 728
白花蛇舌草 ------------------------- [9] 730
牛白藤 ----------------------------- [9] 734
纤花耳草 --------------------------- [9] 736
长节耳草 --------------------------- [9] 738
粗叶耳草 --------------------------- [9] 740
野丁香 ----------------------------- [9] 742
巴戟天 ----------------------------- [9] 744
展枝玉叶金花 ----------------------- [9] 746
黐花 ------------------------------- [9] 748
玉叶金花 --------------------------- [9] 750

乌檀 ------------------------------- [9] 754
广州蛇根草 ------------------------- [9] 756
中华蛇根草 ------------------------- [9] 760
日本蛇根草 ------------------------- [9] 762
蛇根草 ----------------------------- [9] 764
臭鸡矢藤 --------------------------- [9] 766
鸡矢藤 ----------------------------- [9] 768
毛鸡矢藤 --------------------------- [9] 772
金剑草 ----------------------------- [9] 774
东南茜草 --------------------------- [9] 778
中国茜草 --------------------------- [9] 780
茜草 ------------------------------- [9] 782
长叶茜草 --------------------------- [9] 786
卵叶茜草 --------------------------- [9] 788
大叶茜草 --------------------------- [9] 790
林生茜草 --------------------------- [9] 792
紫参 ------------------------------- [9] 794
六月雪 ----------------------------- [9] 796
白马骨 ----------------------------- [9] 800
鸡仔木 ----------------------------- [9] 804
钩藤 ------------------------------- [9] 806
华钩藤 ----------------------------- [9] 810

忍冬科 --------------------------- [9] 814
六道木 ----------------------------- [9] 814
糯米条 ----------------------------- [9] 816
南方六道木 ------------------------- [9] 818
蓪梗花 ----------------------------- [9] 820
二翅六道木 ------------------------- [9] 822
小叶六道木 ------------------------- [9] 824
伞花六道木 ------------------------- [9] 826
双盾木 ----------------------------- [9] 828
淡红忍冬 --------------------------- [9] 830
匍匐忍冬 --------------------------- [9] 832
北京忍冬 --------------------------- [9] 834
刚毛忍冬 --------------------------- [9] 836
红腺忍冬 --------------------------- [9] 838

忍冬 ················· [9] 840

女贞叶忍冬 ················· [9] 844

金银忍冬 ················· [9] 846

灰毡毛忍冬 ················· [9] 848

下江忍冬 ················· [9] 850

红脉忍冬 ················· [9] 852

短柄忍冬 ················· [9] 854

蕊帽忍冬 ················· [9] 856

细毡毛忍冬 ················· [9] 858

唐古特忍冬 ················· [9] 860

盘叶忍冬 ················· [9] 862

血满草 ················· [9] 864

接骨草 ················· [9] 866

接骨木 ················· [9] 870

穿心莛子藨 ················· [9] 872

莛子藨 ················· [9] 874

桦叶荚蒾 ················· [9] 876

短序荚蒾 ················· [9] 880

醉鱼草状荚蒾 ················· [9] 882

金佛山荚蒾 ················· [9] 886

伞房荚蒾 ················· [9] 888

水红木 ················· [9] 890

荚蒾 ················· [9] 892

宜昌荚蒾 ················· [9] 896

红荚蒾 ················· [9] 898

紫药红荚蒾 ················· [9] 900

直角荚蒾 ················· [9] 902

南方荚蒾 ················· [9] 906

聚花荚蒾 ················· [9] 908

琼花 ················· [9] 910

黑果荚蒾 ················· [9] 912

珊瑚树 ················· [9] 914

鸡树条 ················· [9] 916

粉团 ················· [9] 918

蝴蝶戏珠花 ················· [9] 920

球核荚蒾 ················· [9] 922

皱叶荚蒾 ················· [9] 926

陕西荚蒾 ················· [9] 928

茶荚蒾 ················· [9] 930

合轴荚蒾 ················· [9] 934

烟管荚蒾 ················· [9] 936

锦带花 ················· [9] 938

半边月 ················· [9] 942

第 10 册

被子植物 ················· [10] 1

　败酱科 ················· [10] 2

　　墓头回 ················· [10] 2

　　窄叶败酱亚种 ················· [10] 4

　　少蕊败酱 ················· [10] 6

　　斑花败酱 ················· [10] 8

　　岩败酱 ················· [10] 10

　　败酱 ················· [10] 12

　　攀倒甑 ················· [10] 14

　　柔垂缬草 ················· [10] 18

　　长序缬草 ················· [10] 20

　　蜘蛛香 ················· [10] 22

　　缬草 ················· [10] 26

　　宽叶缬草 ················· [10] 28

　川续断科 ················· [10] 30

　　川续断 ················· [10] 30

　　日本续断 ················· [10] 34

　　天目续断 ················· [10] 36

　　双参 ················· [10] 38

葫芦科 ----------------------------------- [10] 40
　　盒子草 ------------------------------- [10] 40
　　冬瓜 --------------------------------- [10] 42
　　假贝母 ------------------------------- [10] 46
　　西瓜 --------------------------------- [10] 48
　　红瓜 --------------------------------- [10] 50
　　小马泡 ------------------------------- [10] 52
　　野黄瓜 ------------------------------- [10] 54
　　甜瓜 --------------------------------- [10] 56
　　菜瓜 --------------------------------- [10] 60
　　黄瓜 --------------------------------- [10] 62
　　笋瓜 --------------------------------- [10] 64
　　南瓜 --------------------------------- [10] 66
　　心籽绞股蓝 --------------------------- [10] 70
　　光叶绞股蓝 --------------------------- [10] 74
　　绞股蓝 ------------------------------- [10] 76
　　雪胆 --------------------------------- [10] 80
　　毛雪胆 ------------------------------- [10] 84
　　马铜铃 ------------------------------- [10] 86
　　葫芦 --------------------------------- [10] 88
　　瓠瓜 --------------------------------- [10] 92
　　瓠子 --------------------------------- [10] 94
　　小葫芦 ------------------------------- [10] 98
　　广东丝瓜 ----------------------------- [10] 100
　　丝瓜 --------------------------------- [10] 104
　　苦瓜 --------------------------------- [10] 108
　　木鳖子 ------------------------------- [10] 112
　　湖北裂瓜 ----------------------------- [10] 116
　　佛手瓜 ------------------------------- [10] 120
　　齿叶赤瓟 ----------------------------- [10] 122
　　赤瓟 --------------------------------- [10] 124
　　皱果赤瓟 ----------------------------- [10] 128
　　长叶赤瓟 ----------------------------- [10] 130
　　斑赤瓟 ------------------------------- [10] 132
　　南赤瓟 ------------------------------- [10] 134
　　长毛赤瓟 ----------------------------- [10] 136

瓜叶栝楼 ------------------------------- [10] 138
　　王瓜 --------------------------------- [10] 140
　　湘桂栝楼 ----------------------------- [10] 142
　　栝楼 --------------------------------- [10] 144
　　长萼栝楼 ----------------------------- [10] 148
　　中华栝楼 ----------------------------- [10] 150
　　丝毛栝楼 ----------------------------- [10] 152
　　马㼎儿 ------------------------------- [10] 154
　　钮子瓜 ------------------------------- [10] 156
桔梗科 ----------------------------------- [10] 158
　　川西沙参 ----------------------------- [10] 158
　　丝裂沙参 ----------------------------- [10] 160
　　细萼沙参 ----------------------------- [10] 162
　　狭叶沙参 ----------------------------- [10] 164
　　杏叶沙参 ----------------------------- [10] 166
　　湖北沙参 ----------------------------- [10] 168
　　细叶沙参 ----------------------------- [10] 170
　　薄叶荠苨 ----------------------------- [10] 172
　　多毛沙参 ----------------------------- [10] 174
　　沙参 --------------------------------- [10] 176
　　无柄沙参 ----------------------------- [10] 178
　　轮叶沙参 ----------------------------- [10] 180
　　荠苨 --------------------------------- [10] 182
　　聚叶沙参 ----------------------------- [10] 186
　　金钱豹 ------------------------------- [10] 188
　　大花金钱豹 --------------------------- [10] 190
　　长叶轮钟草 --------------------------- [10] 192
　　光叶党参 ----------------------------- [10] 194
　　川鄂党参 ----------------------------- [10] 196
　　羊乳 --------------------------------- [10] 198
　　党参 --------------------------------- [10] 200
　　川党参 ------------------------------- [10] 202
　　半边莲 ------------------------------- [10] 204
　　江南山梗菜 --------------------------- [10] 206
　　西南山梗菜 --------------------------- [10] 208
　　山梗菜 ------------------------------- [10] 210

袋果草 ———— [10] 212
桔梗 ———— [10] 214
铜锤玉带草 ———— [10] 216
蓝花参 ———— [10] 218
菊科 ———— [10] 220
蓍 ———— [10] 220
云南蓍 ———— [10] 222
和尚菜 ———— [10] 224
下田菊 ———— [10] 226
藿香蓟 ———— [10] 228
熊耳草 ———— [10] 232
杏香兔儿风 ———— [10] 236
光叶兔儿风 ———— [10] 238
纤枝兔儿风 ———— [10] 240
粗齿兔儿风 ———— [10] 242
长穗兔儿风 ———— [10] 244
宽叶兔儿风 ———— [10] 248
宽穗兔儿风 ———— [10] 250
灯台兔儿风 ———— [10] 252
云南兔儿风 ———— [10] 254
异叶亚菊 ———— [10] 256
豚草 ———— [10] 258
黄腺香青 ———— [10] 260
粘毛香青 ———— [10] 262
珠光香青 ———— [10] 264
香青 ———— [10] 266
山黄菊 ———— [10] 268
牛蒡 ———— [10] 270
黄花蒿 ———— [10] 274
奇蒿 ———— [10] 276
艾 ———— [10] 278
暗绿蒿 ———— [10] 282
茵陈蒿 ———— [10] 284
青蒿 ———— [10] 286
牛尾蒿 ———— [10] 288
南牡蒿 ———— [10] 290

华北米蒿 ———— [10] 292
锈苞蒿 ———— [10] 294
牡蒿 ———— [10] 296
白苞蒿 ———— [10] 298
矮蒿 ———— [10] 302
野艾蒿 ———— [10] 304
魁蒿 ———— [10] 306
红足蒿 ———— [10] 308
白莲蒿 ———— [10] 310
猪毛蒿 ———— [10] 312
蒌蒿 ———— [10] 314
大籽蒿 ———— [10] 316
宽叶山蒿 ———— [10] 318
川藏蒿 ———— [10] 320
南艾蒿 ———— [10] 322
北艾 ———— [10] 324
三脉紫菀 ———— [10] 326
翼柄紫菀 ———— [10] 328
小舌紫菀 ———— [10] 330
白舌紫菀 ———— [10] 332
紫菀 ———— [10] 334
三基脉紫菀 ———— [10] 336
鄂西苍术 ———— [10] 338
北苍术 ———— [10] 340
苍术 ———— [10] 342
白术 ———— [10] 344
雏菊 ———— [10] 346
婆婆针 ———— [10] 348
金盏银盘 ———— [10] 350
大狼杷草 ———— [10] 352
羽叶鬼针草 ———— [10] 354
小花鬼针草 ———— [10] 356
鬼针草 ———— [10] 358
白花鬼针草 ———— [10] 360
狼杷草 ———— [10] 362
翠菊 ———— [10] 364

节毛飞廉 ····· [10] 366

丝毛飞廉 ····· [10] 368

飞廉 ····· [10] 372

天名精 ····· [10] 374

烟管头草 ····· [10] 376

金挖耳 ····· [10] 378

贵州天名精 ····· [10] 380

长叶天名精 ····· [10] 382

大花金挖耳 ····· [10] 384

小花金挖耳 ····· [10] 386

棉毛尼泊尔天名精 ····· [10] 388

四川天名精 ····· [10] 390

暗花金挖耳 ····· [10] 392

红花 ····· [10] 394

矢车菊 ····· [10] 396

茼蒿 ····· [10] 398

菊苣 ····· [10] 400

湖北蓟 ····· [10] 402

蓟 ····· [10] 404

线叶蓟 ····· [10] 406

刺儿菜 ····· [10] 408

绒背蓟 ····· [10] 410

香丝草 ····· [10] 412

小蓬草 ····· [10] 414

白酒草 ····· [10] 416

金鸡菊 ····· [10] 418

剑叶金鸡菊 ····· [10] 420

秋英 ····· [10] 422

野茼蒿 ····· [10] 424

大丽花 ····· [10] 426

野菊 ····· [10] 428

甘野菊 ····· [10] 430

菊花 ····· [10] 432

毛华菊 ····· [10] 434

鱼眼草 ····· [10] 436

小鱼眼草 ····· [10] 438

华东蓝刺头 ····· [10] 440

蓝刺头 ····· [10] 442

鳢肠 ····· [10] 444

一点红 ····· [10] 446

梁子菜 ····· [10] 448

飞蓬 ····· [10] 450

一年蓬 ····· [10] 452

大麻叶泽兰 ····· [10] 454

佩兰 ····· [10] 456

白头婆 ····· [10] 458

牛膝菊 ····· [10] 460

毛大丁草 ····· [10] 462

鼠麹草 ····· [10] 464

秋鼠麹草 ····· [10] 466

细叶鼠麹草 ····· [10] 468

丝棉草 ····· [10] 470

南川鼠麹草 ····· [10] 472

匙叶鼠麹草 ····· [10] 474

田基黄 ····· [10] 476

红凤菜 ····· [10] 478

菊三七 ····· [10] 480

羊耳菊 ····· [10] 482

土木香 ····· [10] 484

湖北旋覆花 ····· [10] 486

旋覆花 ····· [10] 488

线叶旋覆花 ····· [10] 490

总状土木香 ····· [10] 492

中华小苦荬 ····· [10] 494

小苦荬 ····· [10] 496

细叶小苦荬 ····· [10] 498

抱茎小苦荬 ····· [10] 500

剪刀股 ····· [10] 502

苦荬菜 ····· [10] 504

马兰 ····· [10] 506

全叶马兰 ····· [10] 508

毡毛马兰 ····· [10] 510

长叶莴苣 ———————— [10] 512
山莴苣 ———————————— [10] 514
莴苣 ——————————————— [10] 516
野莴苣 ———————————— [10] 518
六棱菊 ———————————— [10] 520
大丁草 ———————————— [10] 522
薄雪火绒草 ——————— [10] 524
齿叶橐吾 ———————— [10] 526
蹄叶橐吾 ———————— [10] 528
鹿蹄橐吾 ———————— [10] 530
狭苞橐吾 ———————— [10] 532
大头橐吾 ———————— [10] 534
莲叶橐吾 ———————— [10] 536
掌叶橐吾 ———————— [10] 538
橐吾 ——————————————— [10] 540
窄头橐吾 ———————— [10] 542
离舌橐吾 ———————— [10] 544
川鄂橐吾 ———————— [10] 546
圆舌粘冠草 ——————— [10] 548
多裂紫菊 ———————— [10] 550
紫菊 ——————————————— [10] 552
黄瓜菜 ———————————— [10] 554
假福王草 ———————— [10] 556
兔儿风蟹甲草 ————— [10] 558
珠芽蟹甲草 ——————— [10] 560
山尖子 ———————————— [10] 562
白头蟹甲草 ——————— [10] 564
耳翼蟹甲草 ——————— [10] 566
掌裂蟹甲草 ——————— [10] 568
深山蟹甲草 ——————— [10] 570
蜂斗菜 ———————————— [10] 572
毛裂蜂斗菜 ——————— [10] 574
毛连菜 ———————————— [10] 576
福王草 ———————————— [10] 578
高大翅果菊 ——————— [10] 580
台湾翅果菊 ——————— [10] 582

翅果菊 ———————————— [10] 584
除虫菊 ———————————— [10] 586
秋分草 ———————————— [10] 588
黑心金光菊 ——————— [10] 590
金光菊 ———————————— [10] 592
翼柄风毛菊 ——————— [10] 594
抱茎风毛菊 ——————— [10] 596
心叶风毛菊 ——————— [10] 598
云木香 ———————————— [10] 600
三角叶风毛菊 ————— [10] 602
长梗风毛菊 ——————— [10] 604
风毛菊 ———————————— [10] 606
大耳叶风毛菊 ————— [10] 608
少花风毛菊 ——————— [10] 610
松林风毛菊 ——————— [10] 612
多头风毛菊 ——————— [10] 614
杨叶风毛菊 ——————— [10] 616
华中雪莲 ———————— [10] 618
华北鸦葱 ———————— [10] 620
鸦葱 ——————————————— [10] 622
林荫千里光 ——————— [10] 624
千里光 ———————————— [10] 626
麻花头 ———————————— [10] 628
伪泥胡菜 ———————— [10] 630
毛梗豨莶 ———————— [10] 632
豨莶 ——————————————— [10] 634
腺梗豨莶 ———————— [10] 636
华蟹甲 ———————————— [10] 638
蒲儿根 ———————————— [10] 640
菊薯 ——————————————— [10] 642
一枝黄花 ———————— [10] 644
花叶滇苦菜 ——————— [10] 646
苦苣菜 ———————————— [10] 648
短裂苦苣菜 ——————— [10] 650
苣荬菜 ———————————— [10] 652
漏芦 ——————————————— [10] 654

甜叶菊 ---------------------- [10] 656

钻叶紫菀 -------------------- [10] 658

兔儿伞 ---------------------- [10] 660

锯叶合耳菊 ------------------ [10] 662

山牛蒡 ---------------------- [10] 664

万寿菊 ---------------------- [10] 666

蒲公英 ---------------------- [10] 668

白缘蒲公英 ------------------ [10] 670

狗舌草 ---------------------- [10] 672

女菀 ------------------------ [10] 674

款冬 ------------------------ [10] 676

夜香牛 ---------------------- [10] 678

南漳斑鸠菊 ------------------ [10] 680

附录　湖北省中药资源名录 -- [10] 683

中文笔画索引 -- [10] 731

拉丁学名索引 -- [10] 755

上 篇

湖北省中药
资源概论

中药资源是中药产业发展的物质基础，是中医药防病治病的根本。中药资源也是国家的重要资源，是我国乃至世界医药卫生的重要组成部分。摸清中药资源状况及其发展变化规律，对于制定中药资源产业发展政策、提高中药资源利用效率和保障医疗卫生用药需要，具有极其重要的理论和现实意义。

在黄璐琦院士、陈士林院士等中药资源领域专家的倡导下，国家中医药管理局于 2011 年开始开展第四次全国中药资源普查试点工作，并将安徽、湖北、湖南、四川、云南、新疆 6 个省（自治区）作为第一批中药资源普查试点区。湖北省于 2011 年 12 月正式启动第四次中药资源普查试点工作，先后对 103 个县（自治县、市、区、林区）开展中药资源普查工作，实现了中药资源普查县级区域全覆盖，目前已完成全部县（自治县、市、区、林区）的外业调查工作，内业整理工作也在不断推进，中药资源普查工作取得了丰硕的成果。

湖北省地理环境和气候特征

湖北省地处我国中部，具有西高东低、向南敞开的半盆地地貌特征。独特的地理位置、气候特征、地貌特征，孕育了湖北省独特的中药资源。

一、地理环境

（一）地形地貌

湖北省地跨北纬 29°01′53″ ~ 33°06′47″，东经 108°21′42″ ~ 116°07′50″，东邻安徽，南接江西、湖南，西连重庆，西北与陕西接壤，北与河南毗邻，东西长约 740 km，南北宽约 470 km，最东端是黄梅县，最西端是利川市，最南端是来凤县，最北端是郧西县。湖北省东、西、北三面环山，中间地势低平，为略向南敞开的不完整盆地。在全省土地总面积中，山地面积占 56%，丘陵面积占 24%，平原面积占 20%。

1. 山地

湖北省的山地大致分为西北山地、西南山地、东北山地和东南山地四大块。西北山地为秦岭东延部分和大巴山东段。秦岭东延部分称武当山脉，呈北西至南东走向，群山叠嶂，岭脊海拔一般在 1 000 m 以上，最高处为武当山天柱峰，天柱峰海拔 1 612 m。大巴山东段由神农架、荆山、巫山组成，森林茂密，河谷幽深。神农架最高峰为神农顶，神农顶海拔 3 106 m，素有"华中第一峰"之称。荆山呈北西至南东走向，其地势向南趋降为海拔 250 ~ 500 m。巫山地质复杂，水流侵蚀作用强烈，一般相对高度为 700 ~ 1 500 m。长江自西向东横贯巫山，形成雄奇壮美的长江三峡，故巫山水利资源极其丰富。西南山地为云贵高原的东北延伸部分，主要包括大娄山和武陵山，呈北东至南西走向，一般海拔为 700 ~ 1 000 m，最高处狮子垴海拔 2 152 m。东北山地为绵亘于豫、鄂、皖边境的桐柏山和大别山，呈北西至南东走向。桐柏山主峰太白顶海拔 1 140 m，大别山主峰天堂寨海拔 1 729 m。东南山地为蜿蜒于湘、鄂、赣边境的幕阜山脉，略呈西南至东北走向，主峰老鸦尖海拔 1 657 m。

2. 丘陵

湖北省的丘陵主要分布在鄂中和鄂东北两大区域。鄂中丘陵包括荆山与大别山之间的江汉河谷丘陵和大洪山与桐柏山之间的陨水流域丘陵。鄂东北丘陵以低丘为主，地势起伏较小，丘间沟谷开阔，土层较厚，宜农宜林。

3. 平原

湖北省的平原主要为江汉平原和鄂东沿江平原。江汉平原由长江及其支流汉江冲积而成，是比较典型的河积－湖积平原，面积 4 万多平方千米，整个地势由西北微向东南倾斜，地面平坦，大部分地面海拔20～100 m。鄂东沿江平原也是江湖冲积平原，主要分布在嘉鱼至黄梅沿长江一带，为长江中游平原的组成部分。嘉鱼至黄梅沿长江一带注入长江的支流短小，河口三角洲面积狭窄，加之河间地带河湖交错，夹有残山低丘，因而鄂东沿江平原面积收缩，远不及江汉平原平坦宽阔。

（二）土壤资源

湖北省土壤类型比较复杂，主要有水稻土、潮土、黄棕壤、黄褐土、石灰（岩）土、黄壤、红壤及紫色土8个土壤类型，8种土壤的分布面积占全省总耕地面积的98.65%，其中水稻土的分布面积占总耕地面积的50.35%，潮土的分布面积占总耕地面积的19.03%，黄棕壤的分布面积占总耕地面积的14.54%，其他5种土壤的分布面积占总耕地面积的比例均小于5%。

1. 水稻土

水稻土广泛分布在长江和汉江沿岸的冲积平原、河流阶地、河漫滩地及滨湖地区广阔的低平地带，其中荆州市、武汉市、孝感市、襄阳市、黄冈市及宜昌市等地分布面积较大。

2. 潮土

潮土是泛域性土壤，成土母质系第四纪全新世冲积物及沉积物。潮土在湖北省分布广泛，从海拔十几米的低潮地带到海拔千米左右的山沟谷地均有分布，集中分布在长江两岸和湖泊周围、港溪两旁的平原、畈田、湖汊、河阶、谷地及平坦的开阔地，如以"鱼米之乡"著称的江汉平原的枝江市、当阳市、荆州区各县（市、区）等。

3. 黄棕壤

黄棕壤分布于湖北省各地，其中黄冈市、宜昌市、孝感市、襄阳市等地的分布面积较大。该土壤的结构面上经常覆有铁、锰胶膜或结核，一般质地黏重，土体结构紧实。

4. 黄褐土

黄褐土集中分布在襄阳市及荆州市北部等。该土壤质地较黏重，土体结构紧实，难犁难耙，土壤毛管蒸发力强，水分极易散失，天晴时易受干旱威胁。

5. 石灰（岩）土

石灰（岩）土分布广泛，以鄂西山地（焦枝铁路以西）分布面积为最大，鄂东南幕阜山地和鄂中大洪山地分布面积次之，鄂东大别山地区有零星分布。该土壤保留了母质特征，富含碳酸盐，pH一般在6.5以上，土质较黏，含较多砾石，石芽出露面积大，不便于耕作。

6. 黄壤

黄壤分布于湖北省西南部山区，主要分布地域可概括为"四大块，四河谷"。"四大块"是指恩施－建始盆地、来凤盆地、黄陵背斜中心区和宜昌市枝城镇、长阳土家族自治县与五峰土家族自治县渔洋关镇之间的三角地带，"四河谷"指长江西陵河谷、清江河谷、鹤峰溇水谷和咸丰唐岩河谷。黄壤呈酸性，有机质含量较高，富铝化作用、淋溶作用和黏粒淀积现象较为明显。

7. 红壤

红壤主要分布于鄂东南的低山、丘陵、垅岗和鄂西南的丘陵、丘陵台地或盆地。红壤中有机质含量较低，大部分缺氮、钾，小部分缺锌、铜、锰、铁。

8. 紫色土

除十堰以外，紫色土在湖北各市及恩施土家族苗族自治州均有分布，其中宜昌市、襄阳市、孝感市、荆门市和荆州市的分布面积较大。该土壤有机质含量较低，速效磷、钾含量差异较大，一般通气透水性能良好，具有一定的保肥蓄水能力。

二、气候特征

湖北省地处亚热带，位于典型的季风区内。全省大部分地区为亚热带季风性湿润气候，光能充足，热量丰富，无霜期长，降水充沛，雨热同季，太阳年辐射总量为 355 ~ 477 kJ/cm²，年平均日照时数为 1 100 ~ 2 150 h，其中鄂北、鄂东北年平均日照时数最多，为 2 000 ~ 2 150 h；鄂西南年平均日照时数最少，为 1 100 ~ 1 400 h。全省年平均气温为 15 ~ 17 ℃，大部分地区冬季冷，夏季热，春季气温多变，秋季气温下降迅速，一年之中 1 月天气最冷，7 月天气最热。全省无霜期为 230 ~ 300 d。平均年降水量为 800 ~ 1 600 mm，降水地域分布呈由南向北递减趋势，其中，鄂西南平均年降水量最多，为 1 400 ~ 1 600 mm；鄂西北平均年降水量最少，为 800 ~ 1 000 mm；降水量分布有明显的季节变化，一般夏季降水量最多，冬季降水量最少。

第二章

湖北省第四次中药资源普查
实施情况

为全面摸清湖北省中药资源状况，在普查开始之初，湖北省即系统进行了普查方案的顶层设计，围绕"一项工作，四项任务"的总体要求，分区域、分层次逐步推进工作，其中"一项工作"为中药资源普查工作，"四项任务"为品种普查、蕴藏量调查、市场调查和传统知识调查。普查工作历时 11 年，通过全省各单位的共同努力，湖北省完成了第四次中药资源普查工作并取得了一系列成果。

一、普查实施阶段

为确保湖北省中药资源普查质量，根据湖北省中药资源分布情况，湖北省中药资源普查工作领导小组办公室因地制宜，分批开展湖北省中药资源普查试点工作和正式普查工作。

（一）试点阶段

2011—2016 年湖北省对 39 个县（自治县、市、区、林区）开展了中药资源普查试点工作，在完成"一项工作，四项任务"的同时，成立了中药资源普查工作领导小组、领导小组办公室和专家委员会等，全面、系统地总结了中药资源普查经验，完善了中药资源普查方法。在此过程中，湖北省中药资源普查工作领导小组办公室印发了《湖北省中药资源普查试点方案》《湖北省中药资源普查试点工作手册》《湖北省中药资源普查试点工作技术指南》等，并参与了全国中药资源普查技术方案的制订，为湖北省中药资源普查工作的顺利开展和后续工作的持续推进奠定了坚实基础。

为更好地开展普查试点工作，湖北省中药资源普查工作领导小组办公室充分发挥专家积极性，精心策划，分批推进，以确保普查试点工作顺利实施。各批次试点县（自治县、市、区、林区）具体如下。

第一批普查试点县（自治县、市、区、林区）共 18 个，包括恩施市、建始县、巴东县、宣恩县、咸丰县、来凤县、利川市、长阳土家族自治县、五峰土家族自治县、竹溪县、房县、神农架林区、麻城市、英山县、罗田县、蕲春县、团风县、随县，于 2011 年启动普查试点工作。

第二批普查试点县（市、区）共 10 个，包括郧县（现为郧阳区）、郧西县、竹山县、丹江口市、宜都市、远安县、保康县、南漳县、通山县、公安县，于 2013 年启动普查试点工作。

第三批普查试点县（市、区）共 11 个，包括枣阳市、谷城县、红安县、大悟县、黄梅县、通城县、崇阳县、兴山县、钟祥市、秭归县、当阳市，于 2014 年启动普查试点工作。

以上 3 批试点县（自治县、市、区、林区）分别于 2018 年、2019 年通过全国中药资源普查办公室的验收，并取得较丰硕的普查成果。湖北省还建立了中药资源动态监测信息和技术服务中心湖北省分中心、中药资源动态监测服务中心罗田检测服务站和利川检测服务站，上述机构所完成的工作分别于 2018 年和 2019 年通过全国中药资源普查办公室验收。

（二）正式普查阶段

2017—2019 年，在总结中药资源普查试点工作经验的基础上，湖北省先后分 3 批对余下的 64 个县（市、区）进行了中药资源普查工作。

第四批普查县（市）共 19 个，包括阳新县、大冶市、枝江市、老河口市、宜城市、京山县（现为京山市）、安陆市、汉川市、广水市、松滋市、洪湖市、浠水县、武穴市、赤壁市、嘉鱼县、鹤峰县、天门市、仙桃市、潜江市，于 2017 年启动普查工作。

第五批普查县（市、区）共 12 个，包括茅箭区、张湾区、点军区、猇亭区、夷陵区、沙洋县、孝昌县、云梦县、应城市、监利县（现为监利市）、江陵县、曾都区，于 2018 年启动普查工作。

第六批普查县（市、区）共 33 个，包括江岸区、江汉区、硚口区、汉阳区、武昌区、青山区、洪山区、东西湖区、汉南区、蔡甸区、江夏区、黄陂区、新洲区、黄石港区、西塞山区、下陆区、铁山区、西陵区、伍家岗区、襄城区、樊城区、襄州区、梁子湖区、华容区、鄂城区、东宝区、掇刀区、孝南区、沙市区、荆州区、石首市、黄州区、咸安区，于 2019 年启动普查工作。

在总结前 3 批试点县（自治县、市、区、林区）普查经验的基础上，湖北省不断加强中药资源普查技术培训、人员组织、野外调查、内业整理等经验的推广，全面提高了中药资源普查速度与普查质量，使正式普查的 64 个县（市、区）的普查工作顺利推进，"一项工作，四项任务"全面得到落实，取得了良好的社会效益。

二、普查工作概况

湖北省以为中医药产业发展服务、为人民健康服务为宗旨，高度重视中药资源普查试点工作和中药资源普查工作，从组织机构建立、过程管理、工作验收等环节，加强中药资源普查工作的组织管理与技术支持，为全面落实全省中药资源普查工作任务，整体提升中药资源普查质量，提供了组织与技术保障。

（一）成立普查组织机构

为更好地开展中药资源普查工作，早在工作开展之初的 2011 年，湖北省即成立了以副省长为组长的中药资源普查工作领导小组，领导小组成员包括来自湖北省人民政府、湖北省经济和信息化委员会（现为湖北省经济和信息化厅）、湖北省卫生厅、湖北省科学技术厅、湖北省发展和改革委员会、湖北省民族宗教事务委员会、湖北省财政厅、湖北省农业厅（现为湖北省农业农村厅）、湖北省林业厅（现为湖北省林业局）、湖北省质量技术监督局、湖北省食品药品监督管理局、湖北中医药大学等 12 家单位的 14 人，成立了以卫生厅副厅长为主任的中药资源普查工作领导小组办公室，领导小组办公室成员包括来自湖北省卫生厅、湖北中医药大学等 2 家单位的 10 人，组建了以湖北中医药大学副校长为组长的中药资源普查工作专家委员会，专家委员会成员包括来自湖北中医药大学、华中科技大学、湖北省食品药品监督检验研究院、湖北省农科院中药材研究所、湖北省中医药研究院、中南民族大学、武汉大学、中国科学院武汉植物园、湖北省中医院、湖北工业学院（现为湖北轻工大学）、湖北民族学院（现为湖北民族大学）等 12 家单位的 17 人。普查工作在湖北省卫生厅的组织协调下有序开展，逐步推进。随着普查工作的不断深入和普查工作量的逐步增加，作为第四次全国中药资源普查湖北省普查区的技术牵头单位，湖北中医药大学根据有关文件精神，选派专业人员成立了中药资源普查工作小组，上述组织机构的相继成立和有效运行，为湖北省中药资源普查工作的顺利完成提供了有力保障。

（二）加强对中药资源普查工作过程的管理

为确保中药资源普查工作任务的全面落实，湖北省通过中药资源普查工作领导小组、领导小组办公室、专家委员会和普查工作小组，不断加强对中药资源普查工作过程的管理，严格落实各项培训工作、技术督导工作、中药资源普查中期考核和省级验收工作，使中药资源普查工作得以顺利推进。

1. 落实各项培训工作

湖北省根据中药资源普查工作技术性强、工作复杂多样的具体特点，依托湖北省中药资源普查领导小组办公室和专家委员会，组织专家力量，对普查管理人员、普查队员、普查信息员等，按照普查启动、野外调查、内业整理 3 个环节分别开展相应技术培训。

通过普查启动培训，使普查管理人员、普查队员、普查信息员等对中药资源普查工作有了全面的认识，了解中药资源普查工作内容、工作要点、工作任务及工作方法，敦促普查区域各县（自治县、市、区、林区）成立普查工作领导小组、领导小组办公室和普查队，确定相应人员，制订普查方案，做好普查准备工作。

通过野外调查培训，使各普查队员、普查信息员等熟悉中药资源普查野外工作方法、工作要点、数据采集内容及方法、标本采集与制作方法、中药材样品采集及加工方法、市场调查方法、传统知识调查方法等技术要求，提高普查队员野外调查工作能力，现场解答普查队员在工作中存在的疑问与问题，为中药资源普查的实施提供技术指导。

通过内业整理培训，使普查队员、信息录入员从整体上把握数据录入要求、数据录入方法、成果整理重点、腊叶标本整理要求、药材样品要求等技术内容，熟悉数据录入方法，掌握数据录入要领，为各县（自治县、市、区、林区）数据录入、成果梳理奠定基础。

在第四次全国中药资源普查过程中，湖北省根据工作需要前后举行了 19 场次的培训工作，培训 1 000 余人次，为湖北省中药资源普查工作的顺利进行提供了保障。

2. 落实技术督导工作

为加强中药资源普查工作的技术指导、促进中药资源普查工作快速推进和提高中药资源普查质量，湖北省中药资源普查工作专家委员会根据各普查县（自治县、市、区、林区）普查工作进度和技术需求，开展技术督导与指导工作，于 2012 年、2014 年、2016 年和 2019 年先后 4 次组织相关专家赴各普查县（自治县、市、区、林区）开展普查督导指导工作，并接受国家中医药管理局和全国中药资源普查办公室专家的技术指导，对提高湖北省中药资源普查质量起到了重要的作用。

3. 落实中药资源普查中期考核和省级验收工作

湖北省坚持质量第一的普查工作验收原则，根据国家下发的《第四次全国中药资源普查验收标准》的有关要求，结合湖北省中药资源普查实际情况，积极组织专家，对湖北省中药资源普查试点县（自治县、市、区、林区）、普查县（市、区）开展中期考核和省级验收工作，先后召开 5 次中期检查汇报会和 3 次省级验收工作会，为湖北省中药资源普查工作顺利通过全国中药资源普查办公室验收奠定了基础。

通过召开中期考核汇报会，系统了解了普查工作的进展及存在的问题，针对各县（自治县、市、区、林区）普查工作开展的具体情况，对照国家标准，提出了改进意见和建议，帮助各县（自治县、市、区、林区）高质量完成了普查工作。

通过召开省级验收工作会，全面掌握了普查县（自治县、市、区、林区）工作完成情况、存在的不足、成果整理进展等相关情况，提出了成果整理重点方向，明确了成果整理任务，指导各县（自治县、市、区、林区）进一步完成了中药资源内业整理工作，提高了中药资源普查成果应用能力和应用效率。

三、普查工作的主要特色

湖北省以公共卫生专项的形式开展第四次中药资源普查工作，充分发挥全省各县级卫生健康局、中医医院等基层单位的主动性，调动大专院校、科研院所等专家的积极性，加强组织管理和技术支持，形成了湖北省中药资源普查特色，主要特色如下。

（一）政府高度重视

政府的重视是湖北省中药资源普查工作得以顺利开展的前提和基础。在第四次中药资源普查的试点阶段，湖北省卫生厅（现为湖北省卫生健康委员会）即在湖北省人民政府的统一领导下，根据全国中药资源普查办公室的统一要求，成立了以时任湖北省副省长张岱梨同志为组长的中药资源普查试点工作领导小组，并组建了领导小组办公室和专家委员会，确定了第一批中药资源普查试点县（自治县、市、区、林区），并向各县（自治县、市、区、林区）发出通知，要求其成立中药资源普查机构，组织普查队伍，落实普查任务，这为湖北省中药资源普查工作的顺利开展打下了良好基础。

在普查过程中，湖北省中药资源普查工作领导小组办公室高度关注中药资源普查工作进展情况和普查质量，将中药资源普查工作作为全省卫生事业的重点工作，优先安排普查经费，优先解决普查问题，优先落实相关工作，以高度的责任心和担当精神推动普查工作不断深入。同时，湖北省中药资源普查工作领导小组还多次派出相关领导赴普查一线开展工作督导，提出既要保证进度又要保证质量，以优异成绩为湖北省中医药事业作出新贡献的普查要求，使湖北省中药资源普查工作一直处于领先之列。

（二）普查范围广泛

为了尽量摸清湖北省中药资源现状，湖北省中药资源普查工作领导小组办公室根据国家的相关要求，历时 11 年，前后分 6 批对湖北省 103 个县（自治县、市、区、林区）的中药资源进行了全面普查。在普查过程中，根据湖北省的地形地貌特点，在全省共设立 455 个中药资源普查代表区域，完成样地 3 283 个样方套 14 741 个，对 396 个品种进行了蕴藏量调查。对每个县（自治县、市、区、林区）的中药资源集中区域，以样线调查、样带调查的方式，开展野生中药资源种类调查，共调查野生中药资源种类 5 279 种（含亚种、变种）；采用实地调查方式，对湖北省种植药材进行了调查，共调查栽培资源 164 种、病虫害 451 种；采用走访调查的方式，对湖北省中药材专业市场、产地交易市场、药材收购站等进行了调查，调查主流品种 360 种；采用走访调查与座谈会结合的方式，对湖北省传统中医药知识进行了调查，共调查传统知识 606 条。

湖北省第四次中药资源普查达到了普查区域和普查任务全覆盖的普查要求，普查范围之广，普查品种与普查新发现之多，普查人员投入之众，均为湖北省历史之最。

（三）技术支持有力

中药资源普查工作是一项技术性极强的工作。为加强湖北省中药资源普查工作的技术指导，提高普查工作质量，湖北省在普查工作之初即成立了以湖北中医药大学副校长为组长的中药资源普查工作专家委员会，组织全省 12 个单位的 17 名专家，通过技术培训、技术指导、普查督导、中期检查、普查验收等方式，对全省中药资源普查工作提供技术支持，使普查技术指导工作落实、落细、落到位。在普查过程中，根据工作需要，湖北省还依托湖北中医药大学适时成立了普查工作小组，以加强普查成果梳理和数据录入的指导工作，强化普查品种鉴定工作，确保普查质量。

（四）普查基础工作扎实

为使中药资源普查工作少走弯路、少犯错误，在普查工作之初，湖北省即根据国家中药资源普查目标和工作任务，组织专家对普查方案进行了多次讨论、修改和论证，提出了"分批进行、逐步推进"的普查原则，详细制订了各批次普查方案，指导并协助各县（自治县、市、区、林区）

制订和完善普查方案，明确普查目标，梳理普查任务，确立普查方法，优选普查队员，落实普查工具，强调普查质量，确保各县（自治县、市、区、林区）充分做好普查准备工作。

湖北省还建立了中药资源普查联络群，该联络群对普查中存在的问题，如品种鉴定、技术要求、标本采集、数据整理等问题及时进行沟通，使各类问题迅速得到解决。

为加强普查工作的技术指导，湖北省中药资源普查工作领导小组办公室还多方收集普查参考资料，为各县（自治县、市、区、林区）发放包括《中国植物志》《中国高等植物图鉴》等权威工具书在内的电子文献 6 GB 以上，并为部分县（自治县、市、区、林区）免费发放《湖北中药资源名录》《湖北省中药资源普查文件汇编》《湖北省中药资源普查工作手册》等参考书籍，有效解决了各县（自治县、市、区、林区）品种鉴定困难、工作指导缺乏等现实问题。扎实的基础工作为湖北省中药资源普查工作的顺利开展奠定了良好基础，为各县（自治县、市、区、林区）按时完成普查任务提供了保障。

（五）普查工作系统性较强

湖北省严格按照普查要求开展工作，对普查区域选择、样地设置、标本采集、数据录入等各方面进行规范，按照"一项工作，四项任务"的统一要求开展普查工作，确保工作内容的一致性；组织专家对普查品种进行逐一鉴定，确保普查结果的准确性、完整性与真实性；同时，统一订购普查样品袋并统一设计普查台纸，对普查标本进行统一扫描、统一整理和统一编目，确保普查结果的系统性、数据的一致性。

四、普查工作取得的主要成果

湖北省中药资源普查的全体工作人员同政府主管部门团结一致，上下齐心，克服种种困难，在普查模式、人才培养、发现植物类中药资源种类数量等方面取得了丰硕成果，为湖北省中药资源产业的发展提供了科学依据。

（一）探索出一个新模式

为做好湖北省中药资源普查工作，湖北省卫生厅（现为湖北省卫生健康委员会）等政府部门高度重视，组织省内专家，对湖北省中药资源普查实施模式进行分析，结合国家普查目标、普查经费下达口径、普查经费使用要求和湖北省实际情况，采取了政府主导、中医医院落实、专家指导的实施模式，并在实施过程中进行总结和提高。该实施模式受到国家中医药管理局和全国中药资源普查办公室的认可和推广。

（二）培养了一批人才

在中药资源普查过程中，湖北省高度重视中药资源人才的培养，通过普查启动培训、野外调查培训、内业整理培训和技术督导等方式，不断加强湖北省中药资源普查人才的培养，先后培训1 000余人次，为每个县（自治县、市、区、林区）培养普查人员3人以上，一批普查队员脱颖而出，成为中药资源普查的骨干力量，为湖北省中药资源产业的发展储备了人才，积蓄了力量。

（三）发现了4 834种植物类中药资源种类

湖北省第四次中药资源普查共发现植物类中药资源种类4 834种，比第三次中药资源普查多发现植物类中药资源650种；发现新属（征镒麻属）1个；发现新种（征镒麻、武陵酢浆草、盛兰凤仙花、竹溪重楼、竹溪山萮菜、竹溪还亮草、征镒橐吾、竹溪风毛菊、竹溪繁缕、保康凤仙花、假圆蓇紫堇、宜昌景天、竹溪凤仙花、毛旗凤仙花、竹溪雪胆、镇坪马铃苣苔、文采樱）17个；发现了已灭绝100余年的陕西羽叶报春，并重新采集了模式标本；发现了毛白饭树雌雄植物体群落，并重新采集了模式标本，对早前的错误命名进行了更正；另外重新采集了花木蓝和小山菊模式标本。发现新分布科（星叶草科和黄眼草科）2个，发现新分布属（星叶草属、双果荠属、蚓果芥属、异药花属、泽番椒属和大爪草属）6个，发现新分布种（星叶草、双果荠、蚓果芥、异药花、梵净肋毛蕨、梵净报春、台湾剑蕨、绒叶木姜子、腺地榆、矮地榆、东北薄荷、叉叶蓝、灰岩润楠、短果升麻、蔓孩儿参、太平洋拳参、秦岭金腰、纤细金腰、舌叶金腰、芹叶牻牛儿苗等）161种。

通过普查工作，湖北省还发掘了一批传统中医药知识，包括民间秘方、验方及古方、古籍图书等，为进一步挖掘湖北省中医药文化奠定了基础；通过对家种家养药材的普查，发现了多种病虫害，为湖北省中药材种植养殖技术研究及病虫害防治提供了依据；对湖北省中药材市场、产地交易市场、产地药材收购站等进行了调查，发现了一批代用品，摸清了湖北省中药材产销的基本情况，为湖北省中药材贸易发展提供了参考。

（四）出版了一批著作

在中药资源普查过程中，湖北省不断加强普查成果整理，积极出版中药著作，《湖北省中药资源概览》、《利川市药用植物志》、《中国五峰特色和常见药用植物》、《湖北巴东药用植物志》、《房县中药志》（第一卷）、《竹溪中药资源志》（上册）、《竹溪中药资源志》（下册）、《麻城药用植物志》、《湖北红安中药植物志》、《中国中药资源大典·神农架中药资源图志》、《中国中药资源大典·中药资源调查简史》、《中国中药资源大典·道地药材图志》、《湖北省中药资源概览》等著作陆续出版，为整体反映湖北省中药资源现状、发展态势和保护利用提供了系统、全面的资料。

（五）制订了一系列规划

为促进湖北省中药资源普查成果的推广应用，普查工作人员在湖北省人民政府、湖北省卫生健康委员会的直接领导下，积极参与湖北省中药产业发展相关文件的制订，协助制订《湖北省中医药健康服务"十三五"发展规划》《湖北省中药材保护和发展实施方案（2016—2020 年）》《省人民政府关于全面推进中医药发展的实施意见》《湖北省中医药条例》等。

第三章

湖北省中药资源概况

湖北省可划分为鄂西北秦巴山区、鄂西南武陵山区、鄂北桐柏山区、鄂中江汉平原、鄂东北大别山区、鄂东南幕阜山区六大中药资源分布区。湖北省第四次中药资源普查共实地调查代表区域 455 个，完成 3 283 个样地 14 741 个样方套的调查，普查发现野生中药资源 5 279 种（含亚种、变种，其中植物类 4 834 种，动物类 396 种，矿物类 49 种），较第三次全国中药资源普查湖北省普查区野生中药资源增加 650 种。发现新属 1 个、新种 17 个，重新采集模式标本 4 个，发现新分布记录科 2 个、新分布记录属 6 个、新分布记录种 161 个，调查栽培资源 164 种，做个体数记录的有 2 447 种，做重量记录的有 416 种，可计算蕴藏量的有 396 种，做病虫害记录的有 451 种。

一、湖北省中药资源分布区概况

（一）鄂西北秦巴山区

该区域包括神农架林区和十堰市全部，以及宜昌市北部、襄阳市西北部等，被称为"泛神农架地区"。

鄂西北秦巴山区为我国二级阶梯向三级阶梯的过渡地区，区域内高山与峡谷相间，海拔落差比较明显。该区域整体上属于北亚热带季风气候区，但由于山峦起伏，立体气候比较明显，且受湿热的东南季风和干冷的大陆高压的交替影响，以及高山森林对热量、降水量的调节，该区域形成了夏无酷热、冬无严寒的宜人气候。丰富多样的气候，孕育了丰富的生物物种，该区域内存留着当今北半球中纬度内陆地区唯一保存完好的亚热带森林生态系统。境内森林覆盖率 88%，保护区内森林覆盖率达 96%，保留有珙桐、鹅掌楸、连香树等大量珍贵古老孑遗植物。神农架林区有各类植物约 4 000 种，其中菌类 730 多种、地衣类 190 多种、苔藓类 200 多种、蕨类 290 多种、裸子植物 30 多种、被子植物 2 430 多种，国家重点保护植物 40 种；有各类动物 1 050 多种，其中兽类 70 多种、鸟类 300 多种、两栖类 20 多种、爬行类 40 多种、鱼类 40 多种、昆虫 560 多种，国家重点保护动物 70 种。该区域几乎囊括了北自漠河，南至西双版纳，东至日本中部，西至喜马拉雅山的所有动植物物种，如岩柏、桫椤、珙桐、铁坚杉、金丝猴、白熊、苏门羚、大鲵、白鹳、白鹤、金雕等，被称为"天然动植物园"；该区域矿产资源亦较丰富，常见矿产资源 20 余种。

鄂西北秦巴山区为湖北省中药资源种类最为丰富的中药资源分布区，常见大宗道地药材有独活、黄柏、杜仲、五倍子、黄连、绞股蓝、合欢皮、山茱萸、党参、黄精、丹参、娑罗子、厚朴、虎杖、柴胡、天麻、狗脊、竹节参、珠子参、石斛、麝香、熊胆等 60 余种，形成了房县、竹溪县、南漳县、神农架林区、保康县等道地药材生产县（林区）。

（二）鄂西南武陵山区

该区域包括恩施土家族苗族自治州全部，以及宜昌市西部山区等。

鄂西南武陵山区是由从北部大巴山脉南缘分支的巫山山脉，东南部、中部属苗岭分支的武陵山脉和西部大娄山山脉北延部分的齐岳山脉三大主要山脉组成的山区。区域内阶梯状地貌发育明显，除东北部有海拔 3 000 m 以上的小面积山地外，普遍为海拔 1 700 ～ 2 000 m，1 300 ～ 1 500 m，1 000 ～ 1 200 m，800 ～ 900 m，500 ～ 700 m 等 5 级面积不等的夷平面。气候整体上属亚热带季风性气候，但受山地影响，气候湿润，小气候特征明显，垂直差异突出，年平均气温 16.2 ℃，平均年降水量 1 600 mm。碳酸盐岩类土壤分布较广，面积占该区域总面积的 54.4%。

区域内有动植物资源 3 800 余种，其中植物资源 3 000 余种；动物资源约 800 种，国家级珍稀保护植物 40 余种、动物 70 余种；具有药用价值的动植物资源约 3 000 种，被称为华中地区的"动植物基因库"。另外，区域内矿产资源丰富，拥有各类矿产资源 50 余种。

鄂西南武陵山区大宗药材品种较多，如鸡爪黄连、紫油厚朴、湖北贝母、板党、窑归、天麻、丹皮、首乌、竹节参、杜仲、黄柏、丹皮等，共计 60 余种，产量位于湖北全省前列，被称为"华中药库"。

（三）鄂北桐柏山区

该区域包括随州市全部、襄阳市中东部、孝感市西北部、荆门市北部等。

鄂北桐柏山区以西北向东南走向的大洪山和桐柏山山脉为资源集中区，最高点为太白顶，海拔 1 140 m，最低点海拔不足 50 m，地貌包括山地、丘陵、岗地、平原等，以丘陵、岗地所占面积较大。该区域处于中纬度季风环流区域的中部，属于北亚热带季风气候，因受太阳辐射和季风环流的季节性变化的影响，区域内气候温和，四季分明，光照充足，雨量充沛，无霜期较长，严寒酷暑时间较短，平均年降水量大部分地区为 865 ～ 1 070 mm，年日照时数 2 000 ～ 2 100 h，年平均气温约 15 ℃，年平均无霜期 220 ～ 240 d。

区域内有植物资源约 1 000 种，其中主要木本植物 71 科 174 属 355 种，国家重点保护植物包括银杏、闽楠、桢楠、秤锤树、香果树、青檀、山拐枣、牛鼻栓、黄杨木、黄山木兰、天目木姜子、华榛、四叶厚朴、兰花等 60 余种；动物资源 580 余种，其中鸟类 11 科 123 种，兽类 10 科 55 种，鱼类 50 余种，爬行类 30 余种，两栖类 20 余种，昆虫等 300 余种，国家级、省级重点保护动物包括雉鸡、杜鹃、穿山甲、娃娃鱼、金钱豹等 120 多种。另外，区域内还分布各类矿产资源 60 余种。

鄂北桐柏山区有鄂北贝母、杜仲、白及、五倍子、重楼、半边莲、金头蜈蚣、艾叶、葛根等 40 余种大宗道地药材，药材生产面积和产量居湖北省中等地位，还有较大的发展空间。

（四）鄂中江汉平原

该区域包括江汉平原的广大地区，行政区划上包括天门市，以及荆门市大部、荆州市、宜昌市东部、孝感市中南部、武汉市、鄂州市等。西起宜昌市枝江市，东迄武汉市，北至荆门市钟祥市，南与洞庭湖平原相连，主要包括荆州市的荆州区、沙市区、江陵县、公安县、监利市、石首市、洪湖市、松滋市 8 个县（市、区），以及仙桃市、潜江市、天门市等 3 个省直管县级市，并辐射周边武汉市、孝感市、荆门市和宜昌市、襄阳市 5 个地级市的部分地区。

鄂中江汉平原位于长江和汉江中下游，是两湖盆地的主要部分，主要属于扬子准地台江汉断拗，地势低平，除边缘分布有海拔约 50 m 的平缓岗地和百余米的低丘外，其余部分海拔均在 35 m 以下。大体由西北向东南微倾，西北部海拔 35 m 左右，东南部海拔降至 5 m 以下，汉口地区仅 3 m。平原内湖泊星罗棋布，水网交织，垸堤纵横。地表组成物质以近代河流冲积物和湖泊淤积物为主，属细砂、粉砂及黏土，第三纪红层仅分布于平原边缘地区。地貌上可分为以砂壤土为主的河床与人工堤防之间的堤外滩地、以厚层粉砂壤土为主的堤内平原两部分。

江汉平原属亚热带季风气候，年平均日照时数约 2 000 h，年太阳辐射总量 460 ~ 480 kJ/cm^2。无霜期 240 ~ 260 d，10 ℃以上持续期 230 ~ 240 d，活动积温 5 100 ~ 5 300 ℃。平均年降水量 1 100 ~ 1 300 mm，气温较高的 4 ~ 9 月降水量约占年降水总量的 70%。汉江谷地为冷空气南下的重要通道，春、秋季常发生低湿阴雨，初夏易遭洪涝，盛夏常为副热带高压脊控制，秋季多晴朗天气，伏旱、秋旱频次较多。

该区域有中药资源约 1 200 种，除北部的京山山脉具有山地资源特征，资源种类较为丰富外，其他地区均以水生动植物为主，现存高等水生植物 90 余种，鱼类约 100 种，平原地区中药资源约 500 种。

（五）鄂东北大别山区

该区域包括黄冈市、黄石市全部，属于大别山腹地及西部、南部外延部分。

鄂东北大别山区呈自北向南逐渐倾斜的北高南低地势，东北部与豫皖交界为大别山山脉，主脊呈西北向东南走向，有海拔 1 000 m 以上的山峰 96 座，最高点为位于罗田县、英山县的天堂寨主峰，海拔 1 729 m；中部为丘陵区，海拔多在 300 m 以下，高低起伏；南部为狭长的平原湖区，海拔 10 ~ 30 m，河港、湖泊交织。该区域属亚热带大陆性季风气候江淮小气候区，四季光热界线分明。平均气温约为 17.5 ℃，平均年降水量为 1 000 mm 左右，年平均日照时数约 2 100 h。区域内月间气温起伏较大，冬寒春暖，夏热秋燥。

区域内生物资源种类丰富，是华中地区保存较为完整的物种资源库，各类生物资源约 2 000 种。分布有高等维管植物约 1 500 种，其中蕨类植物 80 余种，种子植物 1 400 余种。有珍稀濒危保护植物 35 种，国家一级重点保护野生植物包括银杏、南方红豆杉 2 种，国家二级重点保护野生植物包括金毛狗脊、大别山五针松、金钱松、巴山榧树、厚朴、榉树、香果树、楠木、野大豆、秤锤树等 17 种，其中大别山区特有的濒危物种大别山五针松，当前数量不足百株。区域内分布陆生脊椎动物 208 种，其中兽类 41 种，鸟类 122 种，爬行类 32 种，两栖类 13 种。列入国家一级、二级重点保护的野生动物 20 余种，其中国家一级保护动物有原麝、豹、白鹤、大鸨等；国家二级保护动物有穿山甲、白冠长尾雉、豺、小灵猫、白额雁、鸢、秃鹫、细痣棘螈、水獭、虎纹蛙等。区域内已探明矿物资源 70 余种，主要有石灰岩、白云岩、花岗岩等。

鄂东北大别山区常见大宗道地药材有茅苍术、白术、菊花、茯苓、元胡、桔梗、射干、天麻、蕲艾、夏枯草、射干、葛根、厚朴、杜仲、白芷等 40 余种，为湖北省中药资源产量最大的地区，其中蕲艾、菊花、茯苓、茅苍术等品种产量居全国前列。

（六）鄂东南幕阜山区

该区域主要包括咸宁市全部，位于长江中下游东南岸，幕阜山北麓，湖北省最南端。

由于地壳运动的影响，该区域内褶皱断裂发育明显，形成现今的地貌景观。地势南高北低，分为 3 个地貌区：①江汉湖积冲积平原区，位于西北部，为赤壁市茶庵岭至咸安区双溪以北的大片地区；②大幕山至雨山低山丘陵区，位于中部，为通山县高湖至沙店一线以北，茶庵岭至双溪一线以南的广大地区；③幕阜山侵蚀构造中山区，位于通山高湖至沙店一线以南的地区。

幕阜山区气候温和，降水充沛，日照充足，四季分明，无霜期长。冬季盛行偏北风，偏冷，干燥；夏季盛行偏南风，高温多雨。年平均气温 16.8 ℃，极端最高气温 41.4 ℃，极端最低气温为 −15.4 ℃。平均年降水量约 1 600 mm，年平均日照时数约 1 750 h，年平均无霜期 245 ~ 258 d。主要灾害性天气有倒春寒、大暴雨、水灾、洪涝及夏旱、伏旱等。

区域内动植物资源丰富，拥有植物资源约 1 500 种、动物资源 930 余种。植物资源中有乔木 112 科 354 属 1 114 种 54 个变种，包括竹类 12 属 100 种 7 个变种、引种树种 50 科 101 属 294 种 9 个变种。国家一级保护野生植物有南方红豆杉、香果树、银杉、水杉、钟萼木、秃杉等；国家二级保护野生植物有三尖杉、凹叶厚朴、红椿、篦子三尖杉、杜仲、胡桃、马褂木、金钱松、秤锤树、花榈木、红豆树、闽楠、桢楠、喜树等。该区域内还有水生维管植物萍、莲、菱、藕等 75 种，浮游藻类植物 8 门 27 科 47 属，如蓝藻门、绿藻门、硅藻门等。该区域内陆生野生动物共有 30 目 460 余种，包括两栖类、爬行类、鸟类、节肢类、兽类等。陆生野生动物两栖类共有 2 目 7 科 43 种，属于国家二级保护动物的有大鲵（娃娃鱼）；爬行类共有 4 目 9 科 45 种，如锦蛇、乌梢蛇、滑鼠蛇、银环蛇、黄金条（灰鼠蛇）；鸟类共有 17 目 40 科 270 余种，如隼形目（老鹰）、鸮形目（猫头鹰）等猛禽类，属于国家级保护动物的有白鹇、白冠长尾雉等；节肢类有数百种，常见的有土蜂、蜘蛛、螳螂、蜈蚣、蝉、蜻蜓、蝴蝶、蚯蚓等；兽类共有 9 目 25 科百余种，肉食性动物金钱豹、金猫这 2 种珍稀动物偶见于通山县九宫山和通城县黄龙山；水生动物有龟、鳖、日本沼虾等。另外，该区域发现矿物资源 59 种，主要有钽、铍、锑、独居石、长石、钠长石、白云母、镁、金、铌、白云岩、煤、钒、锰等。

鄂东南幕阜山区药用资源丰富，为湖北省中药材的主产区之一。区域内常见的大宗道地药材有紫苏、黄精、葛根、乌药、杜仲、黄柏、金银花、菊花、白术、百合、厚朴、辛夷花、金刚藤、白及、钩藤、雷公藤等近 40 种，常见的野生药用植物有 357 种，如石耳、七叶一枝花、竹节人参、党参、黄精、天冬、钩藤、雷公藤、菝葜、栀子、金樱子、乌药等。

二、湖北省民族（土家族）药概况

湖北省的少数民族有土家族、苗族、侗族、回族等，其中土家族人口最多，分布范围最广。此处主要介绍土家药调查概况。

土家族的聚居地位于云贵高原向东部丘陵的过渡地带，地貌以山原丘陵为主，海拔 1 000 ～ 1 500 m。该区域地理环境独特，适宜多种动植物生长，被誉为"华中天然药库"。

中华人民共和国成立后，湘、鄂、黔、渝各省均开展了土家医药调查，基本摸清了土家族分布区的动物、植物、矿物资源情况。土家族在湖北省主要分布于恩施土家族苗族自治州和宜昌市的长阳土家族自治县、五峰土家族自治县。自 1958 年至 20 世纪 70 年代，原恩施地区先后组织了 4 次大规模的中药（含土家药）资源调查，先后编写了《湖北省恩施地区药用植物名录》《鄂西草药名录》《恩施民间草药》《巴东中草药手册》《建始中草药手册》等内部资料。1970 年，原恩施地区恩施中草药研究小组编写的《恩施中草药手册》，载药 500 种，基本涵盖了鄂西地区的常用土家药。

1978—1980 年，原恩施地区药检所专家组织 83 人（次）的中草药资源普查专业队，对全地区 7 县 1 市 237 个点进行了中草药和土家药的调查工作，于 1988 年编撰了约 200 万字共 6 册的内部资料《鄂西药物志》。该专著记载了恩施土家族分布区的动物、植物、矿物类药材共 2 000 种，其中植物类药材 1 892 种、动物类药材 86 种、矿物类药材 22 种。2007 年，方志先等进一步编写出版了《土家族药物志》（上、下册）一书，收录了土家族分布区常用药物 1 500 种和少用药物 422 种。此次调查摸清了鄂西整个土家族分布区的中草药与民族药的药用资源种类。

1985—1988 年，原湖北省药检所与鄂西自治州药检所专家及长阳土家族自治县、五峰土家族自治县药检所有关人员一起，共组织数十人在鄂西土家族分布区进行了民族医药调查，走访土家族医生，收集单验方，采集了数千份植物药标本。历经 3 年的鉴定、整理与研究，系统查清了鄂西土家族分布区的常用植物药种类及用药经验。发现 2 个县以上有使用的药物 431 种，其中极常用药物 200 ～ 300 种。享誉极高的药物品种有红四块瓦、红活麻、红刺老苞、冷水七、三百棒、八棱麻、独正岗、羊奶子叶、双蝴蝶、乌龟七、珍珠香、红毛七、狗牙瓣、八角莲、矮地茶、胡豆莲、山黄连（獐牙菜）、七叶一枝花、头顶一颗珠、文王一支笔等，还发现 17 种湖北地理分布新记录物种。在后来的 20 余年内，相关研究人员对部分鄂西常用植物药按科属、功效或毒性等进行分类整理，发表了数十篇论文。如报道鄂西南土家族常用的来源于蕨类的植物药有 21 种（原植物 38 种）；来源于卷柏科的植物药有地柏枝（江南卷柏）、细叶卷柏、薄叶卷柏、翠云草等 14 种；常用于治疗跌打损伤的植物药有 30 余种；用于抗风湿的植物药及常用有毒植物药各 40 余种。还报道了来源于兰科、豆科、虎耳草科、百合科、菊科、景天科、毛茛科、葡萄科、伞形科、蓼科等鄂西土家族常用的其他植物药。

根据自 2011 年起开展的第四次全国中药资源试点普查资料，五峰土家族自治县中医院与中南民族大学药学院于 2014 年编写出版了《中国五峰特色常见药用植物》一书，书中记载了五峰土家族自治县境内野生、栽培的常见及珍稀药用植物 118 科 446 种（含种下等级），以及近百种常用土家药。

2014—2016 年，中南民族大学药学院专家先后 4 次到鄂西的咸丰县、宣恩县和利川市中医医院（民族医院）进行医院用土家药品种的调研，共收集了近百份药材饮片样品及大部分品种的原植物标本；经过两年多的研究整理，于 2017 年初编写出版了《医疗机构处方常用土家药手册》，书中收载了鄂西及湘西的医院、诊所等的临床医生常用的土家药 173 种，记载了各品种的药性与功效、应用经验、用法用量、使用注意等，所收录品种多是土家药的精华或特色品种，对于规范土家族分布区医疗机构土家药品种的临床应用及促进土家药的开发推广具有重要价值。

此外，万定荣等在 20 世纪 90 年代组织了湖北省内数十名专业人员，对大量土家族药材进行了实验鉴定研究，编写出版了《湖北药材志·第 1 卷》（2002），书中共收载土家族药 100 种，多数品种的显微鉴定研究文图系首次公开记载。

三、湖北省药用植（动）物栽培（养殖）资源概况

通过实地调查和走访调查，对湖北省药用植（动）物栽培（养殖）资源开展了较为系统的调查，结果详见表 1-3-1。

表 1-3-1　湖北省药用植（动）物栽培（养殖）情况

序号	药材名	基原中文名	基原拉丁学名	栽培（养殖）面积 / 亩	总产量 / kg
1	艾叶	艾	*Artemisia argyi* Lévl. et Vant.	3.8×10^3	5.1×10^6
2	八角莲	八角莲	*Dysosma versipellis* (Hance) M. Cheng	2.0	1.0×10^3
3	菝葜	菝葜	*Smilax china* L.	2.2×10^2	4.0×10^4
4	白扁豆	扁豆	*Dolichos lablab* L.	3.0	3.0×10^2
5	白附子	独角莲	*Typhonium giganteum* Engl.	1.0	4.2×10^2
6	白果	银杏	*Ginkgo biloba* L.	5.0×10^2	6.0×10^4
7	白花小白及	白花小白及	*Bletilla formosana* (Hayata) Schltr. var. *limprichtii* Schlecht.	70.0	1.1×10^5
8	白及	白及	*Bletilla striata* (Thunb.) Rchb. f.	1.1×10^3	1.5×10^6
9	白前	柳叶白前	*Cynanchum stauntonii* (Decne.) Schltr. ex Lévl.	5.0×10^3	2.0×10^6
10	白芍	芍药	*Paeonia lactiflora* Pall.	1.7×10^3	4.8×10^6
11	白首乌	牛皮消	*Cynanchum auriculatum* Royle ex Wight	3.0	4.5×10^3
12	白术	白术	*Atractylodes macrocephala* Koidz.	1.9×10^3	8.7×10^5
13	白芷	白芷	*Angelica dahurica* (Fisch. ex Hoffm.) Benth. et Hook. f. ex Franch. et Sav.	3.1×10^3	3.8×10^6

续表

序号	药材名	基原中文名	基原拉丁学名	栽培（养殖）面积／亩	总产量／kg
14	百部	蔓生百部	*Stemona japonica* (Bl.) Miq.	3.0×10^2	3.0×10^5
15	百合	百合	*Lilium brownii* F. E. Br. ex Miellez var. *viridulum* Baker	2.7×10^2	8.4×10^4
16	板蓝根	菘蓝	*Isatis indigotica* Fort.	1.05×10^2	3.0×10^5
17	半夏	半夏	*Pinellia ternata* (Thunb.) Breit.	1.7×10^4	6.6×10^6
18	半枝莲	半枝莲	*Scutellaria barbata* D. Don	30.0	1.8×10^4
19	薄荷	薄荷	*Mentha haplocalyx* Briq.	5.0×10^2	3.0×10^5
20	贝母	托里贝母	*Fritillaria tortifolia* X. Z. Duan & X. J. Zheng	15.0	1.2×10^4
21	苍术	茅苍术	*Atractylodes lancea* (Thunb.) DC.	3.6×10^3	2.4×10^6
22	茶叶	茶	*Camellia sinensis* (L.) O. Kuntze	1.2×10^4	7.5×10^5
23	柴胡	柴胡	*Bupleurum chinense* DC.	1.5×10^3	1.5×10^5
24	车前子	车前	*Plantago asiatica* L.	1.0×10^2	3.0×10^4
25	陈皮	橘	*Citrus reticulata* Blanco	8.0×10^2	1.6×10^6
26	赤芍	芍药	*Paeonia lactiflora* Pall.	4.4×10^2	2.1×10^5
27	重楼	七叶一枝花	*Paris polyphylla* Smith	3.2×10^2	7.4×10^4
28	川贝母	川贝母	*Fritillaria cirrhosa* D. Don	1.0	1.5×10^2
29	川牛膝	川牛膝	*Cyathula officinalis* Kuan	6.6×10^2	4.7×10^5
30	川乌	乌头	*Aconitum carmichaelii* Debx.	50.0	1.0×10^4
31	刺五加	刺五加	*Acanthopanax senticosus* (Rupr. et Maxim.) Harms.	8.0	8.0×10^2
32	大百部（对叶百部）	对叶百部	*Stemona tuberosa* Lour.	3.0	3.0×10^4
33	大花白及	大花白及	*Bletilla striata* (Thunb.) Rchb. f. var. *gebina* (Lindl.) Rchb. f.	20.0	2.4×10^4
34	大黄	药用大黄	*Rheum officinale* Baill.	5.0×10^3	6.0×10^6
35	大黄栀子	大黄栀子	*Gardenia sootepensis* Hutch.	3.0×10^2	8.3×10^4
36	大青叶	菘蓝	*Isatis indigotica* Fort.	10.0	1.5×10^3
37	大枣	枣	*Ziziphus jujuba* Mill.	10.0	8.0×10^3
38	丹参	丹参	*Salvia miltiorrhiza* Bunge	1.8×10^3	1.4×10^6
39	当归	当归	*Angelica sinensis* (Oliv.) Diels	1.0×10^3	3.7×10^5
40	党参	党参	*Codonopsis pilosula* (Franch.) Nannf.	40.0	2.0×10^4
41	地黄	地黄	*Rehmannia glutinosa* (Gaertn.) Libosch. ex Fisch. et Mey.	61.0	1.8×10^5
42	东当归	东当归	*Angelica acutiloba* (Sieb. et Zucc.) Kitag.	57.0	8.9×10^4
43	冬葵子	野葵	*Malva verticillata* L.	8.0	1.6×10^4
44	独活	重齿毛当归	*Angelica pubescens* Maxim. f. *biserrata* Shan et Yuan	84.0	3.1×10^4
45	笃斯越橘	笃斯越橘	*Vaccinium uliginosum* L.	2.0	6.0×10^2
46	杜鹃	小杜鹃	*Cuculus poliocephalus* Latham	5.0×10^2	5.0×10^3
47	杜仲	杜仲	*Eucommia ulmoides* Oliv.	4.0×10^3	2.0×10^6
48	杜仲叶	杜仲	*Eucommia ulmoides* Oliv.	7.5×10^2	1.9×10^6
49	法半夏	半夏	*Pinellia ternata* (Thunb.) Breit.	80.0	5.6×10^4
50	防风	防风	*Saposhnikovia divaricata* (Turcz.) Schischk.	1.3×10^2	6.5×10^4

续表

序号	药材名	基原中文名	基原拉丁学名	栽培（养殖）面积 / 亩	总产量 / kg
51	粉葛	甘葛藤	*Pueraria thomsonii* Benth.	60.0	9.0×10^4
52	佛手	佛手	*Citrus medica* L. var. *sarcodactylis* Swingle	6.0	3.0×10^2
53	茯苓	茯苓	*Poria cocos* (Schw.) Wolf.	3.2×10^2	2.8×10^5
54	附子	乌头	*Aconitum carmichaelii* Debx.	3.0×10^2	2.3×10^4
55	藁本	藁本	*Ligusticum sinense* Oliv.	2.0×10^2	5.0×10^4
56	葛根	野葛	*Pueraria lobata* (Willd.) Ohwi	6.0×10^3	6.4×10^6
57	瓜蒌	栝楼	*Trichosanthes kirilowii* Maxim.	5.4×10^2	1.3×10^5
58	瓜蒌皮	栝楼	*Trichosanthes kirilowii* Maxim.	45.0	9.0
59	瓜蒌子	双边栝楼	*Trichosanthes rosthornii* Harms	2.0×10^2	3.0×10^4
60	关黄柏	黄檗	*Phellodendron amurense* Rupr.	3.0×10^2	7.2×10^4
61	龟甲	乌龟	*Chinemys reevesii* (Gray)	92.0	4.0×10^3
62	何首乌	何首乌	*Polygonum multiflorum* Thunb.	2.6×10^2	8.8×10^5
63	荷叶	莲	*Nelumbo nucifera* Gaertn.	7.0	1.2×10^3
64	红豆杉	红豆杉	*Taxus chinensis* (Pilger) Rehd. var. *chinensis* Rehd.	1.4×10^2	9.8×10^5
65	红花	红花	*Carthamus tinctorius* L.	35.0	1.6×10^3
66	厚朴	凹叶厚朴	*Magnolia officinalis* Rehd. et Wils. var. *biloba* Rehd. et Wils.	1.7×10^3	2.4×10^6
67	湖北贝母	湖北贝母	*Fritillaria hupehensis* Hsiao et K. C. Hsia	1.6×10^3	2.6×10^6
68	虎杖	虎杖	*Polygonum cuspidatum* Sieb. et Zucc.	50.0	1.3×10^5
69	花椒	花椒	*Zanthoxylum bungeanum* Maxim.	2.0	2.0×10^2
70	华重楼	华重楼	*Paris polyphylla* Smith. var. *chinensis* (Franch.) Hara	17.0	2.4×10^3
71	化橘红	柚	*Citrus grandis* (L.) Osbeck	5.0×10^3	2.0×10^7
72	黄柏	黄皮树	*Phellodendron chinense* Schneid.	4.7×10^3	5.6×10^6
73	黄花白及	黄花白及	*Bletilla ochracea* Schltr.	40.0	1.2×10^4
74	黄精	多花黄精	*Polygonatum cyrtonema* Hua	1.2×10^3	5.1×10^5
75	黄连	黄连	*Coptis chinensis* Franch.	3.4×10^2	4.9×10^4
76	黄芪	膜荚黄芪	*Astragalus membranaceus* (Fisch.) Bunge	2.0	6.0×10^2
77	黄芩	黄芩	*Scutellaria baicalensis* Georgi	1.3×10^2	2.4×10^4
78	桔梗	桔梗	*Platycodon grandiflorum* (Jacq.) A. DC.	2.1×10^3	7.3×10^5
79	截叶栝楼	截叶栝楼	*Trichosanthes truncata* C. B. Clarke	6.5×10^2	2.0×10^5
80	金银花	忍冬	*Lonicera japonica* Thunb.	9.5×10^3	1.3×10^6
81	荆芥	荆芥	*Schizonepeta tenuifolia* Briq.	2.5×10^2	2.0×10^5
82	菊花	菊	*Chrysanthemum morifolium* Ramat.	1.7×10^4	2.4×10^6
83	决明子	决明	*Cassia obtusifolia* L.	5.2×10^2	1.8×10^5
84	苦参	苦参	*Sophora flavescens* Ait.	5.0	1.6×10^3
85	款冬花	款冬	*Tussilago farfara* L.	30.0	3.0×10^3
86	莱菔子	萝卜	*Raphanus sativus* L.	3.0×10^2	1.5×10^3
87	雷公藤	雷公藤	*Tripterygium wilfordii* Hook. f.	1.0×10^2	6.0×10^4
88	连翘	连翘	*Forsythia suspensa* (Thunb.) Vahl	8.3×10^2	1.6×10^5
89	莲房	莲	*Nelumbo nucifera* Gaertn.	4.0	6.0×10^2

续表

序号	药材名	基原中文名	基原拉丁学名	栽培（养殖）面积 / 亩	总产量 / kg
90	莲子	莲	*Nelumbo nucifera* Gaertn.	2.2×10^2	2.7×10^4
91	灵芝	赤芝	*Ganoderma lucidum* (Leyss. ex Fr.) Karst.	1.5×10^2	2.0×10^4
92	蒌蒿	蒌蒿	*Artemisia selengensis* Turcz. ex Bess.	5.0	3.0×10^3
93	麦冬	麦冬	*Ophiopogon japonicus* (L. f.) Ker-Gawl.	1.4×10^4	4.2×10^5
94	玫瑰花	玫瑰	*Rosa rugosa* Thunb.	7.0	7.0×10^1
95	猕猴桃	中华猕猴桃	*Actinidia chinensis* Planch.	30.0	4.5×10^4
96	牡丹皮	牡丹	*Paeonia suffruticosa* Andr.	6.4×10^3	1.1×10^6
97	木瓜	木瓜	*Chaenomeles sinensis* (Thouin) Koehne	4.0×10^2	1.3×10^6
98	木通	三叶木通	*Akebia trifoliata* (Thunb.) Koidz.	40.0	3.0×10^4
99	木香	木香	*Aucklandia lappa* Decne.	22.0	3.8×10^4
100	南五味子	华中五味子	*Schisandra sphenanthera* Rehd. et Wils.	50.0	1.4×10^4
101	闹羊花	羊踯躅	*Rhododendron molle* (Bl.) G. Don	20.0	3.2×10^3
102	牛蒡子	牛蒡	*Arctium lappa* L.	1.0	2.5×10^2
103	牛膝	牛膝	*Achyranthes bidentata* Blume.	40.0	1.2×10^4
104	糯稻根	糯稻	*Oryza sativa* L. var. *glutinosa* Matsum.	34.0	6.5×10^2
105	佩兰	佩兰	*Eupatorium fortunei* Turcz.	10.0	1.0×10^4
106	枇杷叶	枇杷	*Eriobotrya japonica* (Thunb.) Lindl.	51.0	1.1×10^4
107	前胡	白花前胡	*Peucedanum praeruptorum* Dunn	1.3×10^3	3.3×10^5
108	芡实	芡	*Euryale ferox* Salisb. ex Konig & Sims	2.0×10^3	3.3×10^5
109	青皮	橘	*Citrus reticulata* Blanco	4.0×10^3	9.2×10^2
110	人参	人参	*Panax ginseng* C. A. Mey.	1.0	1.0×10^2
111	桑白皮	桑	*Morus alba* L.	50.0	3.5×10^4
112	桑椹	桑	*Morus alba* L.	60.0	3.3×10^4
113	桑叶	桑	*Morus alba* L.	3.0×10^2	3.0×10^4
114	桑枝	桑	*Morus alba* L.	90.0	1.5×10^5
115	山麦冬	山麦冬	*Liriope spicata* (Thunb.) Lour.	7.0×10^3	2.8×10^5
116	山药	薯蓣	*Dioscorea opposita* Thunb.	3.0	7.5×10^3
117	山银花	红腺忍冬	*Lonicera hypoglauca* Miq.	20.0	2.0×10^3
118	山楂	山里红	*Crataegus pinnatifida* Bunge var. *major* N. E. Br.	1.2×10^3	1.6×10^4
119	山茱萸	山茱萸	*Cornus officinalis* Sieb. et Zucc.	4.3×10^2	2.2×10^5
120	射干	射干	*Belamcanda chinensis* (L.) DC.	1.3×10^3	9.3×10^5
121	升麻	升麻	*Cimicifuga foetida* L.	30.0	1.8×10^4
122	生姜	姜	*Zingiber officinale* Rosc.	1.0	1.5×10^3
123	石菖蒲	石菖蒲	*Acorus tatarinowii* Schott	84.0	7.4×10^4
124	石斛	金钗石斛	*Dendrobium nobile* Lindl.	80.0	4.0×10^4
125	水蛭	日本医蛭	*Hirudo nipponica* (Whitman)	1.0×10^2	6.0×10^4
126	丝瓜络	丝瓜	*Luffa cylindrica* (L.) Roem.	50.0	1.0×10^2
127	太子参	孩儿参	*Pseudostellaria heterophylla* (Miq.) Pax	1.0	1.5×10^2
128	天冬	天冬	*Asparagus cochinchinensis* (Lour.) Merr.	6.5×10^2	1.2×10^5
129	天花粉	栝楼	*Trichosanthes kirilowii* Maxim.	3.0×10^2	7.0×10^4
130	天麻	天麻	*Gastrodia elata* Bl.	8.0×10^3	8.6×10^6

续表

序号	药材名	基原中文名	基原拉丁学名	栽培（养殖）面积 / 亩	总产量 / kg
131	天南星	天南星	*Arisaema erubescens* (Wall.) Schott.	3.6×10^2	6.7×10^5
132	甜叶菊	甜叶菊	*Stevia rebaudiana* (Bertoni) Hemsl.	2.9×10^2	2.3×10^4
133	铁皮石斛	铁皮石斛	*Dendrobium officinale* Kimura et Migo	5.0×10^2	1.3×10^5
134	头顶一颗珠	延龄草	*Trillium tschonoskii* Maxim.	5.0	1.5×10^3
135	吴茱萸	吴茱萸	*Tetradium ruticarpum* (A. Jussieu) T. G. Hartley	6.2×10^2	5.3×10^4
136	五加皮	细柱五加	*Acanthopanax gracilistylus* W. W. Smith	50.0	—
137	夏枯草	夏枯草	*Prunella vulgaris* L.	8.4×10^2	1.7×10^5
138	仙鹤草	龙芽草	*Agrimonia pilosa* Ledeb.	30.0	1.2×10^4
139	小茴香	茴香	*Foeniculum vulgare* Mill.	10.0	2.0×10^3
140	辛夷	望春花	*Magnolia liliflora* Desr.	1.0	1.4×10^2
141	续断	川续断	*Dipsacus asper* Wall. ex Henry	12.0	5.7×10^4
142	玄参	玄参	*Scrophularia ningpoensis* Hemsl.	5.0×10^3	4.8×10^6
143	延胡索	延胡索	*Corydalis yanhusuo* W. T. Wang ex Z. Y. Su & C. Y. Wu	6.6×10^2	1.1×10^5
144	野菊花	野菊	*Chrysanthemum indicum* L.	1.0×10^3	6.0×10^4
145	益母草	益母草	*Leonurus japonicus* Houtt.	1.0×10^3	3.5×10^6
146	薏苡仁	薏苡	*Coix lacryma-jobi* L. var. *mayuen* (Roman.) Stapf	3.5×10^2	4.5×10^4
147	银杏叶	银杏	*Ginkgo biloba* L.	3.0×10^2	5.4×10^5
148	鱼腥草	蕺菜	*Houttuynia cordata* Thunb.	3.8×10^2	1.1×10^6
149	玉兰	玉兰	*Magnolia denudata* Desr.	50.0	5.0×10^4
150	玉竹	玉竹	*Polygonatum odoratum* (Mill.) Druce	2.6×10^2	4.5×10^5
151	预知子	木通	*Akebia quinata* (Houtt.) Decne.	3.0	0.6
152	月季花	月季	*Rosa chinensis* Jacq.	1.0	3.0×10^2
153	皂角刺	皂荚	*Gleditsia sinensis* Lam.	2.0×10^2	2.5×10^5
154	泽泻	泽泻	*Alisma orientalis* (Sam.) Juzep.	4.0×10^3	1.2×10^6
155	浙贝母	浙贝母	*Fritillaria thunbergii* Miq.	6.0	1.2×10^3
156	知母	知母	*Anemarrhena asphodeloides* Bunge	3.5×10^2	1.2×10^6
157	栀子	栀子	*Gardenia jasminoides* Ellis	8.5×10^3	3.0×10^6
158	枳壳	酸橙	*Citrus aurantium* L.	2.2×10^3	4.4×10^5
159	枳实	酸橙	*Citrus aurantium* L.	4.0×10^3	2.3×10^6
160	猪苓	猪苓	*Polyporus umbellatus* (Pers.) Fr.	17.0	3.1×10^4
161	竹节参	竹节参	*Panax japonicus* C. A. Mey.	13.0	8.0×10^3
162	竹叶柴胡	竹叶柴胡	*Bupleurum marginatum* Wall. ex DC.	22.0	4.1×10^4
163	紫苏梗	紫苏	*Perilla frutescens* (L.) Britt.	80.0	8.0×10^4
164	紫菀	紫菀	*Aster tataricus* L. f.	1.3×10^2	8.7×10^4

四、湖北省中药材市场流通概况

湖北省多数县（自治县、市、区、林区）没有专业的中药材市场，市场调查工作主要以中药材公司、中药材专业合作社、中药材经销商、中药材收购商户（站）、中药材代购点等为对象。

通过市场调查，调查到湖北省中药材市场收购品种 344 种，其中市场主流品种 326 种，代用品种 17 种，伪品 1 种，年收购量 84.69 万 t；企业经营品种 425 种，其中用于中成药生产 5 种，保健品生产 2 种，饮片生产 407 种，其他 11 种；出口品种 61 种，出口量 1.65 万 t；进口品种 8 种，进口量 52.6 t。详见表 1-3-2 ～ 表 1-3-5。

表 1-3-2　湖北省中药材市场收购品种

序号	药材名	商品名	基原拉丁学名	品种性质	平均收购价格 /（元 /kg）	总产量 / kg
1	矮地茶	草珊瑚	*Ardisia japonica* (Thunb.) Bl.	代用品	8.0	4.0×10^2
2	矮紫金牛	大叶紫钱	*Ardisia humilis* Vahl	主流品	4.0	2.0×10^2
3	艾叶	艾叶	*Artemisia argyi* Lévl. et Vant.	主流品	7.8	3.3×10^6
4	八角枫根	八角枫根	*Alangium chinense* (Lour.) Harms	主流品	5.0	5.0×10^5
5	八角茴香	八角	*Illicium verum* Hook. f.	主流品	35.0	50.0
6	八角莲	八角莲	*Dysosma versipellis* (Hance) M. Cheng	主流品	27.0	5.5×10^2
7	八月瓜	八月札	*Holboellia latifolia* Wall.	主流品	11.5	3.1×10^3
8	菝葜	菝葜	*Smilax china* L.	主流品	6.3	1.2×10^4
9	白扁豆	白扁豆	*Dolichos lablab* L.	主流品	18.3	7.4×10^2
10	白附子	白附子	*Typhonium giganteum* Engl.	主流品	33.0	1.0×10^5
11	白果	白果	*Ginkgo biloba* L.	主流品	23.2	1.6×10^4
12	白花蛇舌草	白花蛇舌草	*Hedyotis diffusa* Willd.	主流品	24.0	1.1×10^3
13	白及	白及	*Bletilla striata* (Thunb.) Rchb. f.	主流品	349.7	7.9×10^4
14	白僵菌	白僵菌	*Beauveria bassiana* (Bals.-Griv) Vuill.	主流品	70.0	2.0×10^2
15	白蔹	白蔹	*Ampelopsis japonica* (Thunb.) Makino	主流品	23.4	1.5×10^5
16	白马骨	白马骨	*Serissa serissoides* (DC.) Druce	主流品	1.20	1.5×10^5
17	白毛藤根	白毛藤根	*Solanum lyratum* Thunb.	主流品	2.9	6.1×10^4
18	白茅根	白茅根	*Imperata cylindrica* (L.) Beauv. var. *major* (Nees) C. E. Hubb. ex Hubb. et Vaughan	主流品	15.3	7.4×10^4
19	白前	白前	*Cynanchum stauntonii* (Decne.) Hand.-Mazz.	主流品	60.0	2.0×10^3
20	白芍	炒白芍	*Paeonia lactiflora* Pall.	代用品	36.0	1.3×10^5
21	白术	白术	*Atractylodes macrocephala* Koidz.	主流品	30.3	1.0×10^5
22	白鲜皮	白鲜皮	*Dictamnus dasycarpus* Turcz.	代用品	12.0	5.0×10^2
23	白芷	白芷	*Angelica dahurica* (Fisch. ex Hoffm.) Benth. et Hook. f. ex Franch. et Sav.	主流品	22.0	3.9×10^3
24	百部	百部	*Stemona tuberosa* Lour.	主流品	11.6	1.1×10^5
25	百合	百合	*Lilium brownii* F. E. Br. ex Miellez var. *viridulum* Baker	主流品	44.3	5.9×10^3
26	百蕊草	百蕊草	*Thesium chinense* Turcz.	主流品	24.7	1.7×10^3
27	柏子仁	柏子仁	*Platycladus orientalis* (L.) Franco	主流品	187.3	3.0×10^2
28	板蓝根	板蓝根	*Isatis indigotica* Fort.	主流品	30.5	5.0×10^4
29	半边莲	半边莲	*Lobelia chinensis* Lour.	主流品	25.0	3.5×10^3
30	半夏	半夏	*Pinellia ternata* (Thunb.) Breit.	主流品	59.7	5.8×10^5

序号	药材名	商品名	基原拉丁学名	品种性质	平均收购价格 /（元 /kg）	总产量 / kg
31	半枝莲	半枝莲	*Scutellaria barbata* D. Don	主流品	22.8	5.0×10^3
32	薄荷	薄荷	*Mentha haplocalyx* Briq.	主流品	19.6	4.0×10^4
33	北豆根	北豆根	*Menispermum dauricum* DC.	主流品	16.0	1.0×10^4
34	北刘寄奴	北刘寄奴	*Siphonostegia chinensis* Benth.	主流品	10.0	1.0×10^4
35	北沙参	北沙参	*Glehnia littoralis* Fr. Schmidt ex Miq.	主流品	80.0	5.0
36	笔管草	笔管草	*Equisetum ramosissimum* Desf. subsp. *debile* (Roxb. ex Vauch.) Hauke	主流品	8.0	20.0
37	萹蓄	萹蓄	*Polygonum aviculare* L.	主流品	7.2	2.2×10^2
38	补骨脂	补骨脂	*Psoralea corylifolia* L.	主流品	8.0	5.0×10^3
39	苍耳子	苍耳子	*Xanthium sibiricum* Patrin ex Widder	主流品	14.3	3.4×10^4
40	苍术	苍术	*Atractylodes lancea* (Thunb.) DC.	主流品	229.0	6.1×10^5
41	糙苏	糙苏	*Phlomis umbrosa* Turcz.	主流品	9.0	3.0×10^3
42	草乌	草乌	*Aconitum austroyunnanense* W. T. Wang	主流品	14.0	7.6×10^3
43	侧柏叶	侧柏叶	*Platycladus orientalis* (L.) Franco	主流品	9.8	1.2×10^3
44	柴桂	桂皮	*Cinnamomum tamala* (Buch.-Ham.) Th. G. Fr. Nees	主流品	11.0	4.0×10^3
45	柴胡	北柴胡	*Bupleurum chinense* DC.	主流品	70.0	8.4×10^4
46	长柄七叶树（滇缅七叶树）	梭罗子	*Aesculus assamica* Griff.	主流品	40.0	2.0×10^3
47	长柄鼠李	长柄鼠李	*Rhamnus longipes* Merr. et Chun	主流品	3.0	5.0×10^4
48	常山	常山	*Dichroa febrifuga* Lour.	主流品	1.0	5.0×10^2
49	车前草	车前草	*Plantago asiatica* L.	主流品	11.6	4.3×10^4
50	车前子	车前子	*Plantago asiatica* L.	主流品	66.0	8.4×10^2
51	陈皮	陈皮	*Citrus reticulata* Blanco	主流品	10.3	5.9×10^5
52	赤芍	赤芍	*Paeonia lactiflora* Pall.	主流品	87.8	2.0×10^4
53	茺蔚子	茺蔚子	*Leonurus japonicus* Houtt.	主流品	68.4	10.0
54	重楼	白蚤休	*Paris polyphylla* Smith	主流品	363.4	2.8×10^4
55	赤小豆	赤小豆	*Vigna umbellata* Ohwi et Ohashi	主流品	4.0	3.5×10^3
56	楮实子	白茅	*Broussonetia papyrifera* (L.) Vent.	主流品	48.5	17.0
57	川北细辛	北细辛	*Asarum chinense* Franch.	代用品	60.0	1.5×10^2
58	川桂	桂皮	*Cinnamomum wilsonii* Gamble	主流品	6.8	6.0×10^3
59	川桂皮（银叶桂）	桂皮	*Cinnamomum mairei* Lévl.	主流品	10.8	1.2×10^4
60	川木通	川木通	*Clematis armandii* Franch.	主流品	2.1	9.3×10^3
61	川木香	川木香	*Vladimiria souliei* (Franch.) Ling	主流品	6.0	5.0×10^4
62	川牛膝	川牛膝	*Cyathula officinalis* Kuan	主流品	7.0	7.0×10^4
63	川乌	川乌	*Aconitum carmichaelii* Debx.	主流品	18.2	6.7×10^4
64	川芎	川芎	*Ligusticum chuanxiong* Hort.	主流品	25.8	1.5×10^4
65	穿山龙	穿山龙	*Dioscorea nipponica* Makino	主流品	5.1	4.4×10^4
66	垂盆草	垂盆草	*Sedum sarmentosum* Bunge	主流品	6.3	1.1×10^4

续表

序号	药材名	商品名	基原拉丁学名	品种性质	平均收购价格 /（元 /kg）	总产量 / kg
67	春不见	春不见	*Botrychium virginianum* (L.) Sw.	主流品	22.3	1.8×10^2
68	椿皮	椿皮	*Ailanthus altissima* (Mill.) Swingle	主流品	2.0	1.0
69	刺梨	刺梨	*Rosa roxburghii* Tratt.	主流品	4.0	15.0
70	刺楸树皮	刺楸	*Kalopanax septemlobus* (Thunb.) Koidz.	主流品	3.5	5.0×10^3
71	大百部（对叶百部）	大百部	*Stemona tuberosa* Lour.	主流品	2.0	1.0×10^3
72	大花万寿竹	万寿竹	*Disporum megalanthum* Wang et Tang	代用品	8.0	2.0×10^3
73	大黄	马蹄大黄	*Rheum officinale* Baill.	主流品	19.6	1.0×10^5
74	大蓟	大蓟	*Cirsium japonicum* Fisch. ex DC.	主流品	30.0	28.0
75	大木通	大木通	*Clematis argentilucida* (Lévl. et Vant.) W. T. Wang	代用品	1.7	1.3×10^5
76	大青叶	大青叶	*Isatis indigotica* Fort.	主流品	8.3	5.0×10^3
77	大血藤	大血藤	*Sargentodoxa cuneata* (Oliv.) Rehd. et Wils.	主流品	9.1	5.1×10^5
78	大叶骨碎补	大叶骨碎补	*Davallia formosana* Hay.	代用品	22.0	4.0×10^3
79	大枣	大枣	*Ziziphus jujuba* Mill.	主流品	45.3	30.0
80	大籽猕猴桃	猕猴桃	*Actinidia macrosperma* C. F. Liang	主流品	25.0	2.0×10^4
81	丹参	丹参	*Salvia miltiorrhiza* Bunge	主流品	17.0	5.5×10^5
82	淡竹叶	竹叶	*Lophatherum gracile* Brongn.	主流品	9.8	4.9×10^4
83	当归	当归	*Angelica sinensis* (Oliv.) Diels	主流品	62.6	9.7×10^4
84	党参	党参	*Codonopsis pilosula* (Franch.) Nannf.	主流品	98.5	9.6×10^4
85	地枫皮	地枫皮	*Illicium difengpi* B. N. Chang	主流品	8.5	5.0×10^3
86	地肤子	地肤子	*Kochia scoparia* (L.) Schrad.	主流品	29.8	1.5×10^2
87	地骨皮	地骨皮	*Lycium chinense* Mill.	主流品	16.0	1.0×10^3
88	地黄	地黄	*Rehmannia glutinosa* (Gaertn.) Libosch. ex Fisch. et Mey.	主流品	20.0	5.0×10^3
89	地锦草	地锦草	*Euphorbia humifusa* Willd.	主流品	8.8	5.2×10^4
90	地榆	地榆	*Sanguisorba officinalis* L.	主流品	30.0	5.0
91	独活	独活	*Angelica pubescens* Maxim. f. *biserrata* Shan et Yuan	主流品	8.2	6.0×10^4
92	杜仲	杜仲	*Eucommia ulmoides* Oliv.	主流品	12.3	1.3×10^6
93	断血流	断血流	*Clinopodium chinense* (Benth.) Kuntze	主流品	3.6	2.2×10^5
94	翻白草	翻白草	*Potentilla discolor* Bunge	主流品	9.0	4.5×10^2
95	防风	防风	*Saposhnikovia divaricata* (Turcz.) Schischk.	主流品	31.8	3.5×10^3
96	防己	防己	*Stephania tetrandra* S. Moore	主流品	112.5	1.1×10^4
97	粉葛	粉葛	*Pueraria phaseoloides* (Roxb.) Benth.	主流品	20.0	1.0×10^3
98	凤尾草	凤尾草	*Pteris longifolia* L.	主流品	3.1	2.7×10^4
99	茯苓	茯苓	*Poria cocos* (Schw.) Wolf.	主流品	25.7	3.7×10^5
100	腹水草	腹水草	*Veronicastrum axillare* (Sieb. et Zucc.) Yamazaki	主流品	3.8	2.3×10^4
101	覆盆子	覆盆子	*Rubus idaeus* L.	代用品	20.0	8.0×10^2

续表

序号	药材名	商品名	基原拉丁学名	品种性质	平均收购价格 /（元 /kg）	总产量 / kg
102	干姜	干姜	*Zingiber officinale* Rosc.	主流品	30.6	7.6×10^3
103	甘青黄芪（青海黄芪）	黄芪	*Astragalus tanguticus* Batal.	代用品	36.0	5.0×10^3
104	杠板归	杠板归	*Polygonum perfoliatum* L.	主流品	10.0	55.0
105	藁本	藁本	*Ligusticum sinense* Oliv.	主流品	10.8	6.6×10^4
106	葛根	野葛根	*Pueraria lobata* (Willd.) Ohwi	主流品	11.1	1.2×10^6
107	钩藤	钩藤	*Uncaria hirsuta* Havil.	主流品	12.0	8.1×10^4
108	狗尾草	狗尾草	*Setaria viridis* (L.) Beauv.	主流品	4.0	50.0
109	枸杞子	枸杞	*Lycium barbarum* L.	主流品	63.9	2.7×10^4
110	骨碎补	骨碎补	*Drynaria fortunei* (Kunze) J. Sm.	主流品	7.6	1.2×10^5
111	瓜蒌	瓜蒌	*Trichosanthes rosthornii* Harms	主流品	23.5	3.3×10^3
112	瓜蒌皮	瓜蒌皮	*Trichosanthes rosthornii* Harms	主流品	10.0	1.0×10^3
113	瓜蒌子	瓜蒌子	*Trichosanthes rosthornii* Harms	主流品	15.0	1.1×10^3
114	瓜子金	瓜子金	*Polygala japonica* Houtt.	主流品	34.7	1.8×10^3
115	关黄柏	关黄柏	*Phellodendron amurense* Rupr.	主流品	12.9	6.1×10^4
116	贯叶金丝桃	贯叶连翘	*Hypericum perforatum* L.	主流品	6.0	1.0×10^4
117	鬼箭羽	鬼箭羽	*Euonymus alatus* (Thunb.) Sieb	主流品	45.0	25.0
118	桂皮	桂皮	*Cinnamomum japonicum* Sieb.	代用品	10.0	2.8×10^3
119	海金沙	海金沙	*Lygodium japonicum* (Thunb.) Sw.	主流品	94.4	9.0×10^3
120	海桐皮	海桐皮	*Erythrina variegata* L.	主流品	3.4	5.5×10^4
121	合欢花	合欢花	*Albizia julibrissin* Durazz.	主流品	121.7	5.1×10^3
122	合欢皮	合欢皮	*Albizia julibrissin* Durazz.	主流品	7.1	7.2×10^4
123	何首乌	首乌	*Polygonum multiflorum* Thunb.	主流品	12.5	6.2×10^5
124	荷叶	荷叶	*Nelumbo nucifera* Gaertn.	主流品	7.3	3.0×10^4
125	红花	红花	*Carthamus tinctorius* L.	主流品	300.0	66.0
126	厚朴	厚朴	*Magnolia officinalis* Rehd. et Wils.	主流品	11.8	2.9×10^5
127	湖北贝母	湖北贝母	*Fritillaria hupehensis* Hsiao et K. C. Hsia	主流品	35.6	9.7×10^4
128	湖北络石	湖北络石	*Trachelospermum gracilipes* Hook. f. var. *hupehense* Tsiang et P. T. Li	主流品	0.8	6.0×10^4
129	湖北旋覆花	湖北旋覆花	*Inula hupehensis* (Ling) Ling	主流品	6.5	2.8×10^4
130	虎耳草	虎耳草	*Saxifraga stolonifera* Meerb. (Curt.)	主流品	8.0	5.0×10^2
131	虎杖	虎杖	*Polygonum cuspidatum* Sieb. et Zucc.	主流品	4.8	1.7×10^6
132	花椒	花椒	*Zanthoxylum schinifolium* Sieb. et Zucc.	主流品	47.5	6.5×10^3
133	华重楼	华重楼	*Paris polyphylla* Smith. var. *chinensis* (Franch.) Hara	主流品	900.0	30.0
134	华中枸骨（华中冬青）	中华冬青	*Ilex centrochinensis* S. Y. Hu	主流品	11.0	5.0
135	槐花	槐米	*Sophora japonica* L.	主流品	23.6	2.1×10^4
136	黄柏	黄柏	*Phellodendron chinense* Schneid.	主流品	15.0	5.2×10^5
137	黄蝉	黄蝉	*Allamanda schottii* Pohl.	主流品	200.0	25.0
138	黄花白及	白及	*Bletilla ochracea* Schltr.	主流品	400.0	2.2×10^3

序号	药材名	商品名	基原拉丁学名	品种性质	平均收购价格 /（元 /kg）	总产量 / kg
139	黄姜	黄姜	*Zingiber montanum* (J. Koenig) Link ex A. Dietr.	主流品	5.2	3.0×10^6
140	黄精	黄精	*Polygonatum cyrtonema* Hua	主流品	22.7	1.3×10^5
141	黄连	味连	*Coptis chinensis* Franch.	主流品	81.4	2.2×10^5
142	黄芪	黄芪	*Astragalus membranaceus* (Fisch.) Bunge	主流品	62.9	7.6×10^4
143	黄芩	黄芩	*Scutellaria baicalensis* Georgi	主流品	29.1	3.3×10^3
144	黄蜀葵根	黄蜀葵根	*Abelmoschus manihot* (L.) Medicus	主流品	0.4	2.0×10^6
145	火头根	黄姜	*Dioscorea zingiberensis* C. H. Wright	主流品	11.1	1.3×10^3
146	鸡冠花	鸡冠花	*Celosia cristata* L.	主流品	34.5	1.0
147	鸡屎藤	鸡屎藤	*Paederia scandens* (Lour.) Merr.	主流品	17.9	1.7×10^2
148	鸡血藤	鸡血藤	*Spatholobus suberectus* Dunn	主流品	14.3	1.5×10^4
149	接骨木	接骨木	*Sambucus williamsii* Hance	主流品	0.7	1.0×10^6
150	桔梗	桔梗	*Platycodon grandiflorum* (Jacq.) A. DC.	主流品	27.0	8.7×10^4
151	金果榄	金果榄	*Tinospora capillipes* Gagnep.	主流品	180.0	1.6×10^2
152	金钱草	金钱草	*Lysimachia christinae* Hance	主流品	10.1	4.0×10^4
153	金荞麦	金荞麦	*Fagopyrum dibotrys* (D. Don) Hara	主流品	2.0	6.4×10^3
154	金银花	金银花	*Lonicera hypoglauca* Miq.	主流品	23.5	7.3×10^5
155	金樱子	金樱子	*Rosa laevigata* Michx.	主流品	13.7	3.3×10^5
156	锦鸡儿根	锦鸡儿根	*Caragana sinica* (Buchoz) Rehd.	主流品	11.0	3.0×10^2
157	荆芥	荆芥	*Nepeta tenuifolia* Benth.	主流品	8.0	3.0×10^3
158	韭菜子	韭菜子	*Allium tuberosum* Rottl. ex Spreng.	主流品	85.0	5.0
159	菊花	菊花	*Chrysanthemum morifolium* Ramat.	主流品	89.2	1.2×10^4
160	橘红	橘红	*Citrus reticulata* Blanco	主流品	10.0	17.0
161	聚叶沙参	沙参	*Adenophora wilsonii* Nannf.	主流品	35.0	4.5×10^2
162	决明子	草决明	*Cassia tora* L.	主流品	8.0	3.1×10^3
163	爵床	小青草	*Rostellularia procumbens* (L.) Nees	主流品	12.0	3.0×10^2
164	空心柴胡	空心柴胡	*Bupleurum longicaule* Wall. ex DC. var. *franchetii* de Boiss.	代用品	0.8	1.0×10^2
165	苦参	苦参	*Sophora flavescens* Ait.	主流品	32.6	5.2×10^3
166	苦地丁	苦地丁	*Corydalis bungeana* Turcz.	主流品	13.2	2.0×10^3
167	苦楝皮	苦楝皮	*Melia azedarach* L.	主流品	24.0	65.0
168	苦杏仁	苦杏仁	*Prunus armeniaca* L.	主流品	45.3	2.5×10^3
169	款冬花	款冬花	*Tussilago farfara* L.	主流品	88.3	2.0×10^4
170	莱菔子	莱菔子	*Raphanus sativus* L.	主流品	32.0	30.0
171	兰花参	兰花参	*Wahlenbergia marginata* (Thunb.) A. DC.	主流品	6.5	5.0×10^2
172	老鹳草	老鹳草	*Geranium carolinianum* L.	主流品	2.5	3.0×10^2
173	连钱草	连钱草	*Glechoma longituba* (Nakai) Kupr.	主流品	5.5	5.0×10^2
174	连翘	连翘	*Forsythia suspensa* (Thunb.) Vahl	主流品	54.2	5.5×10^4
175	莲房	莲房	*Nelumbo nucifera* Gaertn.	主流品	3.0	20.0

续表

序号	药材名	商品名	基原拉丁学名	品种性质	平均收购价格 /（元 /kg）	总产量 / kg
176	莲须	莲须	*Nelumbo nucifera* Gaertn.	主流品	75.0	5.0×10^2
177	莲子	莲子	*Nelumbo nucifera* Gaertn.	主流品	32.4	3.3×10^5
178	两面针	两面针	*Zanthoxylum nitidum* (Roxb.) DC.	主流品	32.0	5.0
179	灵芝	灵芝	*Ganoderma lucidum* (Leyss. ex Fr.) Karst.	主流品	86.9	2.6×10^4
180	龙葵	龙葵	*Solanum nigrum* L.	主流品	3.0	35.0
181	芦根	芦根	*Phragmites communis* Trin.	主流品	47.0	20.0
182	络石藤	络石	*Trachelospermum jasminoides* (Lindl.) Lem.	主流品	7.7	5.1×10^4
183	落新妇	红升麻	*Astilbe grandis* Stapf	主流品	2.0	5.0×10^2
184	马鞭草	马鞭草	*Verbena officinalis* L.	主流品	5.8	6.2×10^3
185	马齿苋	马齿苋	*Portulaca oleracea* L.	主流品	5.0	28.0
186	麦冬	麦冬	*Ophiopogon japonicus* (L. f.)	主流品	62.9	3.0×10^4
187	麦芽	麦芽	*Hordeum vulgare* L.	主流品	49.3	76.0
188	蔓荆子	蔓荆子	*Vitex trifolia* L.	主流品	140.0	1.0
189	猫爪草	猫爪草	*Ranunculus ternatus* Thunb.	主流品	120.0	5.0×10^2
190	绵萆薢	绵萆薢	*Dioscorea spongiosa* J. Q. Xi, M. Mizuno et W. L. Zhao	主流品	5.0	2.2×10^4
191	魔芋	魔芋	*Amorphophallus rivieri* Durieu	主流品	3.9	4.1×10^4
192	牡丹皮	丹皮	*Paeonia suffruticosa* Andr.	主流品	24.7	6.8×10^4
193	木瓜	木瓜	*Chaenomeles speciosa* (Sweet) Nakai	主流品	8.3	2.9×10^4
194	木蝴蝶	木蝴蝶	*Oroxylum indicum* (L.) Kurz	主流品	27.0	1.2×10^2
195	木槿花	木槿花	*Hibiscus syriacus* L.	主流品	62.5	3.0×10^3
196	木通	木通	*Akebia quinata* (Houtt.) Decne.	主流品	12.3	4.5×10^4
197	木香	木香	*Aucklandia lappa* Decne.	主流品	8.9	1.5×10^6
198	木贼	木贼	*Equisetum hiemale* L.	代用品	5.0	80.0
199	南方山荷叶	山荷叶	*Diphylleia sinensis* H. L. Li	主流品	45.0	1.0×10^3
200	南沙参	南沙参	*Adenophora stricta* Miq.	主流品	111.8	4.1×10^3
201	南五味子	南五味子	*Schisandra sphenanthera* Rehd. et Wils.	主流品	50.0	8.5×10^3
202	闹羊花	闹羊花	*Rhododendron molle* (Bl.) G. Don	主流品	120.0	20.0
203	牛蒡子	大力子	*Arctium lappa* L.	主流品	27.2	1.9×10^4
204	牛筋草	牛筋草	*Eleusine indica* (L.) Gaertn.	主流品	11.0	50.0
205	牛奶子	牛奶子	*Elaeagnus umbellata* Thunb.	主流品	8.0	3.0×10^2
206	牛膝	牛膝	*Achyranthes bidentata* Blume.	主流品	7.0	1.1×10^4
207	牛至	牛至	*Origanum vulgare* L.	主流品	3.8	9.6×10^4
208	女贞子	女贞子	*Ligustrum lucidum* Ait. f.	主流品	6.0	1.0×10^5
209	藕节	藕节	*Nelumbo nucifera* Gaertn.	主流品	12.0	10.0
210	胖大海	胖大海	*Sterculia lychnophora* Hance	主流品	180.0	3.0
211	枇杷叶	枇杷	*Eriobotrya japonica* (Thunb.) Lindl.	主流品	11.7	2.6×10^4
212	瓶尔小草	瓶尔小草	*Ophioglossum vulgatum* L.	主流品	50.0	2.0×10^2
213	蒲公英	蒲公英	*Taraxacum erythropodium* Kitag.	主流品	14.9	2.0×10^5

续表

序号	药材名	商品名	基原拉丁学名	品种性质	平均收购价格 /（元 /kg）	总产量 / kg
214	蒲黄	蒲黄	*Typha orientalis* Presl	主流品	127.0	1.0×10^3
215	千层塔	千层塔	*Huperzia serrata* (Thunb. ex Murray) Trev.	主流品	140.0	2.0×10^3
216	千里光	千里光	*Senecio scandens* Buch.-Ham. ex D. Don	主流品	4.1	1.3×10^6
217	牵牛子	牵牛子	*Ipomoea nil* (Linnaeus) Roth	主流品	19.0	5.0×10^2
218	前胡	前胡	*Peucedanum praeruptorum* Dunn	主流品	23.8	5.0×10^4
219	芡实	芡实	*Euryale ferox* Salisb. ex Konig & Sims	主流品	56.5	1.8×10^5
220	茜草	茜草	*Rubia cordifolia* L.	主流品	119.4	3.4×10^2
221	秦艽	秦艽	*Gentiana crassicaulis* Duthie ex Burk.	主流品	221.0	2.0
222	青风藤	青风藤	*Sinomenium acutum* (Thunb.) Rehd. et Wils.	主流品	3.5	3.0×10^3
223	青海当归	当归	*Angelica nitida* Wolff	主流品	60.0	2.0×10^3
224	青蒿	青蒿	*Artemisia annua* L.	主流品	4.1	4.5×10^5
225	青皮	青皮	*Citrus reticulata* Blanco	主流品	9.5	6.4×10^5
226	青檀	青檀	*Pteroceltis tatarinowii* Maxim.	主流品	3.0	2.0×10^3
227	青桐翠木	青桐翠木	*Cordia dichotoma* Forst. f.	主流品	1.4	2.0×10^5
228	青葙子	青葙子	*Celosia argentea* L.	主流品	16.0	35.0
229	苘麻子	苘麻子	*Abutilon theophrasti* Medic.	主流品	5.5	2.6×10^2
230	瞿麦	瞿麦	*Dianthus superbus* L.	主流品	20.0	1.0
231	忍冬藤	忍冬藤	*Lonicera japonica* Thunb.	主流品	16.0	65.0
232	瑞连草	白菊花	*Aster subulatus* Michx.	主流品	210.0	10.0
233	三白草	三白草	*Saururus chinensis* (Lour.) Baill.	主流品	5.0	2.4×10^4
234	三加皮	三加皮	*Acanthopanax trifoliatus* (L.) Merr.	主流品	12.0	5.0×10^2
235	桑椹	桑葚	*Morus alba* L.	主流品	36.3	4.0×10^2
236	桑叶	桑叶	*Morus alba* L.	主流品	14.7	1.2×10^4
237	桑枝	桑枝	*Morus alba* L.	主流品	8.8	3.6×10^3
238	沙参	沙参	*Adenophora hunanensis* Nannf.	主流品	14.0	4.5×10^3
239	沙枣皮	枣皮	*Elaeagnus angustifolia* L.	主流品	20.0	2.0×10^3
240	山慈菇	山慈菇	*Cremastra appendiculata* (D. Don) Makino	主流品	250.0	2.1×10^3
241	山桂皮	山桂皮	*Cinnamomum appelianum* Schewe	代用品	10.5	2.0×10^3
242	山海螺	山海螺	*Codonopsis lanceolata* (Sieb. et Zucc.) Trautv.	主流品	3.6	80.0
243	山槐（山合欢）	山合欢	*Albizia kalkora* (Roxb.) Prain	主流品	3.5	6.0×10^3
244	山麦冬	麦冬	*Liriope spicata* (Thunb.) Lour. var. *prolifera* Y. T. Ma	代用品	28.0	1.4×10^5
245	山木通	山木通	*Clematis finetiana* Lévl. et Vant.	主流品	7.0	1.0×10^4
246	山药	山药	*Dioscorea opposita* Thunb.	主流品	48.9	7.8×10^4
247	山银花	山银花	*Lonicera hypoglauca* Miq.	主流品	43.3	7.0×10^3
248	山楂	山楂	*Crataegus pinnatifida* Bunge.	主流品	10.4	2.3×10^4
249	山茱萸	山茱萸	*Cornus officinalis* Sieb. et Zucc.	主流品	30.7	1.2×10^4

序号	药材名	商品名	基原拉丁学名	品种性质	平均收购价格 /（元 /kg）	总产量 / kg
250	商陆	商陆	*Phytolacca americana* L.	主流品	9.4	2.0×10^5
251	蛇床子	蛇床子	*Cnidium monnieri* (L.) Cuss.	主流品	12.5	1.2×10^3
252	射干	射干	*Belamcanda chinensis* (L.) DC.	主流品	42.4	5.6×10^3
253	伸筋草	伸筋草	*Lycopodium japonicum* Thunb.	主流品	2.2	7.3×10^4
254	升麻	升麻	*Cimicifuga foetida* L.	主流品	41.3	9.1×10^2
255	生姜	生姜	*Zingiber officinale* Rosc.	主流品	19.5	7.0×10^2
256	石菖蒲	石菖蒲	*Acorus tatarinowii* Schott	主流品	27.2	1.3×10^5
257	石防风	石防风	*Peucedanum terebinthaceum* (Fisch. ex Trevir.) Fisch. ex Turcz.	主流品	21.4	3.8×10^3
258	石斛	石斛	*Dendrobium chrysanthum* Lindl.	主流品	210.0	3.5×10^3
259	石见穿	石见穿	*Salvia chinensis* Benth.	主流品	4.0	2.3×10^4
260	石生蝇子草	石生蝇子草	*Silene tatarinowii* Regel	伪品	0.9	1.0×10^2
261	石韦	石韦	*Pyrrosia davidii* (Baker) Ching	主流品	8.0	2.7×10^4
262	柿蒂	柿蒂	*Diospyros kaki* Thunb.	主流品	36.3	1.0×10^2
263	首乌藤	首乌藤	*Polygonum multiflorum* Thunb.	主流品	8.1	3.7×10^5
264	熟地黄	熟地黄	*Rehmannia glutinosa* (Gaertn.) Libosch. ex Fisch. et Mey.	主流品	15.0	1.0×10^4
265	丝瓜络	丝瓜络	*Luffa cylindrica* (L.) Roem.	主流品	44.2	2.8×10^3
266	酸枣仁	酸枣仁	*Ziziphus jujuba* Mill. var. *spinosa* (Bunge) Hu ex H. F. Chow	主流品	192.0	2.0×10^4
267	太子参	太子参	*Pseudostellaria heterophylla* (Miq.) Pax	主流品	162.5	2.0×10^2
268	桃仁	桃仁	*Prunus davidiana* (Carr.) Franch.	主流品	160.0	1.0×10^3
269	天冬	天门冬	*Asparagus cochinchinensis* (Lour.) Merr.	主流品	48.6	1.3×10^4
270	天花粉	花粉	*Trichosanthes kirilowii* Maxim.	主流品	11.1	1.2×10^4
271	天葵子	天葵子	*Semiaquilegia adoxoides* (DC.) Makino	主流品	23.5	5.6×10^4
272	天麻	天麻	*Gastrodia elata* Bl.	主流品	167.0	6.5×10^5
273	天师栗	天师栗	*Aesculus wilsonii* Rehd.	主流品	25.0	1.5×10^4
274	葶苈子	葶苈子	*Descurainia sophia* (L.) Webb ex Prantl	主流品	24.0	35.0
275	通草	通草	*Tetrapanax papyrifer* (Hook.) K. Koch	主流品	103.7	4.8×10^4
276	土茯苓	土茯苓	*Smilax glabra* Roxb.	主流品	26.6	1.1×10^4
277	菟丝子	菟丝子	*Cuscuta australis* R. Br.	代用品	12.0	7.0×10^3
278	威灵仙	威灵仙	*Clematis chinensis* Osbeck	主流品	64.5	1.9×10^3
279	乌梅	乌梅	*Prunus mume* (Sieb.) Sieb. et Zucc.	主流品	56.0	42.0
280	乌药	乌药	*Lindera aggregata* (Sims) Kosterm.	主流品	16.3	1.4×10^4
281	无患子	无患子	*Sapindus mukorossi* Gaertn.	主流品	23.0	2.0×10^2
282	吴茱萸	吴茱萸	*Tetradium ruticarpum* (A. Jessieu) T. G. Hartley	主流品	52.7	9.6×10^4
283	五倍子	五倍子	*Rhus chinensis* Mill.	主流品	17.0	1.1×10^6

续表

序号	药材名	商品名	基原拉丁学名	品种性质	平均收购价格 /（元 /kg）	总产量 / kg
284	五加皮	五加皮	*Acanthopanax sessiliflorus* (Rupr. et Maxim.) Seem.	主流品	10.0	2.0×10^2
285	五味子	五味子	*Schisandra chinensis* (Turcz.) Baill.	主流品	55.3	1.4×10^5
286	西南金刚藤	西南金刚藤	*Smilax bockii* Warb.	代用品	4.0	1.5×10^4
287	豨莶草	豨莶草	*Siegesbeckia orientalis* L.	主流品	16.7	1.0×10^4
288	细辛	华细辛	*Asarum sieboldii* Miq.	主流品	44.0	1.1×10^3
289	夏枯草	夏枯草	*Prunella vulgaris* L.	主流品	10.8	1.2×10^5
290	夏枯草花	夏枯球	*Prunella vulgaris* L.	主流品	14.7	1.0×10^4
291	仙鹤草	仙鹤草	*Agrimonia pilosa* Ledeb.	主流品	8.9	1.6×10^5
292	仙茅	仙茅	*Curculigo orchioides* Gaertn.	主流品	178.0	5.5×10^2
293	香附	香附	*Cyperus rotundus* L.	主流品	26.6	1.1×10^4
294	香桂皮	香桂皮	*Cinnamomum subavenium* Miq.	主流品	12.7	1.6×10^4
295	香蒲	香蒲	*Typha orientalis* Presl	代用品	25.0	1.0×10^3
296	小白及	小白及	*Bletilla formosana* (Hayata) Schltr.	主流品	100.0	1.0×10^3
297	小茴香	小茴香	*Foeniculum vulgare* Mill.	主流品	39.4	25.0
298	小蓟	小蓟	*Cirsium setosum* (Willd.) MB.	主流品	13.0	1.0
299	小通草	通草	*Stachyurus chinensis* Franch.	主流品	126.7	2.5×10^3
300	薤白	薤白	*Allium macrostemon* Bunge	主流品	25.0	1.0×10^2
301	辛夷	辛夷	*Magnolia liliflora* Desr.	主流品	39.7	1.1×10^4
302	续断	川续断	*Dipsacus asper* Wall. ex Henry	主流品	17.6	2.0×10^5
303	玄参	玄参	*Scrophularia ningpoensis* Hemsl.	主流品	28.0	5.6×10^5
304	延胡索	醋延胡索	*Corydalis yanhusuo* W. T. Wang ex Z. Y. Su & C. Y. Wu	主流品	77.0	2.4×10^4
305	芫花	芫花	*Daphne genkwa* Sieb. et Zucc.	主流品	12.0	5.9×10^3
306	野菊	野菊	*Chrysanthemum indicum* L.	主流品	17.7	4.9×10^4
307	野菊花	野菊	*Chrysanthemum indicum* L.	代用品	1.0	1.9×10^6
308	野三七	野三七	*Panax pseudoginseng* Wall. var. *japonicus* (C. A. Mey.) Hoo et Tseng	主流品	12.0	1.0×10^3
309	野山楂	野山楂	*Crataegus hupehensis* Sarg.	主流品	9.2	3.7×10^3
310	益母草	益母草	*Leonurus japonicus* Houtt.	主流品	10.2	3.7×10^5
311	薏苡仁	薏苡仁	*Coix lacryma-jobi* L. var. *mayuen* (Roman.) Stapf	主流品	28.4	2.1×10^5
312	茵陈	茵陈	*Artemisia capillaris* Thunb.	主流品	10.7	3.3×10^4
313	银杏叶	银杏叶	*Ginkgo biloba* L.	主流品	7.7	7.8×10^4
314	淫羊藿	淫羊藿	*Epimedium brevicornu* Maxim.	主流品	32.2	2.4×10^5
315	油松节	油松节	*Pinus massoniana* Lamb.	主流品	1.8	1.0×10^3
316	鱼腥草	鱼腥草	*Houttuynia cordata* Thunb.	主流品	7.0	5.0×10^5
317	玉竹	玉竹	*Polygonatum odoratum* (Mill.) Druce	主流品	29.0	6.2×10^3
318	郁金	郁金	*Curcuma longa* L.	主流品	71.0	36.0
319	预知子	预知子	*Akebia quinata* (Houtt.) Decne.	主流品	9.8	9.0×10^4
320	元宝草	元宝草	*Hypericum sampsonii* Hance	主流品	4.8	6.4×10^2
321	远志	远志	*Polygala tenuifolia* Willd.	主流品	161.7	69.0

序号	药材名	商品名	基原拉丁学名	品种性质	平均收购价格 / （元 /kg）	总产量 / kg
322	云南石仙桃	云南石仙桃	*Pholidota yunnanensis* Rolfe	主流品	0.9	1.0×10^3
323	皂角刺	皂角刺	*Gleditsia sinensis* Lam.	主流品	62.8	3.3×10^4
324	泽兰	泽兰	*Lycopus lucidus* Turcz. var. *hirtus* Regel	主流品	24.0	3.0
325	泽泻	泽泻	*Alisma orientalis* (Sam.) Juzep.	主流品	35.8	70.0
326	泽泻叶	泽泻叶	*Alisma orientalis* (Sam.) Juzep.	主流品	151.0	1.0
327	知母	知母	*Anemarrhena asphodeloides* Bunge	主流品	42.5	4.0×10^6
328	栀子	栀子	*Gardenia jasminoides* Ellis	主流品	24.4	3.1×10^6
329	枳椇子	枳椇子	*Hovenia acerba* Lindl.	主流品	2.0	2.1×10^5
330	枳壳	枳壳	*Citrus aurantium* L.	主流品	40.8	3.1×10^4
331	枳实	枳实	*Citrus aurantium* L.	主流品	52.6	1.9×10^5
332	制何首乌	制何首乌	*Polygonum multiflorum* Thunb.	主流品	60.7	66.0
333	珠子参	扣子七	*Panax japonicus* C. A. Mey. var. *major* (Burk.) C. Y. Wu et K. M. Feng	主流品	306.7	1.1×10^4
334	猪苓	猪苓	*Polyporus umbellatus* (Pers.) Fr.	主流品	283.5	4.0×10^3
335	猪殃殃	猪殃殃	*Galium aparine* L. var. *tenerum* (Gren. et Godr.) Reichb.	主流品	3.5	1.5×10^3
336	竹节参	竹节参	*Panax japonicus* C. A. Mey.	主流品	143.3	6.2×10^3
337	紫草	紫草	*Arnebia euchroma* (Royle) Johnst.	主流品	306.0	3.0
338	紫花地丁	紫花地丁	*Viola yedoensis* Makino	主流品	32.5	3.3×10^3
339	紫花前胡	紫花前胡	*Peucedanum decursivum* (Miq.) Maxim.	主流品	24.0	30.0
340	紫苏梗	紫苏梗	*Perilla frutescens* (L.) Britt.	主流品	24.0	1.0×10^2
341	紫苏叶	紫苏叶	*Perilla frutescens* (L.) Britt.	主流品	40.9	5.3×10^3
342	紫苏子	苏子	*Perilla frutescens* (L.) Britt.	主流品	28.7	5.3×10^3
343	紫菀	紫菀	*Aster tataricus* L. f.	主流品	68.0	9.0
344	棕榈	棕榈	*Trachycarpus fortunei* (Hook.) H. Wendl.	主流品	2.7	3.3×10^4

表 1-3-3 湖北省中药材企业经营品种

序号	药材名	基原拉丁学名	平均收购价格 / （元 /kg）	年收购量 /kg	产品类型
1	艾叶	*Artemisia argyi* Lévl. et Vant.	18.5	2.3×10^6	饮片
2	八角茴香	*Illicium verum* Hook. f.	35.7	1.7×10^2	饮片
3	巴戟天	*Morinda officinalis* How	154.2	1.9×10^4	饮片
4	扒地蜈蚣	*Tylophora renchangii* Tsiang	2.0	6.0×10^2	其他
5	菝葜	*Smilax china* L.	20.0	2.5×10^6	饮片
6	白扁豆	*Dolichos lablab* L.	26.5	2.3×10^3	饮片
7	白附子	*Typhonium giganteum* Engl.	51.7	3.0×10^2	饮片
8	白果	*Ginkgo biloba* L.	24.4	7.2×10^3	饮片
9	白花蛇舌草	*Hedyotis diffusa* Willd.	37.5	1.3×10^4	饮片

续表

序号	药材名	基原拉丁学名	平均收购价格/（元/kg）	年收购量/kg	产品类型
10	白及	*Bletilla striata* (Thunb.) Rchb. f.	490.4	1.5×10^4	饮片
11	白蔹	*Ampelopsis japonica* (Thunb.) Makino	39.7	2.6×10^2	饮片
12	白茅根	*Imperata cylindrica* (L.) Beauv. var. *major* (Nees) C. E. Hubb. ex Hubb et Vaughan	34.8	8.5×10^4	饮片
13	白前	*Cynanchum glaucescens* (Decne.) Hand.-Mazz.	70.0	8.2×10^2	饮片
14	白芍	*Paeonia lactiflora* Pall.	32.3	2.5×10^5	饮片
15	白术	*Atractylodes macrocephala* Koidz.	37.4	3.1×10^5	饮片
16	白头翁	*Pulsatilla ambigua* Turcz. ex Pritz.	186.0	6.2×10^3	饮片
17	白鲜皮	*Dictamnus dasycarpus* Turcz.	183.8	1.8×10^4	饮片
18	白芷	*Angelica dahurica* (Fisch. ex Hoffm.) Benth. et Hook. f. ex Franch. et Sav.	31.6	7.2×10^4	饮片
19	百部	*Stemona japonica* (Bl.) Miq.	49.5	6.2×10^4	饮片
20	百合	*Lilium brownii* F. E. Br. ex Miellez var. *viridulum* Baker	46.6	1.1×10^5	饮片
21	柏子仁	*Platycladus orientalis* (L.) Franco	201.8	5.0×10^4	饮片
22	败酱	*Patrinia scabiosifolia* Fisch. ex Trevir.	20.8	1.4×10^5	饮片
23	板蓝根	*Isatis indigotica* Fort.	23.6	1.5×10^5	饮片
24	半边莲	*Lobelia chinensis* Lour.	66.5	5.3×10^3	饮片
25	半夏	*Pinellia ternata* (Thunb.) Breit.	113.6	1.6×10^6	饮片
26	半枝莲	*Scutellaria barbata* D. Don	35.8	4.2×10^4	饮片
27	薄荷	*Mentha haplocalyx* Briq.	15.4	1.5×10^4	饮片
28	薄荷油（包括薄荷脑）	*Mentha haplocalyx* Briq.	487.5	1.0×10^3	饮片
29	北豆根	*Menispermum dauricum* DC.	26.0	5.1×10^3	饮片
30	北刘寄奴	*Siphonostegia chinensis* Benth.	30.0	23.0	饮片
31	北沙参	*Glehnia littoralis* Fr. Schmidt ex Miq.	63.7	5.6×10^3	饮片
32	贝母	*Fritillaria walujewii* var. *shawanensis* X. Z. Duan et X. J. Zheng	316.0	66.0	饮片
33	荜茇	*Piper longum* L.	66.5	1.5×10^2	饮片
34	萹蓄	*Polygonum aviculare* L.	12.2	3.2×10^3	饮片
35	槟榔	*Areca catechu* L.	34.5	1.5×10^3	饮片
36	补骨脂	*Psoralea corylifolia* L.	22.0	1.3×10^2	饮片
37	苍耳子	*Xanthium mongolicum* Kitag.	24.5	1.9×10^4	饮片
38	苍术	*Atractylodes lancea* (Thunb.) DC.	69.7	4.1×10^5	饮片
39	草果	*Amomum tsaoko* Crevost et Lemarie	90.5	1.9×10^4	饮片
40	草乌	*Aconitum kusnezoffii* Reichb.	35.0	1.0×10^3	饮片
41	侧柏叶	*Platycladus orientalis* (L.) Franco	15.0	3.6×10^2	饮片
42	柴胡	*Bupleurum chinense* DC.	101.5	1.3×10^6	饮片
43	蝉花	*Cordyceps sobolifera* (Hill. ex Watson) Berk. et Br.	460.0	2.0×10^2	饮片
44	炒瓜蒌子	*Trichosanthes kirilowii* Maxim.	35.0	2.5×10^2	饮片
45	车前草	*Plantago asiatica* L.	14.5	7.8×10^4	饮片

续表

序号	药材名	基原拉丁学名	平均收购价格 /（元 /kg）	年收购量 /kg	产品类型
46	车前子	*Plantago asiatica* L.	39.5	3.7×10^4	饮片
47	沉香	*Aquilaria malaccensis* Lam.	5 000.0	3.0×10^2	饮片
48	陈皮	*Citrus reticulata* Blanco	14.7	2.0×10^6	饮片
49	赤芍	*Paeonia lactiflora* Pall.	93.0	2.7×10^5	饮片
50	赤小豆	*Vigna umbeuagta* Ohwi et Ohashi	26.0	2.3×10^3	饮片
51	茺蔚子	*Leonurus japonicus* Houtt.	57.8	2.7×10^2	饮片
52	重楼	*Paris polyphylla* Smith	1 130.0	7.0×10^3	饮片
53	楮实子	*Broussonetia papyrifera* (L.) Vent.	31.0	1.2×10^3	饮片
54	川贝母	*Fritillaria cirrhosa* D. Don	650.0	2.0×10^3	饮片
55	川楝子	*Melia toosendan* Sieb. et Zucc.	17.7	4.3×10^3	饮片
56	川木通	*Clematis armandii* Franch.	32.0	1.2×10^2	饮片
57	川牛膝	*Cyathula officinalis* Kuan	51.3	8.7×10^4	饮片
58	川乌	*Aconitum carmichaelii* Debx.	51.0	1.0×10^6	饮片
59	川芎	*Ligusticum chuanxiong* Hort.	37.1	1.1×10^5	饮片
60	穿山龙	*Dioscorea nipponica* Makino	30.0	3.9×10^4	饮片
61	穿心莲	*Andrographis paniculata* (Burm. f.) Nees	16.5	2.3×10^5	饮片
62	垂盆草	*Sedum sarmentosum* Bunge	37.6	2.0×10^2	饮片
63	椿皮	*Ailanthus altissima* (Mill.) Swingle	24.0	4.1×10^4	饮片
64	刺五加	*Acanthopanax senticosus* (Rupr. et Maxim.) Harms.	22.0	4.2×10^4	饮片
65	大腹皮	*Areca catechu* L.	19.8	1.6×10^3	饮片
66	大黄	*Rheum officinale* Baill.	44.7	3.8×10^4	饮片
67	大蓟	*Cirsium japonicum* Fisch. ex DC.	16.4	1.9×10^3	饮片
68	大青叶	*Isatis indigotica* Fort.	13.3	6.6×10^3	饮片
69	大血藤	*Sargentodoxa cuneata* (Oliv.) Rehd. et Wils.	17.3	1.1×10^4	饮片
70	大枣	*Ziziphus jujuba* Mill.	26.4	3.1×10^4	饮片
71	丹参	*Salvia miltiorrhiza* Bunge	32.2	3.5×10^5	饮片
72	胆南星	*Arisaema erubescens* (Wall.) Schott.	64.1	68.0	饮片
73	淡豆豉	*Glycine max* (L.) Merr.	23.5	1.5×10^2	饮片
74	淡竹叶	*Lophatherum gracile* Brongn.	21.8	2.5×10^4	饮片
75	当归	*Angelica sinensis* (Oliv.) Diels	60.9	3.0×10^5	饮片
76	党参	*Codonopsis pilosula* (Franch.) Nannf.	101.4	3.3×10^5	饮片
77	稻芽	*Oryza sativa* L.	42.0	1.4×10^2	饮片
78	地枫皮	*Illicium difengpi* B. N. Chang	8.5	5.0×10^3	饮片
79	地肤子	*Kochia scoparia* (L.) Schrad.	32.8	1.8×10^4	饮片
80	地骨皮	*Lycium chinense* Mill.	144.7	3.4×10^3	饮片
81	地黄	*Rehmannia glutinosa* (Gaertn.) Libosch. ex Fisch. et Mey.	21.8	1.3×10^5	饮片
82	地锦草	*Euphorbia humifusa* Willd.	22.0	1.0×10^3	饮片
83	地榆	*Sanguisorba officinalis* L.	20.5	6.2×10^2	饮片
84	灯心草	*Juncus effuses* L.	258.5	58.0	饮片

序号	药材名	基原拉丁学名	平均收购价格 / （元 /kg）	年收购量 /kg	产品类型
85	灯盏细辛	*Erigeron breviscapus* (Vaniot) Hand.-Mazz.	1 783.0	5.0×10^3	饮片
86	滇鸡血藤	*Kadsura interior* A. C. Smith	16.0	1.5×10^4	饮片
87	丁香	*Eugenia caryophyllata* Thunb.	97.0	2.5×10^2	饮片
88	东当归	*Angelica acutiloba* (Sieb. et Zucc.) Kitag.	17.0	3.0×10^5	其他
89	冬瓜子	*Benincasa hispida* (Thunb.) Cogn.	33.0	1.0×10^3	饮片
90	冬葵子	*Malva verticillata* L.	12.0	72.0	饮片
91	冬凌草	*Rabdosia rubescens* (Hemsl.) Hara	1 633.0	25. 0	饮片
92	豆蔻	*Amomum kravanh* Pierre ex Gagnep.	137.0	3.4×10^3	饮片
93	独活	*Angelica pubescens* Maxim. f. *biserrata* Shan et Yuan	22.8	1.1×10^5	饮片
94	独叶草	*Kingdonia uniflora* Balf. f. et W. W. Smith	144.0	1.6×10^4	饮片
95	独一味	*Lamiophlomis rotata* (Benth.) Kudo	6 166.7	2.4	饮片
96	杜仲	*Eucommia ulmoides* Oliv.	19.6	2.2×10^6	饮片
97	杜仲叶	*Eucommia ulmoides* Oliv.	8.0	1.8×10^4	中成药
98	莪术	*Curcuma phaeocaulis* Valeton	40.3	7.9×10^3	饮片
99	鹅不食草	*Centipeda minima* (L.) A. Br. et Aschers.	15.3	1.7×10^2	饮片
100	法半夏	*Pinellia ternata* (Thunb.) Breit.	168.3	1.4×10^5	饮片
101	番泻叶	*Cassia angustifolia* Vahl	26.0	4.8×10^3	饮片
102	翻白草	*Potentilla discolor* Bunge	13.5	59.0	饮片
103	防风	*Saposhnikovia divaricata* (Turcz.) Schischk.	108.9	8.9×10^4	饮片
104	防己	*Stephania tetrandra* S. Moore	137.7	1.0×10^4	饮片
105	粉葛	*Pueraria phaseoloides* (Roxb.) Benth.	28.0	7.0×10^2	饮片
106	佛手	*Citrus medica* L. var. *sarcodactylis* Swingle	141.5	1.8×10^3	饮片
107	茯苓	*Poria cocos* (Schw.) Wolf.	32.0	1.1×10^7	饮片
108	茯苓皮	*Poria cocos* (Schw.) Wolf.	20.1	1.2×10^3	饮片
109	浮萍	*Lemna minor* L.	12.8	1.8×10^4	饮片
110	附子	*Aconitum carmichaelii* Debx.	66.7	7.1×10^2	饮片
111	覆盆子	*Rubus idaeus* L.	352.5	3.8×10^2	饮片
112	干姜	*Zingiber officinale* Rosc.	42.2	2.3×10^5	饮片
113	甘草	*Glycyrrhiza aspera* Pall.	46.9	3.0×10^5	饮片
114	甘青黄芪 （青海黄芪）	*Astragalus tanguticus* Batal.	34.5	5.0×10^3	饮片
115	甘松	*Nardostachys jatamansi* DC.	655.0	34.0	饮片
116	甘遂	*Euphorbia kansui* Liou ex S. B. Ho	116.0	24. 0	饮片
117	高良姜	*Alpinia officinarum* Hance	25.7	7.4×10^2	饮片
118	藁本	*Ligusticum sinense* Oliv.	91.0	1.9×10^2	饮片
119	葛根	*Pueraria lobata* (Willd.) Ohwi	17.3	7.6×10^6	饮片
120	钩藤	*Uncaria rhynchophylla* (Miq.) Miq. ex Havil.	150.0	2.3×10^4	饮片
121	狗脊	*Cibotium barometz* (L.) J. Smith	32.2	4.4×10^4	饮片
122	枸杞子	*Lycium barbarum* L.	78.5	9.1×10^4	饮片
123	谷精草	*Eriocaulon buergerianum* Koern.	47.0	66.0	饮片

续表

序号	药材名	基原拉丁学名	平均收购价格 /（元 /kg）	年收购量 /kg	产品类型
124	谷芽	*Setaria italica* (L.) Beauv.	13.5	3.3×10^4	饮片
125	骨碎补	*Drynaria fortunei* (Kunze) J. Sm.	36.0	3.3×10^3	饮片
126	瓜蒌	*Trichosanthes kirilowii* Maxim.	40.0	7.1×10^4	饮片
127	瓜蒌皮	*Trichosanthes kirilowii* Maxim.	35.8	1.3×10^4	饮片
128	瓜蒌子	*Trichosanthes kirilowii* Maxim.	40.5	1.6×10^3	饮片
129	关黄柏	*Phellodendron amurense* Rupr.	40.3	3.9×10^4	饮片
130	广藿香	*Pogostemon cablin* (Blanco) Benth.	32.0	5.8×10^4	饮片
131	鬼针草	*Bidens bipinnata* L.	14.0	1.6×10^2	饮片
132	桂枝	*Cinnamomum cassia* Presl.	12.2	9.7×10^4	饮片
133	海风藤	*Piper kadsura* (Choisy) Ohwi	41.2	9.0×10^3	饮片
134	海金沙	*Lygodium japonicum* (Thunb.) Sw.	175.9	1.9×10^4	饮片
135	海桐皮	*Erythrina variegata* L.	21.0	1.9×10^3	饮片
136	海桐叶白英	*Solanum pittosporifolium* Hemsl.	5.0	2.0×10^4	饮片
137	海藻	*Sargassum fusiforme* (Harv.) Setch.	54.2	3.0×10^3	饮片
138	诃子	*Terminalia chebula* Retz. var. *tomentella* (Kurz) C. B. Clarke	16.0	68.0	饮片
139	合欢花	*Albizia julibrissin* Durazz.	97.5	78.0	饮片
140	合欢皮	*Albizia julibrissin* Durazz.	21.9	2.2×10^4	饮片
141	何首乌	*Polygonum multiflorum* Thunb.	19.6	5.0×10^5	饮片
142	荷叶	*Nelumbo nucifera* Gaertn.	14.2	3.1×10^3	饮片
143	黑柴胡	*Bupleurum smithii* Wolff	50.0	4.0×10^2	饮片
144	黑豆	*Glycine max* (L.) Merr.	14.0	86.0	饮片
145	黑芝麻	*Sesamum indicum* L.	38.0	3.4×10^3	饮片
146	红参	*Panax ginseng* C. A. Mey.	765.0	3.9×10^3	饮片
147	红豆杉	*Taxus chinensis* (Pilger) Rehd. var. *chinensis*	3 534.0	3.1×10^2	饮片
148	红花	*Carthamus tinctorius* L.	229.6	4.4×10^4	饮片
149	红景天	*Rhodiola tangutica* (Maximowicz) S. H. Fu	104.0	2.5×10^4	饮片
150	红芪	*Hedysarum polybotrys* Hand.-Mazz.	1 625.0	8.0×10^3	饮片
151	荭草	*Polygonum orientale* L.	1.0	2.0×10^4	饮片
152	厚朴	*Magnolia officinalis* Rehd. et Wils. var. *biloba* Rehd. et Wils.	12.0	2.7×10^5	饮片
153	胡黄连	*Picrorhiza scrophulariiflora* Pennell	352.0	5.4×10^2	饮片
154	湖北贝母	*Fritillaria hupehensis* Hsiao et K. C. Hsia	85.0	5.5×10^3	饮片
155	湖北海棠根	*Malus hupehensis* (Pamp.) Rehd.	1.8	5.0×10^5	其他
156	槲寄生	*Viscum coloratum* (Kom.) Nakai	43.0	1.3×10^3	饮片
157	虎杖	*Polygonum cuspidatum* Sieb. et Zucc.	17.2	1.7×10^6	饮片
158	花椒	*Zanthoxylum bungeanum* Maxim.	152.0	1.4×10^3	饮片
159	华南皂荚	*Gleditsia fera* (Lour.) Merr.	74.0	96.0	饮片
160	化橘红	*Citrus grandis* (L.) Osbeck	29.5	2.0×10^2	饮片
161	槐花	*Sophora japonica* L.	29.9	5.9×10^4	饮片
162	槐角	*Sophora japonica* L.	18.0	57.0	饮片

续表

序号	药材名	基原拉丁学名	平均收购价格 /（元 /kg）	年收购量 /kg	产品类型
163	黄柏	*Phellodendron chinense* Schneid.	36.2	1.9×10^4	饮片
164	黄姜	*Zingiber montanum* (J. Koenig) Link ex A. Dietr.	5.6	7.2×10^8	其他
165	黄精	*Polygonatum cyrtonema* Hua	51.5	5.6×10^4	饮片
166	黄连	*Coptis chinensis* Franch.	176.0	1.5×10^6	饮片
167	黄芪	*Astragalus membranaceus* (Fisch.) Bunge	41.6	7.8×10^5	饮片
168	黄芩	*Scutellaria baicalensis* Georgi	58.6	2.1×10^5	饮片
169	黄药子	*Dioscorea bulbifera* L.	13.0	96.0	饮片
170	火麻仁	*Cannabis sativa* L.	22.5	4.3×10^3	饮片
171	火头根	*Dioscorea zingiberensis* C. H. Wright	10.0	2.0×10^2	饮片
172	藿香	*Agastache rugosa* (Fisch. et Mev.) O. Kuntze	15.0	6.0×10^2	饮片
173	鸡冠花	*Celosia cristata* L.	27.5	1.0	饮片
174	鸡血藤	*Spatholobus suberectus* Dunn	21.2	1.4×10^3	饮片
175	急性子	*Impatiens balsamina* L.	41.0	94.0	饮片
176	蒺藜	*Tribulus terrestris* L.	30.6	1.8×10^2	饮片
177	姜半夏	*Pinellia ternata* (Thunb.) Breit.	235.0	1.7×10^4	饮片
178	姜黄	*Curcuma longa* L.	28.5	1.5×10^3	饮片
179	姜皮	*Zingiber officinale* Rosc.	15.0	88.0	饮片
180	降香	*Dalbergia odorifera* T. Chen	451.0	8.2×10^2	饮片
181	绞股蓝	*Gynostemma pentaphyllum* (Thunb.) Makino	23.5	4.2×10^2	饮片
182	接骨木	*Sambucus williamsii* Hance	2 816.6	5.5	饮片
183	桔梗	*Platycodon grandiflorum* (Jacq.) A. DC.	52.8	2.1×10^5	饮片
184	截叶栝楼	*Trichosanthes truncata* C. B. Clarke	30.0	1.0×10^3	饮片
185	芥子	*Brassica juncea* (L.) Czern. et Coss.	31.1	9.4×10^3	饮片
186	金钱草	*Lysimachia christinae* Hance	37.4	4.8×10^4	饮片
187	金荞麦	*Fagopyrum dibotrys* (D. Don) Hara	24.0	82.0	饮片
188	金银花	*Lonicera hypoglauca* Miq.	90.0	1.1×10^6	保健品
189	金樱子	*Rosa laevigata* Michx.	34.7	8.2×10^5	饮片
190	荆芥	*Nepeta tenuifolia* Benth.	18.7	2.1×10^4	饮片
191	九节菖蒲	*Anemone altaica* Fisch. ex C. A. Mey.	360.0	1.8×10^2	饮片
192	韭菜子	*Allium tuberosum* Rottl. ex Spreng.	81.7	6.3×10^3	饮片
193	菊花	*Chrysanthemum morifolium* Ramat.	75.3	1.7×10^5	饮片
194	菊花参	*Gentiana sarcorrhiza* Ling et Ma ex T. N. Ho	58.0	50.0	饮片
195	橘核	*Citrus reticulata* Blanco	58.5	1.2×10^3	饮片
196	橘红	*Citrus reticulata* Blanco	20.0	3.0×10^2	饮片
197	橘络	*Citrus reticulata* Blanco	560.0	2.1×10^2	饮片
198	卷柏	*Selaginella tamariscina* (P. Beauv.) Spring	68.0	2.2×10^2	饮片
199	决明子	*Cassia obtusifolia* L.	14.6	2.0×10^4	饮片
200	苦参	*Sophora flavescens* Ait.	37.4	1.2×10^4	饮片
201	苦地丁	*Corydalis bungeana* Turcz.	13.2	2.0×10^3	饮片
202	苦杏仁	*Prunus armeniaca* L.	69.2	2.5×10^4	饮片

序号	药材名	基原拉丁学名	平均收购价格/（元/kg）	年收购量/kg	产品类型
203	款冬花	*Tussilago farfara* L.	135.9	1.4×10^4	饮片
204	昆布	*Laminaria japonica* Aresch.	34.6	2.1×10^3	饮片
205	莱菔子	*Raphanus sativus* L.	24.2	1.2×10^4	饮片
206	老鹳草	*Geranium wilfordii* Maxim.	26.0	55.0	饮片
207	雷公藤	*Tripterygium wilfordii* Hook. f.	34.4	1.5×10^3	饮片
208	荔枝核	*Litchi chinensis* Sonn.	18.9	2.1×10^3	饮片
209	连翘	*Forsythia suspensa* (Thunb.) Vahl	69.4	7.9×10^4	饮片
210	莲须	*Nelumbo nucifera* Gaertn.	130.0	20.0	饮片
211	莲子	*Nelumbo nucifera* Gaertn.	88.6	5.8×10^3	饮片
212	莲子心	*Nelumbo nucifera* Gaertn.	118.4	5.0×10^3	饮片
213	灵芝	*Ganoderma lucidum* (Leyss. ex Fr.) Karst.	54.2	2.0×10^6	饮片
214	凌霄花	*Campsis grandiflora* (Thunb.) K. Schumann	77.5	2.0×10^2	饮片
215	刘寄奴	*Artemisia anomala* S. Moore	31.3	80.0	饮片
216	龙胆	*Gentiana manshurica* Kitag.	120.0	5.2×10^2	饮片
217	龙葵	*Solanum nigrum* L.	20.5	5.3×10^3	饮片
218	龙眼肉	*Dimocarpus longan* Lour.	85.0	1.4×10^4	饮片
219	漏芦	*Stemmacantha uniflora* (L.) Dittrich	14.4	1.0×10^3	饮片
220	芦根	*Phragmites communis* Trin.	32.2	1.5×10^4	饮片
221	鹿衔草	*Pyrola calliantha* H. Andres	54.0	2.4×10^2	饮片
222	路路通	*Liquidambar formosana* Hance	14.6	1.4×10^5	饮片
223	罗布麻叶	*Apocynum venetum* L.	29.2	73.0	饮片
224	罗汉果	*Siraitia grosvenorii* (Swingle) C. Jeffrey ex Lu et Z. Y. Zhang	1.9	4.2×10^2	饮片
225	络石藤	*Trachelospermum jasminoides* (Lindl.) Lem.	22.0	2.8×10^2	饮片
226	麻黄	*Ephedra intermedia* Schrenk ex Ney.	34.2	1.8×10^4	饮片
227	麻黄根	*Ephedra intermedia* Schrenk ex Ney.	32.0	3.1×10^2	饮片
228	马鞭草	*Verbena officinalis* L.	29.0	1.3×10^2	饮片
229	马勃	*Calvatia gigantea* (Batsch ex Pers.) Lloyd	111.1	6.3×10^2	饮片
230	马齿苋	*Portulaca oleracea* L.	16.6	5.3×10^3	饮片
231	马兜铃	*Aristolochia debilis* Sieb. et Zucc.	40.0	20.0	饮片
232	麦冬	*Ophiopogon japonicus* (L. f.) Ker-Gawl.	131.9	5.6×10^5	饮片
233	麦芽	*Hordeum vulgare* L.	12.5	8.1×10^2	饮片
234	蔓荆子	*Vitex trifolia* L.	65.0	8.8×10^2	饮片
235	猫爪草	*Ranunculus ternatus* Thunb.	220.0	7.7×10^3	饮片
236	毛冬青	*Ilex pubescens* Hook. et Arn.	25.0	1.1×10^4	饮片
237	毛喉鞘蕊花	*Coleus forskohlii* (Willd.) Briq.	120.0	5.0×10^3	中成药
238	玫瑰花	*Rosa rugosa* Thunb.	99.9	1.8×10^2	饮片
239	密蒙花	*Buddleja officinalis* Maxim.	112.0	3.5×10^3	饮片
240	绵萆薢	*Dioscorea spongiosa* J. Q. Xi, M. Mizuno et W. L. Zhao	45.3	3.3×10^3	饮片
241	绵马贯众	*Dryopteris crassirhizoma* Nakai	32.0	3.2×10^2	饮片

序号	药材名	基原拉丁学名	平均收购价格 /（元 /kg）	年收购量 /kg	产品类型
242	没药	*Commiphora myrrha* Engl.	144.5	$2.4×10^2$	饮片
243	墨旱莲	*Eclipta prostrata* (L.) L.	16.2	$5.0×10^4$	饮片
244	牡丹皮	*Paeonia suffruticosa* Andr.	63.9	$5.9×10^4$	饮片
245	木鳖子	*Momordica cochinchinensis* (Lour.) Spreng.	72.0	$2.0×10^2$	饮片
246	木耳	*Auricularia auricula* (L.) Underw.	53.3	$5.0×10^5$	其他
247	木瓜	*Chaenomeles sinensis* (Thouin) Koehne	43.0	$4.1×10^4$	饮片
248	木蝴蝶	*Oroxylum indicum* (L.) Kurz	54.7	$1.2×10^3$	饮片
249	木通	*Akebia quinata* (Houtt.) Decne.	21.5	$3.2×10^4$	饮片
250	木香	*Aucklandia lappa* Decne.	38.5	$1.2×10^5$	饮片
251	木贼	*Equisetum hiemale* L.	27.8	$1.1×10^2$	饮片
252	南沙参	*Adenophora stricta* Miq.	94.5	$2.3×10^4$	饮片
253	牛蒡子	*Arctium lappa* L.	38.6	$4.0×10^4$	饮片
254	牛膝	*Achyranthes bidentata* Blume.	38.3	$1.7×10^4$	饮片
255	牛至	*Origanum vulgare* L.	60.0	$1.0×10^3$	中成药
256	女贞子	*Ligustrum lucidum* Ait. f.	10.9	$2.1×10^6$	饮片
257	藕节	*Nelumbo nucifera* Gaertn.	23.0	$2.0×10^3$	饮片
258	胖大海	*Sterculia lychnophora* Hance	205.0	$1.9×10^3$	饮片
259	炮姜	*Zingiber officinale* Rosc.	48.0	$2.3×10^3$	饮片
260	佩兰	*Eupatorium fortunei* Turcz.	31.1	$1.5×10^4$	饮片
261	枇杷叶	*Eriobotrya japonica* (Thunb.) Lindl.	15.9	$1.5×10^4$	饮片
262	平贝母	*Fritillaria ussuriensis* Maxim.	405.0	$4.9×10^4$	饮片
263	萍蓬草根	*Nuphar pumila* (Timm) DC.	47.5	$3.2×10^3$	其他
264	蒲公英	*Taraxacum erythropodium* Kitag.	17.8	$2.5×10^6$	饮片
265	蒲黄	*Typha angustifolia* L.	138.9	$5.1×10^3$	饮片
266	掐不齐	*Lespedeza virgata* (Thunb.) DC.	6.0	$7.0×10^5$	中成药
267	千里光	*Senecio scandens* Buch.-Ham. ex D. Don	2.4	$4.8×10^6$	饮片
268	千年健	*Homalomena occulta* (Lour.) Schott	31.0	$2.5×10^2$	饮片
269	牵牛子	*Ipomoea nil* (Linnaeus) Roth	25.0	$1.0×10^2$	饮片
270	前胡	*Peucedanum praeruptorum* Dunn	85.1	$1.6×10^4$	饮片
271	芡实	*Euryale ferox* Salisb. ex Konig & Sims	83.0	$1.2×10^4$	饮片
272	茜草	*Rubia cordifolia* L.	249.1	$1.2×10^4$	饮片
273	羌活	*Notopterygium incisum* C. T. Ting ex H. T. Chang	300.2	$2.0×10^4$	饮片
274	秦艽	*Gentiana crassicaulis* Duthie ex Burk.	174.0	$5.8×10^3$	饮片
275	秦皮	*Fraxinus chinensis* Roxb.	19.8	$8.1×10^3$	饮片
276	青黛	*Strobilanthes cusia* (Nees) O. Kuntze	140.0	18.0	饮片
277	青风藤	*Sinomenium acutum* (Thunb.) Rehd. et Wils.	15.0	$5.0×10^3$	饮片
278	青蒿	*Artemisia annua* L.	16.0	$4.8×10^3$	饮片
279	青皮	*Citrus reticulata* Blanco	22.5	$1.7×10^3$	饮片
280	青葙子	*Celosia argentea* L.	46.0	$6.7×10^3$	饮片
281	瞿麦	*Dianthus superbus* L.	18.0	17.0	饮片

序号	药材名	基原拉丁学名	平均收购价格 / （元 /kg）	年收购量 /kg	产品类型
282	拳参	*Polygonum bistorta* L.	100.0	14.0	饮片
283	人参	*Panax ginseng* C. A. Mey.	6 980.0	38.0	饮片
284	忍冬藤	*Lonicera hypoglauca* Miq.	10.0	$6.8×10^3$	饮片
285	肉苁蓉	*Cistanche deserticola* Y. C. Ma	313.8	$1.1×10^4$	饮片
286	肉豆蔻	*Myristica fragrans* Houtt.	128.7	$5.3×10^3$	饮片
287	肉桂	*Cinnamomum cassia* Presl.	47.5	$1.9×10^5$	饮片
288	乳香	*Boswellia carterii* Birdw.	38.8	$3.0×10^2$	饮片
289	三棱	*Sparganium fallax* Graebn.	22.0	$8.3×10^3$	饮片
290	三七	*Panax notoginseng* (Burk.) F. H. Chen ex C. Chow	612.6	$3.3×10^4$	饮片
291	桑白皮	*Morus alba* L.	35.5	$3.2×10^4$	饮片
292	桑寄生	*Taxillus chinensis* (DC.) Danser	23.5	$5.4×10^4$	饮片
293	桑椹	*Morus alba* L.	43.6	$6.6×10^3$	饮片
294	桑叶	*Morus alba* L.	24.6	$1.7×10^5$	饮片
295	桑枝	*Morus alba* L.	14.4	$4.2×10^3$	饮片
296	沙参	*Adenophora hunanensis* Nannf.	97.5	$1.0×10^3$	饮片
297	沙旋覆花	*Inula salsolides* (Turcz.) Ostenf.	29.0	$3.7×10^2$	饮片
298	沙苑子	*Astragalus complanatus* R. Br.	57.5	$4.6×10^2$	饮片
299	砂仁	*Amomum longiligulare* T. L. Wu	420.0	$3.4×10^4$	饮片
300	山慈菇	*Cremastra appendiculata* (D. Don) Makino	726.7	$5.3×10^3$	饮片
301	山豆根	*Sophora tonkinensis* Gagnep.	206.0	$8.8×10^2$	饮片
302	山麦冬	*Liriope spicata* (Thunb.) Lour.	80.3	$1.6×10^5$	饮片
303	山奈	*Kaempferia galanga* L.	80.0	$2.0×10^2$	饮片
304	山香圆叶	*Turpinia arguta* (Lindl.) Seem.	1 717.0	19.0	饮片
305	山药	*Dioscorea opposita* Thunb.	62.0	$2.0×10^5$	饮片
306	山银花	*Lonicera confusa* (Sweet) DC.	180.0	$1.0×10^4$	饮片
307	山楂	*Crataegus pinnatifida* Bunge.	25.0	$5.9×10^4$	饮片
308	山茱萸	*Cornus officinalis* Sieb. et Zucc.	22.4	$2.1×10^5$	饮片
309	蛇床子	*Cnidium monnieri* (L.) Cuss.	60.0	$8.3×10^3$	饮片
310	射干	*Belamcanda chinensis* (L.) DC.	71.6	$2.2×10^4$	饮片
311	伸筋草	*Lycopodium japonicum* Thunb.	15.8	$7.0×10^2$	饮片
312	升麻	*Cimicifuga foetida* L.	76.3	$2.2×10^3$	饮片
313	生姜	*Zingiber officinale* Rosc.	28.0	$5.0×10^2$	饮片
314	石菖蒲	*Acorus tatarinowii* Schott	91.0	$2.8×10^4$	饮片
315	石斛	*Dendrobium chrysanthum* Lindl.	55.0	44.0	饮片
316	石见穿	*Salvia chinensis* Benth.	34.0	$3.7×10^3$	饮片
317	石榴皮	*Punica granatum* L.	29.3	$1.6×10^3$	饮片
318	石上柏	*Selaginella doederleinii* Hieron.	33.5	$5.1×10^2$	饮片
319	石韦	*Pyrrosia davidii* (Baker) Ching	32.0	$2.0×10^5$	饮片
320	石蜈蚣	*Chirita fimbrisepala* Hand.-Mazz.	2.0	$5.0×10^5$	其他
321	柿蒂	*Diospyros kaki* Thunb.	32.6	$4.5×10^3$	饮片

续表

序号	药材名	基原拉丁学名	平均收购价格 /（元 /kg）	年收购量 /kg	产品类型
322	首乌藤	*Polygonum multiflorum* Thunb.	21.5	1.4×10^5	饮片
323	熟地黄	*Rehmannia glutinosa* (Gaertn.) Libosch. ex Fisch. et Mey.	37.5	7.4×10^4	饮片
324	树舌	*Ganoderma applanatum* (Pers. ex Wall.) Pat.	2.6	1.2×10^3	饮片
325	丝瓜络	*Luffa acutangula* (L.) Roxb.	73.0	6.4×10^2	饮片
326	四季青	*Ilex chinensis* Sims	1 733.3	1.2×10^2	饮片
327	松花粉	*Pinus massoniana* Lamb.	4 951.4	1.8	饮片
328	松萝	*Usnea diffracta* Vain.	36.0	67.0	饮片
329	苏木	*Caesalpinia sappan* L.	25.0	2.5×10^2	饮片
330	酸模	*Rumex acetosa* L.	150.0	2.0×10^4	中成药
331	酸枣仁	*Ziziphus jujuba* Mill. var. *spinosa* (Bunge) Hu ex H. F. Chow	384.9	5.4×10^4	饮片
332	锁阳	*Cynomorium songaricum* Rupr.	85.0	5.0×10^3	饮片
333	太子参	*Pseudostellaria heterophylla* (Miq.) Pax	294.7	1.1×10^5	饮片
334	桃仁	*Prunus davidiana* (Carr.) Franch.	40.6	3.4×10^4	饮片
335	天冬	*Asparagus cochinchinensis* (Lour.) Merr.	121.7	5.2×10^4	饮片
336	天花粉	*Trichosanthes kirilowii* Maxim.	38.0	8.4×10^3	饮片
337	天葵子	*Semiaquilegia adoxoides* (DC.) Makino	136.5	2.7×10^3	饮片
338	天麻	*Gastrodia elata* Bl.	222.2	2.1×10^4	饮片
339	天南星	*Arisaema erubescens* (Wall.) Schott.	75.0	5.0×10^2	饮片
340	天然冰片	*Cinnamomum camphora* (L.) Presl.	310.9	2.0×10^2	饮片
341	田基黄	*Grangea maderaspatana* (L.) Poir.	80.0	3.4×10^3	饮片
342	铁皮石斛	*Dendrobium officinale* Kimura et Migo	800.0	6.0×10^3	保健品
343	葶苈子	*Descurainia sophia* (L.) Webb ex Prantl	15.0	1.2×10^4	饮片
344	通草	*Tetrapanax papyrifer* (Hook.) K. Koch	253.7	6.5×10^4	饮片
345	透骨草	*Speranskia tuberculata* (Bunge) Baill.	31.8	4.8×10^2	饮片
346	土茯苓	*Smilax glabra* Roxb.	41.4	3.3×10^4	饮片
347	菟丝子	*Cuscuta chinensis* Lam.	41.0	2.3×10^4	饮片
348	王不留行	*Vaccaria segetalis* (Neck.) Garcke	24.0	7.8×10^3	饮片
349	威灵仙	*Clematis chinensis* Osbeck	91.0	3.3×10^4	饮片
350	乌梅	*Prunus mume* (Sieb.) Sieb. et Zucc.	48.0	3.3×10^3	饮片
351	乌药	*Lindera aggregata* (Sims) Kosterm.	37.3	3.3×10^4	饮片
352	巫山淫羊藿	*Epimedium wushanense* Ying	2 175.6	6.3	饮片
353	吴茱萸	*Tetradium ruticarpum* (A. Jussieu) T. G. Hartley	19.7	4.1×10^3	饮片
354	五倍子	*Rhus chinensis* Mill.	33.3	3.6×10^4	饮片
355	五加皮	*Acanthopanax gracilistylus* W. W. Smith	75.5	1.8×10^3	饮片
356	五味子	*Schisandra chinensis* (Turcz.) Baill.	194.0	1.8×10^5	饮片
357	西青果	*Terminalia chebula* Retz.	32.0	1.3×10^2	饮片
358	西洋参	*Panax quinquefolium* L.	2 200.0	5.8×10^3	饮片
359	豨莶草	*Siegesbeckia glabrescens* Makino	10.0	1.2×10^2	饮片
360	夏枯草	*Prunella asiatica* Nakai	10.0	1.1×10^6	饮片

续表

序号	药材名	基原拉丁学名	平均收购价格 /（元 /kg）	年收购量 /kg	产品类型
361	夏天无	*Corydalis decumbens* (Thunb.) Pers.	11 400.0	0.2	饮片
362	仙鹤草	*Agrimonia pilosa* Ledeb.	24.9	8.6×10^4	饮片
363	仙茅	*Curculigo orchioides* Gaertn.	177.5	6.4×10^3	饮片
364	香附	*Cyperus rotundus* L.	23.3	3.5×10^4	饮片
365	香菇	*Lentinus edodes* (Berk.) Sing.	28.0	3.5×10^5	饮片
366	香加皮	*Periploca sepium* Bunge	26.0	2.3×10^2	饮片
367	香橼根	*Citrus medica* L.	20.0	2.3×10^2	饮片
368	小茴香	*Foeniculum vulgare* Mill.	32.5	2.8×10^2	饮片
369	小蓟	*Cirsium setosum* (Willd.) MB.	19.5	5.8×10^3	饮片
370	薤白	*Allium chinense* G. Don	81.0	1.7×10^4	饮片
371	辛夷	*Magnolia liliflora* Desr.	50.0	1.3×10^4	饮片
372	徐长卿	*Cynanchum paniculatum* (Bunge) Kitag.	125.0	5.5×10^2	饮片
373	续断	*Dipsacus asper* Wall. ex Henry	34.8	9.9×10^4	饮片
374	玄参	*Scrophularia ningpoensis* Hemsl.	23.9	1.2×10^6	饮片
375	旋覆花	*Inula japonica* Thunb.	62.3	10.0	饮片
376	寻骨风	*Aristolochia mollissima* Hance	18.0	2.2×10^2	饮片
377	鸦胆子	*Brucea javanica* (L.) Merr.	22.0	19.0	饮片
378	延胡索	*Corydalis yanhusuo* W. T. Wang ex Z. Y. Su & C. Y. Wu	82.7	2.6×10^4	饮片
379	野菊花	*Chrysanthemum indicum* L.	66.5	9.5×10^5	饮片
380	叶下珠	*Phyllanthus urinaria* L.	26.0	4.4×10^2	饮片
381	益母草	*Leonurus japonicus* Houtt.	10.0	7.1×10^5	饮片
382	益智	*Alpinia oxyphylla* Miq.	142.0	8.3×10^3	饮片
383	薏苡仁	*Coix lacryma-jobi* L. var. *mayuen* (Roman.) Stapf	27.4	2.0×10^5	饮片
384	茵陈	*Artemisia capillaris* Thunb.	21.4	2.4×10^4	饮片
385	茵陈蒿	*Artemisia scoparia* Waldst. et Kit.	47.5	7.0×10^2	其他
386	银柴胡	*Stellaria dichotoma* L. var. *lanceolata* Bunge	60.5	1.3×10^3	饮片
387	银耳	*Tremella fuciformis* Berk.	20.0	1.0×10^6	其他
388	银杏叶	*Ginkgo biloba* L.	12.3	2.1×10^6	饮片
389	淫羊藿	*Epimedium brevicornu* Maxim.	89.5	4.2×10^4	饮片
390	鱼腥草	*Houttuynia cordata* Thunb.	18.2	1.2×10^6	饮片
391	玉米须	*Zea mays* L.	26.0	38.0	饮片
392	玉竹	*Polygonatum odoratum* (Mill.) Druce	43.0	1.4×10^4	饮片
393	郁金	*Curcuma kwangsiensis* S. G. Lee et C. F. Liang	56.0	2.1×10^4	饮片
394	郁李仁	*Prunus humilis* (Bunge) Sok.	173.0	6.4×10^2	饮片
395	预知子	*Akebia quinata* (Houtt.) Decne.	25.0	5.1×10^3	饮片
396	远志	*Polygala sibirica* L.	206.0	8.4×10^4	饮片
397	月季花	*Rosa chinensis* Jacq.	70.0	3.4×10^2	饮片
398	皂角刺	*Gleditsia sinensis* Lam.	128.2	2.1×10^4	饮片
399	泽兰	*Lycopus lucidus* Turcz. var. *hirtus* Regetl	17.0	2.0×10^2	饮片

续表

序号	药材名	基原拉丁学名	平均收购价格/（元/kg）	年收购量/kg	产品类型
400	泽泻	*Alisma orientalis* (Sam.) Juzep.	29.7	2.2×10^5	饮片
401	浙贝母	*Fritillaria thunbergii* Miq.	109.5	4.2×10^4	饮片
402	知母	*Anemarrhena asphodeloides* Bunge	39.5	9.8×10^4	饮片
403	栀子	*Gardenia jasminoides* Ellis	24.3	5.4×10^5	饮片
404	蜘蛛香	*Valeriana jatamansi* Jones	23.0	7.0×10^2	饮片
405	枳椇子	*Hovenia acerba* Lindl.	6.5	3.0×10^5	其他
406	枳壳	*Citrus aurantium* L.	57.4	5.9×10^4	饮片
407	枳实	*Citrus aurantium* L.	130.0	4.0×10^4	饮片
408	制草乌	*Aconitum kusnezoffii* Reichb.	187.3	64.0	饮片
409	制川乌	*Aconitum carmichaelii* Debx.	131.4	81.0	饮片
410	制何首乌	*Polygonum multiflorum* Thunb.	33.0	2.3×10^2	饮片
411	制天南星	*Arisaema erubescens* (Wall.) Schott.	80.0	70.0	饮片
412	炙甘草	*Glycyrrhiza uralensis* Fisch.	68.8	3.5×10^4	饮片
413	中华白及	*Bletilla sinensis* (Rolfe) Schltr.	100.0	1.0×10^2	饮片
414	中华槲蕨	*Drynaria baronii* (Christ) Diels	26.0	50.0	饮片
415	猪苓	*Polyporus umbellatus* (Pers.) Fr.	260.0	9.3×10^3	饮片
416	猪殃殃	*Galium aparine* L. var. *tenerum* (Gren. et Godr.) Reichb.	14.0	1.3×10^3	饮片
417	竹节参	*Panax japonicus* C. A. Mey.	80.0	3.0×10^3	其他
418	竹茹	*Bambusa tuldoides* Munro	17.0	5.9×10^3	饮片
419	紫草	*Arnebia euchroma* (Royle) Johnst.	490.0	1.7×10^3	饮片
420	紫花地丁	*Viola yedoensis* Makino	32.6	2.0×10^6	饮片
421	紫萁贯众	*Osmunda japonica* Thunb.	27.5	3.9×10^4	饮片
422	紫苏梗	*Perilla frutescens* (L.) Britt.	15.1	2.1×10^3	饮片
423	紫苏叶	*Perilla frutescens* (L.) Britt.	33.8	9.1×10^3	饮片
424	紫苏子	*Perilla frutescens* (L.) Britt.	33.8	2.5×10^4	饮片
425	紫菀	*Aster tataricus* L. f.	41.7	1.0×10^3	饮片

表 1-3-4　湖北省中药材出口品种

序号	药材名	基原拉丁学名	出口量/kg	出口国家、地区或省份	产品类型
1	艾叶	*Artemisia argyi* Lévl. et Vant.	2.2×10^5	乌克兰、韩国、中国台湾	保健品
2	扒地蜈蚣	*Tylophora renchangii* Tsiang	1.2×10^4	韩国	其他
3	白及	*Bletilla striata* (Thunb.) Rchb. f.	4.5×10^5	泰国、朝鲜	保健品
4	白术	*Atractylodes macrocephala* Koidz.	7.0×10^5	巴哈马、韩国、日本	饮片
5	半夏	*Pinellia ternata* (Thunb.) Breit.	3.4×10^5	日本、韩国、朝鲜、中国台湾	饮片
6	薄荷	*Mentha haplocalyx* Briq.	8.0×10^3	日本	其他
7	苍术	*Atractylodes lancea* (Thunb.) DC.	6.5×10^4	日本	饮片

续表

序号	药材名	基原拉丁学名	出口量 /kg	出口国家、地区或省份	产品类型
8	柴胡	*Bupleurum chinense* DC.	5.5×10^5	日本、韩国、朝鲜	其他
9	陈皮	*Citrus reticulata* Blanco	3.5×10^4	日本、泰国、中国香港	其他
10	重楼	*Paris polyphylla* Smith	1.1×10^6	韩国、日本	保健品
11	丹参	*Salvia miltiorrhiza* Bunge	4.6×10^5	美属萨摩亚、日本	饮片
12	当归	*Angelica sinensis* (Oliv.) Diels	3.7×10^4	日本	其他
13	党参	*Codonopsis pilosula* (Franch.) Nannf.	2.0×10^6	中国台湾	保健品
14	灯盏细辛（灯盏花）	*Erigeron breviscapus* (Vaniot) Hand.-Mazz.	7.0×10^2	中国台湾	饮片
15	独活	*Angelica pubescens* Maxim. f. *biserrata* Shan et Yuan	2.0×10^4	韩国、日本	饮片
16	杜鹃花叶	*Rhododendron simsii* Planch.	6.5×10^2	中国台湾	饮片
17	杜仲	*Eucommia ulmoides* Oliv.	5.5×10^4	泰国、阿根廷	其他
18	防风	*Saposhnikovia divaricata* (Turcz.) Schischk.	2.0×10^4	百慕大	饮片
19	茯苓	*Poria cocos* (Schw.) Wolf.	1.1×10^5	日本、新加坡	饮片
20	葛根	*Pueraria lobata* (Willd.) Ohwi	2.1×10^6	朝鲜、韩国	其他
21	钩藤	*Uncaria macrophylla* Wall.	3.4×10^4	安道尔	饮片
22	何首乌	*Polygonum multiflorum* Thunb.	5.0×10^5	韩国	饮片
23	厚朴	*Magnolia officinalis* Rehd. et Wils. var. *biloba* Rehd. et Wils.	2.1×10^4	日本	饮片
24	花椒	*Zanthoxylum bungeanum* Maxim.	4.2×10^4	泰国、澳大利亚	其他
25	黄精	*Polygonatum cyrtonema* Hua	2.8×10^4	阿尔巴尼亚、日本	饮片
26	黄连	*Coptis chinensis* Franch.	1.4×10^6	日本、泰国、朝鲜、韩国	其他
27	桔梗	*Platycodon grandiflorum* (Jacq.) A. DC.	5.1×10^5	韩国	饮片
28	景天三七	*Phedimus aizoon* (Linnaeus) 't Hart	5.0×10^2	日本	其他
29	菊花	*Chrysanthemum morifolium* Ramat.	5.0×10^5	韩国	保健品
30	决明子	*Cassia obtusifolia* L.	3.0×10^4	中国	中成药
31	莲子	*Nelumbo nucifera* Gaertn.	7.0×10^3	澳大利亚、菲律宾	保健品
32	灵芝	*Ganoderma lucidum* (Leyss. ex Fr.) Karst.	3.0×10^2	韩国	保健品
33	麦冬	*Ophiopogon japonicus* (L. f.) Ker-Gawl.	5.0×10^5	韩国	饮片
34	绵萆薢	*Dioscorea spongiosa* J. Q. Xi, M. Mizuno et W. L. Zhao	1.0×10^4	日本	饮片
35	木瓜	*Chaenomeles sinensis* (Thouin) Koehne	3.3×10^5	朝鲜、泰国、中国台湾	其他
36	南五味子	*Schisandra sphenanthera* Rehd. et Wils.	1.8×10^3	日本	保健品
37	箬叶	*Indocalamus latifolius* (Keng) McClure	1.5×10^4	日本	保健品
38	桑叶	*Morus alba* L.	2.0×10^4	中国台湾	其他
39	桑枝	*Morus alba* L.	9.0×10^4	中国台湾	饮片
40	山麦冬	*Liriope spicata* (Thunb.) Lour.	8.0×10^5	韩国	其他

序号	药材名	基原拉丁学名	出口量/kg	出口国家、地区或省份	产品类型
41	山楂	*Crataegus pinnatifida* Bunge.	1.2×10^5	中国台湾、阿尔及利亚	饮片
42	山楂叶	*Crataegus pinnatifida* Bunge.	2.0×10^3	中国台湾	其他
43	升麻	*Cimicifuga foetida* L.	2.0×10^3	日本	其他
44	石斛	*Dendrobium nobile* Lindl.	2.0×10^3	韩国	保健品
45	熟地黄	*Rehmannia glutinosa* (Gaertn.) Libosch. ex Fisch. et Mey.	5.0×10^5	韩国	饮片
46	棠梨	*Pyrus betulifolia* Bunge	2.3×10^4	日本	饮片
47	天麻	*Gastrodia elata* Bl.	1.4×10^6	朝鲜、韩国、日本	保健品
48	土茯苓	*Smilax glabra* Roxb.	4.0×10^3	阿尔及利亚	饮片
49	吴茱萸	*Tetradium ruticarpum* (A. Jussieu) T. G. Hartley	1.1×10^4	日本、韩国	饮片
50	夏枯草	*Prunella vulgaris* L.	1.0×10^5	美国	其他
51	玄参	*Scrophularia ningpoensis* Hemsl.	2.0×10^4	日本	其他
52	野菊花	*Chrysanthemum indicum* L.	6.5×10^3	中国台湾	饮片
53	益母草	*Leonurus japonicus* Houtt.	5.6×10^4	日本、安哥拉	其他
54	薏苡仁	*Coix lacryma-jobi* L. var. *mayuen* (Roman.) Stapf	1.5×10^5	阿尔巴尼亚	饮片
55	玉竹	*Polygonatum odoratum* (Mill.) Druce	3.0×10^3	日本	饮片
56	知母	*Anemarrhena asphodeloides* Bunge	2.0×10^5	朝鲜	饮片
57	栀子	*Gardenia jasminoides* Ellis	6.6×10^3	泰国、日本、中国台湾	其他
58	栀子叶	*Gardenia jasminoides* Ellis	1.4×10^3	中国台湾	其他
59	枳椇子	*Hovenia acerba* Lindl.	8.5×10^5	韩国	其他
60	枳壳	*Citrus aurantium* L.	5.0×10^3	美国	饮片
61	紫菜	*Porphyra dentata* Kjellm.	1.1×10^3	日本	饮片

表 1-3-5　湖北省中药材进口品种

序号	药材名	基原拉丁学名	进口量/kg	进口国	产品类型
1	儿茶	*Acacia catechu* (L. f.) Willd.	3.0	印度尼西亚、马来西亚、缅甸	饮片
2	马钱子	*Strychnos nuxvomica* L.	3.0	缅甸	饮片
3	没药	*Commiphora myrrha* Engl.	1.2×10^3	埃塞俄比亚、柬埔寨	饮片
4	胖大海	*Sterculia lychnophora* Hance	1.0×10^2	老挝、越南、缅甸、泰国	饮片
5	肉桂	*Cinnamomum cassia* Presl.	5.0×10^4	越南	其他
6	乳香	*Boswellia carterii* Birdw.	5.2×10^2	埃塞俄比亚、索马里	饮片
7	西洋参	*Panax quinquefolium* L.	6.4×10^2	加拿大、美国	保健品
8	血竭	*Dracaena angustifolia* Roxb.	1.4×10^2	柬埔寨、印度尼西亚	饮片

第四章

湖北省中药资源开发利用情况

湖北省现有植物类中药资源 4 457 种，居全国第五位，中药材产量居全国前列。湖北省在国家相关政策支持下，努力开展中药资源保护利用研究，中药资源利用呈现良好势头。

一、中药资源利用特点

（一）对中药资源的保护利用更加重视

为加强对动植物资源的保护与利用，湖北省先后颁布了《湖北省森林和野生动物类型自然保护区管理办法》《湖北省天然林保护条例》《湖北省野生动物保护管理条例》等相关法律法规，为野生中药资源的保护利用提供了法律借鉴。另外，湖北省出台了《湖北省中药材保护和发展实施方案（2016—2020 年）》，并将中药资源保护和发展列入《关于全面推进中医药发展实施意见》《关于促进中医药振兴发展的若干意见》《湖北省中医药条例》等综合性政策法规中，中药资源保护利用日益受到政府部门的高度重视。

（二）中药材人工生产快速发展

为了加强对中药资源的保护与利用，发展道地药材产业，湖北省根据中药资源分布情况，因地制宜，加强中药资源人工生产，中药材种植（养殖）品种数量由原来的 20 余种增加至目前的 184 种，种植（养殖）面积在 1 000 亩以上的药材品种有 40 余种，中药材种植面积超过 500 万亩，道地药材产量居全国第七位，拥有汉射干、白前、茯苓、蕲艾、黄连、资丘独活、资丘木瓜、窑当归、板桥党参、英山苍术、巴东玄参、京山乌龟、麻城菊花、通城拔葜等道地药材品牌。

（三）中药资源开发利用效率大幅度提高

随着科学技术的不断进步和人们资源保护意识的不断提高，湖北省中药资源综合利用效率也逐年提升，中药资源从单纯药用向药食两用和综合利用方向转变，从利用单一药用部位向多部位综合利用方向发展。如蕲艾由制作艾灸条这一单一用途发展为制作艾灸条、精油、肥皂、熏香、蚊香、牙膏、杀虫剂等多用途；菊花由单纯药用发展为制作护眼贴、袋泡茶等多用途；杜仲由单纯利用树皮逐渐向树皮、树叶综合利用方向发展；菊花由单纯利用花序逐渐向花序、地上部分综合利用转变。中药资源开发利用效率的提高也为提升中药资源经济附加值做出了有益尝试。

二、中药资源发展中存在的问题

随着湖北省中药资源生产的不断发展，中药资源的利用也暴露出一些问题，主要体现如下。

（一）生产技术有待进一步提高

湖北省中药材生产规模虽然较大，但整体上还处于大田生产阶段，生产加工技术还有待进一步提高，中药材绿色生产有待进一步加强，中药材生态种植技术有待进一步突破。

（二）利用效率有待进一步提高

中药资源的生产受到环境、气候、人文等因素影响，产量有限，因此提高中药资源的利用效率是中药产业实现高质量发展的唯一出路。湖北省虽然在中药资源利用方面取得了较大进展，但整体上中药资源的综合利用效率还比较低下，非药用部位应用不充分、资源浪费较多、循环利用发展不够、加工效率较低等现象仍然普遍存在。

（三）开发利用秩序有待进一步规范

湖北省中药材生产虽然形成了以中药资源分布区为划分的各大中药材生产基地，但各地的中药材种类、生产面积、产品质量等仍处于无序竞争状态，缺乏统一规划，各地区中药产业盲目发展，丰产不丰收现象时有发生，有限的中药资源得不到充分应用，资源浪费在一定程度上仍然存在。

第五章

湖北省中药资源发展规划（省级、县级规划）简介

为加强中药资源普查成果的梳理与应用，湖北省中药资源普查工作领导小组办公室与各县（自治县、市、区、林区）对第四次中药资源普查工作成果进行了综合分析和整理，协助制定了一系列政策法规。

一、湖北省规划

（一）《湖北省中医药健康服务"十三五"发展规划》

《湖北省中医药健康服务"十三五"发展规划》由湖北省人民政府办公厅于 2017 年 2 月 24 日颁布，全文从总体要求、重点任务、完善政策、保障措施 4 个方面，规划了湖北省中医药健康服务"十三五"发展指导思想、基本原则、发展目标、实现途径、政策措施等，将"推进中医药服务贸易和交流""中医药文化和健康旅游产业"纳入七大重点任务，将"促进中药资源可持续发展"作为重要"相关支撑产业"，为从根本上促进湖北省中医药健康产业的协同发展提供了政策依据，指明了发展方向。

（二）《湖北省中药材保护和发展实施方案（2016—2020 年）》

《湖北省中药材保护和发展实施方案（2016—2020 年）》由湖北省人民政府办公厅于 2016 年 5 月 3 日印发，该方案从总体要求、重点任务、保障措施 3 个方面，明确了湖北省中药材资源保护利用的工作思路、发展目标、工作重点、政策举措等，从实施野生中药材资源保护工程、实施道地中药材生产基地建设工程、实施中药材技术创新工程、实施道地中药材标准、质量和品牌建设工程、实施中药材加工产业提升工程、实施中药材现代物流体系建设工程等方面，制定了 17 条保护发展措施，为湖北省中药材产业发展、利用、保护、品牌建设、技术创新等提供了政策保障。

（三）《省人民政府关于全面推进中医药发展的实施意见》与《省人民政府关于促进中医药振兴发展的若干意见》

为促进湖北省中医药事业的发展，湖北省充分征集基层单位意见，积极利用中药资源普查数据，于 2016 年 12 月 30 日出台了《省人民政府关于全面推进中医药发展的实施意见》，该意见提出了 25 条实施意见，有力促进了湖北省中医药事业的发展。

为进一步深入贯彻落实党的十九大精神，振兴发展中医药事业，加快建成中医药强省，湖北省于 2018 年 6 月 1 日出台了《省人民政府关于促进中医药振兴发展的若干意见》，该意见从准确把握中医药振兴发展的总体要求、切实提高中医医疗服务能力、全面提升中医药产业高质量发展水平、着力推进中医药科技创新、繁荣发展中医药文化、加强中医药人才队伍建设、强化中医药发展保障 7 个方面，明确了支持中医药发展的 20 条意见，为湖北省中医药发展提供了全方位的政策支持。

（四）《湖北省中医药条例》

《湖北省中医药条例》由湖北省第十三届人民代表大会常务委员会第十次会议于 2019 年 7 月 26 日通过，自 2019 年 11 月 1 日起施行。该条例共分为总则、中医药服务、中药保护与发展、中医药传承与创新、中医药产业促进、保障与监管、法律责任、附则 8 章 60 条，从地方法律法规的角度，对中医药保护与发展做出了相关规定。该条例第三章给出了以下解决措施：应对中药资源进行定期普查和动态监测，摸清家底；建立道地中药材保护评价体系、开展中药材标准化、规范化种植；明确中药材种植（养殖）过程中禁止使用剧毒、高毒、高残留农药（含除草剂、生长调节剂）或者超过标准使用农药、化肥等农业投入品；加强中药饮片炮制管理；规范中药材包装、运输、仓储、出入库等流通环节；适当扩大医疗机构中药制剂使用范围。为促进中药资源规范、有序发展，提高产业发展质量指明了方向。

（五）"一县一品"行动计划

为加快中药资源产业发展，湖北省从 2018 年开始实施中药材"一县一品"行动计划，明确了湖北省中药资源重点品种、发展区域、发展目标等。为全面落实湖北省中药材"一县一品"行动计划，湖北省经济和信息化厅委托中药资源普查专家参加并组织开展了湖北省"一县一品"行动方案调研，起草了《"一县一品"行动方案建议》，从发展现状、存在问题、重点任务、保障措施等方面，对"一县一品"发展策略的途径做了全面系统的分析，部分材料收入《湖北省中医药"十四五"发展规划》，为湖北省中药材产业发展提供了借鉴。

二、具代表性的县（林区）规划

（一）《长阳县中药材产业发展规划》

为加快中药产业发展，促进中药资源普查成果的应用，受长阳土家族自治县县委、县政府的委托，中药资源普查专家在充分调研的基础上，结合长阳土家族自治县和湖北省中药资源普查结果，起草制订了《长阳县中药材产业发展规划》，从产业现状、发展重点、实施策略、保障措施等方面，明确了长阳土家族自治县中药产业发展的重点领域、重点品种、重点工程、重点措施和发展目标，得到了长阳土家族自治县县委、县政府的高度认可。

（二）《神农架中医药产业发展行动计划》

神农架林区为湖北省中药资源最为丰富的地区，但该地中药产业的发展速度相对较慢。为促进神农架林区中药产业的快速发展，湖北省中药资源普查技术依托单位湖北中医药大学，受神农架林区政府的邀请，委派中药资源普查专家前往神农架，组建神农架中药产业研究院，组织专家在认真梳理神农架中药资源普查数据的基础上，进行广泛调研，起草并发布了《神农架中医药产业发展行动计划》，该计划作为神农架林区第一个中药产业发展行动计划，为神农架中药产业发展提供了全面指导。

湖北省新种、新记录种

征镒麻

Zhengyia shennongensis T. Deng, D. G. Zhang & H. Sun

多年生高大草本，被长刺毛。根茎匍匐，长可达 2 m。茎直立，高 1 ~ 3 m，圆柱状，不具纵棱，基部稍木质，直径约 2 cm。不育叶的叶腋通常具 13 木质珠芽，珠芽浅褐色，球形或卵球形，直径 3 ~ 6 mm，常生不定根。茎上部、叶柄密被刺毛和白色短柔毛。托叶带绿色，叶状，草质，宿存，单生于叶腋，与茎在基部合生，心形或三角形，长 3 ~ 4 cm，近全缘或微具稀疏小圆齿，基部耳状抱茎，先端长尾状渐尖，2 浅裂，基出脉 3。叶互生；叶片宽卵形，长 13 ~ 27 cm，宽 10 ~ 26 cm，基部浅心形至心形，边缘具牙齿或浅裂；裂片三角形，具小齿，稍镰形，先端短渐尖；钟乳体细小，点状；侧脉达中部裂片，4 ~ 6 对，具刺和刺刚毛，背面密被刚毛；叶柄长 12 ~ 16 cm。圆锥花序生于叶腋，单性，具多数分枝；雄花序腋生，直立，长 15 ~ 25 cm；雌花序顶生或生于近顶生叶的叶腋内，下垂，长 20 ~ 30 cm，花序梗长 2 ~ 4 cm。雄花长约 1.5 mm，具短花梗或近无梗；花被裂片在中部以下合生，先端不具角状突起；雄蕊 4，花丝弯曲，长于花被，花药盾形；退化雌蕊圆柱状，长约 0.3 mm。雌花长约 1.3 mm，近无梗；花被裂片 4，在基部合生，不等大，背腹 2 裂片较大，包围子房，椭圆形至卵形，具刚毛，与瘦果等长，侧面的裂片较小，卵状披针形，长约为背裂片的 1/2；子房长约 1.1 mm，具短柄，不对称卵球形，柱头螺旋缠绕，短棍棒状，长约 0.4 mm。瘦果淡黄绿色，长圆状球形或近球形，长 1.2 ~ 1.5 mm，明显倾斜，表面有密集的乳头状突起，为宿存背腹侧花被裂片包被；果柄长约 0.1 mm。（图 1-6-1）

调查发现，本新种仅分布于湖北省神农架林区武山湖一带的溪沟或山坡凹沟，已知植株仅 500 余株，处于极度濒危状态。

图 1-6-1 征镒麻

石竹科　Caryophyllaceae　繁缕属　*Stellaria*

竹溪繁缕 *Stellaria zhuxiensis* Q. L. Gan & X. W. Li

多年生草本。茎匍匐，直径 1 ~ 2 mm，长 30 ~ 100 cm，基部有分枝，分枝处着地常生根；中上部有 3 ~ 5 分枝或无分枝，被较密的白色星状毛或弯曲毛。叶绿色或带紫红色，对生，卵形或卵状披针形，长 0.6 ~ 3.9 cm，宽 0.5 ~ 3.5 cm，先端急尖，基部圆形或近心形，略下延；主脉在上面下陷，在下面凸起，侧脉 4 ~ 5 对，有时沿近边缘处上延，与上一侧脉合并，形成边缘脉纹；叶两面密被短毛，幼时毛更明显，边缘有缘毛；叶柄长 1 ~ 3 mm，被毛。聚伞花序顶生，疏散，有花 3 ~ 12；苞片卵形，先端钝尖，被毛；花梗细，长 3 ~ 6.5 cm，密被短毛；萼片 5，披针形，长 6 ~ 7 mm，宽 1.5 mm，渐尖，背面被毛，边缘白色，膜质；花瓣 5，白色，倒卵形，深裂达基部，裂片比萼片长 2 ~ 4 mm，无毛；雄蕊 10，短于花瓣，花丝白色，线形，无毛，花药橙黄色；花柱 3，粗线形，略弯，叉开，不反勾，有时先端靠拢。蒴果长卵形，长 7 ~ 8 mm；种子肾形，细小。（图 1-6-2）

本新种为湖北省十堰市竹溪县中药资源普查办公室甘啟良在 2014 年与中国科学院武汉植物园李新伟共同发表。目前已知的分布区为湖北省十堰市竹溪县蒋家堰镇和龙坝镇。生于山路旁的草地和山坡。

图 1-6-2　竹溪繁缕

毛茛科 Ranunculaceae 翠雀属 Delphinium

美丽翠雀花 *Delphinium callichromum* Q. L. Gan & X. W. Li

一年生草本。高 12 ～ 75 cm。茎密生长柔毛，上部有分枝。叶片菱状卵形或三角状卵形，长 5 ～ 15 cm，宽 8 ～ 28 cm，3 ～ 4 回羽状全裂，一回裂片斜卵形，长渐尖，二至三回裂片羽裂或羽状浅裂，或不分裂而呈狭卵形或披针形，宽 2 ～ 4 mm；叶柄长 15 ～ 30 cm，被长柔毛。总状花序有 12 ～ 30 或更多花；花序下部苞片叶状，上部无叶状苞片；花序轴和花梗有反曲的微柔毛；小苞片 3，生于花梗中部，条形，长 3 ～ 5 mm；萼片 5，深紫黑色带蓝色，长 1.4 ～ 1.6 cm，上部卵圆形，长 8 ～ 9 mm，宽 4 ～ 9 mm，先端急尖，背面疏生柔毛，下部骤缩成细柄状爪，爪长 5 ～ 7 mm，宽 1 mm，被短毛，下面 2 萼片呈钝角叉开；花丝下勾；距钻形，长达 1.2 cm；花瓣 2，瓣片不等 3 裂；雄蕊 49 ～ 53，花丝白色，长 5 ～ 9 mm，下半部扁线形，中上部丝状，无毛，大部分向下弯折，花药紫红色，椭圆状卵形，长 1.3 mm，宽 1 mm，中部有纵向沟槽；退化雄蕊椭圆状卵形，长 2 ～ 2.3 cm，宽 8 ～ 9 mm，先端钝尖、圆形或微凹缺，无毛；心皮 3，绿色，长卵形，长约 4 mm，直径 1.1 mm，被白色短毛，柱头线状钻形，长约 2 mm，向下弯钩成直角。蓇葖果长 1.1 ～ 2 cm，3 裂；种子圆形，黑色，上部略有一点螺旋状折皱，以下至先端有 4 同心圆折皱。（图 1-6-3）

本新种目前已知的分布区为湖北省十堰市竹溪县兵营镇楠柴沟村。生于阴凉的山路附近或潮湿的草坡上。

A. 生境；B. 花序；C. 花；D. 花药；E. 果实。

图 1-6-3 美丽翠雀花

罂粟科 Papaveraceae 紫堇属 *Corydalis*

假圆萼紫堇

Corydalis pseudoamplisepala D. Wang.

二年生草本。高 30 ~ 55 cm。根茎短，具纤维状须根和残存的叶柄基部。茎 1 或多条，分枝。基生叶数片，叶柄长 10 ~ 12 cm，具鞘，早枯。茎生叶 3 ~ 4，叶柄长 2 ~ 12 cm（茎上部的短，下部的较长），叶柄基部具耳状叶鞘；叶片二回三出，长 3 ~ 7 cm，宽 3 ~ 6 cm，三角状卵形。总状花序具 7 ~ 11 花；下部苞片叶状，长 1.9 ~ 4.5 cm，叶柄长 0.2 ~ 1 cm，基部有耳片，上部苞片菱形至倒披针形，长 0.6 ~ 1 cm，具齿。花梗直，下部花梗长 1.5 ~ 3 cm，上部花梗长 1 ~ 1.5 cm，果期伸长；萼片长 1.5 ~ 2 mm，宽 1 ~ 1.5 mm，宿存或脱落；花淡紫色或白色。外花瓣无鸡冠状突起，瓣片宽，先端近尖。上花瓣瓣片向上弯曲，长 22 ~ 25 mm；距渐细至钝尖，长 14 ~ 16 mm；蜜腺约占距长的 1/4。下花瓣长 15 ~ 17 mm，近基部具囊。内花瓣长 8 ~ 9 mm，爪与瓣片近等长。柱头长方形，先端中部微凹，边缘具 6 ~ 8（~ 10）单生乳头，边缘内侧和基部各具 1 对无柄的并生乳。蒴果宽倒卵形，长 1 ~ 1.5 cm，宽 4 ~ 5 mm，具 2 列种子；种子近圆形，小，黑色，表面具不明显的突起，种阜白色。（图 1-6-4）

本新种目前已知的分布区为湖北省十堰市竹溪县泉溪镇塘坪村。生于潮湿的山谷或混交林边缘的潮湿斜坡上。

图 1-6-4 假圆萼紫堇

十字花科 Brassicaceae 山萮菜属 *Eutrema*

竹溪山萮菜 *Eutrema zhuxiense* Q. L. Gan & X. W. Li

二年生或多年生草本。根粗壮，近肉质，3～5分叉。茎单一或自基生叶叶腋处生1～5至多数茎，无毛，中空，外被粉霜。叶基生及茎生。基生叶5～16，长、宽均为5～16 cm，先端圆钝、微凹，基部深心形，边缘具波状圆齿或上部3浅裂，两面无毛，鲜叶质脆，易折断，揉碎有油菜叶气味，上面绿色，下面紫红色、带紫色或绿色，干后纸质；叶脉掌状，主脉及侧脉均在边缘凹入，中部突出1短尖；叶柄长7～19 cm，紫色或绿色，下面圆形，上面有纵沟，无毛。茎生叶2～3或更多，在茎上排列稀疏，明显小于基生叶，基部深心形，先端钝尖或三角状渐尖，边缘有粗锯齿；叶脉于齿端呈短尖突状，上面绿色，背面绿色或略带紫色。总状花序生于茎顶或枝顶，光滑无毛，花期延长，有花10～30；花盘直径8～12 mm；萼片卵匙形，长2.8～3 mm，宽约2.5 mm，白色或背面中部绿黄色而边缘白色，幼果时即脱落；花瓣白色，倒卵形，长6～7 mm，宽4～5.5 mm，中脉下陷，侧脉明显可见，先端2裂，少有3裂，3裂者裂片中部又常浅裂，基部圆形，骤缩成短柄，柄长2 mm；雄蕊6，花丝长2.2 mm，相对2花丝略短，花药黄色，长约1.5 mm；子房长椭圆柱形，长2 mm，花柱近无，柱头圆平，瘤凸状；花梗细，长1～3 cm，无毛，果期上升，不反折。角果短棒状，圆柱形或略扁，长0.5～1.2 cm，直径2～3 mm，直伸或微呈镰状弯曲，不呈念珠状；果瓣舟形，无中脉，成熟后2裂，罕见3裂；隔膜膜质，白色，种子坐落在荚果隔膜两侧棱脊内侧，交错排列成1行或不明显2行，每室有种子3～10或更多；种子细小，菱形，直径近1 mm。（图1-6-5）

本新种为湖北省十堰市竹溪县中药资源普查办公室甘啟良在2014年与中国科学院武汉植物园李新伟共同发表。目前已知的分布区为湖北省十堰市竹溪县丰溪镇。生于海拔700～1 500 m的山地森林阴湿处或石缝中。

图1-6-5 竹溪山萮菜

景天科 Crassulaceae 景天属 *Sedum*

宜昌景天

Sedum ichangensis Y. B. Wang

多年生草本。茎平卧，二叉分枝，直径 1 ～ 2 mm，长可达 35 cm，散生红点。叶 4 ～ 6 轮生，全缘，无梗，狭椭圆形，长 5 ～ 12 mm，宽 1.5 ～ 2.5 mm，基部渐狭，先端锐尖。花基数 5，单生于茎上部叶腋，长 5 ～ 8 mm；花梗长 1.5 ～ 2.5 cm；萼片 5，披针形，长 1.5 ～ 2 mm，先端锐尖；花瓣 5，白色，内面先端粉红色，披针形，长 4 ～ 5 mm，宽 1 ～ 2 mm，先端锐尖；雄蕊 10，排成 2 轮，稍短于花瓣，对萼的雄蕊长约 4 mm，对瓣的雄蕊长约 3 mm，着生在花瓣基部上方约 1 mm 处；花丝白色，长 1.6 ～ 2.4 mm；花药长约 0.4 mm，略带红色；花蜜鳞片匙形，长约 0.4 mm；心皮 5，白色，近直立，正面具微小乳突，宽卵球形，长约 2 mm，基部合生部分长约 0.2 mm；花柱长约 1.5 mm。蓇葖果叉开，长 0.8 ～ 1.1 mm，具散在的红点；种子多数，棕色，长 0.5 ～ 1 mm，具乳突。（图 1-6-6）

本新种目前已知的分布区为湖北省西部宜昌市长阳土家族自治县龙舟坪镇。生于路旁的岩石上，主要为海拔 100 ～ 280 m 的充满土壤的石缝中。

A. 生境；B. 花茎；C. 花；D. 尚未成熟的蓇葖果；E. 有花柱的心皮。

图 1-6-6　宜昌景天

蔷薇科 Rosaceae 李属 Prunus

文采樱桃 *Prunus wangii* Q. L. Gan, Z. Y. Li & S. Z. Xu

　　高大乔木。高 15 ~ 20 m 或更高。树皮灰白色或暗灰色，有粗大皮孔；小枝灰色，嫩枝被较密的白色柔毛或毛渐脱落；冬芽卵圆形，鳞外面无毛，内面密被柔毛。叶片椭圆状卵形或倒卵形，长 5 ~ 11 cm，宽 3 ~ 6.5 cm，先端骤尾尖或尾尖，少渐尖，边缘有细钝重锯齿或单锯齿，齿端有小腺体，上面绿色，无毛，下面淡绿色，除主脉和侧脉被白色糙毛外，其余无毛，基部浅心形或宽楔形，有时偏斜，基部一侧或两侧具 1 小型乳头状紫色腺体，有的基部无腺体，侧脉 6 ~ 9 对，在近边缘处网结；叶柄上侧紫褐色，有纵沟，长 8 ~ 12 mm，被灰色柔毛，上部有 1 ~ 2 (~ 3) 紫红色、圆形、中部凹陷的腺体，有的无腺体。托叶线形，长 6 ~ 8 mm，边缘有长齿裂或撕裂状裂片，齿端有腺体，早落。花 4 ~ 6 组成伞房花序或 2 ~ 3 组成近伞形花序，花先于叶开放；总花梗长 2 ~ 11 mm，近无毛或疏被白色短柔毛；外层总苞片栗褐色，卵圆形，长 2 ~ 5 mm，宽 2 ~ 4 mm，外面无毛，内面密被柔毛；苞片绿色，椭圆状卵形、扇形或线形，长 2 ~ 7 mm，宽 0.5 ~ 3.5 mm，下面的苞片大，向上渐小，边缘有腺齿，早落；花梗长 1.4 ~ 1.8 cm，密被灰白色柔毛；萼筒钟状，长 5 ~ 6 mm，直径 2.5 ~ 3 mm，密被灰白色柔毛，萼片三角形，长约 3 mm，先端圆钝或急尖，全缘；花瓣初开时粉红色，后变白色或带粉红色，长 7 ~ 11 mm，宽 5 ~ 9 mm，先端圆钝，2 裂；雄蕊 34 ~ 38；花柱短于花丝，被稀疏长柔毛。果实成熟后红色，卵球形，纵径 1 ~ 1.4 cm；种子长约 9 mm，一侧略有棱纹。（图 1-6-7）

　　本新种于 2022 年被发表于 *Phytokey*，为竹溪县特有种。目前已知的分布区为湖北省十堰市竹溪县。生于海拔 600 ~ 1 000 m 的山地杂木林间。本种木材细腻，可供建筑和家具用，果实可食用。

A. 树冠；B. 树干；C. 树皮；D. 结果枝；E. 叶片；F. 叶柄和腺体；G. 内部芽鳞；
H. 总苞和苞片；I. 花序；J. 花梗和杯状花序；K. 花萼；L. 花冠；M. 花瓣；
N. 子房和花柱；O. 果实；P. 种子。

图 1-6-7　文采樱桃

酢浆草科 Oxalidaceae 酢浆草属 Oxalis

武陵酢浆草 *Oxalis wulingensis* T. Deng, D. G. Zhang & Z. L. Nie

多年生草本。根茎匍匐，密被深棕色鳞片状残留物。叶基生，具 3 小叶，侧生小叶近呈 180° 排列，叶柄长 5 ~ 7 cm，密被棕色长柔毛；小叶长钝三角形，长 2.2 ~ 3.1 cm，宽 1.6 ~ 2.5 cm，两面密被棕色长柔毛，先端凹缺，基部楔形。花序 1，花下垂；花序梗长 10 ~ 12 cm，长于叶；花梗中部苞片宽三角形，中脉和边缘密被毛茸；萼片长圆状披针形，长约 5 mm，宽 2 mm，绿色，表面和边缘有毛，宿存；花瓣粉红色，具淡紫色脉，长圆形，长约 2.5 cm，宽 1 cm，先端钝或具 3 ~ 5 不规则齿；雄蕊 10，长 1 ~ 1.5 cm，全部基部合生，花丝紫红色，无毛，花药白色；雌蕊长约 2 cm，子房无毛，5 室，每室具 1 胚珠，花柱 5，分离，柱头绿色。蒴果椭圆形，长 5 ~ 7 mm，下垂，具 5 翼缘；种子卵球形，深棕色，长约 2.1 mm，具 4 ~ 5 纵肋。（图 1-6-8）

本新种为中国科学院昆明植物研究所邓涛、聂泽龙及吉首大学张代贵等首次发现并报道。目前已知的分布区为湖北省西南部和湖南省西北部的武陵山区。生于海拔 250 ~ 1 200 m 的山谷中潮湿的岩石上或岩石下的阴湿缝隙中。

图 1-6-8 武陵酢浆草

凤仙花科 Balsaminaceae 凤仙花属 Impatiens

毛旗凤仙花

Impatiens dasyvexilla Q. L. Gan & X. W. Li

一年生草本。高 25 ~ 60 cm。茎直立，下部光滑，中部直径 4 ~ 7 mm，基部直径可达 10 mm，中部有稀疏软质刺状毛，上部被短白毛及较密直立或弯钩的软质刺状毛，常自基部开始分枝，下部分枝较长，向上渐短，茎分枝部位及分枝基部膨大增粗，增粗部位光亮。叶互生，在茎、枝顶部密集，卵状披针形或矩圆状披针形，长 2 ~ 9.5 cm，宽 1.5 ~ 5.5 cm，先端渐尖或短尾尖，基部楔形，两侧各有 1 ~ 2 圆锥状、短锥状或具短尖突的卵圆状腺体，边缘有圆齿，齿端有短尖，侧脉 4 ~ 7 对，在上面略下陷，被短糙毛，在下面凸起，除脉上有粗毛外，其余无毛；叶柄长 0.5 ~ 4.5 cm，有短毛。花单生于叶腋；花梗纤细，长 2 ~ 3.5 cm，密被白色短毛，上部离花 4 ~ 8 mm 处有 1 条状小苞片；小苞片长 4 ~ 5 mm，宽约 1 mm，被粗细不等的长软毛，宿存；花紫红色，长 2.3 ~ 3.5 cm，有蓝晕；侧生萼片 2，斜卵状披针形，淡黄色，长 3 ~ 5 mm，宽 1.5 ~ 2.5 mm，先端渐尖或尾尖，有长粗毛及短柔毛，边缘有粗长睫毛或少毛，全缘，主脉不明显；旗瓣卵圆形，粉紫红色，长 8 ~ 11 mm，宽 7 ~ 10 mm，先端圆钝或微凹，边缘有宽约 2 mm 的光滑区，中部密被粗长软毛，背部中肋略增厚，具狭翅，翅端具短圆钝突起；翼瓣无柄，长 15 ~ 18 mm，宽 13 ~ 16 mm，下部 2 裂，基部裂片耳状，长 3 ~ 4 mm，宽 3 ~ 3.5 mm，边缘紫红色，中下部白色，具紫红色斑点，上部裂片大，长 13 ~ 14 mm，宽 13 ~ 16 mm，近方形；唇瓣狭漏斗状，长 24 ~ 28 mm（带距），无或具少数紫红色斑点，外被白色粗毛，自中部以下延长成内弯、长 12 ~ 15 mm 的距，距端 2 浅裂，口部斜截，横宽 4 ~ 6 mm，纵宽 10 ~ 11 mm，上唇略凸，下唇长 7 ~ 8 mm；花丝条形，白色，长 2 ~ 4 mm，宽 1 ~ 1.5 mm，花药钝尖，长、宽均为 1 mm；子房棒状，长 3 ~ 4 mm，花柱未见。果实棒状，具绿色纵棱，长 3 ~ 4 cm，内有种子 6 ~ 10；种子成熟时绿黄色，干后绿黑色，表面有褶皱状或瘤状突起，长 2 ~ 2.5 mm，直径约 2 mm。（图 1-6-9）

本新种于 2020 年被发表于 *Novon*。目前已知的分布区为湖北省十堰市竹溪县桃源镇。生于海拔 700 ~ 1 420 m 的路边、山坡林缘、沟边。具有一定的观赏价值。

A. 植株；B. 花冠；C. 旗瓣。

图 1-6-9　毛旗凤仙花

凤仙花科 Balsaminaceae 凤仙花属 *Impatiens*

保康凤仙花

Impatiens baokangensis Q. L. Gan & X. W. Li

　　一年生草本。高 50 ~ 230 cm，全株无毛。茎直立，粗壮，直径 1 ~ 3 cm，基部直径可达 4 cm，节部膨大，中上部多分枝。叶互生；叶片膜质，卵形或卵状长圆形，长 5 ~ 12.5 cm，宽 4 ~ 8.4 cm，先端钝尖或圆尖，基部宽楔形，边缘具圆齿，齿端凹入，基部两侧各具 4 ~ 5 腺体状齿，齿长 1 ~ 3 mm，侧脉 5 ~ 9 对，上面绿色，下面浅绿色；叶柄长 0.3 ~ 6 cm。总花梗生于茎枝上部叶腋，长 1 ~ 2.5 cm，具 1 ~ 3 花，少有 5 花；花梗细，长 1 ~ 2 cm，中上部具小苞片，小苞片线形，长约 2 mm，宽约 1 mm，绿色，宿存；花大，长 3.5 ~ 5 cm，多数；侧生萼片 2，圆形或卵圆形，长 7 ~ 9 mm，宽 6 ~ 8 mm，先端突尖，不等侧，中部具 5 ~ 7 主脉，侧脉网状，上面黄色，具褐色斑点；旗瓣偏圆形，长 9 ~ 11 mm，宽 15 ~ 17 mm，中肋背部略增厚，中上部具鸡冠状突起，冠部高 3 ~ 5 mm，绿色；翼瓣无柄，下部伸长，膝状弯曲成近直角，基部宽楔形，2 裂，裂片圆形，长 5 ~ 6 mm，宽 4.5 ~ 5 mm，中部黄色，边缘白色，上部裂片自膝曲部以下伸长，披针状斧形，近膝曲部白色，以上淡蓝色，背部中上具 1 ~ 2 侧生裂片，具 2 裂片时，下部裂片较短，披针形，中部裂片较长，常呈线形；唇瓣伸长，斜口杯状，长 2 ~ 2.5 cm，口部上下不等伸展，形成上下唇，上唇长 3 ~ 5 mm，先端圆钝，下唇长 7 ~ 10 mm，先端急尖，口部直径 9 ~ 13 mm，囊部上侧黄色，具紫褐色斑点，下侧淡黄白色，基部平截，内凹，并骤缩成长 7 ~ 9 mm 内弯的短距，距端 2 浅裂或钝尖；花丝粗壮，扁圆柱形，长约 1 mm，直径 1 ~ 1.5 mm，在花药成熟后伸长，向内拳曲，花药长卵形，先端渐尖，长 3 ~ 4 mm，宽 2.5 ~ 3 mm，黄色，成熟后相互贴合；子房纺锤状，直立，短尖，长约 3 mm，直径约 1 mm，具绿色脉纹。蒴果线形，长 4 ~ 6 cm，直径 4 ~ 5 mm，具绿色纵棱，先端急尖或渐尖；种子 5 ~ 9，卵圆形，成熟时黄绿色，干后黑褐色，有 3 ~ 4 棱。（图 1-6-10）

　　本新种为湖北省十堰市竹溪县中药资源普查办公室甘啟良在 2016 年与中国科学院武汉植物园李新伟共同发表。目前已知的分布区为湖北省襄阳市保康县龙坪镇。生于林缘。

图 1-6-10　保康凤仙花

凤仙花科 Balsaminaceae 凤仙花属 *Impatiens*

竹溪凤仙花

Impatiens zhuxiensis Q. L. Gan & X. W. Li

一年生草本。主根长 4 ~ 5 cm，有的很短或不明显，须根多数。茎直立，高 40 ~ 140 cm，粗壮，下部有纵裂纹，略具白粉，中部直径 0.5 ~ 1.5 cm，基部直径可达 2.2 cm，节部膨大，中部以上多分枝。叶互生；叶片膜质，卵形或卵状披针形，长 5 ~ 9.2 cm，宽 2 ~ 4.5 cm，边缘具粗大圆齿，齿端凹入，先端钝尖或圆尖，基部圆形，明显偏斜，两侧各具 0 ~ 2 腺齿，齿长约 1 mm，侧脉 5 ~ 9 对，叶片上面绿色，下面粉绿色；叶柄长 1 ~ 3 cm。花单生于茎枝上部叶片或叶状苞片腋内；叶状苞片基部心形，抱花梗基部；花梗细，长 1 ~ 3.5 cm，具 2 花时，总花梗长 1.5 ~ 2.5 cm，小花梗长 1 ~ 2 cm，花梗上部具 2 小苞片，小苞片线形，长 1 ~ 2 mm，宽约 0.5 mm，绿紫色，宿存；花大，长 4 ~ 5 cm（不含距）；侧生萼片 2，卵状披针形，上面黄色，无或具少数斑点，长 8 ~ 10 mm，宽 6 ~ 8 mm，先端长尾尖，不等侧，具 5 脉，主脉明显，绿色，侧脉不明显；旗瓣肾形，黄色，长 10 ~ 12 mm，宽 20 ~ 22 mm，先端圆钝，具上弯的短尖突，中肋背部增厚，并延长成紫绿色尖刺状长喙，喙长 7 ~ 15 mm，直立；翼瓣无柄，下部伸长，膝状弯曲成近直角，基部宽楔形，2 裂，基部裂片倒卵圆形，长 8 ~ 12 mm，宽 6 ~ 7 mm，黄色，内面具褐色斑点，上部裂片长 32 ~ 36 mm，宽 10 ~ 12 mm，自膝部以上伸长，卵状披针形，先端长尾尖，近膝部白色，膝部以上淡黄色，网脉明显，背部中上具 2 侧生裂片，下部侧生裂片粗齿状，上部侧生小裂片长线形；唇瓣囊状，长 28 ~ 37 mm（不含距），上侧橙黄色，下侧淡黄色，内面具紫褐色斑点，口部斜口杯状，直径 7 ~ 11 mm，上唇略突出，下唇披针形延伸，长 12 ~ 15 mm，基部钝圆，骤缩成长 7 ~ 10 mm 内弯的距，距端 2 浅裂；花丝粗壮，扁线形，长 1.5 ~ 3.5 mm，下部 2 对拳曲，花药三角状卵形，先端急尖，长 2 ~ 3 mm，宽约 2.5 mm，成熟后相互贴合；子房纺锤状，直立，短尖，长约 3 mm，直径约 1 mm，具绿色脉纹。蒴果线形，长 3.5 ~ 4.5 cm，直径 3 ~ 4 mm，具绿色纵棱，先端急尖或渐尖；种子 3 ~ 6，矩圆形，成熟时黄绿色，干后黑褐色，具 4 棱，3 面具瘤突，1 面无瘤突。（图 1-6-11）

本新种为湖北省十堰市竹溪县中药资源普查办公室甘啟良在 2020 年与中国科学院武汉植物园李新伟共同发表。目前已知的分布区为湖北省十堰市竹溪县丰溪镇、泉溪镇。生于海拔 700 ~ 1 500 m 的林缘、路旁或沟渠。

A. 生境；B. 花；C. 根；D. 茎节；E. 茎的分叉；F. 叶；G. 花序；
H. 花的部分（H1. 背瓣的俯视图；H2. 背瓣的侧视图；H3. 唇瓣；
H4. 侧花瓣；H5. 花药和花梗；H6. 侧萼片；H7. 子房和花药）；
I. 花的俯视图；J. 下萼片的距；K. 果实；L. 种子。

图 1-6-11　竹溪凤仙花

盛兰凤仙花

Impatiens shenglanii Q. L. Gan & X. W. Li

　　一年生高大草本。高 50～325 cm，全株无毛。茎直立，粗壮，被白粉及紫褐色斑点，中部直径 0.5～3 cm，基部直径可达 4 cm，上部或自基部 2～3 节以上分枝，节部及分枝基部膨大如膝状，下部叶花期常枯死脱落。叶互生；叶片膜质，卵形或卵状长圆形，上面略呈白粉状，在主脉两侧及侧脉基部有时有紫色斑片，长 3.5～20.5 cm，宽 2.5～12.5 cm，基部心形，偏斜，内侧呈耳状相交，边缘具粗大圆齿，齿端凹入，有白色腺体，主脉在上面略下陷，在下面凸起，侧脉 7～11 对；叶柄长 1～7 cm。总花梗生于茎枝上部，长 2～2.5 cm，具 1～3 花，基部有 1 叶状苞片，苞片无柄，耳状抱茎，长 5～11 cm，宽 3～5 cm；花梗细，长 1～3 cm，中下部有 1～2 小苞片，小苞片线形，长 2～3 mm，宽 1～1.5 mm，紫绿色，宿存；花大，多数；侧生萼片 2，卵圆形，长 10～12 mm，宽 7～11 mm，先端长尾尖，不等侧，中部具 5～7 主脉，中脉粗壮，凸起，侧脉网状，上面紫绿色或黄绿色，无斑点；旗瓣扁球形，上面白色，下面粉蓝色，少有蓝紫色，长 10～17 mm，宽 16～20 mm，先端具翘起的短尖突，中部增厚，凸起成长喙状，喙扁，挺直斜立，长 2～2.8 cm，紫绿色；翼瓣长 30～36 mm，无柄，下部伸长，弯曲成近直角，基部宽楔形，2 裂，基部裂片圆形，长、宽均为 8～10 mm，中部黄色，具橙黄色斑点，边缘白色，上部裂片自膝曲部以下伸长，披针状斧形，长 26～30 mm，最宽处宽 10～16 mm，下部白色，以上淡粉蓝色，背部中上无或有 1～2 侧生线形裂片；唇瓣伸长，斜口杯状，上唇略前凸或平截，下唇显著伸长至长约 1 cm，先端渐尖，口部直径 10～13 mm；囊部除腹部为白色外均为橙黄色，长 20～28 mm（不含距），内具紫褐色或橙黄色斑点；基部圆形或宽楔形，骤缩成长 10～13 mm 内弯的短距，距端略宽扁，有钝尖，2 浅裂；花丝粗壮，扁圆柱形，长 1～5 mm，直径 1～1.5 mm，上部 1 花丝紧贴子房，下部 2 对在花药成熟后伸长，向内拳曲，花药三角状卵形，先端渐尖，长 3～4 mm，宽 2.5～3 mm，黄色，成熟后相互贴合；子房纺锤形，直立，短尖，长约 5 mm，直径约 1 mm，上部具 3 绿色脉纹。蒴果线形，长 3～5 cm，直径 6～7 mm，具 3 粗壮的绿色纵棱，先端急尖或渐尖；种子 1～4，长卵形，长约 6 mm，成熟时绿黑色，干后黑色，有 4 棱。（图 1-6-12）

　　本新种为湖北省十堰市竹溪县中药资源普查办公室甘啟良在 2020 年与中国科学院武汉植物园李新伟共同发表。目前已知的分布区为湖北省十堰市竹溪县天宝乡、丰溪镇。生于海拔 1 100～1 450 m 的山坡上。

图 1-6-12　盛兰凤仙花

葫芦科 Cucurbitaceae 雪胆属 *Hemsleya*

反卷雪胆

Hemsleya revoluta Q. Luo, X. W. Li & Q. L. Gan

多年生攀缘草本。块茎肥大，直径可达 30 cm，表皮具多数疣突。茎细长，除节部具少数毛外其余无毛。卷须线形，长 5 ~ 10 cm，无毛，先端不分叉或 2 歧，少有 3 分叉。趾状复叶由 5 ~ 9 小叶组成，常为 7 小叶，基部 1 叶下部具 1 小叶状裂片；小叶片卵状披针形或宽披针形，干后膜质，主脉和侧脉上具粗短刺毛，边缘具细短刺毛，上面绿色，背面淡绿色，基部渐狭成柄，边缘具钝齿，中央小叶长 5 ~ 14 cm，宽 2 ~ 5 cm，两侧的较小，外侧的歪斜，小叶柄长 4 ~ 14 mm；叶柄长 3 ~ 6 cm。花雌雄异株。雄花序为疏散的总状聚伞花序或圆锥花序；花序轴及小枝线形，无毛，下部具 1 卷须状苞片，长 5 ~ 8 cm；花梗丝状，长 1.5 ~ 2 cm；花萼裂片 5，卵形，先端急尖，长 6 ~ 7 mm，宽 4 ~ 5 mm，反折；花冠黄绿色，因花瓣反卷包裹住花萼而呈圆灯笼状，直径 1.2 ~ 1.6 cm；裂片矩圆形，反卷，先端紧紧靠近花梗，长 1.2 ~ 1.5 cm，宽 1 ~ 1.3 cm，内面密被短柔毛，背面（灯笼状内侧）无毛；雄蕊 5，花丝短，长约 2 mm，上部反折，花药卵形，1 室。雌花序为总状花序或圆锥花序；花序梗纤细，长 2 ~ 5 cm；花萼、花冠同雄花；花略大，直径可达 1.7 cm；子房圆柱状，绿色，长 5 ~ 11 mm，直径 2 ~ 3 mm，无毛，具 10 棱纹，全部包藏于反卷的花瓣及萼片内，花柱 3，柱头偶蹄状 2 裂。果实圆柱状长椭圆形，常单一，具 10 绿色纵纹，无毛，长 3.5 ~ 5 cm，直径 1 ~ 1.6 cm，基部渐狭，先端渐缩，平截，有 3 短尖突，果柄长 2 ~ 3 cm，丝状，无毛；种子圆形或矩圆形，双凸镜状，直径 7 ~ 9 mm，边缘有软木栓状厚翅，成熟后褐黄色，光滑。花果期 8 ~ 9 月。（图 1-6-13）

本新种为罗琼、李新伟、甘启良于 2022 年在 *Ann Bot Fennici* 上联合发表。目前已知的分布区为湖北省十堰市竹溪县。生于海拔 700 ~ 2 300 m 的山地林下或沟边。

A. 果枝；B. 叶；C. 花。
图 1-6-13 反卷雪胆

菊科 Compositae 橐吾属 *Ligularia*

征镒橐吾
Ligularia zhengyiana X. W. Li, Q. Luo & Q. L. Gan

多年生草本。块茎扁球形，底部平截或圆形，四周生多数肉质须根。茎单一或 2 ~ 3 簇生，高 70 ~ 120 cm，基部直径 1 ~ 1.5 cm，下部常有一长、宽均为 1 ~ 3 cm 的耳状叶片；小叶片边缘具粗齿，有时退化；茎生叶叶柄苞片状，卵状披针形，长 2.5 ~ 3.5 cm，宽 1 ~ 2.5 cm，基部抱茎，先端渐尖，全缘，密被柔毛，2 ~ 3 叶片完全蜕化的苞片状叶柄生于茎上部，长 2 ~ 3.5 cm，宽 1 ~ 2.5 cm，基部抱茎或半抱茎，卵状披针形，全缘，毛被同下部小叶柄；茎皮紫红色或带紫红色，密被紫红色节状粗毛，毛长约 1.5 mm，先端细化成白色蛛丝状长毛。基生叶 1，有时 2 ~ 3，长 14 ~ 30 cm，宽 16 ~ 46 cm，上面密被糙毛，下面初时密被白色蛛丝状毛，老时蛛丝状毛脱落，仅基部具短糙毛，边缘具宽大裂齿，裂片中下部有粗锯齿，两侧耳状裂片宽大，耳垂长 8 ~ 18 cm；叶脉掌状，5 出，两侧 1 对基出脉上部再行分枝，在上面棱状凸起或下陷，在下面凸起，被腺毛。由头状花序集成的总状花序长 15 ~ 55 cm，被紫色粗毛及蛛丝状绵毛；苞片卵状披针形，下

图 1-6-14 征镒橐吾

部的长 3 ~ 4 cm，宽 1.5 ~ 2 cm，向上渐小，全缘，密被柔毛；头状花序多数，辐射状或向一侧偏斜；花序梗长 1 ~ 2 cm，有 2 ~ 3 小苞片；小苞片长 0.8 ~ 1.5 cm，宽 1 ~ 2.3 mm；总苞圆筒状，长 1.4 ~ 1.7 cm，直径 5 ~ 7 mm，总苞片 7 ~ 9，2 层，外层 3（~ 4），长 1.6 cm，宽 2 ~ 2.5 mm，内层 4（~ 5），长 1.6 cm，宽 4 ~ 5 mm，中间绿色，边缘白膜质；舌状花 5 ~ 8，舌片长圆形，长 2 cm，宽 6 mm，先端齿裂或钝圆；管状花多数，高出总苞，管部长 1 ~ 1.1 cm；冠毛白色，比管部略短或与管部等长。瘦果白色，无毛。花期 8 ~ 9 月，果期 9 ~ 10 月。（图 1-6-14）

本新种为湖北省十堰市竹溪县中药资源普查办公室甘啟良在 2014 年与中国科学院武汉植物园李新伟共同发表。目前已知的分布区为湖北省十堰市竹溪县丰溪镇。生于林下山坡与山谷。

竹溪风毛菊 *Saussurea zhuxiensis* Y. S. Chen & Q. L. Gan

多年生草本。高 30 ～ 50 cm。根茎粗短，横走。茎单一或 3 ～ 5 簇生，直立。基生叶和茎生叶均稠密；基生叶和茎下部叶倒卵状披针形或线状倒披针形，长 5 ～ 15 cm，宽 1 ～ 2 cm，先端渐尖，边缘有稀疏三角状粗齿或缺刻状大齿，齿端有尖突；茎生叶倒卵状狭披针形或披针形，全缘或有短齿突；全部叶上面绿色，被稀疏短毛，下面淡绿色，无毛或有稀疏短毛。头状花序多数，在茎及上部枝先端排列成伞房状；总苞片 5 层，披针形，长 5 ～ 12 mm，宽 1 ～ 2 mm，先端渐尖，中外层被短毛，绿色，内层无毛，白色，先端有软骨质小尖头；小花紫红色，长 1.4 cm，细管部与檐部各长 7 mm。瘦果褐黄色，长 3 mm；冠毛 1 层，灰黄色，长 1 cm，羽毛状。（图 1-6-15）

本新种为湖北省十堰市竹溪县中药资源普查办公室甘啟良于 2006 年在湖北省十堰市竹溪县十八里长峡国家级自然保护区首次发现，于 2011 年与中国科学院华南植物园陈又生共同发表。目前已知的分布区为湖北省十堰市竹溪县。生于海拔约 900 m 的岩石裂缝或溪流沙地。

图 1-6-15 竹溪风毛菊

藜芦科 Melanthiaceae 北重楼属 Paris

竹溪重楼 *Paris qiliangiana* H. Li, J.Yang & Y. H. Wang

多年生草本。根茎粗壮，圆柱形，斜或水平，外面黄褐色，内面白色淀粉状，长 3 ~ 8 cm，直径 0.8 ~ 2 cm，须根生于 3 ~ 4 新节上。茎 1 或 2，绿色或紫红色，高 18 ~ 62 cm，直径 0.3 ~ 0.5 cm，基部被 3 长 1 ~ 2 cm 的暗色膜鳞片包裹，鳞片在根茎上枯萎时留下 3 不明显的瘢痕。叶（4 ~）5 ~ 6（~ 8）轮生于茎顶；叶柄绿色或深紫色，长 0.8 ~ 4 cm，直径 0.1 ~ 0.3 cm；叶片卵形，倒卵形或倒披针形，长 7 ~ 13 cm，宽 3.5 ~ 6 cm，正面绿色，背面浅绿色，先端渐尖，基部近心形或楔形；离基主脉 3 ~ 5，正面下凹，背面突出，侧脉网状。花单生；花梗长 7.5 ~ 24 cm，直径 0.2 ~ 0.4 cm，绿色或紫红色；萼片（3 ~）4 ~ 5（~ 6），正面绿色，背面浅绿色，卵形或披针形，长 4 ~ 8 cm，宽 1.5 ~ 3.5 cm，基部楔形或圆形，先端渐尖，宿存；花瓣（3 ~）4 ~ 5（~ 6），与萼片和柱头同数，线形，长 3 ~ 6 cm，宽约 0.1 cm，与萼片等长或稍短于萼片，宿存，直立，下部 3/4 浅绿色、黄绿色或紫黑色，上部 1/3 稍加宽；雄蕊（6 ~）8 ~ 10（~ 12），2 轮，通常等于萼片数的 2 倍，宽 1.8 ~ 2 cm，长 5 cm，花丝黄绿色，长 0.3 ~ 0.5 cm，花药黄色，长 1 ~ 2 cm，离生部分药隔仅长 0.1 ~ 0.2 cm，黄绿色或紫色，先端圆形；子房卵球形，绿色，具（3 ~）4 ~ 5（~ 6）纵棱，心皮（3 ~）4 ~ 5（~ 6），很少 2，侧生胎座，胚珠倒卵形，白色，透明，多数，沿着每胎座排成 2 纵行，花柱基部通常白色，偶为淡紫色，膨大，在子房顶部呈金字塔状，花柱长 0.2 ~ 0.6 cm，淡黄色至橙色，柱头（3 ~）4 ~ 5（~ 6），极少 2，离生，长 0.1 ~ 0.3 cm，浅黄色至紫色，在花期外卷。蒴果成熟时黄绿色，球形，具（3 ~）4 ~ 5（~ 6）纵棱，直径 2 ~ 3 cm，棱间不规则开裂；种子近球形，直径约 0.3 cm，白色，被红色肉质种皮包围。（图 1-6-16）

本新种目前已知的分布区为湖北省十堰市竹溪县丰溪镇大坪村。生于海拔 720 ~ 1 140 m 的森林阴处。

图 1-6-16 竹溪重楼

镇坪马铃苣苔

Oreocharis zhenpingensis J. M. Li, T. Wang & Y. G. Zhang

多年生草本。根茎短；主根近无或粗壮，生长时间短者常无主根，下生多数须根，生长时间长者常有粗壮主根，主根胡萝卜状，长 2 ~ 4 cm，直径 0.8 ~ 1 cm，四周生多数须根。叶莲座状，具柄；叶片长 2 ~ 8 cm，宽 2 ~ 4.5 cm，先端急尖或圆钝，基部窄心形、圆形或近楔形，边缘具粗圆钝重锯齿，上面密被灰白色贴伏毛，下面被棕褐色长柔毛，脉上毛较密；侧脉每边 5 ~ 7，在下面隆起，在上面不显；叶柄长 1 ~ 7 cm，密被棕褐色长柔毛，质脆，自基部易断折。花葶多数，常 3 ~ 8 自基部叶腋生出；伞形花序，或 1 ~ 2 次分枝而呈聚伞花序状，每花序具 1 ~ 8 花；总花序梗细长，紫红色，长 5 ~ 9 cm，与花梗均被较密的棕褐色长柔毛；苞片披针形，长 0.8 ~ 1.2 cm，宽 1.5 ~ 2.5 mm，被褐色长柔毛；花萼长 0.7 ~ 1 cm，外面被棕褐色长柔毛，内面无毛，裂片线状披针形，宽 1 ~ 1.5 mm，先端渐尖，全缘或有 2 ~ 3 齿裂；花冠高脚碟状，淡黄色或淡黄绿色，外面被腺状短柔毛，内面无毛，花冠筒长 8 ~ 15 mm，中部略膨大增粗，两端略细，直径 3 ~ 4 mm，为檐部的 2 倍或略长，上唇长 4 ~ 5 mm，先端圆形，2 浅裂，下唇长 5 ~ 7 mm，除上唇外，其余裂片先端均为圆形，不裂；雄蕊无毛，上雄蕊着生于距花冠筒基部 7 mm 处，花丝自花冠筒基部生出，下雄蕊着生于距花冠筒基部 6 mm 处，全部花丝除花药下约 2 mm 分离外，其余部分均与花冠筒粘连，花药长 0.8 ~ 1 mm；退化雄蕊长 0.5 ~ 1 mm，着生于离花冠筒基部 3 mm 处；花盘浅鸭口杯状，高约 2 mm，或杯口具圆齿；雌蕊短于花萼，子房长 4 ~ 5 mm，直径 1 ~ 1.2 mm，密被白色柔毛，花柱极短，长约 0.5 mm，先端 2 裂。蒴果线形，长 2.5 ~ 3.2 cm，密被柔毛，成熟后自一侧纵裂；种子细小，棕褐色。花期 6 月上旬末至 6 月下旬初，果期 7 ~ 9 月。（图 1-6-17）

本新记录种于 2010 年以前在湖北省十堰市竹溪县丰溪镇、陕西省安康市镇坪县被发现，一直作为存疑种处理。2017 年本种被作为新种发表。目前已知的分布区为湖北省十堰市竹溪县丰溪镇、泉溪镇。生于溪边或路边岩石上。

A. 植株；B. 花。

图 1-6-17 镇坪马铃苣苔

中 篇

湖北省道地、大宗药材……

艾叶

| 来　源 |

本品为菊科植物艾 *Artemisia argyi* Lévl. et Vant. 的叶。

| 原植物形态 |

多年生草本。有浓烈香气。主根明显,直径达 1.5 cm,侧根多;常有地下根茎。茎单生,高 80 ~ 150 cm,有明显纵棱,褐色或灰黄褐色,基部稍木质化,茎上部草质,并有少数短的分枝,枝长 3 ~ 5 cm;茎枝均被灰色蛛丝状柔毛。叶厚纸质,上面被灰白色短柔毛,并有白色腺点与小凹点,下面密被灰白色蛛丝状密绒毛;基生叶具长柄,花期萎谢;茎下部叶近圆形或宽卵形,羽状深裂,每侧具裂片 2 ~ 3,裂片椭圆形或倒卵状长椭圆形,每裂片有 2 ~ 3 小裂齿,干后背面主、侧脉多为深褐色或锈色,叶柄长 0.5 ~ 0.8 cm;茎中部叶卵形、三角状卵形或近菱形,长 5 ~ 8 cm,宽 4 ~ 7 cm,1 ~ 2 回羽状深裂至半裂,每侧具裂片 2 ~ 3,裂片卵形、卵状披针形或披针形,长 2.5 ~ 5 cm,宽 1.5 ~ 2 cm,不再分裂或每侧有 1 ~ 2 缺齿,叶基部宽楔形,渐狭成短柄,叶脉明显,在背面凸起,干时锈色,叶柄长 0.2 ~ 0.5 cm,基部通常无假托叶或有极小

的假托叶；茎上部叶与苞片叶羽状半裂、浅裂、3 深裂或 3 浅裂，或不分裂而为椭圆形、长椭圆状披针形、披针形或线状披针形。头状花序椭圆形，直径 2.5 ~ 3 mm，无梗或近无梗，每数枚至 10 余枚在分枝上排成小型的穗状花序或复穗状花序，通常在茎上再组成狭窄、尖塔形的圆锥花序，花后头状花序下倾；总苞片 3 ~ 4 层，覆瓦状排列，外层总苞片小，草质，卵形或狭卵形，背面密被灰白色蛛丝状绵毛，边缘膜质，中层总苞片较外层总苞片长，长卵形，背面被蛛丝状绵毛，内层总苞片质薄，背面近无毛；花序托小；雌花 6 ~ 10，花冠狭管状，檐部具 2 裂齿，紫色，花柱细长，伸出花冠外甚长，先端 2 叉；两性花 8 ~ 12，花冠管状或高脚杯状，外面有腺点，檐部紫色，花药狭线形，先端附属物尖，长三角形，基部有不明显的小尖头，花柱与花冠近等长或略长于花冠，先端 2 叉，花后向外弯曲，叉端截形，并有睫毛。瘦果长卵形或长圆形。花果期 7 ~ 10 月。

| **野生资源** | 生于低海拔至中海拔地区的森林、草地、荒地、路旁、河边及山坡等。分布于湖北黄冈（蕲春）、武汉、十堰、襄阳、鄂州等。

| **栽培资源** | 一、栽培条件
本种对土壤和气候有较好的适应性，耐旱，耐寒。适宜种植于低海拔至中海拔地区光照充足、温暖湿润、土壤疏松肥沃、排灌条件好的地块。
二、栽培区域
湖北黄冈（蕲春）、武汉（黄陂）、十堰、襄阳、鄂州等有栽培。
三、栽培面积与产量
依据第四次全国中药资源普查的数据，全国艾的栽培面积在 1 100 hm^2 以上，总产量逾 306 万 t。

| **采收加工** | 端午节前后，花未开、叶茂盛时采摘，除去梗和杂质，晒干或阴干。

| **药材性状** | 本品多皱缩、破碎，有短柄。完整叶片展平后呈卵状椭圆形，羽状深裂，裂片椭圆状披针形，边缘有不规则的粗锯齿；上表面灰绿色或深黄绿色，有稀疏的柔毛和腺点；下表面密生灰白色绒毛。质柔软。气清香，味苦。以质厚、色青、背面灰白色、绒毛多、柔软、香气浓郁者为佳。

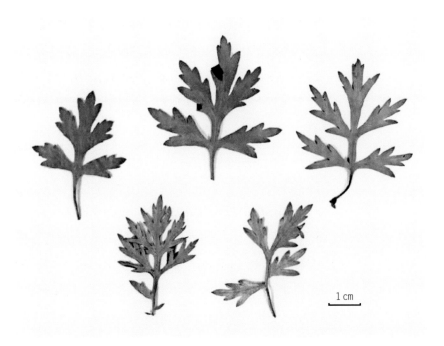

1 cm

| 功能主治 | 苦、辛，温。归肝、肾、脾经。温经止血，散寒止痛，祛湿止痒。用于吐血，咯血，胎动不安，妊娠下血，月经不调，泄泻久痢，湿疹痈疮。

| 用法用量 | 内服煎汤，3 ~ 9 g。外用适量，供灸治或熏洗。

| 附　注 | 一、道地沿革

宋代《本草图经》中记载艾叶的道地产区有复道、四明和明州，分别是今河南汤阴复道、浙江宁波和宁波下辖的鄞州。明代《本草品汇精要》首次将蕲州作为艾叶的道地产区，蕲州即今湖北蕲春。李时珍在《本草纲目》中对艾叶的道地产区进行了详细记载，并首次提出"蕲艾"，并认为当时艾叶的道地产区已逐渐由复道、明州转为蕲州。《中国药物学》《新编中药志》也记载药用艾叶以"蕲艾"为佳。由此可见，"蕲艾"为蕲春道地药材。

二、物种鉴别

1. 与蕲艾有同等入药效果且药用历史颇久的艾叶代用品

（1）白蒿 *Artemisia vulgaris* L. 亦称北艾、野艾，分布于陕西、青海、新疆及甘肃西部、四川西部等，在山西、陕西、河北、江西、甘肃、湖北等地区使用。

（2）野艾蒿 *Artemisia lavandulaefolia* DC. 又可称为野艾或细叶艾，分布于东北、华北地区及陕西、甘肃等，在东北地区及宁夏、内蒙古、陕西、河北、福建、河南等地区使用。

（3）魁蒿 *Artemisia princeps* Pamp. 亦称为黄花蒿、五月艾，分布于华北、东北、西北及西南地区，在分布地区有应用。

2. 混用品

《中药志》记载了10余种艾叶的混用品，包括朝鲜艾、宽叶山蒿、蒙古蒿、红足蒿、歧茎蒿、北艾、灰苞蒿、辽东蒿、阴地蒿、柳叶蒿、五月艾、白叶蒿、南艾蒿、湘赣艾、暗绿蒿、中南艾、秦岭蒿等。

三、市场信息

艾叶的市场供需和价格（约30元/kg）较为平稳。

四、濒危情况、资源利用和可持续发展

艾种植历史悠久，适应性强，分布范围广，我国大多数地区均有分布，艾叶资源丰富。目前我国已推出艾叶系列商品，如保健食品、饮品、保健生活用品及艾绒、艾条等。目前，河南南阳和湖北蕲春已形成两大艾叶产业集聚区。2010年，蕲艾成为国家地理标志保护产品，自此蕲春的艾产业发展迅速，全县蕲艾种植面积达20万亩，艾产业相关企业1 850家，年产值达60亿元，蕲春被中国中药协会授予"中国艾都"称号。

八角莲

| 来　　源 | 本品为小檗科植物八角莲 *Dysosma versipellis* (Hance) M. Cheng ex Ying 的根及根茎。 |

| 原植物形态 | 多年生草本。植株高 40 ~ 150 cm。根茎粗壮，横生，多须根。茎直立，不分枝，无毛，淡绿色。茎生叶 2，薄纸质，互生，盾状，近圆形，直径达 30 cm，4 ~ 9 掌状浅裂，裂片阔三角形、卵形或卵状长圆形，不分裂，上面无毛，下面被柔毛，叶脉明显隆起，边缘具细齿；下部叶的叶柄长 12 ~ 25 cm，上部叶的叶柄长 1 ~ 3 cm。花梗纤细，下弯，被柔毛；花深红色，5 ~ 8 簇生于离叶基部不远处，下垂；萼片 6，长圆状椭圆形，外面被短柔毛，内面无毛；花瓣 6，勺状倒卵形，无毛；雄蕊 6，花丝短于花药；子房椭圆形，无毛，花柱短，柱头盾状。浆果椭圆形，种子多数。 |

| **野生资源** | 生于山坡林下、灌丛中、溪旁阴湿处、竹林下或石灰山常绿林下。分布于湖北鹤峰、利川、建始、巴东、房县、竹溪、保康、崇阳等。 |

| **栽培资源** | 一、栽培条件
本种在湖北的适宜种植区主要为西部地区的武陵山区和秦巴山区等，以排水良好、结构疏松、富含腐殖质的砂壤土种植为宜。
二、栽培区域
湖北鹤峰、巴东、建始、利川等有栽培。 |

| **采收加工** | 秋季采挖，除去泥沙，晒干或烘干。 |

| **药材性状** | 本品根茎数个至十数个连成结节状，每结节呈圆盘形，大小不一，直径 0.6 ~ 4 cm，厚 0.5 ~ 1.5 cm。表面黄棕色，上方具大型圆凹状茎痕，周围环节明显，同心圆状排列，色较浅，下方有环节及不规则皱纹或裂纹，可见圆点状须根痕或须根，须根直径约 1 mm，浅棕黄色。质极硬，不易折断，折断面略平坦，颗粒状，角质样，浅黄红色，横切面平坦，可见环列的维管束小点。气微，味苦。以结节多、质坚实、味苦者为佳。 |

| **功能主治** | 苦、辛，凉；有毒。归肺、肝经。化痰散结，祛瘀止痛，清热解毒。用于咳嗽，咽喉肿痛，瘰疬，瘿瘤，痈肿，疔疮，毒蛇咬伤，跌打损伤，痹病。 |

| **用法用量** | 内服煎汤，3 ~ 12 g。外用适量，磨汁、浸醋或浸酒涂搽；或捣敷；或研末调敷。 |

| 附 注 | 一、道地沿革

八角莲以"鬼臼"之名始载于《神农本草经》。《本草图经》曰："江宁府、滁、舒、商、齐、杭、襄、峡州、荆门军亦有之。""襄"和"峡州"分别为今湖北襄阳、宜昌。《证类本草》记载："鬼臼生九真山谷及冤句。""九真"为今湖北汉阳西南部。因此，湖北产八角莲的历史悠久。

二、物种鉴别

同属植物六角莲 *Dysosma pleiantha* (Hance) Woodson 的叶近纸质，对生，花梗长 2 ~ 4 cm，花紫红色，可以以此与本种相区别。

三、市场信息

八角莲为冷背品种，市场用量不大，价格波动也不大，价格约为 75 元 /kg。

四、濒危情况和可持续发展

八角莲在湖南、湖北、浙江、江西、安徽、广东、广西、云南、贵州、四川、河南、陕西等地区均有分布，分布范围较广，但野生资源相对较少。目前，八角莲已被列入《国家重点保护野生植物名录》及《中国生物多样性红色名录》。因此，对八角莲野生资源的保护迫在眉睫。

白及

| 来　　源 | 本品为兰科植物白及 *Bletilla striata* (Thunb. ex Murray) Rchb. f. 的块茎。

| 原植物形态 | 多年生草本。假鳞茎扁球形，上面具荸荠似的环带，富黏性。茎粗壮，劲直。叶 4 ~ 6，狭长圆形或披针形，长达 29 cm，宽 1.5 ~ 4 cm，先端渐尖，基部收狭成鞘并抱茎。总状花序，具 3 ~ 10 花，常不分枝，极罕分枝；花序轴或多或少呈"之"字状曲折；花苞片长圆状披针形，长 2 ~ 2.5 cm，开花时常凋落；花大，紫红色或粉红色；萼片与花瓣近等长，狭长圆形，长 2.5 ~ 3 cm，宽 0.6 ~ 0.8 cm，先端急尖；花瓣较萼片稍宽，唇瓣较萼片和花瓣稍短，倒卵状椭圆形，长 2 ~ 3 cm，白色带紫红色，具紫色脉；唇盘上面具 5 纵褶片，从基部伸至中裂片近顶部，仅在中裂片上面为波状；蕊柱长 1.8 ~ 2 cm，柱状，具狭翅，稍弓曲。

| 野生资源 | 生于海拔 100 ~ 3 200 m 的常绿阔叶林下或路边草丛、岩石缝中。分布于湖北
黄冈、宜昌、十堰、恩施土家族苗族自治州（以下简称"恩施"）、荆门等。

| 栽培资源 | 一、栽培条件
本种在湖北的适宜种植区主要为大别山区、武陵山区及神农架林区等，以土质
疏松、肥力充足、富含有机质和腐殖质的砂壤土最宜种植。
二、栽培区域
湖北房县、保康、五峰、鹤峰、随县、英山、通城等有栽培。

三、栽培面积与产量

依据第四次全国中药资源普查的数据，全国白及的栽培面积在 1 000 hm² 左右，总产量为 900 t 左右。

| 采收加工 | 夏、秋季采挖，除去须根，洗净，置于沸水中煮或蒸至无白心时取出，晒至半干，除去外皮，晒干。

| 药材性状 | 本品呈不规则扁圆形，多有 2 ~ 3 爪状分枝，少数具 4 ~ 5 爪状分枝，长 1.5 ~ 6 cm，厚 0.5 ~ 3 cm。表面灰白色至灰棕色或黄白色，有数圈同心环节和棕色点状须根痕，上面有凸起的茎痕，下面有连接另一块茎的痕迹。质坚硬，不易折断，断面类白色，角质样。气微，味苦，嚼之有黏性。以根茎肥厚、色白明亮、个大坚实、无须根者为佳。

| 功能主治 | 苦、甘、涩，微寒。归肺、肝、胃经。收敛止血，消肿生肌。用于咯血，吐血，外伤出血，疮疡肿毒，皮肤皲裂。

| 用法用量 | 内服煎汤，6 ~ 15 g；或研末吞，3 ~ 6 g。外用适量，研末撒或调涂。

| 附　注 | 一、道地沿革

白及始载于秦汉时期的《神农本草经》，该书记载："白及……生川谷。"南北朝时期的《名医别录》记载："生北山及冤朐及越山。"其中"冤朐"为今山东菏泽西南，"越山"为今浙江绍兴。宋代《太平御览》云："生北山。又出建康。""建康"为今江苏南京。《本草图经》记载："今江淮、河、陕、汉、黔诸州皆有之，生石山上。""江淮"为长江与淮河之间，主要包括河南南部、江苏南部、安徽中北部；"河"即黄河；"陕"为今河南三门峡陕州区；"汉"即汉江，是长江的支流，流经甘肃、陕西、四川、重庆、湖北、河南六省（市）；"黔"为今贵州。明代《本草品汇精要》记载："〔道地〕兴州、申州。""兴州"为今陕西汉中略阳。《本草纲目》记载："〔保昇曰〕今出申州。""申州"为今河南信阳。民国时期《药物出产辨》记载："产陕西汉中府、安徽安庆府。"因此，经上述考证，历代本草记载的白及产地与现今白及产地是较一致的。湖北为白及的重要产地之一，2014 年，"房县白及"入选为国家地理标志保护产品。

二、物种鉴别

与正品白及较为相似的有同属植物黄花白及 *Bletilla ochracea* Schltr. 和小白及 *Bletilla formosana* (Hayata) Schltr.。前者萼片和花瓣均为黄白色，叶长圆状披针形，根茎干品的性状与正品白及相似，唯形较瘦小，长不及 3.5 cm，外皮有纵皱纹，棕黄色或黄色。后者性状与前者成品相似，但花小，萼片和花瓣的长均为 15 ~ 21 mm；叶多较狭窄，线状披针形。

三、市场信息

白及价格最高点为 2017 年下半年的 850 元 /kg，后价格持续下降，2023 年价格稳定在 100 ~ 200 元 /kg。白及的年需求量为 2 500 ~ 3 000 t，2015 年前后白及种植面积的急速扩张，导致近几年市场货源供大于求，行情处于低谷期。

四、濒危情况和可持续发展

白及资源分布广，云南、贵州、四川、重庆、广西、湖南、江西、陕西、湖北等地区均有野生货源产出。但随着医药行业的快速发展，野生白及被大量采集，野生白及种质资源流失严重，种质资源保护工作迫在眉睫。目前，白及已被列入《濒危野生动植物种国际贸易公约》保护名录、《国家重点保护野生植物名录》及《中国生物多样性红色名录》。

2010 年后，随着白及野生变家种技术的逐渐成熟，各地农户开始大规模种植白及。目前，白及的繁殖方式主要有种子育苗繁殖、根茎切块繁殖、组培繁殖 3 种，生产上主要以种子育苗繁殖为主。白及的人工种植在一定程度上实现了白及种质资源的可持续发展。

白前

| 来　源 |

本品为萝藦科植物柳叶白前 *Cynanchum stauntonii* (Decne.) Schltr. ex Lévl.的根及根茎。

| 原植物形态 |

直立半灌木。高约1 m。茎无毛，分枝或不分枝。须根纤细，节上丛生。叶对生，纸质，狭披针形，长6～13 cm，宽3～5 mm，两端渐尖；中脉在叶背显著，侧脉约6对；叶柄长约5 mm。伞形聚伞花序腋生；花序梗长达1 cm；小苞片众多；花萼5深裂，内面基部腺体不多；花冠紫红色，辐状，内面具长柔毛，副花冠裂片盾状，隆肿，比花药短；花粉块每室1，长圆形，下垂；柱头微凸，包在花药的薄膜内。蓇葖果单生，长披针形，长达9 cm，直径6 mm。花期5～8月，果期9～10月。

| 野生资源 |

生于低海拔的山谷湿地、水旁至半浸在水中。湖北各地均有分布，主要分布于新洲、团风等。

| 栽培资源 |　一、栽培条件

本种对气候的适应性较强，南、北方均可生长，喜温暖潮湿的环境，耐寒，忌干旱。以选择腐质壤土或土层深厚的砂壤土栽培为宜，积水的黏土或重黏土不宜栽培。

二、栽培区域

湖北新洲、团风、麻城、红安等有栽培。

三、栽培面积

依据第四次全国中药资源普查的数据，全国白前的栽培面积在 2 000 hm^2 以上。

| 采收加工 |　秋季采挖，洗净，晒干。

| 药材性状 | 本品根茎呈细长圆柱形，有分枝，稍弯曲，长 4 ~ 15 cm，直径 1.5 ~ 4 mm。表面黄白色或黄棕色，节明显，节间长 1.5 ~ 4.5 cm，先端有残茎。质脆，断面中空。节处簇生纤细弯曲的根，根长可达 10 cm，直径不及 1 mm，多次分枝成毛须状，常盘曲成团。气微，味微甜。以根茎粗、形如鹅管者为佳。

| 功能主治 | 辛、苦，微温。归肺经。降气，消痰，止咳。用于肺气壅实，咳嗽痰多，胸满喘急。

| 用法用量 | 内服煎汤，3 ~ 10 g。

| 附　注 | 一、道地沿革

白前始载于《名医别录》，被列为中品。《新修本草》记载："俗名石蓝，又名嗽药。"以后如《本草经集注》《本草图经》《本草纲目》《本草纲目拾遗》《植物名实图考》等历代本草均有收载。关于白前的产地，《本草经集注》云："此药出近道。"此处的"近道"指的是江苏、安徽、浙江一带。《本草图经》曰："白前旧不载所出州土，陶隐居云出近道，今蜀中及淮、浙州郡皆有之。"其中，"蜀中"即今四川，"淮、浙州"即今江苏、浙江一带。到了民国时期，《药物出产辨》记载："白前以广东北江清远一带产者为最，三水南沙等处亦有出，江苏镇江府亦有出。"可见，历代本草记载的白前的产地主要在四川、浙江、安徽、江苏一带，后在江苏镇江和广州南沙、清远附近也有发现。《中药材手册》《金世元中药材传统鉴别经验》等认为安徽、湖北、浙江等为白前的主产地。陈宏康等人研究显示，湖北是柳叶白前的主要产区，产量居全国首位。

二、物种鉴别

白前的伪品多为百合科、石竹科、鸢尾科等植物的根及根茎。

（1）百合科植物龙须菜 *Asparagus schoberioides* Kunth. 的干燥根及根茎。本品根茎长 2 ~ 9 cm，上有多数膜质、黄棕色鳞叶，根簇生于根茎上，呈扁圆形，弯曲，长可至 50 cm，直径 0.1 cm 左右。表面灰棕色至暗紫色，常密生灰白色绒毛。质柔韧，不易折断，断面中心有小木心。气微，味淡、微苦。

（2）石竹科植物瓦草 *Melandrium viscidulum* (Bun. et Fr.) Williams var. *szechuanense* (Williams) Hand.-Mazz. 的干燥根，云南部分地区称之为白前。本品呈长圆锥形，肉质，多单一，长可达 40 cm，常扭曲，直径 0.3 ~ 1.2 cm。表面黄白色或浅棕色，有纵皱纹及横纹。质脆，断面黄白色，蜡样，放射状纹理不甚明显。气微，味辛、苦。

（3）鸢尾科植物白射干 *Iris dichotoma* Pall. 的干燥根及根茎。本品根茎呈不规则结节状，表面灰褐色，有圆形茎痕及纤维状的叶基。根簇生，长 6 ~ 22 cm，直径 0.1 ~ 0.4 cm，表面黄棕色，有纵横细皱纹。断面黄白色，有细木心。气微，味稍苦。

此外，萝藦科植物徐长卿 *Cynanchum paniculatum* (Bunge.) Kitag. 的干燥根及根茎在部分地区也曾误作白前使用。

白芍

| 来　　源 |

本品为毛茛科植物芍药 *Paeonia lactiflora* Pall. 的根。

| 原植物形态 |

多年生草本。根粗壮，分枝黑褐色。茎高 40 ~ 70 cm，无毛。下部茎生叶为二回三出复叶，上部茎生叶为三出复叶；小叶狭卵形、椭圆形或披针形，先端渐尖，基部楔形或偏斜，边缘具白色骨质细齿，表面无毛，背面沿叶脉疏生短柔毛。花数朵，生于茎顶和叶腋，有时仅先端 1 花开放，而近先端叶腋处有发育不好的花芽，直径 8 ~ 11.5 cm；苞片 4 ~ 5，披针形，大小不等；萼片 4，宽卵形或近圆形，长 1 ~ 1.5 cm，宽 1 ~ 1.7 cm；花瓣 9 ~ 13，倒卵形，长 3.5 ~ 6 cm，宽 1.5 ~ 4.5 cm，白色，有时基部具深紫色斑块；花丝长 0.7 ~ 1.2 cm，黄色；花盘浅杯状，包裹心皮基部，先端裂片钝圆；心皮（2 ~）4 ~ 5，无毛。蓇葖果长 2.5 ~ 3 cm，直径 1.2 ~ 1.5 cm，先端具喙。花期 5 ~ 6 月，果期 8 月。

| 野生资源 |

生于山坡草地和林下。湖北有分布。

| 栽培资源 | 本种喜温暖湿润气候，耐寒，耐旱，怕涝。宜选光照充足、土层深厚、排水良好、疏松肥沃、富含腐殖质的壤土或砂壤土栽培。盐碱地和涝洼地不宜栽种。忌连作，可与红花、菊花及豆科作物轮作。

| 采收加工 | 9～10月采挖栽培3～4年生的根，除去地上茎及泥土，洗净，放入开水中煮5～15 min至无硬心，用竹刀刮去外皮，晒干或切片晒干。

| 药材性状 | 本品呈圆柱形，粗细较均匀，大多顺直，长5～20 cm，直径1～2.5 cm。亳白芍表面粉白色或类白色，较光滑；杭白芍表面棕色或浅棕色，较粗糙，有明显的纵皱纹及细根痕。质坚实而重，不易折断，断面灰白色或微带棕色，角质样，木部有放射状纹理。气微，味微苦而酸。以粗长匀直、皮色光洁、质坚实、断面粉白色、粉性大、无白心或断裂痕者为佳。

| 功能主治 | 苦、酸，微寒。归肝、脾经。养血调经，敛阴止汗，柔肝止痛，平抑肝阳。用于血虚萎黄，月经不调，自汗，盗汗，胁痛，腹痛，四肢挛痛，头痛，眩晕。

| 用法用量 | 内服煎汤，6～12 g，大剂量可用15～30 g；或入丸、散剂。

| 附　　注 | 白芍的市场供需和价格（约21元/kg）较为平稳。

白芷

| 来　源 |

本品为伞形科植物白芷 *Angelica dahurica* (Fisch. ex Hoffm.) Benth. et Hook. f. ex Franch. et Sav. 的根。

| 原植物形态 |

多年生高大草本。高 1 ～ 2.5 m。根圆柱形，有分枝，直径 3 ～ 5 cm，外表皮黄褐色至褐色，有浓烈气味。茎基部直径 2 ～ 5 cm，有时 7 ～ 8 cm，通常带紫色，中空，有纵长沟纹。基生叶 1 回羽状分裂，有长柄，叶柄下部有管状抱茎、边缘膜质的叶鞘；茎上部叶 2 ～ 3 回羽状分裂，叶片为卵形至三角形，长 15 ～ 30 cm，宽 10 ～ 25 cm，叶柄长至 15 cm，下部为囊状膨大的膜质叶鞘，无毛，稀有毛，常带紫色，末回裂片长圆形、卵形或线状披针形，多无柄，长 2.5 ～ 7 cm，宽 1 ～ 2.5 cm，急尖，边缘有不规则的白色软骨质粗锯齿，具短尖头，基部两侧常不等大，沿叶轴下延成翅状；花序下方的叶简化成无叶、显著膨大的囊状叶鞘，外面无毛。复伞形花序顶生或侧生，直径 10 ～ 30 cm，花序梗长 5 ～ 20 cm，花序梗、伞幅和花梗均有短糙毛；伞幅 18 ～ 40，中央主伞有时伞幅多至 70；总苞片通常缺或 1 ～ 2，成长卵形膨大的鞘；小总苞片 5 ~ 10 或更多，线状披针形，膜质；花白色；萼齿无；花瓣倒卵形，先端内曲成凹头状；子房无毛或有短毛，花柱比短圆锥状的花柱基长 2 倍。果实长圆形至卵圆形，黄棕色，有时带紫色，长 4 ~ 7 mm，宽 4 ~ 6 mm，无毛，背棱扁，厚而钝圆，近海绵质，远较棱槽宽，侧棱翅状，较果体狭；棱槽中有油管 1，合生面有油管 2。花期 7 ~ 8 月，果期 8 ~ 9 月。

| 野生资源 | 生于海拔 600 m 以下的林下、林缘、溪旁、灌丛及山谷草地。湖北各地均有分布，主要分布于黄梅、浠水等。

| 栽培资源 | 一、栽培条件
本种适宜栽培于海拔 600 m 以下、年平均气温 13 ~ 19 ℃、平均年降水量 900 ~ 1 500 mm、年平均日照时数 1 400 h 以上的地区。本种喜温暖湿润气候，耐寒。宜在光照充足、地势平坦、土层深厚、土壤肥沃、排水良好、远离病虫害的砂壤土中栽培。
二、栽培区域
湖北各地均有栽培，主要分布于黄梅、浠水等。
三、栽培面积与产量
依据第四次全国中药资源普查的数据，全国白芷的栽培面积为 206 hm²，总产量为 3 844 t。

| 采收加工 | 夏、秋季叶变黄时采挖，除去须根和泥沙，晒干或低温干燥。

| 药材性状 | 本品呈长圆锥形，长 10 ~ 25 cm。表面灰棕色或黄棕色，头部钝四棱形或近圆形，具纵皱纹、支根痕及皮孔样的横向突起，有的排列成 4 纵行，先端有凹陷的茎痕。质坚实，断面白色或灰白色，粉性，形成层环棕色，近方形或近圆形，皮部散有多数棕色油点。气芳香，味辛、微苦。以独枝、条粗壮、质硬、体重、粉性足、香气浓者为佳。

| 功能主治 | 辛，温。归胃、大肠、肺经。解表散寒，祛风止痛，宣通鼻窍，燥湿止带，消肿排脓。用于感冒头痛，眉棱骨痛，鼻塞流涕，鼻衄，鼻渊，牙痛，带下，疮疡肿痛。

| 用法用量 | 内服煎汤，3 ~ 10 g。

| 附　注 | 一、物种鉴别

（1）杭白芷 *Angelica dahurica* (Fisch. ex Hoffm.) Benth. et Hook. f. ex Franch. et Sav. cv. Hangbaizhi 与本种的植物形态基本一致，但植株高 1 ~ 1.5 m，茎及叶鞘多为黄绿色，根长圆锥形，上部近方形，表面灰棕色，有多数较大的皮孔样横向突起，略排列成数纵行；质硬，断面白色，粉性大。

（2）祁白芷 *Angelica dahurica* (Fisch. ex Hoffm.) Benth. et Hook. f. ex Franch. et Sav. cv. Qibaizhi 的植物形态与杭白芷一致，根圆锥形，表面灰黄色至黄棕色，散生皮孔样的横向突起，断面灰白色，粉性略差，油性较大。

二、市场信息

白芷的市场供需和价格（13 元 /kg）较为平稳。

三、濒危情况、资源利用和可持续发展

白芷主产于我国东北和华北地区，北方各地多栽培以供药用，在东北部分地区称"大活"或"独活"，用于治疗伤风头痛、风湿关节疼痛及腰膝酸痛等。根的水煎剂有杀虫、灭菌功效，对防治菜粉蝶、大豆蚜、小麦秆锈病等有一定效果。嫩茎剥皮后可食用。

白术

| 来　　源 | 本品为菊科植物白术 *Atractylodes macrocephala* Koidz. 的根茎。

| 原植物形态 | 多年生草本。高 30 ~ 80 cm。根茎肥厚，略呈拳状，外皮灰黄色。茎直立，上部分枝。叶互生，茎下部叶有长柄，3 裂或羽状 5 深裂，裂片椭圆形至卵状披针形，先端裂片最大，边缘有刺状齿；茎上部叶的叶柄渐短，叶片椭圆形至卵状披针形，分裂或不分裂，长 4 ~ 10 cm，宽 1.5 ~ 4 cm，先端渐尖，基部渐窄，下延成柄，边缘有刺，叶脉显著。头状花序单生于枝顶，长约 2.5 cm；总苞钟状，总苞片 7 ~ 8 层，总苞基部为 1 轮羽状深裂的叶状总苞片所包围；花多数，全为管状花；花冠紫红色，先端 5 裂，开展或反卷；雄蕊 5；子房下位，花柱细长，柱头头状。瘦果椭圆形，稍扁，被黄白色绒毛，冠毛羽状，长 1 cm 以上。花期 9 ~ 10 月，果期 10 ~ 11 月。

| **栽培资源** | 一、栽培条件
本种具有抗寒性。种植以渗透性好、疏松肥沃的砂壤土为宜。
二、栽培区域
湖北恩施有栽培。
三、栽培要点
本种不宜种植在土壤黏度过高、易蓄水或肥力差的地块。避免连作，不宜选择与烟草、花生、油菜等作物轮作，否则病害严重。

| **采收加工** | 立冬前后待下部叶枯黄时挖取生长 2 ~ 3 年的根，除去须根、泥土，烘干者称为"白术"或"烘术"；鲜时整个晒干或切片晒干者则称为"生晒术"或"冬术"。

| **药材性状** | 本品呈不规则的肥厚团块状，长 3 ~ 13 cm，直径 1.5 ~ 7 cm。表面灰黄色或灰棕色，有瘤状突起及断续的纵皱纹和沟纹，并有须根痕，先端有残留茎基和芽痕。质坚硬，不易折断，断面不平坦，黄白色至淡棕色，有散在的棕黄色点状油室；烘干者断面角质样，色较深或有裂隙。气清香，味甘、微辛，嚼之略带黏性。

| **功能主治** | 甘、苦，温。益气，健脾，燥湿。用于脾虚食少，消化不良，慢性腹泻，倦怠无力，痰饮水肿，自汗，胎动不安。

| **用法用量** | 内服煎汤，6 ~ 12 g。

| **附　注** | 一、物种鉴别

本种药材的伪品为菊三七，菊三七呈不规则的肥厚团块状，长 3 ~ 6 cm，直径 2 ~ 4 cm。表面灰棕色或棕黄色，有多个瘤状突起和浅棕色的疣状突起及断续的纵皱纹和沟纹。先端有茎基或芽痕，下端有细根断痕。质坚实，不易折断，断面不平坦，灰棕黄色或淡棕色，略呈角质样，可见异形维管束。气微，味甘、淡而后微苦。

二、市场信息

2023 年，市场上白术一年生统货价格为 35 ~ 40 元 /kg，二年生统货价格为 50 ~ 55 元 /kg，选货价格为 60 ~ 70 元 /kg。白术价格会随时间出现规律性波动。

三、濒危情况、资源利用和可持续发展

目前白术野生资源已濒临灭绝，市场上白术药材主要来源于人工栽培，传统道地产区的栽培资源逐年萎缩，白术药材价格波动较大且质量参差不齐。

白扁豆

| 来　　源 | 本品为豆科植物扁豆 *Lablab purpureus* L. 的成熟种子。

| 原植物形态 | 多年生缠绕藤本。全株几无毛。茎长可达 6 m，常呈淡紫色。羽状复叶具 3 小叶；托叶基着，披针形；小叶宽三角状卵形，宽与长约相等，侧生小叶两边不等大，偏斜，先端急尖或渐尖，基部近平截。总状花序直立，花序轴粗壮；花 2 至多朵簇生于每一节上；花萼钟状，上方 2 裂齿几完全合生，下方 3 裂齿近相等；花冠白色或紫色，旗瓣圆形，基部两侧具 2 长而直立的小附属体，附属体下有 2 耳，翼瓣宽倒卵形，具平截的耳，龙骨瓣呈直角弯曲，基部渐狭成瓣柄；子房线形，无毛，花柱比子房长，弯曲不逾 90°，一侧扁平，近顶部内缘被毛。荚果长圆状镰形，长 5 ~ 7 cm，近先端最阔，宽 1.4 ~ 1.8 cm，扁平，直或稍向背弯曲，先端有弯曲的尖喙，基部渐狭；种子 3 ~ 5，扁平，长椭圆形，在白花品种中为白色，在紫花品种中为紫黑色，种脐线形，长约占种子长的 2/5。

| 栽培资源 | 一、栽培条件
本种在湖北各地均适宜栽培，以结构疏松、富含腐殖质的砂壤土种植为宜。
二、栽培区域
湖北各地均有栽培。
三、栽培面积与产量
依据第四次全国中药资源普查的数据，全国白扁豆的栽培面积为 1 000 hm² 左右，总产量为 900 t 左右。

| 采收加工 | 秋、冬季采收成熟果实，晒干，取出种子，再晒干。

| 药材性状 | 本品呈扁椭圆形或扁卵圆形，长 8 ～ 13 mm，宽 6 ～ 9 mm，厚约 7 mm。表面淡黄白色或淡黄色，平滑，略有光泽，一侧边缘有隆起的白色眉状种阜。质坚硬。种皮薄而脆，子叶 2，肥厚，黄白色。气微，味淡，嚼之有豆腥味。以粒大、饱满、色白者为佳。

| 功能主治 | 甘，微温。归脾、胃经。健脾化湿，和中消暑。用于脾胃虚弱，食欲不振，溏泄，带下，暑湿吐泻，胸闷腹胀。

| 用法用量 | 内服煎汤，9 ～ 15 g。

| 附 注 | 白扁豆是药食两用品种，近年来在健康食品领域应用广泛，价格约为 16 元 /kg。

白附子

| 来　　源 | 本品为天南星科植物独角莲 *Typhonium giganteum* Engl. 的块茎。

| 原植物形态 | 多年生草本。块茎倒卵形、卵球形或卵状椭圆形，大小不等，直径 2 ~ 4 cm，外被暗褐色小鳞片，有 7 ~ 8 环状节，颈部周围生多条须根。具 1 ~ 7 叶（与生长年限有关），通常一至二年生的只有 1 叶；叶柄圆柱形，长约 60 cm，密生紫色斑点，中部以下具膜质叶鞘；叶片幼时内卷如角状，后即展开成箭形，长 15 ~ 45 cm，宽 9 ~ 25 cm，先端渐尖，基部箭状，后裂片叉开成 70° 的锐角，钝，中肋在背面隆起，1 级侧脉 7 ~ 8 对，最下部的 2 侧脉基部重叠，集合脉与边缘相距 5 ~ 6 mm。花序与叶同时从块茎中抽出，花序梗长 15 cm；佛焰苞紫色，管部圆筒形或长圆状卵形，长约 6 cm，直径 3 cm，檐部卵形，展开，长达 15 cm，先端渐尖，常弯曲。肉穗花序几无梗，长达 14 cm，雌花序圆柱形，长约 3 cm，直径 1.5 cm；中性花序长 3 cm，直径约 5 mm；雄花序长 2 cm，直

径 8 mm；附属器紫色，长（2 ~）6 cm，直径 5 mm，圆柱形，直立，基部无柄，先端钝。雄花无柄，药室卵圆形，顶孔开裂。雌花子房圆柱形，顶部平截，胚珠 2，柱头无柄，圆形。花期 6 ~ 8 月，果期 7 ~ 9 月。

| **野生资源** | 生于海拔 1 500 m 以下的荒地、山坡、水沟旁。分布于湖北黄冈、恩施、襄阳、宜昌及神农架等。

| **栽培资源** | 一、栽培条件
本种喜凉爽湿润气候和阴湿的环境。以肥沃、湿润的砂壤土栽培为宜。
二、栽培要点
繁殖方法以块茎繁殖为主。冬季采收时，选留小块茎作种，用干细泥沙分层堆积，贮藏备用。小块茎有带根和不带根的 2 种，要分别栽种。翌年 5 月，在整好的地上，按行距 25 cm 开沟，沟深 6 ~ 8 cm，每隔 6 ~ 8 cm 栽 1 个块茎，芽嘴朝上，施入厩肥或土杂肥后，盖一层细土。出苗后及时中耕除草并追肥 1 次。

8月上旬再中耕除草、追肥1次。天旱及时淋水。不带根的块茎栽2年后才可采挖，在冬季倒苗后，结合中耕除草，用厩肥或土杂肥培根，翌年田间管理同第1年。

| 采收加工 | 秋季采挖，除去须根和外皮，晒干。

| 药材性状 | 本品呈椭圆形或卵圆形，长2～5 cm，直径1～3 cm。表面白色至黄白色，略粗糙，有环纹及须根痕，先端有茎痕或芽痕。质坚硬，断面白色，粉性。气微，味淡、麻辣刺舌。以个大、质坚实、色白、粉性足者为佳。

| 功能主治 | 辛，温；有毒。归胃、肝经。祛风痰，定惊搐，解毒散结，止痛。用于中风痰壅，口眼歪斜，语言謇涩，惊风癫痫，破伤风，痰厥头痛，偏正头痛，瘰疬痰核，毒蛇咬伤。

| 用法用量 | 内服煎汤，3～6 g。一般炮制后用。外用适量，生品捣烂，熬膏敷；或研末以酒调敷。

| 附 注 | 一、物种鉴别
本种花序与叶同时从块茎中抽出，叶片幼时内卷如角状，展开后呈箭形，先端渐尖，基部极浅裂，箭状，裂片叉开成70°的锐角，可以以此与本属其他植物相区别。
二、市场信息
白附子市场供需及价格稳定。
三、濒危情况、资源利用和可持续发展
独角莲是我国特有物种，自明代中叶以来，一直作为白附子的主流药用品种。独角莲自然分布范围广，南至广东、广西，北达吉林，野生资源较丰富，但远不能满足市场需求，目前市场药材来源以人工种植为主。湖北是白附子的主要产地之一，恩施等地区是白附子的传统种植区域。独角莲目前主要以地下块茎作药用，其茎叶等部位的综合利用价值有待开发。此外，独角莲花叶奇特优美，具有一定的园林绿化价值。

白首乌

| 来　　源 | 本品为夹竹桃科植物牛皮消 *Cynanchum auriculatum* Royle ex Wight 的块根。

| 原植物形态 | 蔓性半灌木。宿根肥厚，呈块状。茎圆形，被微柔毛。叶对生，膜质，被微毛，宽卵形至卵状长圆形，长 4 ~ 12 cm，宽 4 ~ 10 cm，先端短渐尖，基部心形。聚伞花序伞房状，着花 30；花萼裂片卵状长圆形；花冠白色，辐状，裂片反折，内面具疏柔毛；副花冠浅杯状，裂片椭圆形，肉质，具钝头，每裂片内面的中部有一三角形的舌状鳞片；花粉块每室 1，下垂；柱头圆锥状，先端 2 裂。蓇葖果双生，披针形，长 8 cm，直径 1 cm；种子卵状椭圆形；种毛白色，绢质。花期 6 ~ 9 月，果期 7 ~ 11 月。

| 野生资源 | 生于山坡林缘及路旁灌丛中或河流、水沟边潮湿地。湖北各地均有分布。

| 栽培资源 | 一、栽培条件

本种适应性较强,适宜生长温度为 25 ~ 30 ℃,喜生于通风良好和光照充足之处。以疏松肥沃、排水良好的砂壤土栽培为宜。

二、栽培区域

湖北有栽培。

三、栽培要点

采用分根繁殖的方式,选用中等大小的根,截取直径 1 ~ 1.5 cm、长 6 cm 的根段为种。南方 3 月下旬、北方 4 月中旬开始种植,种植时按行株距(30 ~ 40)cm×(15 ~ 20)cm 开穴,施农家肥作基肥,栽种后覆土厚约 3 cm,压实。苗期保证水分充足,苗高 5 cm 左右时,松土除草,并施第 1 次追肥,在搭架前再除草 1 次。当茎蔓生长到 6 ~ 8 节、有 3 ~ 4 个分枝时,施第 2 次追肥,并搭架,以利于茎蔓攀缘生长。8 月上旬再施 1 次磷、钾肥。虫害以中华萝藦肖叶甲为主,可通过实行轮作、冬前翻地、在虫害发生期用 5% 西维因粉剂喷于植株和地面等方式防治。

| 采收加工 | 早春幼苗未萌发前或 11 月采收,以早春采收最好。采收时,不要损伤块根,挖出后洗净泥土,除去残茎和须根,晒干或切片晒干。

| 药材性状 | 本品呈长圆柱形、长纺锤形或结节状圆柱形,稍弯曲,长 7 ~ 15 cm,直径 1 ~ 4 cm。表面浅棕色,有明显的纵皱纹及横长皮孔,栓皮脱落处呈土黄色或浅黄棕色,具网状纹理。质坚硬,断面类白色,粉性,具鲜黄色放射状纹理。气微,味微甘而后苦。

| 功能主治 | 苦，平。归肝、肾、脾、胃经。补肝肾，强筋骨，益精血，健脾消食，解毒疗疮。用于腰膝酸软，阳痿遗精，头晕耳鸣，心悸失眠，食欲不振，小儿疳积，产后乳汁稀少，疮痈肿痛，毒蛇咬伤。

| 用法用量 | 内服煎汤，6 ~ 15 g，鲜品加倍；或研末，1 ~ 3 g；或浸酒。外用适量，鲜品捣敷。

| 附　注 | 一、物种鉴别

（1）夹竹桃科植物白首乌 *Cynanchum bungei* Decne. 又名戟叶牛皮消、泰山何首乌、大根牛皮消，是中药白首乌的第二个来源。与牛皮消不同，此种的干燥块根呈不规则团块状或类圆形，长 1.5 ~ 7 cm，直径约 5 cm；表面棕色或棕褐色，凹凸不平，具纵皱纹及横长皮孔；质坚硬，断面类白色，粉性，有稀疏的黄色放射状纹理；以块大、粉性足者为佳。

（2）夹竹桃科植物隔山消 *Cynanchum wilfordii* (Maxim.) Hemsl. 的块根为中药隔山消，吉林延边地区称 "白首乌"，通常此种也被认为是中药白首乌的基原植物之一。根呈圆柱形或纺锤形，长 10 ~ 20 cm，直径 1 ~ 4 cm，微弯曲；表面白色或黄白色，具纵皱纹及横长皮孔，栓皮破裂处显黄白色木部；质坚硬，断面不平坦，灰白色，微带粉状；气微，味苦、甜。

（3）湖北部分地区及云南丽江民间有称夹竹桃科植物青羊参 *Cynanchum otophyllum* Schneid. 的根部为 "白首乌" 的情况，但此仅为地方性叫法，此种并非传统认为的 3 种白首乌的基原植物之一。

二、濒危情况、资源利用和可持续发展

白首乌为多基原药材，其中牛皮消的适应性强，国内多数地区均适宜其生长，因此分布最广，面积最大，资源最丰富，有较好的发展前景。目前，白首乌药材依然处于打粉、切片等初级加工阶段，产业链条短而窄，产品附加值低，且加工过程中大量具药理活性的物质随废水和废渣排弃，造成了资源浪费。因此，促使产业提档升级，提高资源利用率是白首乌药材产业快速健康发展的重要方向。泰山白首乌是泰山 "四大名药" 之一，有着丰富的文化内涵，且药用价值很高，现以野生资源为主，分布范围也相对较窄，还需进一步加强人工栽培研究以推动该资源的开发利用。隔山消主要分布于四川、贵州及吉林延边等地，药材为常用民族药，以野生品为主。隔山消块根被广泛应用于保健品与化妆品中，开发潜力巨大。

百部

| 来　　源 | 本品为百部科植物对叶百部 *Stemona tuberosa* Lour. 的块根。

| 原植物形态 | 多年生攀缘草本。高可达 5 m。块根通常纺锤状，长达 30 cm。茎上部缠绕的茎常具少数分枝，攀缘状，下部木质化，分枝表面具纵槽。叶对生或轮生，极少兼有互生；叶片卵状披针形、卵形或宽卵形，长 6 ～ 24 cm，宽（2 ～）5 ～ 17 cm，先端渐尖至短尖，基部心形，边缘稍波状，纸质或薄革质；叶柄长 3 ～ 10 cm。花单生或 2 ～ 3 排成总状花序，生于叶腋或偶贴生于叶柄上，花梗或花序长 2.5 ～ 5（～ 12） cm；苞片小，披针形，长 5 ～ 10 mm；花被片黄绿色带紫色脉纹，长 3.5 ～ 7.5 cm，宽 7 ～ 10 mm，先端渐尖，内轮花被片比外轮花被片稍宽，具 7 ～ 10 脉；雄蕊紫红色，短于或几等长于花被；花丝粗短，长约 5 mm，花药长 1.4 cm，先端具短钻状附属物；药隔肥厚，向上延伸为长钻状或披针形的附属物；子房小，卵形，花柱近无。蒴果光滑，具多数种子。花期 4 ～ 7 月，果期（5 ～）7 ～ 8 月。

| 野生资源 | 生于海拔 370 ~ 2 240 m 的向阳山坡丛林下、溪边、路旁、山谷和阴湿岩石缝中。分布于湖北宜昌、荆门等。

| 栽培资源 | 一、栽培条件
本种喜背阴和湿润的环境，不耐寒，怕旱。块根入土较深，以深厚、肥沃、排水良好的夹砂土种植为宜。
二、栽培区域
湖北十堰、宜昌、荆门等有栽培。

| 采收加工 | 一般于栽后 2 ~ 3 年采收。秋、冬季倒苗后至早春萌芽前采挖，洗净，剪去细根，投入沸水中烫至无白心，立即捞出，晒干或炕干。

| **药材性状** | 本品呈纺锤形或长条形，长 8 ～ 24 cm，直径 0.8 ～ 2 cm。表面淡黄棕色或灰棕色，具浅纵皱纹或不规则纵槽。质坚实，断面黄白色或暗棕色，中柱较大，中心类白色。以身干、条粗壮、质坚实者为佳。 |

| **功能主治** | 甘、苦，微温。归肺经。润肺止咳，杀虫灭虱。用于外感咳嗽，肺结核，百日咳，慢性支气管炎。 |

| **用法用量** | 内服煎汤，3 ～ 9 g。外用适量，煎汤洗；或浸酒涂擦。 |

| **附　注** | 一、市场信息
百部的市场供需和价格（38 ～ 41 元 /kg）较为平稳。
二、濒危情况、资源利用和可持续发展
百部种植历史悠久，适应性强，分布范围广，我国多数地区均适宜生长，资源丰富。
湖北具有丰富的野生百部资源，随着中医药加工产业的发展，野生百部资源逐年减少，人工栽培正在迅速发展。近几年，百部的人工栽培主要依靠采挖野生资源根部，苗木繁育和商品栽培技术对产业的支撑明显不足。 |

百合

| 来　　源 |

本品为百合科植物百合 *Lilium brownii* F. E. Brown var. *viridulum* Baker 的肉质鳞叶。

| 原植物形态 |

多年生草本。高达 1.5 m。鳞茎近球形，高 3.5 ~ 5 cm，直径 5 cm，暴露部分带紫色，鳞叶广展如荷花状。茎无毛，常有紫色条纹。叶有短柄；叶片披针形或窄披针形，长 2 ~ 10 cm，宽 0.5 ~ 1.5 cm。花 1 至数朵生于茎端；花被片 6，乳白色或微黄色，长约 15 cm，背面中肋带淡黄色，先端向外张开或稍反卷。蒴果长圆形，长约 5 cm。花期 5 ~ 7 月，果期 8 ~ 10 月。

| 野生资源 |

生于海拔 700 ~ 1 000 m 的山坡上。分布于湖北西部山区及大别山区，主要分布于恩施（来凤、宣恩）、黄冈（英山、罗田）等。

| 栽培资源 |

一、栽培条件

本种喜温暖、稍带冷凉而干燥的气候，耐阴性较强，耐寒，耐旱，适宜生长发育温度为 15 ~ 25 ℃，忌酷热和雨水过多。本种为长

日照植物，生长前期和中期喜光照。以选向阳、土层深厚、疏松肥沃、排水良好的砂壤土栽培为宜，低湿地不宜栽培。忌连作，与豆类和禾本科作物轮作较好。

二、栽培区域

湖北恩施（来凤、宣恩）、黄冈（英山、罗田）有栽培。

三、栽培要点

无性繁殖和有性繁殖均可。目前生产上主要采用鳞片、小鳞茎和珠芽繁殖。夏季高温多雨季节要注意排水。病害有病毒病和立枯病。病毒病可选择无病鳞茎繁殖进行预防；立枯病防治要避免连作，注意排水，发现病株立即拔除，并撒石灰消毒。虫害为蚜虫，可用50%马拉硫磷1 000倍液喷射防治。

四、栽培面积与产量

湖北百合的栽培面积约为350 hm²，年产量为2 000 t左右。

| 采收加工 | 一般于移栽翌年9～10月茎叶枯萎后采挖，去掉茎秆、须根，小鳞茎选留作种，大鳞茎洗净，从基部横切一刀，使鳞片分开，然后于开水中烫5～10 min，当鳞片边缘变软、背面微裂时迅速捞起，放入清水中洗去黏液，晒干或炕干。

| 药材性状 | 本品呈长椭圆形，长2～5 cm，宽1～2 cm，中部厚1.3～4 mm。表面类白色、淡棕黄色或微带紫色，有数条纵直平行的白色维管束，先端稍尖，基部较宽，边缘薄，微波状，略向内弯曲。质硬而脆，断面较平坦，角质样。无臭，味微苦。

| 功能主治 | 甘，寒。归心、肺经。养阴润肺，清心安神。用于阴虚久咳，痰中带血，虚烦惊悸，失眠多梦，精神恍惚。

| 用法用量 | 内服煎汤，6～12 g；或蒸食；或煮粥食。外用适量，捣敷。

| 附　注 | 一、道地沿革

百合始载于《神农本草经》，被列为中品，《吴普本草》《名医别录》《新修本草》《本草品汇精要》《本草乘雅半偈》等历代本草均有收载。关于百合的产地，历代本草均有记载。《吴普本草》曰："生冤朐［今山东菏泽西南］及荆山［今湖北南漳西部］。"《名医别录》曰："生荆州［今湖北荆州］。"《新修本草》曰："生荆州［今湖北荆州］川谷。"《本草品汇精要》曰："〔道地〕滁州［今安徽滁州］、成州［今甘肃成县］。"《本草乘雅半偈》记载："近道虽有，唯荆州［今湖北荆州］山谷者良。"由此可见，古代百合产区主要有山东菏泽西南、湖北南漳西部、安徽滁州、甘肃成县和湖北荆州等长江中游一带，其中湖北荆州一带资源较为常见，应为这个时期百合的主要产区。据《药材资料汇编》《中国药材学》《新编中药志》等记载，百合在全国大部分地区多有生产，主产于湖北、湖南、浙江、甘肃、江苏等，其中以湖北、湖南所产品质最好，江浙产量最大。

二、濒危情况、资源利用和可持续发展

本种分布较广，野生资源丰富。本种是药食两用品种，营养价值高，除作药材外，主要作食品，多被用来制成保健品或煲粥、汤，如八宝粥和百合绿豆汤，也可炒食。

板蓝根

来　　源	本品为十字花科植物菘蓝 *Isatis indigotica* Fort. 的根。

原植物形态	二年生草本。高 40 ~ 100 cm。茎直立，绿色，顶部多分枝，光滑无毛，带白色粉霜。基生叶莲座状，长圆形至宽倒披针形，长 5 ~ 15 cm，宽 1.5 ~ 4 cm，先端钝或尖，基部渐狭，全缘或稍具波状齿，具柄；茎生叶蓝绿色，长椭圆形或长圆状披针形，长 7 ~ 15 cm，宽 1 ~ 4 cm，基部叶耳不明显或为圆形。萼片宽卵形或宽披针形，长 2 ~ 2.5 mm；花瓣黄白色，宽楔形，长 3 ~ 4 mm，先端近平截，具短爪。短角果近长圆形，扁平，无毛，边缘有翅；果柄细长，微下垂；种子长圆形，长 3 ~ 3.5 mm，淡褐色。花期 4 ~ 5 月，果期 5 ~ 6 月。

野生资源	生于山地林缘较潮湿处。分布于湖北宜城、丹江口、建始、秭归、英山、红安、房县、保康、团风、兴山等。

| 栽培资源 | 一、栽培条件
本种喜温暖环境，具有适应性强、抗旱、耐寒、怕涝等特点。以选择排水良好、疏松、肥沃湿润的砂壤土栽培为宜。
二、栽培区域
湖北宜城、丹江口、建始、秭归、英山、红安、房县、保康、团风、兴山等有栽培。

| 采收加工 | 秋季采挖，除去泥沙，晒干。

| 药材性状 | 本品呈圆柱形，稍扭曲，长 10～20 cm，直径 0.5～1 cm。表面淡灰黄色或淡棕黄色，有纵皱纹、横长皮孔样突起及支根痕。根头略膨大，可见暗绿色或暗棕色轮状排列的叶柄残基和密集的疣状突起。体实，质略软，断面皮部黄白色，木部黄色。气微，味微甜而后苦、涩。

| 功能主治 | 苦，寒。归心、胃经。清热解毒，凉血利咽。用于发热咽痛，温毒发斑，痄腮，烂喉丹痧，大头瘟疫，丹毒，痈肿。

| 用法用量 | 内服煎汤，9～15 g。

| 附 注 | 一、市场信息
2023 年板蓝根市场疲软，走销较前期减弱，目前亳州药材市场统货价格为 14.5～15.5 元 /kg，能加工饮片的个子货价格为 16～17 元 /kg。
二、濒危情况、资源利用和可持续发展
本种为我国特有物种。目前，对板蓝根野生资源的研究利用较少，生产上主要依靠人工栽培，板蓝根栽培历史悠久，栽种范围广，资源丰富。

半夏

| 来　　源 | 本品为天南星科植物半夏 *Pinellia ternata* (Thunb.) Breit. 的块茎。

| 原植物形态 | 多年生草本。块茎圆球形，直径 1 ~ 2 cm，具须根。叶 2 ~ 5，有时 1，叶柄长 15 ~ 20 cm，基部具鞘，鞘内、鞘部以上或叶片基部（叶柄顶头）有直径 3 ~ 5 mm 的珠芽，珠芽在母株上萌发或落地后萌发；幼苗叶片卵状心形至戟形，为全缘单叶，长 2 ~ 3 cm，宽 2 ~ 2.5 cm；老株叶片 3 全裂，裂片绿色，背面色淡，长圆状椭圆形或披针形，两头锐尖，中裂片长 3 ~ 10 cm，宽 1 ~ 3 cm，侧裂片稍短；全缘或具不明显的浅波状圆齿，侧脉 8 ~ 10 对，细弱，细脉网状，密集，集合脉 2 圈。花序梗长 25 ~ 30（~ 35）cm，长于叶柄。佛焰苞绿色或绿白色，管部狭圆柱形，长 1.5 ~ 2 cm，檐部长圆形，绿色，有时边缘青紫色，长 4 ~ 5 cm，宽 1.5 cm，钝或锐尖。雌花序长 2 cm，雄花序长 5 ~ 7 mm，其中间隔 3 mm；附属器绿色，后变青紫色，长 6 ~ 10 cm，直立，有时

呈"S"形弯曲。浆果卵圆形,黄绿色,先端渐狭为明显的花柱。花期5~7月,果实8月成熟。

| **野生资源** |

一、生境分布

生于海拔 2 500 m 以下的草坡、荒地、玉米地、田边地头或疏林下。分布于湖北武汉(武昌)、荆州、荆门(京山)、襄阳(老河口)、黄石(阳新)及潜江、天门等。

二、蕴藏量

湖北襄阳半夏的蕴藏量为 10 t。

| 栽培资源 | 一、栽培条件

本种喜温暖潮湿的环境，耐阴，忌涝；以土层深厚、疏松肥沃、湿润、pH 6 ~ 7、有机质含量大于 2%、含水量 20% ~ 40% 的砂壤土种植为宜，年平均气温为 12 ~ 14 ℃，适宜生长温度为 23 ~ 29 ℃。

二、栽培区域

湖北荆门、襄阳及潜江、天门等有栽培。

三、栽培要点

本种在北方多栽培于林下或果树行间，或与其他作物间作。采用块茎繁殖，9月下旬将地下块茎挖出，按大小分别栽种，或在凉爽处于细沙中贮藏，待翌年春季栽种。按行距 16.7 cm、株距 6.7 ~ 10 cm 穴栽，每亩用种量 75 kg，每穴放块茎 1 ~ 2 个，覆土厚 3.3 ~ 6.7 cm。栽后应保持土壤湿润。合理的灌溉和病虫害防治是提高半夏产量的关键。

| 采收加工 | 块茎及珠芽繁殖者当年或翌年采收，种子繁殖者第 3 ~ 4 年采收。夏、秋季采挖，放筐内浸水中搅拌，搓去外皮及细根，晒干。

| 药材性状 | 本品呈类球形，有的稍偏斜，直径 1 ~ 1.5 cm。表面白色或浅黄色，未去净的外皮呈黄色斑点状。上端多圆平，中心有凹陷的茎痕，周围密布棕色凹点状须根痕，下面钝圆而光滑。质坚实，致密。断面洁白，富粉性，质老或干燥不当者呈灰白色或显黄色纹。气微，味辛、辣，嚼之发黏，麻舌而刺喉。以色白、质坚实、粉性足者为佳。

| 功能主治 | 辛，温；有毒。归脾、胃、肺经。燥湿化痰，降逆止呕，消痞散结。用于湿痰寒痰，痰饮眩悸，呕吐反胃，胸脘痞闷，梅核气等。

| 用法用量 | 内服煎汤，3 ~ 9 g，一般炮制后用。外用适量，生品磨汁涂；或研末以酒调敷。

| 附 注 | 一、道地沿革

半夏始载于《神农本草经》，该书记载："生槐里川谷。"陶弘景所著的《本草经集注》记载："槐里属扶风，今第一出青州，吴中亦有，以肉白者为佳。"苏颂所著的《本草图经》记载："今在处有之，以齐州者为佳。"《药物出产辨》记载："产湖北荆州为最。"现以湖北、河南、山东所产半夏为佳。

二、物种鉴别

1. 与半夏形态特征相似的植物、地区习用品及药材混淆品

（1）虎掌（掌叶半夏）*Pinellia pedatisecta* Schott 与半夏的区别在于块茎较大，

通常直径 3 ~ 4 cm；叶柄长 45 ~ 60 cm 或更长，基部内侧无珠芽，叶片掌状，具小叶 9 ~ 11。此种的小块茎在个别地区也作半夏入药，大块茎周围侧生 3 ~ 5 个子块茎，商品习称"虎掌南星"。

（2）鹞落坪半夏 *Pinellia yaoluopingensis* X. H. Guo et X. L. Liu 的块茎在安徽绩溪、歙县、休宁、黄山、岳西等地也作半夏使用，功效同半夏。此种与半夏的主要区别在于植物高 20 ~ 50 cm；块茎直径 1 ~ 3 cm；叶柄无珠芽，叶裂片 3 ~ 5；佛焰苞全绿色，鼠尾状附属物长 10 ~ 15 cm。

（3）云南和西藏地区常以同科天南星属植物的块茎误作半夏使用，功效与半夏不同。

（4）广东、广西和云南地区尚有以同科犁头尖属植物犁头尖 *Typhonium blumei* Nccolson et Sivad. 的块茎作土半夏用者，亦有直接误作半夏用者。广西地区尚有以马蹄犁头尖 *Typhonium trilobatum* (L.) Schott 和鞭檐犁头尖 *Typhonium flagelliforme* Blume 充作半夏入药者，前者称三裂半夏，后者称水半夏或土半夏，二者的功效与半夏不同，应注意鉴别。

2. 伪品

（1）水半夏。水半夏是半夏的常见伪品，为天南星科植物鞭檐犁头尖 *Typhonium flagelliforme* Blume 的块茎，呈椭圆形或圆锥形，表面类白色，不光滑，有多数点状根痕，上端类圆形，有凸起的芽痕，下端略尖。

（2）天南星。常见以小的天南星块茎冒充半夏使用，其外形和半夏相似，呈扁球形，表面类白色，较光滑，先端有凹陷的茎痕，周围有麻点状根痕，多数周边有小扁球状侧芽，味辛而麻、辣，但无刺喉感。

三、市场信息

半夏价格稳定在 80 ~ 120 元 /kg。

四、濒危情况、资源利用和可持续发展

半夏药材主要来源于野生资源，但近年来，随着农田深耕细作耕种方式的推行和化肥、化学农药、除草剂的广泛使用，加之连年无序的大量采挖，野生半夏资源急剧减少，在部分地区已基本绝迹。如今，在曾经野生半夏资源还相当丰富的湖北天门及其附近地区已很难寻找到野生半夏了。为促进半夏资源的可持续发展，可采取研究植物组织培养技术、新品种选育、开展半夏规范化栽培等措施。

半枝莲

| 来　源 |

本品为唇形科植物半枝莲 *Scutellaria barbata* D. Don 的全草。

| 原植物形态 |

多年生草本。根茎短粗，具簇生的须状根。茎直立，高 12 ~ 35 cm，四棱形，无毛或在序轴上部疏被紧贴的小毛。叶具短柄或近无柄，柄长 1 ~ 3 mm，腹凹背凸，疏被小毛；叶片三角状卵圆形或卵圆状披针形，长 1.3 ~ 3.2 cm，宽 0.5 ~ 1 cm，边缘生有疏而钝的浅牙齿，上面榄绿色，下面淡绿色，有时带紫色，两面沿脉上疏被紧贴的小毛或几无毛，侧脉 2 ~ 3 对。花单生于茎或分枝上部叶腋内，具花的茎部长 4 ~ 11 cm；苞叶下部者似叶，长 8 mm，上部长 2 ~ 4.5 mm，椭圆形至长椭圆形，沿脉疏被小毛；花梗长 1 ~ 2 mm，被微柔毛，中部有一对长约 0.5 mm、具纤毛的针状小苞片；花萼开花时长约 2 mm，外面沿脉被微柔毛，边缘具短缘毛，盾片高约 1 mm，果时花萼长 4.5 mm，盾片高 2 mm；花冠紫蓝色，长 9 ~ 13 mm，外被短柔毛，内在喉部被疏柔毛，花冠筒基部囊大，宽 1.5 mm，向上渐宽，至喉部宽达 3.5 mm，冠檐二唇形，

上唇盔状，半圆形，长 1.5 mm，先端圆，下唇中裂片梯形，全缘，长 2.5 mm，宽 4 mm，两侧裂片三角状卵圆形，宽 1.5 mm，先端急尖；雄蕊 4，前对较长，微露出，后对较短，内藏，具全药，药室裂口具髯毛；花丝扁平，前对内侧、后对两侧下部被小疏柔毛；花柱细长，先端锐尖，微裂，子房 4 裂，等大；花盘盘状，前方隆起，后方延伸成短子房柄。小坚果褐色，扁球形，约 1 mm，具小疣状突起。花果期 4 ～ 7 月。

| 野生资源 | 生于海拔 2 000 m 以下的水田边、溪边或湿润草地上。分布于湖北武汉（武昌）、襄阳（南漳）、荆门（京山）、荆州、咸宁及神农架等。

| 栽培资源 | 一、栽培条件
本种喜温暖湿润气候，以选疏松肥沃、排水良好的壤土或砂壤土栽培为宜。本种用种子繁殖或分株繁殖，以种子繁殖为主。种子繁殖多采用直播，北方春季 3 ～ 4 月播种，南方以 10 月上旬播种为好。条播按行距 25 cm 开条沟，沟内先浇透水，将种子与草木灰拌成种子灰均匀播入，薄覆细土 0.7 ～ 1 cm；穴播者按行株距 25 cm×25 cm 开穴，播种。播种量每公顷需种子 4.5 ～ 6.0 kg。分株繁殖在春、秋季进行。播种时先将老株挖起，选健壮无病者分成 3 ～ 4 根茎为一株丛，穴栽于整好的畦上，行株距为 25 cm×25 cm。
二、栽培区域
湖北武汉、宜昌（秭归、当阳、枝江）、孝感（大悟）、黄冈（罗田）、随州（广水）及潜江等有规模化栽培。

| 采收加工 | 夏、秋季茎叶茂盛时采挖，洗净，晒干。

| 药材性状 | 本品长 15 ～ 35 cm，根纤细。茎丛生，方柱形，暗紫色或棕绿色。叶对生；叶片三角状卵形或披针形，1.5 ～ 3 cm，宽 0.5 ～ 1 cm，多皱缩，上面暗绿色，下面灰绿色。花单生于茎枝上部叶腋，花冠二唇形，棕黄色或浅蓝紫色，被毛。果实扁圆球形，浅棕色。气微，味微苦。以色绿、味苦者为佳。

| 功能主治 | 辛、苦，寒。归肺、肝、肾经。清热解毒，化瘀利尿。用于疔疮肿毒，咽喉肿痛，跌扑伤痛，水肿，黄疸，蛇虫咬伤。

| 用法用量 | 内服煎汤，15 ～ 30 g。

│附 注│ 一、市场信息

半枝莲的市场供需和价格（约 12 元 /kg）较为平稳。

二、传统医药知识

据《江苏省植物药材志》记载，民间用本种全草代替益母草煎汤服可以治疗妇女病，因天热生痱子可用本种全草泡水洗。此外，本种亦用于各种炎症（如肝炎、阑尾炎、咽喉炎、尿道炎等），咯血，尿血，胃痛，疮痈肿毒，跌打损伤，蚊虫咬伤，并试用于治疗早期恶性肿瘤。

三、濒危情况、资源利用和可持续发展

半枝莲具有悠久的栽培历史，栽种范围广，有丰富的资源。

薄荷

| 来　　源 | 本品为唇形科植物薄荷 *Mentha haplocalyx* Briq. 的地上部分。

| 原植物形态 | 多年生草本。茎直立，高 30 ~ 60 cm，下部数节具纤细的须根及水平匍匐根茎，锐四棱形，具四槽，茎上部被倒向微柔毛，茎下部仅沿棱上被微柔毛，多分枝。叶片长圆状披针形、披针形、椭圆形或卵状披针形，稀长圆形，长 3 ~ 5 cm，宽 0.8 ~ 3 cm，先端锐尖，基部楔形至近圆形，边缘在基部以上疏生粗大的牙齿状锯齿，侧脉 5 ~ 6 对，与中肋在上面微凹陷，在下面显著，上面绿色，沿脉上密生，余部疏生微柔毛，或除脉外余部近无毛，上面淡绿色，通常沿脉上密生微柔毛；叶柄长 2 ~ 10 mm，腹凹背凸，被微柔毛。轮伞花序腋生，球形，开花时直径约 18 mm，具梗或无梗，具梗时梗可长达 3 mm，被微柔毛；花梗纤细，长 2.5 mm，被微柔毛或近无毛；花萼管状钟形，长约 2.5 mm，外被微柔毛及腺点，内面无毛，脉 10，不明显，萼齿 5，狭三角状钻形，先端长锐尖，长 1 mm；花

冠淡紫色，长 4 mm，外面略被微柔毛，内面在喉部以下被微柔毛，冠檐 4 裂，上裂片先端 2 裂，较大，其余 3 裂片近等大，长圆形，先端钝；雄蕊 4，前对较长，长约 5 mm，均伸出于花冠之外，花丝丝状，无毛，花药卵圆形，2 室，室平行；花柱略超出雄蕊，先端近相等 2 浅裂，裂片钻形；花盘平顶。小坚果卵珠形，黄褐色，具小腺窝。花期 7～9 月，果期 10 月。

| **野生资源** | 生于水旁潮湿地。分布于湖北武汉、宜昌（兴山、长阳、五峰）等。

| 栽培资源 | 一、栽培条件

本种对环境的适应性较强，海拔 2 100 m 以下地区均可生长，而在低海拔处栽培时，其精油和薄荷脑含量较高。本种喜温暖、湿润气候。根茎在 5 ~ 6 ℃可萌发出苗，植株适宜生长温度为 20 ~ 30 ℃，根茎具有较强的耐寒力，如土壤保持一定湿度，冬季在 -30 ~ -20 ℃的地区仍可越冬。本种喜阳光，不宜在背阴处栽培，对土壤要求不严，但以疏松、肥沃、湿润的夹砂土或油砂土栽培为宜；土壤 pH 5.5 ~ 6.5 为宜，微碱性的土壤也能栽培。

二、栽培区域

湖北各地均有栽培。

| 采收加工 | 夏、秋季茎叶茂盛或花开至 3 轮时，选晴天，分次采割，晒干或阴干。

| 药材性状 | 本品茎呈方柱形，有对生分枝，长 15 ~ 40 cm，直径 0.2 ~ 0.4 cm；表面紫棕色或淡绿色，棱角处具茸毛，节间长 2 ~ 5 cm；质脆，断面白色，髓部中空。叶对生，有短柄；叶片皱缩卷曲，完整者展平后呈宽披针形、长椭圆形或卵形；上表面深绿色，下表面灰绿色，稀被茸毛，有凹点状腺鳞。轮伞花序腋生，花萼钟状，先端 5 齿裂，花冠淡紫色。揉搓后有特殊清凉香气，味辛、凉。以叶多、色深绿、气味浓者为佳。

| **功能主治** | 辛，凉。归肺、肝经。疏散风热，清利头目，利咽，透疹，疏肝行气。用于风热感冒，风温初起，头痛，目赤，喉痹，口疮，风疹，麻疹，胸胁胀闷。 |

| **用法用量** | 内服煎汤，3 ~ 6 g，后下。 |

| **附　注** | 一、市场信息 |

薄荷的市场供需和价格（约 10 元/kg）较为平稳。

二、濒危情况、资源利用和可持续发展

薄荷种植历史悠久，适应性强，分布范围广，我国多数地区均适宜其生长，因此资源丰富。各地的栽培薄荷品种繁多，有的品种主要产薄荷脑，有的品种主要产薄荷油。新鲜茎叶含油量为 0.8% ~ 1.0%，干品含油量为 1.3% ~ 2.0%，薄荷油主要用于提取薄荷脑，薄荷脑用于糖果、饮料、牙膏、牙粉以及皮肤黏膜局部镇痛剂的医药制品（如仁丹、清凉油、一心油），提取薄荷脑后的油叫薄荷素油，亦大量用于牙膏、牙粉、漱口剂、喷雾、香精及医药制品等。晒干的薄荷茎叶常用作食品的矫味剂和作清凉食品饮料，有祛风、兴奋、发汗等功效。

幼嫩茎尖可作菜食，全草又可入药，用于感冒发热，喉痛，头痛，目赤痛，风疹瘙痒，麻疹不透等，此外对痈、疽、疥、癣、漆疮亦有效。

鳖甲

| 来　　源 | 本品为鳖科动物鳖 *Trionyx sinensis* Wiegmann 的背甲。

| 原动物形态 | 体呈椭圆形或卵圆形，长 25 ~ 40 cm，雄鳖较雌鳖体稍扁平。吻长，肉质吻突如短管状，鼻孔位于吻突前端，吻突长于或等于眼间距，等于或略短于眼径。耳孔不显。两颚有肉质唇及宽厚的唇褶，唇褶分别朝上、下翻褶。上、下颌均无齿，颌缘覆有角质硬鞘；眼小，瞳孔圆形；颈较长，头和颈可自由伸缩于甲腔内。颈背有横行皱褶而无显著瘰粒。背盘卵圆形，后缘圆，其上无角质盾片，被柔软革质皮肤；背盘前缘向后翻褶，光滑而有断痕，呈 1 列扁平疣状。正对颈项中线并列 2 平瘰粒；背盘中央有棱脊，脊侧略凹，呈浅沟状；盘面有小瘰粒组成的纵棱，每侧 7 ~ 10，近中央部位略与体轴平行，近外侧者呈弧形，与盘缘走向一致。骨质背板的软甲部分有大而扁平的棘状疣，疣的末端尖出，游离。腹甲平坦光滑，具 7 块胼胝，分别在上腹板、内腹板、舌腹板与下腹板

联体及剑板上。腹甲后部短小。四肢较扁，每肢具 5 指，内侧 3 指具爪，指、趾间蹼厚而发达，第 5 指、趾外侧缘膜发达，向上伸展至肘、膝部，形成一侧游离的肤褶，其宽可达 10 mm。前臂前缘有 4 横向扩大的扁长条角质肤褶，宽 10 ~ 22 mm，排列略呈"品"字形。胫跗后缘亦有一横向扩大的角质肤褶。体背青灰色、黄橄榄色或橄榄色。腹乳白色或灰白色，有灰黑色排列规则的斑块。幼体裙边有黑色、具浅色镶边的圆斑，腹部有对称的淡灰色斑点。颚与头侧有青白间杂的虫样饰纹。幼体背部隆起较高，脊棱明显。雌鳖尾较短，不能自然伸出裙边，体形较厚。雄鳖尾长，尾基粗，能自然伸出裙边，体形较薄。

| **野生资源** | 多生活于江河、湖泊、池塘、水库等水流平缓、鱼虾繁生的淡水水域，也常出没于大山溪流中。

| **养殖资源** | 一、养殖条件
近年来，鳖的养殖技术日趋成熟，其养殖逐渐规模化和规范化，只要水源充足、水质纯净的地方均可养殖。

二、养殖区域
湖北江陵、监利、京山、嘉鱼、黄梅等有养殖。

三、养殖要点
本种喜欢栖息在环境安静、水质活爽、水体稳定、光照充足、饲料丰富、无污染的水域环境中。一般养殖水体的盐度不超过 0.1%，pH 7 ~ 8。鳖是变温动物，对环境温度较为敏感，适宜生长的水温范围为 25 ~ 35 ℃，当温度在 15 ℃以下时活动和摄食明显减少，温度下降到 10 ℃以下时，完全停止活动并进入冬眠状态。一般 11 月中下旬开始冬眠，直到翌年 4 月上旬。春季气温逐渐变暖，水温升至 15 ℃以上时，逐渐从冬眠中苏醒并开始摄食。水温超过 35 ℃，摄食能力也会减弱，有伏暑现象，会主动进入深水或寻洞"避暑"。38 ℃以上完全停止生长，进入夏眠。鳖性胆怯，喜安静，在安静、清洁、光照充足的水面及岸边活动较频繁；喜晒太阳或乘凉风，常爬到岸上晒背，在晴暖的天气下，一般每日晒背 2 ~ 3 h。晒背是鳖的一种十分重要的生理现象，其主要作用有利于提高体温，促进血液循环和新陈代谢；通过阳光中的紫外线杀死寄生虫和细菌；合成维生素，促进背甲皮质增厚变硬，增强对外来侵袭的抵御能力，并有利于生长。经常晒背的鳖裙边较厚，所以在人工养殖时通常要搭建晒棚。鳖属杂食性动物，在野生条件下，鳖大多数喜食低脂肪、高蛋白活性食物，主要包括螺、蚌、虾、鱼、蟹、蚯蚓及一些鲜嫩的水草、蔬菜、水生昆虫和底栖动物。在人工养殖条件下，常喂食动物内脏（如猪肺、猪肝、牛肝）、猪血、禽肉、蚕蛹、谷类，有时亦投喂配合饲料。当饲料不足时，鳖会相互争抢、残杀。

四、养殖面积与产量

湖北鳖甲年产量约为 250 t，占全国的 50% 以上，年产值高达 3 500 万元，畅销全国并出口。

| **采收加工** | 全年均可捕捉，以秋、冬季为多，捕捉后杀死，置沸水中烫至背甲上的硬皮能剥落时，取出，剥取背甲，除去残肉，晒干。

| **药材性状** | 本品呈椭圆形或卵圆形，背面隆起，长 10 ~ 15 cm，宽 9 ~ 14 cm。外表面黑褐色或墨绿色，略有光泽，具细网状皱纹及灰黄色或灰白色斑点，中间有一条纵棱、两侧各有左右对称的横凹纹 8，外皮脱落后，可见锯齿状嵌接缝。内表面类白色，中部有突起的脊椎骨，颈骨向内卷曲，两侧各有肋骨 8，伸出边缘。质坚硬。气微腥，味淡。以块大、无残肉、无腥臭味者为佳。

| **功能主治** | 咸，微寒。滋阴潜阳，退热除蒸，软坚散结，清热解毒，散瘀止血。用于热毒病疮，痈肿疔痛，痈疽疮疡，风湿痹痛，跌打损伤等。

| **用法用量** | 内服煎汤，10 ~ 30 g，先煎，熬膏；或入丸、散剂。外用适量，烧存性，研末撒或调敷。

| **附　注** | 一、物种鉴别

（1）缘板鳖 Lissemys punctata scutata (Schoepff)：本品倒卵圆形，明显上宽下窄，呈猴脸状；表面密布颗粒状的点状突起。第 1 后缘板明显小于第 2 后缘板；腹面肋骨不伸出肋板之外（幼体肋骨亦伸出肋板之外）。

（2）印度缘板鳖 Lissemys punctata punctata (Schoepff)：本品长倒卵形，外表面棕绿色，具黄色圆斑，密布颗粒状的点状突起；内表面灰白色，颈骨略呈宽翼状，完整者可见前缘板和后缘板，第 1 后缘板明显大于第 2 后缘板。

（3）山瑞鳖 Trionyx steindacheneri Siebenrock：本品呈椭圆形，形体与鳖相似而较大，全体含黑色素，长 7 ~ 36 cm，宽 6 ~ 21 cm。脊背中部有 1 条纵向浅凹沟，颈板拱形突起，第 1 对肋板间具 1 锥板。背甲主含骨胶原、肽类、多种氨基酸及大量钙、磷等。广东、广西、贵州、云南等省区有混作鳖甲用的现象。

二、市场信息

我国野生鳖分布范围较广，数量分散，目前已在各地开展大规模养殖。我国鳖每年产量为 4 万余 t，鳖甲药材及饮片年销量约为 50 万 kg，仅鳖甲药材年产值即可达 1 亿元以上。湖北鳖甲年产量约占全国鳖甲产量的 50% 以上，鳖的养殖面积达 10 万亩以上，其中荆门京山和武汉江夏是湖北省内两大特种鳖养殖产业区。湖北京山市永兴镇中华鳖养殖协会采用鳖、虾、鱼、稻共生生态养殖模式，发展 1 000 余家农户从事中华鳖养殖，养殖面积达 1 万亩以上，其成品鳖裙边宽厚，爪子尖利，形大而薄，体色发亮，先后打造出"永兴"牌、"老柳河"牌及"荆京甲"牌中华鳖等品牌，年产值达 5 000 余万元，使其成为促进该市农民增收的一个支柱产业。永兴镇因此也以其大规模、高效益的中华鳖养殖名扬全国，一举成为"中华鳖第一镇"。

三、濒危情况、资源利用和可持续发展

鳖甲的资源也面临一定的濒危情况。由于过度捕捞和生境破坏等因素的影响，鳖甲的野生资源数量逐渐减少。为了保护鳖的生态环境和资源，相关部门已经采取了一系列的保护措施，包括限制采集数量、禁止捕捞和加强养殖管理等。

苍术

| 来　　源 | 本品为菊科植物茅苍术 *Atractylodes lancea* (Thunb.) DC. 的根茎。

| 原植物形态 | 多年生草本。根茎粗长或呈疙瘩状。茎直立，长 30 ~ 100 cm，不分枝或上部分枝。中下部茎生叶不分裂或 3 ~ 5（~ 9）羽状深裂或半裂，基部楔形，几无柄，扩大半抱茎；中部以上茎生叶不分裂，倒长卵形、倒卵状长椭圆形或长椭圆形；全部叶质硬，纸质，两面绿色，无毛，边缘或裂片边缘有针刺状缘毛、三角形刺齿或重刺齿。头状花序多数或少数（2 ~ 5），单生于茎枝先端；总苞钟状，苞叶针刺状羽状全裂或深裂，总苞片 5 ~ 7 层，覆瓦状排列，先端钝或呈圆形，边缘有稀疏蛛丝状毛，最内层苞片上部有时变红紫色；小花白色。瘦果倒卵圆状，被稠密、顺向贴伏的白色长直毛，冠毛褐色或污白色，羽毛状，基部连合成环。

| **野生资源** | 生于山坡草地、林下、灌丛及岩石缝隙中。分布于湖北黄冈、孝感、随州、十堰及大别山区、武陵山区等。

| **栽培资源** | 一、栽培条件

本种在湖北适宜的种植区主要为大别山区、大洪山区、武陵山区等地，以排水良好、地下水位低、结构疏松、富含腐殖质的砂壤土种植为宜。

二、栽培区域

湖北英山、罗田、蕲春、红安、房县、保康、大悟、京山、随县、神农架等有栽培。

三、栽培面积与产量

依据第四次全国中药资源普查的数据，全国苍术的栽培面积为 1 000 hm² 左右，总产量为 900 t 左右。

| **采收加工** | 春、秋季采挖，除去泥沙，晒干，撞去须根。

| **药材性状** | 本品呈不规则连珠状或结节状圆柱形，略弯曲，偶有分枝；长 3 ~ 10 cm，直径 1 ~ 2 cm。表面灰棕色，有皱纹、横曲纹及残留须根，先端具茎痕或残留茎基。质坚实，断面黄白色或灰白色，散有多数橙黄色或棕红色油室，暴露稍久，可析出白色细针状结晶。气香特异，味微甘、辛、苦。以个大、质坚实、无毛须、内有朱砂点、切开后断面起白霜者为佳。

| 功能主治 | 辛、苦，温。归脾、胃、肝经。燥湿健脾，祛风散寒，明目。用于湿阻中焦，脘腹胀满，泄泻，水肿，脚气，痿躄，风湿痹痛，风寒感冒，夜盲症，眼目昏涩。

| 用法用量 | 内服煎汤，3 ~ 9 g。

| 附　注 | 一、道地沿革

苍术用药历史悠久，南北朝时期以前的本草文献未分"苍术"和"白术"，均称为"术"。《神农本草经》将术列为上品，记载了术的性味、主治及别名："味苦，温。主风寒湿痹，死肌，痉，疸，止汗，除热，消食。作煎饵，久服轻身，延年，不肌。一名山蓟，生郑山山谷。"南北朝时期《名医别录》记载了术的性味、主治、别名、产地及采收加工。南北朝时期《本草经集注》将术分为赤术和白术，并对"术"的产地、采收期、形态、功效、品质等均有注解："郑山，即南郑也。今处处有。以蒋山、白山、茅山者为胜……术乃有两种：白术叶大有毛而作桠，根甜而少膏，可作丸散用；赤术叶细无桠，根小苦而多膏，可作煎用。"此时认为蒋山（今江苏南京钟山）、白山（今南京市东部，一说为今陕西眉县和太白县交界处的太白山）、茅山（今江苏句容茅山风景区）所产品质最好。唐代本草学著作，如《新修本草》，多总结汇集了前人成果，在产地和品质上并未出现新的记载。宋代《本草图经》记载："术，生郑山山谷、汉中、南郑，今处处有之，以嵩山、茅山者为佳。"与前人相比，此时术的产地增加了嵩山，嵩山即为现今河南西部登封的嵩山。苏轼在《东坡杂记》中记载："黄州山中苍术甚多。"黄州为今湖北黄冈黄州区。可见在宋代，人们认为术的产地主要是陕西汉中、江苏南京、河南嵩山和湖北黄冈等地区。

民国时期《药物出产辨》记载苍术："产湖北襄阳、郧阳、马山口、紫荆关、京山县、米河等处。俱由汉口运来。"可见，此时汉口已作为苍术药材的重要集散地。目前位于武汉汉口繁华街区之中的硚口区仍保留有药帮巷、药王庙等名称，见证了明末清初汉口药帮的辉煌历史。《药材资料汇编》总结了上海老药工的实践经验，其中记载："汉苍术产于湖北钟祥、京山、咸宁、通山及江西武宁、修水等地，集散于汉口，故名汉苍术。"由此可见，民国以后"汉苍术"之名已作为苍术药材交易的重要名片。

从上述本草著作记述可以看出，苍术分布区域较广，最早记载的产地为陕西汉中地区，逐步扩展到江苏南京、河南嵩山、湖北黄冈，民国以后因汉口苍术药材集散地而得名"汉苍术"。

20 世纪 70—80 年代，茅苍术野生资源因受到掠夺性采挖而枯竭，导致其数量锐减，至今已无法提供足够的商品药材货源。近 20 年来，地处湖北东部大别山地区的英山、罗田等地展开人工规模化种植茅苍术，加上当地丰富的野生资源，已成为目前市场上茅苍术的主要产区。罗田产的"罗田苍术"和英山产的"英山苍术"已获国家地理标志产品保护。

二、物种鉴别

北苍术植物形态与茅苍术的相比，其叶片较宽，狭卵形至卵形，茎上部叶常不裂或 3 ~ 5 羽状浅裂，中下部叶常羽状 5 深裂，头状花序稍宽。北苍术药材呈疙瘩块状或结节状圆柱形，长 4 ~ 9 cm，直径 1 ~ 2 cm。表面黑棕色，除去外皮者黄棕色。质较疏松，断面散有黄棕色油室，不起霜。香气较淡，味辛、苦。

三、市场信息

近年来苍术的市场需求量大，供不应求，其价格处于历史高位（茅苍术约 110 元 /kg，北苍术约 150 元 /kg）。

四、濒危情况、资源利用和可持续发展

江苏茅山（江苏句容茅山及其周边地区）是苍术药材的传统道地产区，但由于 20 世纪 70—80 年代当地野生资源遭到掠夺性采挖而枯竭，至今尚未恢复。尽管当地鼓励人工种植苍术，但受限于经济社会发展现状、种源、种植技术等因素，一直无法形成规模化种植，因此几乎无法提供药材商品。市场上销售的苍术药材绝大部分为北苍术的野生品，但由于近年来北苍术野生资源近乎枯竭，形势十分严峻，如不及时采取必要措施，可能重蹈茅苍术覆辙。

为保护苍术野生资源和保证苍术药材产业的可持续发展，进行苍术的人工种植已经势在必行。目前人工种植的北苍术药材已经进入市场。茅苍术药材几乎全部为人工栽培品，且绝大部分出口，因此在市场上较为少见。

柴胡

| 来　　源 | 本品为伞形科植物北柴胡 *Bupleurum chinense* DC. 或狭叶柴胡 *Bupleurum scorzonerifolium* Willd. 的根。

| 原植物形态 | **北柴胡**：多年生草本，高 50 ~ 85 cm。主根较粗大，棕褐色，质坚硬。茎单一或数个，表面有细纵槽纹，实心，上部多回分枝，微作"之"字形曲折。基生叶倒披针形或狭椭圆形，先端渐尖，基部收缩成柄，早枯落；茎中部叶倒披针形或广线状披针形，先端渐尖或急尖，有短芒尖头，基部收缩成叶鞘抱茎，脉 7 ~ 9，叶表面鲜绿色，背面淡绿色，常有白霜；茎顶部叶同形，但更小。复伞形花序较多，呈疏松圆锥状；伞幅 3 ~ 8，纤细，不等长；小总苞片 5，披针形，3 脉，向叶背凸出；小伞有花 5 ~ 10；花瓣鲜黄色，上部向内折，中肋隆起，小舌片矩圆形，先端 2 浅裂；花柱基深黄色，宽于子房。双悬果广椭圆形，棕色，两侧略扁，棱狭翼状，淡棕色，每棱槽油管常 3，合生面 4。

狭叶柴胡：与北柴胡的主要区别在于主根外皮红褐色，质疏松而脆。茎基部密覆黑棕色叶柄残余纤维。叶细线形，先端长渐尖，基部稍变窄抱茎，质厚，稍硬挺，常对折或内卷，叶缘白色，骨质。伞形花序自叶腋间抽出；子房主棱明显，表面常有白霜。双悬果深褐色，棱浅褐色，粗钝凸出，每棱槽中油管 5 ~ 6，合生面 4 ~ 6。

| 野生资源 | **北柴胡**：生于向阳山坡路边、水岸旁或草丛中。分布于湖北房县。
狭叶柴胡：生于海拔 160 ~ 2 250 m 干燥的草原及向阳山坡上或灌木林边缘。分布于湖北十堰、恩施、宜昌及神农架等。

| 栽培资源 | 一、栽培条件
本种在湖北适宜的种植区主要为房县。宜选干燥山坡、土层深厚、疏松肥沃、富含腐殖质的砂壤土栽培。以排水良好、地下水位低、结构疏松、富含腐殖质的砂壤土种植为宜。
二、栽培区域
北柴胡在湖北房县有栽培。狭叶柴胡在湖北未见大面积栽培。
三、栽培面积与产量
依据第四次全国中药资源普查的数据，全国柴胡的栽培面积为 800 hm² 左右，总产量为 1 500 t 左右。

| 采收加工 | 春、秋季均可采挖，抖净泥土，晒干。

| 药材性状 | **北柴胡**：本品呈圆柱形或长圆锥形，长 6 ~ 15 cm，直径 0.3 ~ 0.8 cm。根头膨大，先端残留 3 ~ 15 茎基或短纤维状叶基，下部分枝。表面黑褐色或浅棕色，具纵皱纹、支根痕及皮孔。质硬而韧，不易折断。断面显纤维性，皮部浅棕色，木部黄白色。气微香，味微苦。
狭叶柴胡：本品较细，圆锥形，先端有多数细毛状枯叶纤维，下部多不分枝或稍分枝。表面红棕色或黑棕色，靠近根头处多具细密环纹。质稍软，易折断，断面略平坦，不显纤维性。具败油气。以根粗长、无茎苗、须根少者为佳。

| 功能主治 | 疏散退热，疏肝解郁，升举阳气。用于感冒发热，寒热往来，胸胁胀痛，月经不调，子宫脱垂，脱肛。

| 用法用量 | 内服煎汤，3 ~ 10 g。

| **附 注** | 一、道地沿革

柴胡以"茈胡"之名首载于秦汉时期《神农本草经》。汉代至南北朝时期柴胡的基原难以明确，常以伞形科柴胡属或前胡属植物混杂入药。宋代正品基原为狭叶柴胡及其近缘种银州柴胡，且明确柴胡的道地产区为银州。明代及清代北柴胡逐渐成为主流，并且石竹科银柴胡与伞形科柴胡属植物的区分也逐渐明确。历代记载柴胡的主要产区为陕西、河南，道地产区为陕西榆林，后柴胡产区逐渐扩大至华东、华北、江南一带。湖北房县北柴胡规范化种植基地已于 2012 年通过国家中药材 GAP 认证（2016 年 GAP 认证已取消），"房县北柴胡"已于 2015 年成为国家地理标志保护产品。

二、物种鉴别

同属植物大叶柴胡 *Bupleurum longiradiatum* Turcz. 的根茎有毒，不能药用。本种植株较高大（80 ~ 150 cm），叶较大而稀疏，呈鲜绿色。大叶柴胡根的干品表面为棕黄色，有密集的环节，香气特异；而柴胡药材表面灰黑色或灰棕色，无环节，气微香。可以以此区分二者。

三、市场信息

柴胡属于大宗药材，市场需求量大，近年来价格保持坚挺，处于历史高位（约 100 元/kg）。

四、濒危情况、资源利用和可持续发展

国内外对柴胡药材需求量的不断增长，对野生资源的采挖已超出可持续的限度，使得野生资源储量不断下降。因此，应加强野生资源保护，加快人工栽培柴胡的发展，扩大生产规模，以保证市场需要。目前柴胡栽培品已经成为商品柴胡的主要来源，甘肃、山西、陕西和河北柴胡栽培面积最大。

车前子

| 来　源 | 本品为车前科植物车前 *Plantago asiatica* L. 的成熟种子。

| 原植物形态 | 二年生或多年生草本。须根多数；根茎短，稍粗。叶基生，呈莲座状，平卧、斜展或直立；叶片薄纸质或纸质，宽卵形至宽椭圆形，长 4 ~ 12 cm，宽 2.5 ~ 6.5 cm，先端钝圆至急尖，边缘波状、全缘或中部以下有锯齿、牙齿或裂齿，基部宽楔形或近圆形，多少下延，两面疏生短柔毛；5 ~ 7 脉；叶柄长 2 ~ 15 cm，基部扩大成鞘，疏生短柔毛。花序 3 ~ 10，直立或弓曲上升；花序梗长 5 ~ 30 cm，有纵条纹，疏生白色短柔毛；穗状花序细圆柱状，长 3 ~ 40 cm，紧密或稀疏，下部常间断；苞片狭卵状三角形或三角状披针形，长 2 ~ 3 mm，长过于宽，龙骨突宽厚，无毛或先端疏生短毛。花具短梗；花萼长 2 ~ 3 mm，萼片先端钝圆或钝尖，龙骨突不延至先端，前对萼片椭圆形，龙骨突较宽，两侧片稍不对称，后对萼片宽倒卵状椭圆形或宽倒卵形；花冠白色，无毛，花冠筒与

萼片约等长，裂片狭三角形，长约 1.5 mm，先端渐尖或急尖，具明显的中脉，于花后反折；雄蕊着生于花冠筒内面近基部，与花柱明显外伸，花药卵状椭圆形，长 1 ~ 1.2 mm，先端具宽三角形突起，白色，干后变淡褐色；胚珠 7 ~ 15。蒴果纺锤状卵形、卵球形或圆锥状卵形，长 3 ~ 4.5 mm，于基部上方周裂。种子 5 ~ 6，卵状椭圆形或椭圆形，长 1.5 ~ 2 mm，具角，黑褐色至黑色，背腹面微隆起；子叶背腹向排列。花期 4 ~ 8 月，果期 6 ~ 9 月。

| **野生资源** | 生于草地、沟边、河岸湿地、田边、路旁或村边空旷处。湖北各地均有分布。

| **栽培资源** | 一、栽培条件
本种喜温暖、潮润、向阳的壤质土壤环境，生长最高气温不超过 32 ℃。
二、栽培区域
湖北襄阳、随州、黄冈、咸宁等有规模化栽培。

| **采收加工** | 夏、秋季种子成熟时采收果穗，晒干，搓出种子，除去杂质。

| **药材性状** | 本品呈椭圆形、不规则长圆形或三角状长圆形，略扁，长约 2 mm，宽约 1 mm。表面黄棕色至黑褐色，有细皱纹，一面有灰白色凹点状种脐。质硬。气微，味淡。以粒大饱满、色黑者为佳。

| **功能主治** | 甘，寒。归肝、肾、肺、小肠经。清热，利尿通淋，渗湿止泻，明目，祛痰。用于热淋涩痛，水肿胀满，暑湿泄泻，目赤肿痛，痰热咳嗽。

| **用法用量** | 内服煎汤，9 ~ 15 g，包煎。

| **附　　注** | 一、市场信息
车前子的市场供需和价格有所下滑，现产地车前子净货价格约 45 元 /kg。
二、濒危情况、资源利用和可持续发展
车前种植历史悠久，适应性强，分布范围广，我国多数地区均有分布，资源丰富。
车前子中能提取出一种高级宇航润滑油和植物胶，国外把车前子浸取液作为泻药、避孕药载体及工业原料。此外，从车前子中提取的黏液质还可用于食品添加剂、减肥保健、工业染料稳定剂及工艺装饰材料等。

陈皮

| 来　　源 | 本品为芸香科植物橘 *Citrus reticulata* Blanco 及其栽培变种的成熟果皮。

| 原植物形态 | 常绿小乔木。分枝多，枝扩展或略下垂，刺较少。单身复叶，革质，叶柄细长，叶翅不明显2，叶片有半透明油点，具香气。花单生或簇生于叶腋，白色或淡红色，芳香；花萼5裂，裂片三角形；花瓣5，长椭圆形，向外反卷；雄蕊18 ~ 24，长短不一，花丝常3 ~ 5连合；雌蕊1，子房9 ~ 15室。柑果扁圆形至近圆形，幼时绿色，成熟时红色、朱红色、黄色或橙黄色，果皮薄而疏松易剥，囊瓣易分离，囊壁薄或略厚，柔嫩或颇韧，汁胞通常纺锤形，短而膨大，稀细长，果肉酸，或甜，或有苦味，或另有特异气味；种子多数或少数，稀无籽，通常卵形，顶部狭尖，基部浑圆，子叶深绿色、淡绿色或间有近乳白色，合点紫色，多胚，少有单胚。花期3 ~ 4月，果实10 ~ 12月成熟。

| 栽培资源 | 一、栽培条件

本种适合生长在低海拔地区的缓坡及丘陵。以选向阳肥沃的微酸性或中性的砂质土壤或黏壤土、光照充足、降水量丰富的地块栽培为宜。本种喜温暖、湿润气候，怕霜冻。可通过种子繁殖和嫁接繁殖。

二、栽培区域

湖北各地均有栽培，主要栽培于湖北西部及宜昌等。

三、栽培面积与产量

依据第四次全国中药资源普查的数据，全国陈皮的栽培面积为 53 hm²，总产量为 1 600 t。

| 采收加工 | 10 ～ 12 月果实成熟时采摘果实，剥取果皮，晒干或低温干燥。

| **药材性状** | **陈皮：** 本品常剥成数瓣，基部相连，有的呈不规则的片状，厚 1 ~ 4 mm。外表面橙红色或红棕色，有细皱纹和凹下的点状油室；内表面浅黄白色，粗糙，附黄白色或黄棕色筋络状维管束。质稍硬而脆。气香，味辛、苦。
广陈皮： 本品常 3 瓣相连，形状整齐，厚度均匀，约 1 mm。外表面橙黄色至棕褐色，点状油室较大，对光照视，透明清晰。质较柔软。二者均以片大、完整、油润、香气浓者为佳。

| **功能主治** | 苦、辛，温。归肺、脾经。理气健脾，燥湿化痰。用于脘腹胀满，食少吐泻，咳嗽痰多。

| **用法用量** | 内服煎汤，3 ~ 10 g。

| **附　注** | 一、市场信息
陈皮的市场供需和价格（4.50 元 /kg）较为平稳。
二、濒危情况、资源利用和可持续发展
陈皮应用历史悠久，在我国多个地区均有栽培。陈皮为橘、福橘、朱橘、柑等的果皮。多产于四川、浙江、福建、江西、湖南等。多自产自销。广陈皮为茶枝柑、四会柑等的果皮，是广东的道地药材，品质佳，是陈皮药材的主流品种之一。主产于广东新会、四会等。品质佳，并供出口。其中，新会陈皮是广东新会特产，也是中国国家地理标志产品。
陈皮的贮藏时间越久越好，存期不足三年的称为果皮或柑皮，存期足三年或三年以上的才称为陈皮。
陈皮以广东所产为佳，历史贸易中特称"广陈皮"，以别于其他地区所产的陈皮。清代大医师叶天士所开的药方"二陈汤"，特别写明"新会皮"。因不是新会所产的其药效远逊，且乏香味而痹口（即苦辣味），所以新会陈皮价格较高。
新会陈皮散发芳香扑鼻的味道，是其独有品质。由于新会陈皮具有很高的药用价值，又是传统的香料和调味佳品，因此向来享有盛誉。早在宋代，新会陈皮就已成为南北贸易的"广货"之一，现在行销全国以及东南亚、美洲等地区。

重楼

| 来　　源 | 本品为百合科植物云南重楼 *Paris polyphylla* Smith var. *yunnanensis* (Franch.) Hand.-Mazz. 或七叶一枝花 *Paris polyphylla* Smith var. *chinensis* (Franch.) Hara 的根茎。

| 原植物形态 | **云南重楼**：多年生草本。根茎横走，粗壮，逐年生节。茎直立，单一，高 50 ~ 100 cm。叶 5 ~ 9（多为 7）轮生于茎顶，叶片倒卵形，长 5 ~ 15 cm，宽 4 ~ 8 cm，先端尖，基部楔形，全缘，上面绿色，下面粉绿色；叶柄长 1 ~ 2 cm，常染紫红色。花单生于茎顶，花梗长 5 ~ 15 cm；萼片 5 ~ 9，叶状，绿色，无柄；花瓣线形，长于萼柄，与萼同数，宽 2 ~ 4 mm，黄绿色。浆果状蒴果近球形，成熟后暗紫色，室背开裂；种子多数。花期 4 ~ 5 月，果期 9 ~ 10 月。
七叶一枝花：与云南重楼不同的是本品茎较矮，高 4 ~ 21 cm；根茎粗短；

叶常 7，叶狭卵形，边缘不整齐或呈锯齿状。萼片披针形或狭卵状披针形，花
瓣狭丝形，浅绿色，上部紫色，比花短。蒴果不规则球形，果实成熟时仍为绿色。
种子 2 ~ 4，外种皮橙红色。花期 3 ~ 4 月，果期 9 月。

| 栽培资源 |　一、栽培条件
本种有"宜阴畏晒，喜湿忌燥"的习性，喜湿润、背阴的环境。在灌溉方便、
地势平坦、疏松肥沃、有机质含量较高、含腐殖质多的砂壤土中生长良好。

二、栽培区域

湖北恩施、宜昌、十堰、黄冈及神农架有栽培。其中，神农架是七叶一枝花的重要道地产区。

三、栽培面积与产量

目前，湖北神农架及周边地区、黄冈的大部分县区均有栽培。神农架及周边地区是七叶一枝花的道地产区。七叶一枝花是神农架四大名药之首，2023 年神农架中药材种植面积约为 4 667 hm²，主要品种包括天麻、重楼等。近年来，湖北多地开展人工种植重楼，但面积均不大，产量有限。

| 采收加工 |　全年均可采挖，但以秋季采挖为好，晒干或切片晒干。

| 药材性状 |　本品呈结节状扁圆柱形，略弯曲，长 5 ~ 12 cm，直径 1 ~ 4.5 cm。表面黄棕色或灰棕色，外皮脱落处呈白色；密具层状突起的粗环纹，一面结节明显，结节上具椭圆形凹陷茎痕，另一面有疏生的须根或疣状须根痕。先端具鳞叶和茎的残基。质坚实，断面平坦，白色至浅棕色，粉性或角质。气微，味微苦、麻。

| 功能主治 |　清热解毒，消肿止痛，凉肝定惊。用于疔疮痈肿，咽喉肿痛，蛇虫咬伤，跌扑伤痛，惊风抽搐。

| 用法用量 |　内服煎汤，3 ~ 9 g。

| 附　　注 |　一、道地沿革

重楼原名蚤休，在秦汉时期的《神农本草经》中被列为下品。《滇南本草》首次以"重楼"作为正式药名记载。《本草纲目》记载："重楼金线处处有之。生于深山阴湿之地。"《常用中药材品种整理和质量研究》记载："滇重楼（云南重楼）主要分布在云南、四川、贵州，缅甸也有分布；七叶一枝花主要分布于江苏、浙江、安徽、江西、福建、台湾、湖北、广东、湖南、广西、四川、贵州、云南，越南北部也有分布。"《中药大辞典》记载："七叶一枝花主产于四川盆地以及长江以南广大区域，以四川、云南、贵州、广西、江西、湖北、湖南等地为主。"可见，湖北是重楼（七叶一枝花）的重要道地产区。

二、市场信息

重楼市场供需及价格（150 ~ 250 元/kg）稳定。

三、濒危情况、资源利用和可持续发展

重楼是一种重要的中药材，具有广泛的药用价值和显著的经济效益。然而，由于过度采挖和生境破坏等原因，重楼的野生种群数量正在急剧减少，处于濒危状态。为了保护重楼资源，实现可持续开发，需要采取以下措施。

（1）加强重楼的资源保护和生态修复。通过建立自然保护区、加强栖息地保护、开展人工繁育和种群恢复等工作，保护重楼的野生种群和生态环境。同时，要加强对重楼分布区的生态修复，包括植被恢复、水文保护和水土保持等工作，改善重楼的生境条件。

（2）推广重楼的种植和栽培技术。为了满足市场需求，需要积极推广重楼的种植和栽培技术，促进重楼的规模化、规范化和产业化发展。同时，要加强对种植户的技术培训和指导，提高重楼的产量和质量。

（3）促进重楼资源的综合利用。除了药用外，重楼还可以用于保健品、化妆品、食品添加剂等领域。因此，需要加强对重楼资源的综合利用，提高其附加值和市场竞争力。

川牛膝

| 来　　源 | 本品为苋科植物牛膝 *Achyranthes bidentata* Bl. 的根。

| 原植物形态 | 多年生草本。高 70 ～ 120 cm。根圆柱形，直径 5 ～ 10 mm，土黄色。茎有棱角或呈四方形，绿色或带紫色，有白色贴生或开展的柔毛，或近无毛，分枝对生。叶片椭圆形或椭圆状披针形，少数倒披针形，长 4.5 ～ 12 cm，宽 2 ～ 7.5 cm，先端尾尖，尖长 5 ～ 10 mm，基部楔形或宽楔形，两面有贴生或开展的柔毛；叶柄长 5 ～ 30 mm，有柔毛。穗状花序顶生及腋生，长 3 ～ 5 cm，花期后反折；总花梗长 1 ～ 2 cm，有白色柔毛；花多数，密生，长 5 mm；苞片宽卵形，长 2 ～ 3 mm，先端长渐尖；小苞片刺状，长 2.5 ～ 3 mm，先端弯曲，基部两侧各有 1 卵形膜质小裂片，长约 1 mm；花被片披针形，长 3 ～ 5 mm，光亮，先端急尖，有 1 中脉；雄蕊长 2 ～ 2.5 mm；退化雄蕊先端平圆，稍有缺刻状细锯齿。胞果矩圆形，长 2 ～ 2.5 mm，黄褐色，光滑；种子矩圆形，长

1 mm，黄褐色。花期 7 ~ 9 月，果期 9 ~ 10 月。

| 野生资源 | 生于海拔 200 ~ 1 750 m 的山坡林下。湖北有分布。

| 栽培资源 | 一、栽培条件
本种喜温暖和干燥的环境，不耐严寒。适宜栽培在排水良好、土层深厚、肥沃的砂壤土中。
二、栽培区域
湖北宜昌、恩施、荆州等有栽培。

| 采收加工 | 冬季茎叶枯萎时采挖，除去须根和泥沙，捆成小把，晒至干皱后，将先端切齐，晒干。

| 药材性状 | 本品呈细长圆柱形，挺直或稍弯曲，长 15 ~ 70 cm。表面灰黄色或淡棕色，有微扭曲的细纵皱纹、排列稀疏的侧根痕和横长皮孔样的突起。质硬脆，易折断，受潮后变软；断面平坦，淡棕色，略呈角质样油润；中心维管束木部较大，黄白色，其外周散有多数黄白色点状维管束，断续排列成 2 ~ 4 轮。气微，味微甜而稍苦涩。

| 功能主治 | 苦、甘、酸，平。归肝、肾经。逐瘀通经，补肝肾，强筋骨，利尿通淋，引血下行。用于闭经，通经，腰膝酸痛，筋骨无力，淋证，水肿，头晕，眩晕，牙痛，

口疮，吐血，衄血。

| **用法用量** | 内服煎汤，6 ~ 15 g。

| **附　　注** | 一、市场信息

牛膝市场供需及价格（约 25 元 /kg）稳定。

二、濒危情况、资源利用和可持续发展

牛膝是我国常用中药材，具有悠久的栽培历史，并且在国内外市场上久享盛名。湖北是牛膝的主要产地之一，宜昌等地区是牛膝的传统种植区域。牛膝用途广泛，其种植的效益也非常可观，并且牛膝种植还可以带动相关产业的发展，如中药材加工、医药制造、保健品开发等。

刺五加

| 来　源 |

本品为五加科植物刺五加 *Acanthopanax senticosus* (Rupr. et Maxim.) Harms 的根及根茎或茎。

| 原植物形态 |

落叶灌木。高 1 ~ 6 m；分枝多，一至二年生的通常密生刺，稀仅节上生刺或无刺；刺直而细长，针状，下向，基部不膨大，脱落后遗留圆形刺痕。叶有小叶 5，稀 3；叶柄常疏生细刺，长 3 ~ 10 cm；小叶片纸质，椭圆状倒卵形或长圆形，长 5 ~ 13 cm，宽 3 ~ 7 cm，先端渐尖，基部阔楔形，上面粗糙，深绿色，脉上有粗毛，下面淡绿色，脉上有短柔毛，边缘有锐利重锯齿，侧脉 6 ~ 7 对，两面明显，网脉不明显；小叶柄长 0.5 ~ 2.5 cm，有棕色短柔毛，有时有细刺。伞形花序单个顶生或 2 ~ 6 组成稀疏的圆锥花序，花序直径 2 ~ 4 cm，有花多数；总花梗长 5 ~ 7 cm，无毛；花梗长 1 ~ 2 cm，无毛或基部略有毛；花紫黄色；萼无毛，边缘近全缘或有不明显的 5 小齿；花瓣 5，卵形，长 2 mm；雄蕊 5，长 1.5 ~ 2 mm；子房 5 室，花柱全部合生成柱状。果实球形或卵球形，有 5 棱，黑色，直径 7 ~ 8 mm，

宿存花柱长 1.5 ～ 1.8 mm。花期 6 ～ 7 月，果期 8 ～ 10 月。

| **野生资源** | 生于海拔 500 ～ 2 000 m 的落叶阔叶林或针阔叶混交林的林下或林缘。零星分布于湖北竹溪、房县、秭归、宣恩、咸丰、神农架等。

| **栽培资源** | 一、栽培条件

本种喜温暖湿润气候，耐寒、耐微背阴。宜选向阳、腐殖质层深厚、土壤微酸性的砂壤土，且海拔在 800 ～ 2 000 m 的山坡林下和灌丛中进行栽培。种子有胚后熟特性，种胚要经过形态后熟和生理后熟之后才能萌发。

二、栽培区域

刺五加在湖北的产区较狭，零星分布于湖北的竹溪、房县、秭归、宣恩、咸丰、神农架等。

| **采收加工** | 春、秋季采收，洗净，干燥。

| **药材性状** | 本品根茎呈结节状不规则圆柱形，直径 1.4 ~ 4.2 cm。根呈圆柱形，多扭曲，长 3.5 ~ 12 cm，直径 0.3 ~ 1.5 cm；表面灰褐色或黑褐色，粗糙，有细纵沟和皱纹，皮较薄，有的剥落，剥落处呈灰黄色。质硬，断面黄白色，纤维性。有特异香气，味微辛、稍苦、涩。

| **功能主治** | 辛、微苦，温。归脾、肾、心经。益气健脾，补肾安神。用于脾肺气虚，体虚乏力，食欲不振，肺肾两虚，久咳虚喘，腰膝酸痛，失眠多梦。

| **用法用量** | 内服煎汤，9 ~ 27 g。

| **附　注** | 一、市场信息
刺五加的市场供需和价格（24 元 /kg）较为平稳。
二、濒危情况、资源利用和可持续发展
刺五加湖北产区较狭，蕴藏量不大，应注意保护现有野生资源。鉴于刺五加的用途和目前在湖北的分布及蕴藏量情况，还有待于进一步调查研究、摸清资源情况，以便合理开发利用。

大黄

| 来　　源 | 本品为蓼科植物药用大黄 *Rheum officinale* Baill. 的根及根茎。

| 原植物形态 | 高大草本。根及根茎粗壮，内部黄色。茎粗壮，中空，具细沟棱，被白色短毛，上部及节部较密。基生叶大型，叶片近圆形，先端近急尖形，基部近心形，掌状浅裂，裂片大齿状三角形，基出脉5～7，叶上面光滑无毛，下面具淡棕色短毛；叶柄粗圆柱状，与叶片等长或稍短于叶片，具棱线，被短毛；茎生叶向上逐渐变小，上部叶腋具花序分枝；托叶鞘宽大，初时抱茎，后开裂，内面光滑无毛，外面密被短毛。大型圆锥花序，分枝开展，花4～10成簇互生，绿色至黄白色；花梗细长，关节在中下部；花被片6，内、外轮花被片近等大，椭圆形或稍窄椭圆形，边缘稍不整齐；雄蕊9，不外露；花盘薄，瓣状；子房卵形或卵圆形，花柱反曲，柱头圆头状。果实长圆状椭圆形，先端圆，中央微下凹，基部浅心形，纵脉靠近翅的边缘；种子宽卵形。

| **野生资源** | 生于海拔 1 200 ～ 3 100 m 的山沟或林下。分布于湖北利川、巴东、建始、兴山、五峰、神农架等。 |

| **栽培资源** | 一、栽培条件
本种在湖北适宜的种植区主要为恩施、宜昌及神农架等地。以排水良好、结构疏松、富含腐殖质的砂壤土种植为宜。 |

二、栽培区域

湖北利川、巴东、建始、鹤峰、兴山、五峰、神农架等有栽培。

三、栽培面积与产量

依据第四次全国中药资源普查的数据，全国药用大黄的栽培面积为 4 000 hm² 左右，总产量为 3 000 t 左右。

| 采收加工 | 茎叶枯萎或翌年春天发芽前采挖，除去细根，刮去外皮，切厚片，晒干或烘干。

| 药材性状 | 本品呈类圆柱形、圆锥形、卵圆形或不规则块状，长 3 ～ 17 cm，直径 3 ～ 10 cm。除尽外皮者表面黄棕色至红棕色，有的可见类白色网状纹理及星点（异型维管束）散在，残留的外皮棕褐色，多具绳孔及粗皱纹。质坚实，有的中心稍松软；断面淡红棕色或黄棕色，显颗粒性；根茎髓部宽广，有星点环列或散在；木部发达，具放射状纹理，形成层环明显，无星点。气清香，味苦而微涩，嚼之黏牙，有沙粒感。以外表黄棕色、锦纹及星点明显、体重、质坚实、有油性、气清香、味苦而微涩、嚼之黏牙者为佳。

| 功能主治 | 苦，寒。归脾、胃、大肠、肝、心包经。泻下攻积，清热泻火，凉血解毒，逐瘀通经，利湿退黄。用于实热积滞便秘，血热吐衄，目赤咽肿，痈肿疔疮，肠痈腹痛，瘀血闭经，产后瘀阻，跌打损伤，湿热痢疾，黄疸尿赤，淋证，水肿；外用于烫火伤。

| 用法用量 | 内服煎汤，3～15 g。

| 附　注 | 一、物种鉴别

大黄的基原植物有药用大黄、掌叶大黄和唐古特大黄。掌叶大黄的植物形态与药用大黄的相比，掌叶大黄的叶片通常成掌状半5裂，每一大裂片又分为近羽状的窄三角形小裂片；托叶鞘大，长达15 cm，内面光滑，外表粗糙。果期果序的分枝直而聚拢。掌叶大黄主产于甘肃、青海、西藏、四川等地。唐古特大黄的植物形态与药用大黄的相比，唐古特大黄的叶片深裂，裂片常呈三角状披针形或狭线形，裂片窄长。花序分枝紧密，向上直立，紧贴于茎。唐古特大黄主产于青海、甘肃、西藏、四川等地区。

二、市场信息

大黄是大宗常用药材，市场需求量一直较大，2023年市场价格约为30元/kg。

大枣

| 来　源 |

本品为鼠李科植物枣 *Ziziphus jujuba* Mill. 的成熟果实。

| 原植物形态 |

落叶小乔木,稀灌木。高 10 余米。树皮褐色或灰褐色;有长枝,短枝和无芽小枝(即新枝)比长枝光滑,紫红色或灰褐色,呈"之"字形曲折,具 2 托叶刺,长刺可达 3 cm,粗直,短刺下弯,长 4 ~ 6 mm;短枝短粗,矩状,自老枝生出;当年生小枝绿色,下垂,单生或 2 ~ 7 簇生于短枝上。叶纸质,卵形、卵状椭圆形或卵状矩圆形,长 3 ~ 7 cm,宽 1.5 ~ 4 cm,先端钝或圆形,稀锐尖,具小尖头,基部稍不对称,近圆形,边缘具圆齿状锯齿,上面深绿色,无毛,下面浅绿色,无毛或仅沿脉多少被疏微毛,基生三出脉;叶柄长 1 ~ 6 mm,或在长枝上的可达 1 cm,无毛或有疏微毛;托叶刺纤细,后期常脱落。花黄绿色,两性,5 基数,无毛,具短总花梗,单生或 2 ~ 8 密集成腋生聚伞花序;花梗长 2 ~ 3 mm;萼片卵状三角形;花瓣倒卵圆形,基部有爪,与雄蕊等长;花盘厚,肉质,圆形,5 裂;子房下部藏于花盘内,与花盘合生,2 室,每室有

1 胚珠，花柱 2 半裂。核果矩圆形或长卵圆形，长 2 ~ 3.5 cm，直径 1.5 ~ 2 cm，成熟时红色，后变红紫色，中果皮肉质，厚，味甜，核先端锐尖，基部锐尖或钝，2 室，具 1 或 2 种子，果柄长 2 ~ 5 mm；种子扁椭圆形，长约 1 cm，宽 8 mm。花期 5 ~ 7 月，果期 8 ~ 9 月。

| **野生资源** | 生于海拔 1 700 m 以下的山区、丘陵或平原。分布于湖北随州、襄阳（枣阳）等。

| 栽培资源 | 一、栽培条件

本种喜干燥冷凉气候，喜光、耐寒、耐旱、耐盐碱，能耐 −31.3 ℃的低温，也能耐 39.3 ℃的高温。向阳干燥的山坡、丘陵、荒地、平原及路旁均可种植，以砂土或砂壤土栽培为宜，低洼水涝地不宜栽培。

二、栽培区域

湖北各地均有栽培，主要分布于随州、襄阳（枣阳）等。

| 采收加工 | 秋季果实成熟时采收，一般随采随晒。选干燥的地块搭架，铺上席箔，将枣分级后分别摊在席箔上晾晒，当枣的含水量下降到 15%以下时可并箔，然后每隔几日揭开通风，当枣的含水量下降到 10%时，即可贮藏。大枣果皮薄，含水分多，采用阴干的方法制干。亦可选适宜品种，加工成黑枣。

| 药材性状 | 本品呈椭圆形或球形，长 2 ~ 3.5 cm。表面暗红色，略带光泽，有不规则皱纹。基部凹陷，有短果柄。外果皮薄，中果皮棕黄色或淡褐色，肉质，柔软，富糖性而油润。果核纺锤形，两端锐尖，质坚硬。气微香，味甜。

| 功能主治 | 甘，温。归脾、胃、心经。补中益气，养血安神。用于脾虚食少，乏力便溏，妇人脏躁。

| 用法用量 | 内服煎汤，6 ~ 15 g。

| 附　注 | 一、物种鉴别

与大枣形态特征相似的植物。

（1）无刺枣 *Ziziphus jujuba* Mill. var. *inemmis* (Bunge) Rehd. 与本种的主要区别在于长枝无皮刺；幼枝无托叶刺；花期 5 ~ 7 月，果期 8 ~ 10 月。

（2）酸枣 *Ziziphus jujuba* Mill. var. *spinosa* (Bunge) Hu ex H. F. Chow. Fam. 与本种的区别在于常为灌木，叶较小，核果小，近球形或短矩圆形，直径 0.7 ~ 1.2 cm，具薄的中果皮，味酸，核两端钝。

（3）龙爪枣（栽培变种）（通用名：蟠龙爪）*Ziziphus jujuba* Mill. cv. Tortuosa 与本种的区别在于小枝常扭曲上伸，无刺；果柄长，核果较小，直径 5 mm。

二、市场信息

大枣的市场供需和价格（5 元 /kg）较为平稳。

三、濒危情况、资源利用和可持续发展

枣的果实味甜，含有丰富的维生素 C、维生素 P，除供鲜食外，常可以制成蜜枣、红枣、熏枣、黑枣、酒枣及牙枣等蜜饯和果脯，还可以作枣泥、枣面、枣酒、枣醋等食品工业原料。枣有养胃、健脾、益血、滋补、强身之效，枣仁和根均可入药，枣仁可以安神，是一种重要的药材。枣树花期较长，芳香多蜜，为良好的蜜源植物。本品主产于河南、山东。此外，河北、山西、四川、贵州等地亦产。以山东产量最大，销全国并出口，其他产地自产自销。

丹参

| 来　　源 | 本品为唇形科植物丹参 *Salvia miltiorrhiza* Bge. 的根及根茎。

| 原植物形态 | 多年生直立草本。根肥厚，肉质，外面朱红色，内面白色，长 5 ~ 15 cm，直径 4 ~ 14 mm，疏生支根。茎直立，高 40 ~ 80 cm，四棱形，具槽，密被长柔毛，多分枝。叶为奇数羽状复叶，叶柄长 1.3 ~ 7.5 cm，密被向下的长柔毛；小叶 3 ~ 5（~ 7），长 1.5 ~ 8 cm，宽 1 ~ 4 cm，卵圆形、椭圆状卵圆形或宽披针形，先端锐尖或渐尖，基部圆形或偏斜，边缘具圆齿，草质，两面被疏柔毛，下面较密，小叶柄长 2 ~ 14 mm，小叶柄与叶轴均密被长柔毛。轮伞花序 6 花或多花，下部者疏离，上部者密集，组成长 4.5 ~ 17 cm、具长梗的顶生或腋生总状花序；苞片披针形，先端渐尖，基部楔形，全缘，上面无毛，下面略被疏柔毛；花梗长 3 ~ 4 mm；花序轴密被长柔毛或具腺长柔毛；花萼钟形，带紫色，长约 1.1 cm，花后稍增大，外面被疏长柔毛，具

缘毛，内面中部密被白色长硬毛，具 11 脉，二唇形，上唇全缘，三角形，长约 4 mm，宽约 8 mm，先端具 3 小尖头，侧脉外缘具狭翅，下唇与上唇近等长，深裂成 2 齿，齿呈三角形，先端渐尖；花冠紫蓝色，长 2 ～ 2.7 cm，外被具腺短柔毛，内面离花冠筒基部 2 ～ 3 mm 处有斜生不完全疏柔毛毛环，花冠筒外伸，比冠檐短，基部宽 2 mm，向上渐宽，至喉部宽达 8 mm，冠檐二唇形，上唇长 12 ～ 15 mm，镰状，向上竖立，先端微缺，下唇短于上唇，

3 裂，中裂片长 5 mm，宽达 10 mm，先端 2 裂，裂片顶端具不整齐的尖齿，侧裂片短，先端圆形，宽约 3 mm；能育雄蕊 2，伸至上唇片，花丝长 3.5 ～ 4 mm，药隔长 17 ～ 20 mm，中部关节处略被小疏柔毛，上臂长 14 ～ 17 mm，下臂短而增粗，药室不育，顶端联合；退化雄蕊线形，长约 4 mm；花柱远外伸，长达 40 mm，先端不相等 2 裂，后裂片极短，前裂片线形；花盘前方稍膨大。小坚果黑色，椭圆形，长约 3.2 cm，直径 1.5 mm。花期 4 ～ 8 月。

| 野生资源 | 生于海拔 1 800 m 以下的向阳坡地、平地、道旁。分布于湖北宜昌（远安、宜都）、随州、黄冈（蕲春、武穴、麻城）等。

| 栽培资源 | 一、栽培条件

本种适宜生长在气候温和、光照充足、空气湿润、土壤肥沃的环境。丹参生育期如果遇到光照不充足，低气温，则会导致幼苗生长慢，出苗不齐。适合丹参生长的温度为 17.1 ℃，湿度要保持在 77% 的条件下，才能生长发育良好。

二、栽培区域

湖北多地有栽培。

三、栽培面积与产量

湖北丹参栽培面积超过 6 667 hm²。

| 采收加工 | 春、秋季采挖，除去泥沙，干燥。

| 药材性状 | 本品根茎短粗，先端有时残留茎基。根数条，长圆柱形，略弯曲，有的分枝并具须状细根，长 10 ~ 20 cm，直径 0.3 ~ 1 cm。表面棕红色或暗棕红色，粗糙，具纵皱纹。老根外皮疏松，多显紫棕色，常呈鳞片状剥落。质硬而脆，断面疏松，有裂隙或略平整而致密，皮部棕红色，木部灰黄色或紫褐色，导管束黄白色，呈放射状排列。气微，味微苦、涩。栽培品较粗壮，直径 0.5 ~ 1.5 cm。表面红棕色，具纵皱纹，外皮紧贴，不易剥落。质坚实，断面较平整，略呈角质样。

| 功能主治 | 活血祛瘀，通经止痛，清心除烦，凉血消痈。用于胸痹心痛，脘腹胁痛，癥瘕积聚，热痹疼痛，心烦不眠，月经不调，痛经，闭经，疮疡肿痛。

| 用法用量 | 内服煎汤，10 ~ 15 g。

| 附　注 | 一、道地沿革

（1）秦汉至南北朝时期。《神农本草经》记载："生川谷。"《吴普本草》记载："生桐柏、或生太山［今山东泰安一带］山陵阴。"《名医别录》曰："生桐柏山［今河南南阳豫鄂交界处桐柏山］及太山［今山东泰安一带］。五月采根，暴干。"《本草经集注》记载："此桐柏山，是淮水源所出之山，在义阳［今河南南部、湖北北部］，非江东临海［今浙江临海］之桐柏也。"《神农本草经》所记载的产地信息较模糊，对丹参地名的描述仅为"生川谷"，但符合丹参的生境特点。最早记录丹参产地的是《吴普本草》，吴普为广陵郡（今江苏扬州一带）人，其记载了距离江苏扬州较近的河南桐柏和山东泰安，可能与作者活动范围有关。此后，"桐柏"和"太山"一直为后世医家沿用。《名医别录》中关于丹参产地的描述很有可能引用了吴普对丹参产地的记载。其后南北朝时期的陶弘景指出"江东临海之桐柏山"，此时期中国处于分裂割据的状态，时常会有疆域变迁和地名更替。为避免地名的混乱和错误引用，陶弘景在丹参条目下强调："此桐柏山，是淮水源所出之山，在义阳，非江东临海之桐柏也。"明确此前所言"桐柏山"应为今河南、湖北交界之桐柏山，而非浙江临海洮渚山。陶弘景为江苏茅山（今江苏句容）人，曾遍历名山，他的观点可能与其实地调查有密切关系。

（2）宋代。《嘉佑本草》记载："今所在皆有。"《本草图经》记载："今陕西、河东州郡［今山西大部分地区］及随州［今湖北随州及枣阳、大洪山，河南桐柏一带］亦有之。"宋代丹参产地向西扩展，新增陕西、山西、湖北随州等地区。说明宋代时期丹参分布范围较广，大部分地区均有。这可能与宋代政府多次组织调查及整理本草相关，该时期本草所记载的产地如湖北、陕西、山西、河南等地，与当今丹参的主要产区已经基本一致。

（3）明代。《本草品汇精要》记载："〔地〕〔图经曰〕出桐柏山川谷及泰山，陕西、河东州郡〔今山西大部分地区〕亦有之。〔道地〕随州〔今湖北随州及枣阳、大洪山，河南桐柏一带〕。"《药性粗评》记载："南北川谷处处有之。"《本草原始》云："始生桐柏山谷及泰山，今陕西、河东州郡及随州皆有之。"缪希雍所著的《神农本草经疏》记载："北方产者胜。"《本草乘雅半偈》记载："出陕西、河东州郡，及随州，处处山中皆有。"明代对丹参产地描述为"南北川谷处处有之"，《本草品汇精要》中还提出丹参道地产区为"随州"。丹参分布区域很广，但在今天看来湖北的产量并不大，质量也一般，此处明确记载丹参道地产区为"随州"，主要原因很可能为古籍中所记载的"桐柏山"部分在湖北随州境内。而自丹参有文字记载以来，历代均将"桐柏山"作为丹参产地记载，因此刘文泰编著《本草品汇精要》时沿用了历代的说法。缪希雍为海虞（今江苏常熟）人，生平好游走四方，曾到过河北、山东、山西、河南等北方诸省及江南各地，其所言"北方产者胜"可能指的是历代所记载的山东一带所产丹参。现代研究也表明山东所产的丹参所含丹参酮类成分含量显著较其他区域高。

（4）清代。《本草崇原》记载："丹参出桐柏川谷及太山，今近道处处有之。"《握灵本草》记载："近地处处有之。"清代沿用明代本草的说法，更多的强调丹参"处处有之"。清代社会经济发达，幅员辽阔，医药卫生事业发达，迎来了中医学新的历史时期，温病学也得到了发展，此时人口数量大幅增加，对医药的需求也随之增大，人们对医药的认识更为全面。本草文献中言及处处有之，说明当时大部分区域有分布，当然也不排除各地所用的是习用品。当时植物分类学远不及今日，因此近缘植物混用也是普遍现象，这意味着当时的丹参很可能是鼠尾草属的多种植物，这从《植物名实图考》记载了多种鼠尾草属植物中可以看出。

值得一提的是，清代以前丹参主要来源为野生，至清代始有栽培丹参的记载，据《中江县志》记载："据《康熙志》（成书于公元1715年）记载，中江丹参的药材生产在当时已初具规模。"说明至少在清中叶就开始了丹参的人工栽培。这也有可能与清军入关导致人口大量减少，康熙至乾隆年间，大量人口迁移至四川，开垦荒田有关。

（5）民国时期。《增订伪药条辨》记载："古出桐柏川谷，今近道处处有之……产安徽古城〔今安徽皖东等地〕者，皮色红，肉紫有纹，质燥体松，头大无芦，为最佳。产滁州全椒县，形状同前，亦佳。产凤阳、定远、白阳山、漳沛者，芦细质松，多细枝次。产四川者，头小枝粗，肉糯有白心，亦次。郑君所云土丹参，或即川丹参也。抑或福建土产之一种，别具形态，余未之见也。"《药物出产辨》记载："丹参产四川龙安府为佳，名川丹参。有产安徽、江苏，质味不如。""龙安府"，辖平武（今四川平武）、江油（今四川江油）、石泉（今四川北川）、彰明（今四川江油）。

民国时期丹参的道地产区往南方迁移，曹炳章所著的《增订伪药条辨》对丹参的品质评价有详细的描述，认为丹参以安徽皖东全椒质量最佳；产安徽定远、白阳山，四川者质量较次。这可能与曹炳章离安徽较近的缘故，亦有可能是当时的四川丹参为栽培品，而曹炳章认为野生的较优的原因。但与其同时期陈仁山所著的《药物出产辨》却得出了相反的结论，即认为四川产丹参质量最佳。陈仁山曾是香港中药联合会的董事，对药材商品较为了解，所著之书对不同药材的不同产地、品质有很多论述。由于川丹参根条粗壮，从商品学角度看来，较之其他区域所产为优，而曹炳章为临床大夫，因此两位作者看问题角度不同是造成道地产区差异的原因。

（6）现代。随着丹参用量的增加，加上其在多种中成药制剂中广泛使用，各地竞相引种，当前栽培丹参的主产区有山东临沂、河南焦作、山西万荣、陕西商洛、四川中江等。至今，川丹参仍被认为质量较优，《中国道地药材》将其列为道地药材。四川作为道地产区可能的原因有：①到民国时期，四川丹参已有200多年的栽培经验，采收加工技术也日益成熟，所生产的丹参质量均一性好、根条粗壮；②丹参喜温暖、空气湿润、光照充足、土壤肥沃的环境，与四川独特的气候条件相适应；③清代丹参道地产区安徽所产的丹参遭到过度采挖，丹参产量日益减少。此外，随着对丹参酮含量的重视，目前市场普遍认为山东地区所产丹参含量较高。

综上所述，丹参在2 000多年的历史发展中存在由北向西再向西南逐渐变迁的过程：最早由山东泰安、临沂等地和河南桐柏山逐渐向其他地区扩散，宋代扩展至陕西、山西及湖北随州等，到了明代强调了随州为道地产区，清代开始出现四川的栽培丹参，民国时期则认为安徽、四川等地较佳，中华人民共和国成立后认为四川为丹参道地产区，其产地变迁总体呈现由北向西南方向迁移的趋势。同时在宋代就已经认识到丹参是个广布种，据《常用中药材品种整理和质量研究》记载丹参分布较为广泛，在辽宁、河北、河南、山东、山西、江苏、安徽、浙江、江西、福建、湖北、湖南、广东、广西、陕西、宁夏、甘肃、四川、贵州等地均有分布，这与古籍中所记载丹参"处处有之"相符。此外，当前栽培丹参的主产区与历史上提及的产地基本一致。

二、物种鉴别

（1）紫丹参是唇形科植物褐毛甘西鼠尾草 *Salvia przewalskii* Maxim. var. *mandarinorum* (Diels) Stib. 或甘西鼠尾草 *Salvia przewalskii* Maxim. 的干燥根和根茎。本品根茎单一，也可呈数个合生，大部分的根茎残留有叶柄痕。根呈圆锥形，直径 1 ~ 6 cm，表面呈棕褐色或暗棕色，有些外皮会发生剥落，呈红褐色，质地松脆。切面疏松状，木部呈黄白色，皮部呈浅棕色或棕褐色。易碎，略有气味。本品以"紫丹参"之名被收载于 2009 年版《甘肃省中药材标准》。其根具有药用价值，但未被纳入 2020 年版《中国药典》丹参药用品种的范畴。

（2）滇丹参是唇形科植物云南鼠尾草 *Salvia yunnanensis* C. H. Wright 的干燥根及根茎。本品根及根茎呈圆锥状，有分枝，直径和长度分别为 0.4 ~ 1 cm 和 5 ~ 15 cm。紧密排列的叶痕组成芦头，节逐渐扭曲。根的表面存在纵向皱纹和细根痕，支根略为纺锤状。表面紫褐色，质地较坚脆，易折断；断面不平整，有时外层呈暗棕色，内圈为浅棕黄色或紫红色。略有气微，味微甘、苦涩。本品以"滇丹参"之名被收载于 2003 年版《贵州省中药材、民族药材质量标准》，以"紫丹参"之名被收载于 2005 年版《云南省中药材标准》。本品可以颜色与丹参区分。

（3）另一伪品为甘薯 *Ipomoea batatas* (L.) Lam. 经染色后的加工品的干燥根茎。本品根茎为弯曲的类圆柱形，可能会分枝，直径和长度分别为 0.2 ~ 0.7 cm 和 7 ~ 11 cm。表面粗糙，棕红色，有根痕和纵向皱纹，质地脆、硬。断面同样为不平坦的疏松状，角质样或粉性。木部灰黄色，皮部灰黄白色，呈放射状的导管。略有气味，味略甘，嚼之有甘薯味。

三、市场信息

丹参的市场供需和价格（5 ~ 7 元 /kg）较为平稳。

四、濒危情况、资源利用和可持续发展

随着野生丹参资源的匮乏，四川、山东、河南、陕西等地广泛开展丹参的引种栽培，并成为丹参主产区。目前，丹参药材主要来源于人工栽培，各主产区栽培的丹参多为紫花丹参。

当归

| 来　　源 | 本品为伞形科植物当归 *Angelica sinensis* (Oliv.) Diels 的根。

| 原植物形态 | 多年生草本。高 0.4 ~ 1 m。根圆柱状，分枝，有多数肉质须根，黄棕色，有浓郁香气。茎直立，绿白色或带紫色，有纵深沟纹，光滑无毛。叶三出式 2 ~ 3 回羽状分裂，叶柄长 3 ~ 11 cm，基部膨大成管状的薄膜质鞘，紫色或绿色，基生叶及茎下部叶为卵形，长 8 ~ 18 cm，宽 15 ~ 20 cm，小叶片 3 对，下部的 1 对小叶柄长 0.5 ~ 1.5 cm，近先端的 1 对无柄，末回裂片卵形或卵状披针形，长 1 ~ 2 cm，宽 5 ~ 15 mm，2 ~ 3 浅裂，边缘有缺刻状锯齿，齿端有尖头；叶下表面及边缘被稀疏的乳头状白色细毛；茎上部叶简化成囊状的鞘和羽状分裂的叶片。复伞形花序，花序梗长 4 ~ 7 cm，密被细柔毛；伞幅 9 ~ 30；总苞片 2，线形，或无苞片；小伞形花序有花 13 ~ 36；小总苞片 2 ~ 4，线形；花白色，花梗密被细柔毛；萼齿 5，卵形；花瓣长卵形，先端狭尖，内折；花柱短，

花柱基圆锥形。果实椭圆形至卵形，长 4 ~ 6 mm，宽 3 ~ 4 mm，背棱线形，隆起，侧棱成宽而薄的翅，与果体等宽或略宽于果体，翅边缘淡紫色，棱槽内有油管 1，合生面油管 2。花期 6 ~ 7 月，果期 7 ~ 9 月。

| 野生资源 | 生于山地林缘、林中或路旁草丛中。分布于湖北兴山、罗田、鹤峰、神农架等。

| 栽培资源 | 一、栽培条件
本种种植宜选在海拔 2 400 ~ 2 600 m、阴凉、肥沃湿润的生荒地或熟地，要求土层深厚、肥沃疏松、pH 近中性，保水但不积水，没有石块的富含腐殖质且坡度小于 20° 的砂壤土。
二、栽培区域
湖北兴山、鹤峰、巴东等有栽培。

| 采收加工 | 秋末采挖，除去须根和泥沙，待水分稍蒸发后，捆成小把，上棚，用烟火慢慢熏干。

| 药材性状 | 本品略呈圆柱形，下部有支根 3 ~ 5 或更多，长 15 ~ 25 cm。表面浅棕色至棕褐色，具纵皱纹和横长皮孔样突起。根头（归头）直径 1.5 ~ 4 cm，具环纹，上端圆钝，或具数个明显凸出的根茎痕，有紫色或黄绿色的茎和叶鞘的残基；主根（归身）表面凹凸不平；支根（归尾）直径 0.3 ~ 1 cm，上粗下细，多扭曲，有少数须根痕。质柔韧，断面黄白色或淡黄棕色，皮部厚，有裂隙和多数棕色点状分泌腔，木部颜色较淡，形成层环黄棕色。有浓郁的香气，味甘、辛、微苦。柴性大、干枯无油或断面呈绿褐色者不可供药用。以多肉少枝、归头圆、尾多色紫、气香、肥润者为佳。

| 功能主治 | 甘、辛，温。归肝、心、脾经。补血活血，调经止痛，润肠通便。用于血虚萎黄，眩晕心悸，月经不调，闭经，痛经，虚寒腹痛，风湿痹痛，跌扑损伤，痈疽疮疡，肠燥便秘。

| 用法用量 | 内服煎汤，6 ~ 12 g。

| 附　注 | 一、物种鉴别
伞形科植物欧当归 *Levisticum officinale* W. D. J. Koch 原产于亚洲西部，欧洲及北美洲各国多有栽培。我国 1957 年从欧洲引种。目前，河北、山东、河南、内蒙古、辽宁、陕西、山西、江苏等地区均有种植，民间用欧当归代替当归使用。

二、市场信息

随着产地行情持续坚挺，市场需求量有所减少，市面货源暂时充足，行情暂稳。2023 年，市场当归统片售价为 85 ～ 90 元 /kg；当归过筛选片售价为 95 ～ 110 元 /kg；头片大小质量不一，售价为 130 ～ 220 元 /kg。

三、濒危情况、资源利用和可持续发展

如今当归野生资源稀少，第四次全国中药资源普查发现野生当归仅在甘肃岷县、西藏林芝、四川阿坝等地有零星分布。甘肃作为当归最主要道地产区，已有上千年栽培历史，近年种植面积达 50 万亩，其产量占全国产量的 90% 以上，主产于岷县、漳县、渭源县、宕昌县、礼县、卓尼县、临潭县等高寒阴湿地区。这些地方因特殊的气候环境和土壤条件，所产当归质地紧密油润、气味清香浓厚而享誉国内外。近年来，随着当归需求量和价格趋高，武都区、和政县、康乐县、积石山保安族东乡族撒拉族自治县、武山县、舟曲县、天祝藏族自治县、民乐县等地也逐渐发展规模化种植。甘肃省大面积种植主要以岷归 1 号为主，岷归 2 号有少量栽培，其他品种（系）种植主要以资源展示和种质保存为主。

党参

| 来　源 |

本品为桔梗科植物党参 *Codonopsis pilosula* (Franch.) Nannf. 的根。

| 原植物形态 |

多年生草本。根常肥大肉质，呈长圆柱形，少分枝或中部以下略有分枝，表面灰黄色。茎缠绕，多分枝。在主茎及侧枝上的叶互生，在小枝上的叶近对生；叶片卵形、窄卵形或披针形，先端钝或急尖，基部楔形或较圆钝，稀心形，上面绿色，下面灰绿色，边缘具浅钝锯齿。花单生于枝端，与叶柄互生或近对生；有花梗；花萼5深裂，仅基部与子房合生，长圆状披针形，先端急尖，微波状或近全缘；花冠钟状，淡黄绿色，内有紫斑，5浅裂，裂片近正三角形；花丝基部微扩大；子房下位。种子多数，椭圆形，细小，棕黄色。花果期7～10月。

| 野生资源 |

生于海拔1 560～3 100 m的山地林边及灌丛中。分布于湖北西部。

| **栽培资源** | 一、栽培条件

本种适应性较强，喜凉爽气候，怕热，怕涝，较耐寒。适宜生长在土层深厚、
疏松、排水良好、富含腐殖质的砂壤土，黏性较大的土壤及盐碱地、涝洼地
不宜栽培。对光照要求严格，幼苗喜阴，成苗后喜阳。在 8 ～ 30 ℃时，党参能
够正常生长，当温度超过 30 ℃时，党参的生长就会遭受抑制。党参具有较强的
抗寒性，即便是在 −25 ℃左右，党参也能够不被冻坏。党参为深根系植物，要
将土壤的 pH 控制在 6.5 ～ 7.0，选择中性偏酸性的土壤。在党参播种期间，还

需要全面加强水分控制的工作，缺水会降低党参的出苗率，在出苗后也会出现旱死等现象。而在定植后，要加强水分控制，不宜过于潮湿，以便于为党参的正常生长提供良好的环境。

二、栽培区域

湖北恩施（利川、鹤峰）、十堰（竹山）、宜昌（五峰）有栽培。

三、栽培要点

育苗地宜选半阴坡地，土质疏松肥沃、腐殖质多、排水良好的砂壤土。移栽定植地要求向阳。山坡地种植多不做畦，顺坡面整平即可。繁殖方法用种子繁殖，常采用育苗移栽，少用直播。育苗时选用当年生种子，于白露前后播种，发芽率可达 85%，还可把当年生种子在翌年春、夏季播种，但发芽率较低。隔年陈种子发芽率不足 10%，不可利用。育苗地选肥沃、背阴地块，深翻，整平耙细，浇透水。播种时在耙好的地上均匀撒上种子，用 3 ~ 5 cm 钉耙细耙 1 遍，盖上麦草遮阳。苗床要经常喷水，保持土壤湿润。每亩用种子 2 ~ 3 kg。党参育苗田不追肥，以防徒长。待苗出齐后去掉覆盖物，苗高 6 cm 左右时，适当间苗，以防过密影响生长，及时除草。移栽时，于晚秋或春季土壤化冻后起苗，不要伤根断苗，除去病残株，捆成小把。秋栽可提高成活率。在整好的地上按行距 25 ~ 30 cm、深 15 cm 左右开沟，再按株距 10 cm 顺沟摆放参苗，覆土厚 5 cm。每亩用参苗 40 ~ 50 kg。

四、栽培面积与产量

湖北的党参栽培面积达 600 hm²，年产量为 1 000 t 左右。

| 采收加工 | 一般于移栽 1 年后挖出参根，抖去泥土，按粗细大小分别晾晒至柔软，用手顺握后再晒，反复 3 ~ 4 次至全干。党参产区也有将参根按大小分级，用尼龙绳穿成长 3 ~ 5 m 的串，挂在事先设好的架上晒干的方法。这种方法的优点是可节约晾晒场地，有利于通风和晒干。折干率约 2 ：1。以参条粗大、皮肉紧、质柔润、味甜者为佳。

| 药材性状 | 本品根略呈圆柱形、纺锤状圆柱形或长圆锥形，少分枝或中部以下分枝，长 15 ~ 45 cm，直径 0.45 ~ 2.5 cm。表面灰黄色、灰棕色或红棕色，有不规则纵沟及皱缩，疏生横长皮孔，上部多环状皱纹，近根头处尤密；根头有多数凸起的茎痕及芽痕，集成球状，习称"狮子盘头"；根破碎处有时可见黑褐色胶状物，系乳汁溢出凝成（俗称稀油点）。质柔润或坚硬，断面较平整，有的呈角质样，皮部较厚，黄白色、淡棕色或棕褐色，常有裂隙，与木部交接处有 1 深棕色环，

木部占根直径的 1/3 ～ 1/2，淡黄色。气微香，味甜，嚼之无渣。

| **功能主治** | 甘，平。归脾、肺经。补中益气，健脾益肺，养血生津。用于脾肺虚弱，气短心悸，食少便溏，虚喘咳嗽，内热消渴。

| **用法用量** | 内服煎汤，9 ～ 30 g；或入丸、散剂；或熬膏。不宜与藜芦同用。

| **附　　注** | 一、市场信息

湖北恩施板桥镇的"板桥党参"非常有名。2006 年，板桥镇有板桥党参留存面积 3.2 万亩，年产量 1 000 余吨。据 2009 年统计，全国有 20 多个省（区、市）100 多个县的流动客商云集板桥镇收购板桥党参，恩施每年都在板桥镇举办"中国板党节"，加大外销力度。板桥党参年采挖量为 8 000 多亩，年产量为 1 000 余吨。

二、濒危情况、资源利用和可持续发展

本种分布较广，野生资源丰富。本种是传统大宗的补益药，因其具有诸多疗效和保健作用，使得其在中医临床应用和保健产品的开发上较受重视。含有党参的常见验方近 90 种，并被开发成各种中成药，制成丸剂、冲剂、片剂、膏剂、合剂等不同剂型。因含有人体必需氨基酸及微量元素，人们常用党参做药膳，如党参红枣粥、参芪羊肉羹等。同时，党参又被开发成许多保健品，如党参膏、党参酒、党参糖、党参茶等。这些产品都具有增强机体免疫力的作用。

地黄

| 来　源 |

本品为玄参科植物地黄 *Rehmannia glutinosa* Libosch. 的块根。

| 原植物形态 |

多年生草本。株高 10 ～ 40 cm，全株密被灰白色多细胞长柔毛和腺毛。根茎肉质，鲜时黄色。基生叶成丛，叶片倒卵状披针形，长 3 ～ 10 cm，宽 1.5 ～ 4 cm，先端钝，基部渐窄，下延成长叶柄，叶面多皱，边缘有不整齐锯齿；茎生叶较小。花茎直立，被毛，于茎上部呈总状花序；苞片叶状，发达或退化；花萼钟状，先端 5 裂，裂片三角形，被多细胞长柔毛和白色长毛，个脉 10；花冠宽筒状，稍弯曲，长 3 ～ 4 cm，外面暗紫色，内面杂以黄色，有明显紫纹，先端 5 浅裂，略呈二唇形；雄蕊 4，二强，花药基部叉形；子房上位，卵形，2 室，开花后变 1 室，花柱 1，柱头膨大。蒴果卵形或长卵形，先端尖，有宿存花柱，外为宿存花萼所包。种子多数。花果期 4 ～ 7 月。

| 野生资源 |

生于海拔 50 ～ 1 100 m 的荒山坡、山脚、墙边、路旁等。湖北有分布。

| 栽培资源 |　一、栽培条件

本种喜温暖气候，较耐寒，以光照充足、土层深厚、疏松、肥沃、中性或微碱性的砂壤土栽培为宜，二合土、肥沃的黏土也能栽种。

二、栽培区域

湖北有栽培。

三、栽培要点

本种以根茎繁殖为主，宜选生长健壮、无病虫害的根茎栽种，要注意排水防涝，使地无积水，出现花蕾时，要随时摘除。忌连作。前茬宜选禾本科作物，不宜选曾种植过棉、芝麻、豆类、瓜类等作物的土地，否则病害严重。地黄主要病虫害有斑枯病、枯萎病、轮纹病、大豆胞囊线虫、棉红蜘蛛及蛱蝶等。种植时注意选择抗病品种，定时清洁园地，发病初期及时防治，鼓励使用生物防治、物理防治等无害防治方法。

| 采收加工 |　**鲜地黄：**秋季采挖，除去芦头、须根及泥沙，鲜用。

生地黄：秋季采挖，除去芦头、须根及泥沙，缓缓烘焙至约八成干。

| 药材性状 |　**生地黄：**本品呈类圆形或不规则的厚片。外表皮棕黑色或棕灰色，极皱缩，具不规则的横曲纹。切面棕黄色至黑色或乌黑色，有光泽，具黏性。气微，味微甜。

| 功能主治 | **鲜地黄**：甘、苦，寒。归心、肝、肾经。清热生津，凉血，止血。用于热病伤阴，舌绛烦渴，温毒发癍，吐血，衄血，咽喉肿痛。
生地黄：甘，寒。归心、肝、肾经。清热凉血，养阴生津。用于热入营血，温毒发斑，吐血，衄血，热病伤阴，舌绛烦渴，津伤便秘，阴虚发热，骨蒸劳热，内热消渴。 |

| 用法用量 | **鲜地黄**：内服煎汤，10 ~ 30 g；或捣汁；或熬膏。外用适量，捣敷，或取汁涂搽。
生地黄：内服煎汤，10 ~ 15 g，大剂量可用至 30 g；或熬膏；或入丸、散剂；或浸润后捣汁饮。外用适量，捣敷。 |

| 附　注 | 一、物种鉴别
地黄属植物除地黄外，还有茄叶地黄、高地黄、湖北地黄、天目地黄及裂叶地黄，其中湖北地黄和天目地黄（浙地黄）也入药，收录于《中华本草》《中药大辞典》等。
（1）湖北地黄 *Rehmannia henryi* N. E. Brown。根入药，别名鄂地黄、岩白菜。
（2）天目地黄 *Rehmannia chingii* H. L. Li。根茎入药，别名紫花地黄。
二、市场信息
根据亳州中药材市场近 6 年（2017 年 5 月至 2023 年 5 月）的历史价格来看，三、四、五级混级地黄在 2020 年 12 月之前价格较低且供需平稳，价格在 8.5 ~ 11 元 /kg，从 2021 年 1 月开始，三、四、五级混级地黄市场价格上涨明显，截至 2022 上半年，最高价格达 51 元 /kg，2022 年 11 月后市场价格回落到 30 元 /kg 左右，供需和价格开始趋于平稳。
三、濒危情况、资源利用和可持续发展
本种适应性较强，分布范围广，野生资源较丰富。由于市场需求量巨大，目前仍以人工栽培为主，破解地黄连作障碍难题是地黄产业可持续发展的重中之重。地黄主要以地下块根入药，地上部通常未得到充分利用，据有关本草文献记载，地黄的花、叶可食用也可入药，有被开发为食品或蔬菜的潜力。此外，地黄花色鲜艳，株型美观，具有一定的园林绿化价值。 |

独活

| 来　　源 |　本品为伞形科植物重齿毛当归 *Angelica pubescens* Maxim. f. *biserrata* Shan et Yuan 的根。

| 原植物形态 |　多年生高大草本。茎直立，粗壮，中空，常带紫色，有纵沟纹，上部有短糙毛。叶 2 回三出羽状全裂，叶片宽卵形；茎生叶叶柄基部膨大成兜状叶鞘，鞘背面无毛或稍被短柔毛，边缘有不整齐的尖锯齿或重锯齿，齿端有内曲的短尖头；顶生小叶片 3 裂，边缘常带软骨质。复伞形花序顶生或侧生，花序梗密被短糙毛；总苞片 1，长钻形，有缘毛，常早落；伞幅 10 ~ 25，密被短糙毛；伞形花序有花 17 ~ 28（~ 36）；小总苞片 5 ~ 10，阔披针形；花白色，无萼齿；花瓣倒卵形，先端内凹。果实椭圆形，侧翅与果体等宽或略狭，背棱线形，隆起。花期 8 ~ 9 月，果期 9 ~ 10 月。

| 野生资源 | 生于山坡阴湿的灌丛林下。分布于湖北恩施、宜昌等。

| 栽培资源 | 一、栽培条件

本种适宜在夏季冷凉湿润、昼夜温差较大的高海拔地区种植。湖北西北部山区以海拔 1 500 ～ 2 500 m 区域种植的独活产量较高、品质最好。另外，独活耐寒、喜肥、怕涝，适宜在土层深厚、疏松、肥沃、腐殖质含量高且排水良好的向阳坡地种植。整个生长期为 3 年。

二、栽培区域

湖北巴东、长阳、宜昌等有栽培。

三、栽培面积与产量

据统计，2016 年湖北巴东独活栽培面积为 530 ～ 667 hm^2，产量为 300 ～ 500 t，目前种植规模逐年递增。

| 采收加工 | 一般定植 2 年即可收获，于霜降后割去地上茎叶，挖取根部。鲜独活水分多，质脆易断，采收时要避免挖伤根部。挖出后抖去泥土，切去芦头摊晾，待水分稍干后堆放于炕房内，用柴火熏炕并经常检查翻动，熏炕至六七成干时，堆放回潮，抖掉灰土，然后将独活理顺，扎成小捆，再入炕房，根头朝下，用文火炕至全干即成。

| 药材性状 | 本品略圆柱形，下部 2 ～ 3 分枝或更多，长 10 ～ 30 cm。根头部膨大，圆锥状，多横皱纹，直径 1.5 ～ 3 cm，先端有茎、叶的残基或凹陷，表面灰褐色或棕褐

色，具纵皱纹，有隆起的横长皮孔及稍突起的细根痕。质较硬，受潮则变软，断面皮部灰白色，有多数散在的棕色油室，木部灰黄色至黄棕色，形成层环棕色。有特异香气，味苦、辛，微麻舌。

| **功能主治** | 辛、苦，微温。归肾、膀胱经。祛风除湿，通痹止痛。用于风寒湿痹，腰膝疼痛，少阴伏风头痛。

| **用法用量** | 内服煎汤，3～9 g；或浸酒；或入丸、散剂。外用适量，煎汤洗。

| **附　　注** | 一、物种鉴别

本种与香独活、牛尾独活、山独活、九眼独活、新疆羌活的区别在于：香独活的木部为暗棕色，且占直径的一半；质地轻而脆；气芳香，味微甜而辛辣。牛尾独活先端有残留的棕黄色叶鞘，根多分枝或单一，中下部有不规则的皱缩沟纹。山独活表面略粗糙，有不规则的皱缩沟纹和皮孔，皮孔细小、稀疏，横长排列。九眼独活呈弯曲扭转不整齐的圆柱体，直径3～5 cm，上有多数圆形凹窝（茎痕）6～9个。新疆羌活切面由黄棕色韧皮部与黄色木部组成，两者相嵌呈花纹状或星状，多裂隙及油点；周边棕褐色或黑褐色，具较密集的环纹、纵沟和疣状突起；体轻质脆，易掰断，断面不平坦；气特异，味微甘而苦、辛。

二、市场信息

湖北巴东具有悠久的独活栽培历史，为中药市场上独活药材的主产区之一，以巴东的"巴东独活"最为著名。巴东独活香气浓郁、品质独特，2009 年被列为国家地理标志保护品种。随着独活药材药用需求的增加，巴东县开始了"公司＋基地＋农户"的生产种植模式。目前，今大药业有限公司已通过 GAP 研究与示范基地建设，在巴东县建有中药材独活种源及规范化 GAP 种植基地，同时进行了道地中药材的收储、加工与经营。

三、濒危情况、资源利用和可持续发展

本种分布较广，野生资源丰富。在保健方面，独活自《神农本草经》就有"久服、轻身、耐老"的记载，在日常食用方面也是形式多样，如有独活茶、独活人参酒等。在现代，随着人们对于养生健体的注重，有关独活保健品的发明专利已有多个，如独活祛风胜湿保健饮品和独活内伤发热保健茶等。除此之外，独活的应用领域也越加广泛，甚至在家畜饲料方面也有应用。由于独活具有抗菌、消炎的功效，以此为依据，独活逐渐被应用在植物保护领域。

杜鹃花根、杜鹃花叶、杜鹃花

| 来　　源 | 杜鹃花根：本品为杜鹃花科植物杜鹃花 *Rhododendron simsii* Planch. 的根。杜鹃花叶：本品为杜鹃花科植物杜鹃花 *Rhododendron simsii* Planch. 的叶。杜鹃花：本品为杜鹃花科植物杜鹃花 *Rhododendron simsii* Planch. 的花。

| 原植物形态 | 落叶灌木。高 2（～ 5）m；分枝多而纤细，密被亮棕褐色扁平糙伏毛。叶革质，常集生于枝端，卵形、椭圆状卵形或倒卵形至倒披针形，长 1.5 ～ 5 cm，宽 0.5 ～ 3 cm，先端短渐尖，基部楔形或宽楔形，边缘微反卷，具细齿，上面深绿色，疏被糙伏毛，下面淡白色，密被褐色糙伏毛，中脉在上面凹陷，在下面凸出；叶柄长 2 ～ 6 mm，密被亮棕褐色扁平糙伏毛。花芽卵球形，鳞片外面中部以上被糙伏毛，边缘具睫毛；花 2 ～ 3（～ 6）簇生于枝顶；花梗长 8 mm，密被亮棕褐色糙伏毛；花萼 5 深裂，裂片三角状长卵形，长 5 mm，被糙伏毛，边缘具睫毛；花冠阔漏斗形，玫瑰色、鲜红色或暗红色，长 3.5 ～ 4 cm，

宽 1.5 ~ 2 cm，裂片 5，倒卵形，长 2.5 ~ 3 cm，上部裂片具深红色斑点；雄蕊 10，长约与花冠相等，花丝线状，中部以下被微柔毛；子房卵球形，10 室，密被亮棕褐色糙伏毛，花柱伸出花冠外，无毛。蒴果卵球形，长达 1 cm，密被糙伏毛；花萼宿存。花期 4 ~ 5 月，果期 6 ~ 8 月。

| **野生资源** | 生于海拔 500 ~ 1 200（ ~ 2 500）m 的山地疏灌丛或松林下。湖北有分布。

| **栽培资源** | 一、栽培条件

本种是喜阴的植物，太阳的直射对其生长不利，所以杜鹃专类园最好选择在有树影遮阴的地方，或者在做绿化设计时，有意地在专类园中配置乔木。本种喜排水良好的酸性土壤，但由于各专类园和景观都要用水泥做道路和铺装，使得杜鹃栽植地土壤板结、碱性严重，所以必须把栽植地的土壤进行更换，并加一定量的泥炭土。

长江以北地区多为盆栽。盆土用腐叶土、沙土、园土（7 : 2 : 1），掺入饼肥、厩肥等肥料，拌匀后进行栽植。一般春季 3 月上盆或换土。长江以南地区以地栽为主。在春季萌芽前栽植，地点宜选在通风、半阴的地方，土壤以疏松、肥沃、富含腐殖质的酸性砂壤土为宜，避免积水，否则不利于杜鹃正常生长。栽后压实土壤，及时浇水。

二、栽培区域

湖北麻城等有栽培。

| 采收加工 | 杜鹃花根：全年均可采挖，洗净，鲜用或切片，晒干。
杜鹃花叶：春、秋季采收，鲜用或晒干。
杜鹃花：4～5月花盛开时采收，烘干。

| 药材性状 | 杜鹃花根：本品呈细长圆柱形，弯曲，有分枝。长短不等，直径约1.5 cm，根头部膨大，有多数木质茎基。表面灰棕色或红棕色，较光滑，有网状细皱纹。木质坚硬，难折断，断面淡棕色。无臭，味淡。
杜鹃花叶：本品革质，常集生于枝端，卵形、椭圆状卵形或倒卵形至倒披针形。
杜鹃花：本品呈粉红色，2～6簇生于枝端；花萼5裂，近椭圆状卵形，长2～4 mm，表面密被褐色硬毛；花冠漏斗状，直径4～5 cm，裂片近倒卵形，稍不等大，上面3有深红色斑点。

| 功能主治 | 杜鹃花根：酸、甘，温。活血，祛风，止痛。用于吐血，衄血，月经不调，崩漏，风湿疼痛，跌打损伤。
杜鹃花叶：酸，平。清热解毒，止血。用于痈肿疔疮，外伤出血，瘾疹。
杜鹃花：酸、甘，温。活血，调经，祛风湿。用于月经不调，闭经，崩漏，跌打损伤，风湿疼痛，吐血，衄血。

| 用法用量 | 杜鹃花根：内服煎汤，15～30 g；或浸酒。外用适量，研末敷；或鲜根皮捣敷。
杜鹃花叶：内服煎汤，10～15 g。外用适量，鲜品捣敷；或煎汤洗。
杜鹃花：内服煎汤，9～15 g。外用适量，捣敷。

| 附　注 | 一、市场信息
杜鹃花的市场供需和价格（约23元/kg）较为平稳。
二、濒危情况、资源利用和可持续发展
杜鹃花不仅可以入药，也是一种重要的景观植物。湖北多地有种植，特别是麻城以四月杜鹃花海的独特景色而享誉全国。

杜仲

| 来　　源 | 本品为杜仲科植物杜仲 *Eucommia ulmoides* Oliv. 的树皮。

| 原植物形态 | 落叶乔木。高达 20 m。小枝光滑，黄褐色或较淡，具片状髓。皮、枝及叶均含胶质。单叶互生；椭圆形或卵形，长 7 ~ 15 cm，宽 3.5 ~ 6.5 cm，先端渐尖，基部广楔形，边缘有锯齿，幼叶上面疏被柔毛，下面毛较密，老叶上面光滑，下面叶脉疏被毛；叶柄长 1 ~ 2 cm。花单性，雌雄异株，与叶同时开放，或先叶开放，生于一年生枝基部苞片的腋内，有花梗；无花被；雄花有雄蕊 6 ~ 10；雌花有 1 裸露而延长的子房，子房 1 室，先端有 2 叉状花柱。翅果卵状长椭圆形，扁，先端下凹，内有种子 1。花期 4 ~ 5 月，果期 9 月。

| 栽培资源 | 一、栽培条件

本种具喜温暖湿润气候，耐寒性较强的生长习性，育苗应在年平均气温 9 ~

20 ℃的区域，选择地势平坦、土壤肥沃、土质疏松且土壤 pH 5.0 ~ 8.4 的砂壤土，要求土层深厚，排水良好。自然分布区年平均温度 13 ~ 17 ℃，年降水量 500 ~ 1 500 mm。栽培以光照充足，土层深厚肥沃、富含腐殖质的砂壤土、黏质壤土栽培为宜。杜仲为阳性树种，造林应选择日照充足、地势平缓的丘陵、山区的阳坡、半阳坡，山谷台地也较适宜杜仲生长。林地要求土层深厚，土壤肥沃、疏松、湿润，排水良好。

二、栽培要点

（1）播种育苗技术要点。①翻耕整地。苗圃要翻耕冻垡，结合翻耕每亩（约 667 m²）苗床撒施充分腐熟的有机肥 2 000 kg。翻耕后做苗床，规格为宽 1 m、高 20 cm，长度视育苗量确定。苗床间留步道沟，步道沟呈倒梯形，上宽 50 cm、下宽 30 cm、深 30 cm。春播苗圃在 2 月进行精细整理，使苗床土壤细碎、疏松、平整，每亩苗床用细土 30 kg 拌 50% 辛硫磷 3 kg，均匀撒在苗床上，耙平后待播。②良种选择。为提高杜仲良种推广应用率及杜仲花、叶、果、药材兼用丰产林质量，杜仲造林应该选择经国家级林木良种审定和省级林木良种审定的优良品种，主要有华仲系列（1 ~ 12 号）、大果 1 号、密叶等品种。其中，华仲 1 号、华仲 2 号、华仲 3 号及华仲 4 号的速生性好、适应性强，适合营造果、药兼用丰产林，在杜仲各适生区均可栽培。华仲 11 号为高产杜仲雄花良种，华仲 12 号适于营造雄花、叶兼用丰产园。大果杜仲适于营造杜仲高产果园和果药兼用丰产林。密叶杜仲适于营造果、叶兼用密植园。各地应根据当地自然环境及造林经营目的，选择合适的杜仲优良品种，为高产优质打好基础。③种子处理。选择优良品种的杜仲种子，播前 4 d 用冷水浸泡 24 h，滤出上浮种子，取下沉种子进行催芽。催芽可用水浸法，即用 30 ℃温水浸泡种子 48 h，每 12 h 换一次水，最后一次换水时要加入适量多菌灵杀灭病菌，待种子吸水膨大后捞出即可播种。④播种。采用条播方法。在苗床上开播种沟，深 3 cm，行距 20 cm。每亩苗床播种量为 7 ~ 10 kg。将种子均匀播入沟内，覆盖 2 cm 厚的细土，再盖一层稻草并喷水以保持土壤墒情。⑤苗期管理。种子出芽后，于傍晚或阴天揭除稻草。当幼苗长出 2 ~ 4 片真叶时进行间苗，同时每亩苗床追施尿素 2 kg。幼苗期苗床杂草要进行人工拔除，避免伤及幼苗根系。从第 1 次追肥后 30 d 起，每月除草、追肥各 1 次。随幼苗生长，每亩苗床追肥量逐渐增加至 5 kg。6 ~ 8 月每亩苗床追施尿素 10 kg、过磷酸钙 10 kg、氯化钾 5 kg。当年最后一次追肥在立秋前进行，不施氮肥，以钾肥为主。当幼苗长出 5 ~ 6 片真叶时，每亩苗床定苗2.5 万株。⑥病虫害防治。杜仲苗期病虫害主要有立枯病、根腐病、蛴螬及小地老虎等。防治立枯病、根腐病，除要选择地下水位低、排水良好的地块育苗外，播种前还必须进行土壤消毒，当幼苗发生病害时，可用 0.5% 波尔多液、福尔马林 1 000 倍液、36% 甲醛 1 000 倍液喷洒防治。防治害虫，可用毒饵诱杀，即每亩苗床用 90% 敌百虫 50 g 拌 10 kg 鲜草撒于苗木基部。

（2）嫁接育苗技术要点。苗圃地选择及整地同播种育苗。整地时每亩苗圃地撒施有机肥 3 000 kg、复合肥 150 kg。选择一年生健壮杜仲苗木作砧木，要求地径达到 0.8 cm 左右。插穗可到优良杜仲品种的采穗圃采集，要求生长发育良好、无病虫害。嫁接前及时剪砧，保留地面以上 15 cm 即可。采用"带木质嵌芽接"或"方块芽接"方法。春季嫁接的接芽裸露，秋季嫁接的不露芽。春季嫁接的，在嫁接当年应及时剪砧、除萌和解绑，秋季嫁接的，宜在嫁接翌年树木萌动前剪砧和解绑，芽萌动后及时除萌。

（3）插枝育苗技术要点。选定苗圃地后，在苗床上铺 3 cm 厚的砂土。于当年春夏之交，地温稳定在 20 ℃以上时育苗，选择优良品种的健壮母树，剪取一年生嫩枝作为插穗，穗长 5 cm，每根穗上保留 3 个腋芽。剪下的插穗粗端浸入浓度为 0.05 ml/L 的萘乙酸溶液中 24 h 后即可扦插。扦插时，插穗尖端朝上，插入苗床 3 cm，株行距 5 cm。插后洒水，并搭遮阴棚。此后注意保持苗床墒情，插穗 20 ~ 30 d 后即可生根。

（4）杜仲栽培技术要点。①选地整地。杜仲为阳性树种，造林应选择日照充足、地势平缓的丘陵、山区的阳坡、半阳坡，山谷台地也较适宜杜仲生长。林地要求土层深厚，土壤肥沃、疏松、湿润，排水良好。采用果园化栽培的林地要进行深耕整地，翻耕深度在 30 cm 左右。耕后挖栽植穴，规格为 60 cm×60 cm×60 cm，表土、心土分开堆放。每穴施农家肥 10 kg、磷肥 0.5 kg、腐熟饼肥 1 kg。把肥料与表土充分混合后，填入穴内至 2/3 深度待栽。②栽植。选择Ⅰ、Ⅱ级苗，要求苗高在 0.8 m 以上，地径在 1 cm 以上，根系直径大于 2 mm，长大于 15 cm 的侧根 6 条以上。苗木无病虫害，无机械损伤，无失水，无冻害。造林密度一般为 2 m×2 m，高密度栽植的可采用宽窄行栽植，宽行行距 1.5 m，窄行行距 0.5 m，株距 0.5 m，每株留侧枝 4 个。春季造林时，起出的苗木用泥浆蘸根，放入穴中央，扶正后填入心土，轻轻提苗使根系舒展，踩实土壤，再填土至苗木原土痕处即可。使用嫁接苗的栽植深度为苗木嫁接口与地面平齐。栽后踩实，浇灌定根水。③幼林抚育。杜仲幼林期可与经济作物间作，以提高林地利用率，并改善土壤的理化性状，以耕代抚。可间作花生、油菜、黄豆等作物。作物收获后的秸秆可部分还田，以增加土壤有机质含量。④除草追肥。每年进行 2 次中耕除草，分别在 4 月、8 月进行。造林当年中耕宜浅锄，以后每隔 1 年深翻 1 次。结合中耕除草进行追肥，每年 2 次。每株施腐熟有机饼肥和尿素各 0.5 kg，或在每年芽体萌动前 15 d 追肥 1 次。幼林期每株追施氮磷钾比例为 1.0∶1.0∶0.6 的复合肥 0.45 kg。施肥采用沟施法，即在杜仲树冠垂直投影两侧各挖一条宽 15 cm、深 15 cm 的施肥沟，施肥后覆土。⑤定干修剪。杜仲果园化栽培的适宜树形有自然开心形、疏散两层心形和主干形。造林后及时定干，前两种树形定干高度为 80 cm，后一种树形定干高度为 100 cm。为促进杜仲生长，提高干形通直率，每年要进行修剪、抹芽。于春季幼树萌动前修剪一次，修剪掉 2/3 侧枝。修剪后的剪口会在春、夏季萌发很多萌条，保留一根粗壮萌条，其余除去。萌条生长过程中会萌发腋芽，要及时抹去苗木中部以下的腋芽。

（5）病虫害防治要点。杜仲主要病虫害有根腐病、叶枯病、木蠹蛾、刺蛾等。防治根腐病，除加强排水外，要及时拔出病株并带出林地销毁，并用 5% 福尔马林对树穴消毒。杜仲染病时，可用 70% 甲基托布津可湿性粉剂 100 g，或 1∶1∶200 波尔多液灌根，每隔 7 d 灌 1 次，连用 3 次。防治叶枯病，可在发病时用 65% 代森锌可湿性粉剂 500 倍液喷雾，或喷洒 1∶1∶100 波尔多液，每隔 7 d 喷 1 次，连喷 3 次。防治木蠹蛾，可在 6 月初用白涂剂涂刷树干。幼虫孵化及为害期，可用 50% 辛硫磷 800 倍液喷洒树干，或 90% 敌百虫注入虫孔进行灭杀。防治刺蛾，除人工摘除虫茧，还可在幼虫始发期喷施每毫升含

0.3 亿个苏云金杆菌的喷剂，或 80% 敌敌畏 1 000 倍液喷雾。

| **采收加工** | 一般栽种 3 年左右即能采收树皮，生长年限越长，树皮越厚，质量越好。一般在立夏至夏至，选择较粗壮的树，沿树干平滑面锯倒，剥下树皮供药用，木材可做家具。树干或树根还能萌发不定芽，10 年后又可剥皮。如此有计划地间伐，年年都可收到药材及木材，对较粗的树枝，亦可剥皮供药用。

树干环剥树皮法，是解决杜仲药源不足的新方法之一。选择 3 年以上，胸径 4 cm 以上的长势强的树，于晴天或多云天气的下午或傍晚。在树干分枝点以下，用快刀在树干周围割一圈，深度以割断树皮为宜，尽量避免割到木部，然后再由上而下纵割一刀，撬起树皮，沿横割的刀痕，把树皮向两侧撕裂，随撕随割断残连的韧皮部，把绕树干一周的树皮全部剥离后，再向下剥，直剥到离地面 10 ~ 20 cm 处割下树皮，环剥后要遮阴。剥完后要注意防止在烈日下暴晒，防止附近喷洒农药，同时环剥后 3 ~ 4 d 内，防止手摸或其他机械碰触树干。

将剥下的树皮，用开水稍烫，然后使内层相对，层层叠起，放在以草垫底的平地上，上盖木板，再放石头压紧，四周用草盖好，使之发汗。6 ~ 7 d 后，内皮变青紫色或黑褐色，取出晒干。几十年的老树皮，须刮去表面粗皮，才可供药用。1 ~ 1.5 kg 鲜树皮，可加工 0.5 kg 干货。

| **药材性状** | 本品干燥树皮为平坦的板片状或卷片状，大小厚薄不一，一般厚 3 ~ 10 mm，长 40 ~ 100 cm。外表面灰棕色，粗糙，有不规则纵裂槽纹及斜方形横裂皮孔，有时可见淡灰色地衣斑。但商品多已削去部分糙皮，故外表面淡棕色，较平滑。

内表面光滑，暗紫色。质脆易折断，断面有银白色丝状物相连，细密，略有伸缩性。气微，味稍苦，嚼之有胶状残余物。以皮厚而大、糙皮刮净、外面黄棕色、内面黑褐色而光、折断时白丝多者为佳。皮薄、断面丝少或皮厚带粗皮者质次。

| 功能主治 | 补肝肾，强筋骨，安胎。用于腰脊酸疼，足膝痿弱，小便余沥，阴下湿痒，胎漏欲坠，胎动不安，高血压。

| 用法用量 | 内服煎汤，6 ~ 10 g；或浸酒；或入丸、散剂。

| 附 注 | 一、道地沿革

《神农本草经》只简单记载杜仲为"生山谷"，并没有明确指出区域分布。《名医别录》记载："生上虞及上党、汉中。"其中关于"上虞"，陶弘景所著的《本草经集注》记载："上虞在豫州，虞、虢之虞，非会稽上虞县也。"豫州在今河南一带；而会稽上虞县指今浙江绍兴；上党，今山西长治北部，辖境相当今山西平顺、榆社以南，沁水流域以东地区；汉中，即今陕西汉中；可见《名医别录》中记载杜仲的产地在今河南、山西、陕西一带。《本草图经》记载杜仲产地为"今出商州、成州、峡州近处大山中亦有之"。商州为今陕西商州，成州为今甘肃成县，峡州为今湖北宜昌，后世均如《本草图经》记载。《湖北仙桃药用植物志》将杜仲产地记为"长江中游及南部各省，河南，陕西，甘肃等地均有栽培"；而实际上今天的杜仲主要产区在湖北、四川、贵州、云南等地，多为栽培，这些地区均属于中、北亚热带地区，有适合杜仲生长的环境。从以上分析可知，汉朝时期杜仲产于河南、山西、陕西一带，而到了宋朝时期，杜仲的产地记载增加了湖北，并逐步扩增，今天杜仲的产地更是遍布全国各地。陶弘景在《名医别录》中说到"折之多白丝者佳"（此标准亦为当今杜仲的经验判别常用标准）。直到明朝时期，《本草品汇精要》记载："〔道地〕建平〔今四川东部〕、宜都〔今湖北宜都〕者佳。"这是首次提到杜仲的道地产地。

清朝时期《本草从新》记载"产湖广、湖南者佳色黄皮薄肉厚……恶黔川杜仲色黑皮厚肉薄不堪用"，这与《本草品汇精要》的记载相矛盾。

当今，川杜仲、湖北杜仲均被认为是品质较好的品种。

二、物种鉴别

杜仲混伪品主要涉及 5 科 35 种，其中以卫矛科最多，有 25 种，其余为夹竹桃科 6 种、紫草科 2 种、大风子科 1 种、萝藦科 1 种。在杜仲混伪品的 5 个科中，夹竹桃科、卫矛科植物皮断面有橡胶丝，与正品杜仲的最大区别是 2 个科显微鉴别都有草酸钙结晶，橡胶丝少，而杜仲无草酸钙结晶，石细胞成群，橡胶丝多且成系或扭曲成团；夹竹桃科与卫矛科的主要区别是夹竹桃科有乳汁管，胶丝少成条，但是卫矛科却无乳汁管。紫草科、大风子科、萝藦科植物折断面无橡胶丝，它们与正品杜仲的主要区别是紫草科植物内表面棕色、平滑、簇晶极多，有众多石细胞成群，断续排列成 4 ~ 6 环；大风子科植物内表面淡黄色，有细纵纹，有簇晶，石细胞成群散在。

三、市场信息

杜仲的市场供需和价格（15 ~ 20 元 /kg）较为平稳。

四、濒危情况、资源利用和可持续发展

我国的杜仲资源面积约有 40 万 hm²。过去由于杜仲良种的缺乏、栽培模式和技术的落后、经营管理的粗放等原因，致使大部分杜仲林变成了残次林或"老头树"。此外，还有一些是以皮用为主的乔木林，且与其他林木混杂，生态保护价值及产业化利用价值均较低。从我国现有的杜仲资源情况来看，其中有 90% 左右为普通实生林。这些实生林的杜仲果实等产量极低，其综合利用与经济效益均较差，难以支撑现代杜仲产业的发展。中国林科院杜仲科技创新团队经过 30 多年的研究，已定向培育出一系列能满足不同用途的杜仲良种。然而，这些杜仲良种的推广速度极其缓慢。目前，杜仲产业基地（包括国家储备林基地）已规模化快速扩展，但很多地方在建设杜仲基地时存在一哄而上的现象，多数基地没有使用良种，这给我国杜仲产业带来了严重隐患。目前能满足现代杜仲产业发展的杜仲资源面积仅有 7 000 hm² 左右，全部利用后杜仲橡胶年产量仍不足 0.5 万 t，难以满足全国每年 500 万 t 天然橡胶的需求缺口。

防风

| 来　　源 | 本品为伞形科植物防风 *Saposhnikovia divaricata* (Turcz.) Schischk. 的根。

| 原植物形态 | 多年生草本。高 30 ～ 80 cm。根粗壮，细长圆柱形，分歧，淡黄棕色；根头处被有纤维状叶残基及明显的环纹。茎单生，自基部分枝较多，斜上升，与主茎近等长，有细棱，基生叶丛生，有扁长的叶柄，基部有宽叶鞘。叶片卵形或长圆形，长 14 ～ 35 cm，宽 6 ～ 8（～ 18）cm，2 回或近 3 回羽状分裂，第 1 回裂片卵形或长圆形，有柄，长 5 ～ 8 cm；第 2 回裂片下部具短柄，末回裂片狭楔形，长 2.5 ～ 5 cm，宽 1 ～ 2.5 cm。茎生叶与基生叶相似，但较小，顶生叶简化，有宽叶鞘。复伞形花序多数，生于茎和分枝，先端花序梗长 2 ～ 5 cm；伞幅 5 ～ 7，长 3 ～ 5 cm，无毛；小伞形花序有花 4 ～ 10；无总苞片；小总苞片 4 ～ 6，线形或披针形，先端长，长约 3 mm，萼齿短三角形；花瓣倒卵形，白色，长约 1.5 mm，无毛，先端微凹，具内折小舌片。双悬果狭圆形或椭圆形，

长 4 ~ 5 mm，宽 2 ~ 3 mm，幼时有疣状突起，成熟时渐平滑；每棱槽内通常有油管 1，合生面油管 2；胚乳腹面平坦。花期 8 ~ 9 月，果期 9 ~ 10 月。

| 野生资源 | 生于草原、丘陵、多砾石山坡。湖北有分布。

| 栽培资源 | 本种对土壤要求不严格，但应选择高燥的向阳土地，土壤以疏松、肥沃、土层深厚、排水良好的砂壤土为宜。黏土、涝洼、酸性大或重盐碱地不宜栽种。

| 采收加工 | 在 10 月下旬至 11 月中旬或春季萌芽前采收。用种子繁殖的防风，翌年就可收获；春季分根繁殖的防风，在水肥充足、生长茂盛的条件下，当根长 30 cm、直径 1.5 cm 以上时，当年即可采收。秋播的于翌年 10 ~ 11 月采收。采收时须从畦一端开深沟，按顺序挖掘，根挖出后除去残留茎和泥土。每亩可收干品药材 200 ~ 300 kg。

| 药材性状 | 本品呈长圆锥形或长圆柱形，下部渐细，有的略弯曲，长 15 ~ 30 cm，直径 0.5 ~ 2 cm。表面灰棕色，粗糙，有纵皱纹、多数横长皮孔及点状凸起的细根痕。根头部有明显密集的环纹，有的环纹上残存棕褐色毛状叶基。体轻，质松，易折断，断面不平坦，皮部浅棕色，有裂隙，木部浅黄色。气特异，味微甘。

| **功能主治** | 祛风解表，胜湿止痛，止痉。用于感冒头痛，风湿痹痛，风疹瘙痒，破伤风。

| **用法用量** | 内服煎汤，4.5 ~ 9 g；或入丸、散剂。外用适量，煎汤熏洗。

| **附　注** | 一、市场信息
防风的市场供需和价格（约 45 元 /kg）较为平稳。
二、濒危情况、资源利用和可持续发展
防风是常用大宗药材品种，2023 年年需求量在 6 000 ~ 7 000 t。防风分野生品
和家种品，供应市场主要依靠家种。家种防风主要分布于河北、内蒙古等地，
东北及河南、甘肃、山西等地也有种植。河北以秧栽为主，内蒙古以籽播为主。
河北和内蒙古也是全国防风饮片的主要供应地。

佛手

| 来　源 |

本品为芸香科植物佛手 *Citrus medica* L. var. *sarcodactylis* Swingle 的果实。

| 原植物形态 |

常绿小乔木或灌木。老枝灰绿色，幼枝略带紫红色，有短而硬的刺。单叶互生；叶柄短，长 3 ～ 6 mm，无翼叶，无关节；叶片革质，长椭圆形或倒卵状长圆形，长 5 ～ 16 cm，宽 2.5 ～ 7 cm，先端钝，有时微凹，基部近圆形或楔形，边缘有浅波状钝锯齿。花单生或簇生为总状花序；花萼杯状，5 浅裂，裂片三角形；花瓣 5，内面白色，外面紫色；雄蕊多数；子房椭圆形，上部窄尖。柑果卵形或长圆形，先端分裂如拳状或张开似指尖，其裂数代表心皮数；表面橙黄色，粗糙；果肉淡黄色；种子数颗，卵形，先端尖，有时不完全发育。花期 4 ～ 5 月，果期10 ～ 12 月。

| 野生资源 |

生于海拔 800 m 以下的平原、谷地和丘陵地带。分布于湖北宜昌、孝感（大悟）、黄石、武汉等。

| 栽培资源 | 一、栽培条件

本种喜温暖湿润气候，怕严霜、干旱，耐阴，耐贫瘠，耐涝。最适生长温度为 22 ~ 24 ℃，越冬温度在 5 ℃以上，能忍受最低温度为 -8 ~ -7 ℃。年降水量以 1 000 ~ 1 200 mm 最适宜。喜阳光，年日照时数 1 200 ~ 1 800 h。以土层深厚、疏松肥沃、富含腐殖质、排水良好的微酸性砂壤土栽培为宜。嫁接技术用扦插、嫁接繁殖。

二、栽培区域

湖北宜昌、孝感（大悟）、黄石、武汉等有栽培。

| 采收加工 | 秋季果实尚未变黄或变黄时采收，纵切成薄片，晒干或低温干燥。

| 药材性状 | 本品呈类椭圆形或卵圆形的薄片，常皱缩或卷曲，长 6 ~ 10 cm，宽 3 ~ 7 cm，厚 0.2 ~ 0.4 cm。先端稍宽，常有 3 ~ 5 个手指状的裂瓣，基部略窄，有的可见果柄痕。外皮黄绿色或橙黄色，有皱纹和油点。果肉浅黄白色或浅黄色，散有凹凸不平的线状或点状维管束。质硬而脆，受潮后柔韧。气香，味微甜后苦。以皮黄肉白、香气浓郁者为佳。

| 功能主治 | 辛、苦、酸，温。归肝、脾、胃、肺经。疏肝理气，和胃止痛，燥湿化痰。用于肝胃气滞，胸胁胀痛，胃脘痞满，食少呕吐，咳嗽痰多。

| 用法用量 | 内服煎汤，3 ~ 10 g。

| 附 注 | 一、物种鉴别

佛手各器官形态与香橼 *Citrus medica* L. 难以区别。但子房在花柱脱落后即行分裂，在果实的发育过程中成为手指状肉条，果皮甚厚，通常无种子。花果期与香橼相同。佛手的香气比香橼浓，久置更香。

二、市场信息

佛手的市场供需和价格（20 元 /kg）较为平稳。

三、濒危情况、资源利用和可持续发展

在湖北，佛手主要是家种品种，野生品较少。药用佛手因产区不同而名称有别。主要分为川佛手与广佛手，通常加工成饮片以供药用。川佛手片小，质厚，不平整。长 4 ~ 6 cm，宽约 3 cm，厚约 3 mm；绿边白瓤，稍有黄色花纹。质较坚，易折断。气清香，味甜微苦。广佛手片大，质薄，多抽皱。长 6 ~ 10 cm，宽 36 cm，厚 1 ~ 2 mm。黄边白瓤，花纹明显，质较柔。气味较淡薄。通常认为四川产的佛手品质最优。川佛手主产于四川合江、泸县、犍为,云南易门、宾川及重庆江津等。主销北京、天津等华北地区,并出口到其他国家和地区。广佛手主产于广东高要,集散于肇庆;其次产于广西凌乐、灌阳。销上海、杭州及华南地区,并出口到其他国家和地区。

茯苓

| 来　　源 | 本品为多孔菌科真菌茯苓 *Poria cocos* (Schw.) Wolf 的菌核。

| 原植物形态 | 大型真菌。菌丝体白色绒毛状，由多数分枝菌丝组成，菌丝内由横隔膜分成多个线性细胞，菌丝宽 2 ~ 5 μm，每个细胞内有多个细胞核。单核菌丝在担孢子萌发后不久才能见到。菌核由多数菌丝体聚集扭结形成，内部贮藏有大量营养物质，生长在土壤中的松根或松木上，呈球形、椭圆形、扁圆形及不规则块状，大小不一，质量不等。表皮多粗糙，呈瘤状皱缩，新鲜时淡棕色或棕褐色，干后深褐色至黑褐色。皮内菌丝白色，呈藕节状或团块状，近皮处由较细长且排列紧密的棕色菌丝组成。鲜时质软，干后坚硬。子实体着生在孔管内壁表面，由数量众多的担子组成，无囊状体。担子棍棒状，大小为（19 ~ 22）μm×（5 ~ 7）μm，每个成熟的担子上各生有 4 担孢子。担孢子长椭球形或近圆柱形，

有时略弯曲，有一歪尖，大小为（6 ~ 11）μm×（2.5 ~ 4）μm，灰白色。

| **野生资源** | 生于海拔 50 ~ 2 800 m 的地下 20 ~ 30 cm 深的腐朽松根或松枝、段木上。湖北有分布。

| **栽培资源** | 一、栽培条件
本种喜温暖、干燥、光照充足、雨量充沛环境，适宜在坡度 10° ~ 35°、基质含水量在 50% ~ 60%、土壤含水量为 25% ~ 30%、疏松通气、土层深厚并上松下实、pH 5 ~ 6 的微酸性砂壤土（含砂量在 60% ~ 70%）中生长，忌碱性土。含砂量少的黏土，光照不足的北坡、陡坡以及低洼谷地均不宜种植。地选好后，一般于冬至前后进行挖窖。挖窖前先清除杂草灌木、树叶、石块等杂物，然后顺山坡挖窖，窖长 65 ~ 80 cm，宽 25 ~ 45 cm，深 20 ~ 30 cm，窖距 15 ~ 30 cm，将挖起的土，堆放于一侧，窖底按坡度倾斜，清除窖内杂物。窖场沿坡两侧筑坝拦水，以免水土流失。

二、栽培区域
湖北黄冈（罗田、英山）、宜昌、恩施（宣恩）、襄阳（保康）有栽培。

三、栽培要点
伐木备料：10 月底至翌年 2 月，选择生长 20 年左右、胸径 10 ~ 20 cm 的松树进行砍伐。削皮留筋（筋即不削皮的部分），宽度视松木粗细而定，一般为

3 ~ 5 cm，使树干呈六方形或八方形。然后按其长短分别就地堆叠成"井"字形，放置约 40 d。当敲之发出清脆声，两端无树脂分泌时，即可供栽培用。在堆放过程中，要上下翻晒 1 ~ 2 次，使木材干燥一致。

下窖与接种：①段木下窖：4 ~ 6 月选晴天进行，通常直径 4 ~ 6 cm 的小段木，每窖放入 5 根，下 3 根上 2 根，呈"品"字形排列，排放时将两根段木的留筋面贴在一起，使中间呈"V"形。②接种：先用消过毒的镊子将栽培菌种内长满菌丝的松木块取出，顺段木"V"形缝中一块接一块地平铺在上面，放 3 ~ 6 片，再撒上木屑等培养料，然后将一根段木削皮处向下，紧压在松木块上，使成"品"字形，接种后，立即覆土，土厚约 7 cm，最后使窖顶呈龟背形，以利排水。

四、栽培面积与产量

2021 年湖北茯苓的栽培面积为 0.47 万 hm²。具体栽培面积分布如下：黄冈 0.45 万 hm²（95.7%），包括英山 0.20 万 hm²、罗田 0.18 hm²、麻城 0.07 hm²，蕲春、黄梅、浠水有零星分布。

| 采收加工 | 茯苓接种后，经过 6 ~ 8 个月生长，菌核便已成熟。成熟的标志是段木颜色由淡黄色变为黄褐色，材质呈腐朽状；茯苓菌核外皮由淡棕色变为褐色，裂纹渐趋弥合（俗称"封顶"）。一般于 10 月下旬至 12 月初陆续进行采收。采收时，先将窖面泥土挖去，掀起段木，轻轻取出菌核，放入箩筐内。有的菌核一部分长在段木上（俗称"扒料"），若用手掰，菌核易破碎，可将长有菌核的段木放在窖边，用锄头背轻轻敲打段木，将菌核完整地震下来，然后拣入箩筐内。采收后的茯苓，应及时运回加工。

加工时先将鲜茯苓除去泥土及小石块等杂质，然后按大小分开，堆放于通风良好的室内，距离地面 15 cm 高度的架子上，一般放 2 ~ 3 层，使其"发汗"，每隔 2 ~ 3 d 翻动 1 次。半个月后，当茯苓菌核表面长出白色绒毛状菌丝时，取出刷拭干净，至表皮皱缩呈褐色时，置凉爽干燥处阴干即成"茯苓个"。然后将"茯苓个"按商品规格要求进行加工，削下的外皮为"茯苓皮"；切取近表皮处呈淡棕红色的部分，加工成块状或片状，则为"赤茯苓"；内部白色部分切成块状或片状，则为"白茯苓"，其中切片者称"茯苓片"，切块者称"茯苓块"；若白茯苓中心夹有松木的，则称为"茯神"。然后将各部分分别摊放于晒席上晒干，即成商品。以体重，质坚实，外皮色棕褐、纹细、无裂隙，断面白色细腻，黏牙力强者为佳。干品水分含量不得过 18.0%，总灰分不得过 2.0%，浸出物不得少于 2.5%。

| **功能主治** | 甘、淡，平。利水渗湿，健脾和中，宁心安神。用于水肿尿少，痰饮眩悸，脾虚食少，便溏泄泻，心神不安，惊悸失眠。 |

| **用法用量** | 内服煎汤，10 ~ 15 g；或入丸、散剂。 |

| **附　　注** | 一、道地沿革 |

宋代以前。有关茯苓产地的记载最早见于《神农本草经》，记载为："味甘，平……一名伏菟。生山谷。"宋代以前文献皆记载了茯苓的产地位于华山和泰山，如《吴普本草》："或生益州大松根下，入地三尺一丈。二月、七月采。"《名医别录》曰："生太山大松下。二月、八月采。"《本草经集注》记载："今出郁州，彼土人乃故斫松作之，形多小，虚赤不佳。自然成者，大如三、四升器，外皮黑细皱，内坚白，形如鸟兽龟鳖者，良。"《新修本草》云："今太山亦有茯苓，白实而块小，而不复采用。今第一出华山，形极粗大。雍州南山亦有，不如华山者。"《蜀本草》记载："图经云：生枯松树下，形块无定，以似人、龟、鸟形者佳。今所在大松处皆有，惟华山最多。"《大观本草》曰："范子云：茯苓出嵩高三辅。"《本草图经》曰："生泰山山谷，今泰、华、嵩山皆有之。出大松下，附根而生，无苗、叶、花、实，作块如拳在土底，大者至数斤，似人形、龟形者佳。"

明清时期。《本草品汇精要》："严州［今浙江杭州］者佳。"《本草蒙筌》记载："近道俱有，云贵独佳。产深山谷中，在枯松根底。"《本草原始》记载："生大松下，形块无定，以似龟、鸟形者为良。"《本经逢原》记载："一种栽莳而成者曰莳苓，出浙中，但白不坚，入药少力。"《本草从新》曰："产云南，色白而坚实者佳，去皮。产浙江者，色虽白而体松，其力甚薄。近今茯苓颇多种者，其力更薄矣。"《增订伪药条辨》中记载："天然野生之茯苓，无论何地产，皆为佳品。惟云南产天然生者为多，亦皮薄起皱纹，肉带玉色，体糯质重为最佳，惜乎出货不多。其他产临安、六安、于潜者，种苓为多。"

近代。《中药材产销》中记载："野生者以云南为著名，故有'云苓'之称。栽培者以安徽量大、质优，故有'安苓'之称。"《药物出产辨》中记载："以云南产者为云苓，最为地道。生产于安徽省者名安苓。"位于湖北东北地区大别山南部的罗田、英山、麻城等地是我国茯苓的传统道地产区，1 000 多年前产区的农民就开始采挖野生茯苓并进行野生转家种的尝试。从明代开始进行大规模栽培，至今已有 500 多年历史。

二、物种鉴别

正品茯苓呈类球形、椭圆形、扁圆形及不规则团块，大小不一。外皮薄而粗糙，棕褐色或黑褐色，有明显的皱缩纹理。体重，质坚实，断面具颗粒性，有的具裂纹，外层淡棕色，内部白色，少数淡红色，有的中间抱有松根。气微，味淡，嚼之黏牙。茯苓块由去皮后的茯苓切制干燥后制成，呈小方块状，大小不一。白色，少数淡红色或淡棕色。

伪品茯苓呈扁平块片状，大小不一。淡黄白色或灰白色。气微，味淡，嚼之不黏牙。伪品茯苓块呈小方块状，形状较规整。白色或灰白色，手握有粉末脱落。

三、市场信息

茯苓的市场供需和价格（约 18 元 /kg）较为平稳。

四、濒危情况、资源利用和可持续发展

茯苓野生资源稀少，调查人员仅在安徽岳西、云南大姚发现过野生品。在安徽亳州药材市场、河北安国药材市场，流通茯苓产品主要是人工栽培茯苓。目前，茯苓人工栽培区域主要集中在云南产区、湘黔地带以及大别山地带，各区域有着其独特的产业基础。在福建、河南、广西等地也有茯苓人工栽培。云南产区包括云南楚雄和普洱等地，以茯苓人工栽培为主，多以鲜茯苓形式销售到湖南、安徽，茯苓加工及产品开发较少。湘黔地带以湖南靖州和贵州黎平为主产区，在靖州苗族侗族自治县茯苓专业协会、靖州茯苓大市场共同推动发展下，已形成从人工栽培、加工到产品开发的茯苓产业链，成为靖州乃至武陵山区的特色经济产业并成功申请国家地理标志保护产品"靖州茯苓"。湘黔地带茯苓，多以鲜茯苓流通到靖州茯苓大市场，在靖州加工后再流通到全国各大药材市场。大别山地带，形成了以"安苓""九资河茯苓"为优势品牌的茯苓产业。"安苓"以安徽岳西、金寨、霍山为主产区。其中，岳西已发展成为大别山地带茯苓加工、流通集散地。湖北罗田和英山分别以国家地理标志保护产品"九资河茯苓"和"英山茯苓"而闻名，其影响力辐射至麻城地区。湖北已发展为茯苓科技创新中心地。

附子

| 来　　源 |

本品为毛茛科植物乌头 *Aconitum carmichaelii* Debx. 的子根的加工品。

| 原植物形态 |

多年生草本。高 60 ~ 150 cm。块根圆锥形，常 2 连生，栽培品侧根（子根）肥大，倒卵圆形或倒卵形，直径达 5 cm。茎直立。叶互生，有柄；叶卵圆形，革质，宽 5 ~ 12 cm 或更宽，掌状 3 裂几达基部，两侧裂片再 2 裂，中央裂片菱状楔形，上部再 3 浅裂，各裂片边缘有粗齿或缺刻。总状花序狭长，花序轴上密生反曲柔毛；花蓝紫色，花瓣盔形，长 1.5 ~ 1.8 cm，宽约 2 cm，侧瓣近圆形，外生短柔毛；蜜叶 1 对紧贴盔瓣下，有长爪，距长 1 ~ 2.5 cm，雄蕊多数；心皮 3 ~ 5，离生，微有柔毛。蓇葖果长圆形，长约 2 cm；种子有膜质翅。花期 6 ~ 7，果期 7 ~ 8 月。

| 野生资源 |

生于山地草坡、灌丛中。湖北有分布。

| **栽培资源** | 栽培条件。本种喜温暖、湿润、光照充足的环境,忌高温、高湿。多栽培于向阳、排水良好、肥沃的砂壤土,黏土或低洼积水地区不宜栽种。 |

| **采收加工** | 6月下旬至8月上旬采挖,除去母根、须根及泥沙,习称"泥附子"。 |

| **药材性状** | 本品盐附子呈圆锥形,长4~7cm,直径3~5cm。表面灰黑色,被盐霜,先端有凹陷的芽痕,周围有瘤状凸起的支根或支根痕。体重,横切面灰褐色,可见充满盐霜的小空隙和多角形形成层环纹,环纹内侧导管束排列不整齐。气微,味咸而麻,刺舌。黑顺片为纵切片,上宽下窄,长1.7~5cm,宽0.9~3cm,厚0.2~0.5cm。外皮黑褐色,切面暗黄色,油润具光泽,半透明,并有纵向导管束。质硬而脆,断面角质样。气微,味淡。白附片无外皮,黄白色,半透明,厚约0.3cm。 |

| 功能主治 | 辛、甘，大热；有毒。归心、肾、脾经。回阳救逆，补火助阳，散寒止痛。用于亡阳虚脱，肢冷脉微，心阳不足，胸痹心痛，虚寒吐泻，脘腹冷痛，肾阳虚衰，阳痿，宫冷，阴寒水肿，阳虚外感，寒湿痹痛。

| 用法用量 | 内服煎汤，3～15 g，先煎，久服。

| 附　注 | 一、物种鉴别

与乌头植物形态特征相似的植物。

（1）关白附为毛茛科植物黄花乌头 *Aconitum coreanum* (Lévl.) Rapaics 的块根。黄花乌头也称山喇叭花、乌拉花（关附子）。叶互生，3～5 掌状全裂，裂片再二回羽状分裂，最终裂片线形，先端尖锐；总状花序顶生，花萼淡黄色，内带紫色网纹。

（2）白附子为天南星科植物独角莲 *Typhonium giganteum* Engl. 的干燥块茎。块茎倒卵形、卵球形或卵状椭圆形，直径 2～4 cm，被暗褐色鳞片，有 7～8 环状节，颈部生须根；幼叶内卷角状，后展开，箭形，长 15～45 cm，宽 9～25 cm，先端渐尖，基部箭状，后裂片叉开，1 级侧脉 7～8 对，最下部的 2 条基部重叠，集合脉与边缘相距 5～6 mm；叶柄圆柱形，长约 60 cm，密生紫色斑点，中部以下具膜质叶鞘；1～2 年生植株有 1 叶，3～4 年生的有 3～4 叶，叶与花序同出。

二、市场信息

清水白附片的市场供需和价格（约 46 元 /kg）较为平稳；清水黑顺片的市场供需和市场价格（约 34 元 /kg）较为平稳；胆水白附片的市场供需和价格（约 30 元 /kg）较为平稳；胆水黑顺片的市场供需和市场价格（约 18 元 /kg）较为平稳。

藁本

| 来　源 |

本品为伞形科植物藁本 *Ligusticum sinense* Oliv. 的根及根茎。

| 原植物形态 |

多年生草本。高达 1 m。根茎发达，具膨大的结节。茎直立，圆柱形，中空，具条纹，基生叶具长柄，柄长可达 20 cm；叶片宽三角形，长 10 ~ 15 cm，宽 15 ~ 18 cm，2 回三出式羽状全裂；第 1 回羽片长圆状卵形，长 6 ~ 10 cm，宽 5 ~ 7 cm，下部羽片具柄，柄长 3 ~ 5 cm，基部略扩大，小羽片卵形，长约 3 cm，宽约 2 cm，边缘齿状浅裂，具小尖头，顶生小羽片先端渐尖至尾状；茎中部叶较大，上部叶简化。复伞形花序顶生或侧生，果时直径 6 ~ 8 cm；总苞片 6 ~ 10，线形，长约 6 mm；伞幅 14 ~ 30，长达 5 cm，四棱形，粗糙；小总苞片 10，线形，长 3 ~ 4 mm；花白色，花梗粗糙；萼齿不明显；花瓣倒卵形，先端微凹，具内折小尖头；花柱基隆起，花柱长，向下反曲。分生果幼嫩时宽卵形，稍两侧扁压，成熟时长圆状卵形，背腹扁压，长 4 mm，宽 2 ~ 2.5 mm，背棱突起，侧棱略扩大呈翅状；背棱槽内有油管 1 ~ 3，侧棱槽内有油管 3，合生面有油管 4 ~ 6；胚乳腹面平直。花期 8 ~ 9 月，果期 10 月。

| **野生资源** | 生于海拔 1 000 ~ 2 700 m 的林下、沟边草丛中。分布于湖北巴东、五峰、长阳、建始等。

| **栽培资源** | 一、栽培条件

本种适应性较强，喜凉爽、湿润气候，多生于山坡、林缘及半阴半阳、排水良好的地块，耐寒，忌高温，怕涝，可选择土层深厚疏松、土质肥沃、湿润、排水良好、土壤 pH 为 5.5 ~ 7 的砂壤土或腐殖质土壤种植。黏土或干燥瘠薄地不宜种植，忌连作。

二、栽培区域

湖北巴东、建始有栽培。

| **采收加工** | 一般于秋后地上部分枯萎或早春萌芽前采收，刨出根茎，除去残叶，抖净泥土，晒干。

| **药材性状** | 本品根茎呈不规则结节状圆柱形，稍扭曲，有分枝，长 3 ~ 10 cm，直径 1 ~ 2 cm。表面棕褐色或暗棕色，粗糙，有纵皱纹，上侧残留数个凹陷的圆形茎基，下侧有多数点状凸起的根痕及残根。体轻，质较硬，易折断，断面黄色或黄白色，纤维状。气浓香，味辛、苦、微麻。以身干、无杂质、香气浓者为佳。

| **功能主治** | 辛，温。归膀胱经。祛风，散寒，除湿，止痛。用于风寒感冒，巅顶疼痛，风湿关节痹痛。

| **用法用量** | 内服煎汤，3 ~ 9 g。外用适量，煎汤洗；或研末调涂。

| **附　　注** | 一、物种鉴别

本种与辽藁本的区别在于：辽藁本较小，根茎呈不规则的团块状或柱状有分枝，长 1 ~ 6 cm，直径 0.5 ~ 2 cm，表面灰棕色至暗棕色，粗糙，上具残茎，直径 2 ~ 5 cm，有多数细长弯曲的根，长 5 ~ 9 cm。

二、濒危情况、资源利用和可持续发展

本种分布较广，野生资源丰富。藁本对风寒感冒、巅顶头痛、鼻塞、一身尽痛等症状有较好的疗效。此外，对寒滞肝脏、脘腹疼痛等症状也有一定疗效。因此，藁本多用作药物原料。

葛根、葛花

| 来　　源 | 葛根：本品为豆科植物野葛 *Pueraria lobata* (Willd.) Ohwi 的根。葛花：本品为豆科植物野葛 *Pueraria lobata* (Willd.) Ohwi 的花。

| 原植物形态 | 粗壮藤本。长可达 8 m，全体被黄色长硬毛，茎基部木质，有粗厚的块状根。羽状复叶具 3 小叶；托叶背着，卵状长圆形，具线条；小托叶线状披针形，与小叶柄等长或较小叶柄长；小叶 3 裂，偶尔全缘，顶生小叶宽卵形或斜卵形，长 7 ~ 15（~ 19）cm，宽 5 ~ 12（~ 18）cm，先端长渐尖，侧生小叶斜卵形，稍小，上面被淡黄色平伏的疏柔毛。下面较密；小叶柄被黄褐色绒毛。总状花序长 15 ~ 30 cm，中部以上有颇密集的花；苞片线状披针形至线形，远比小苞片长，早落；小苞片卵形，长不及 2 mm；花 2 ~ 3 聚生于花序轴的节上；花萼钟形，长 8 ~ 10 mm，被黄褐色柔毛，裂片披针形，渐尖，比萼管略长；花冠

长 10 ~ 12 mm，紫色，旗瓣倒卵形，基部有 2 耳及 1 黄色硬痂状附属体，具短瓣柄，翼瓣镰状，较龙骨瓣为狭，基部有线形、向下的耳，龙骨瓣镰状长圆形，基部有极小、急尖的耳；对旗瓣的 1 雄蕊仅上部离生；子房线形，被毛。荚果长椭圆形，长 5 ~ 9 cm，宽 8 ~ 11 mm，扁平，被褐色长硬毛。花期 9 ~ 10 月，果期 11 ~ 12 月。

| 野生资源 | 生于海拔 1 300 m 以下的草坡或疏林中。湖北各地均有分布。

| 栽培资源 | 一、栽培条件

本种适应性强，喜温暖潮湿的气候。本种适宜于低海拔地区种植，人工栽培以海拔 600 m 以下的地区生长较好。本种喜温耐热，适宜在有较强光照的条件下生长，在年降水量超过 2 500 mm 的地区生长最适宜。本种除砂石地、排水不良的瘠瘦地、重黏土、盐碱地和基岩上生长不良外，其他土壤均能生长；但以土层深厚、疏松、肥沃、排水性良好、富含腐殖质的砂壤土为宜。

二、栽培区域

湖北各地均有栽培。

三、栽培面积与产量

依据第四次全国中药资源普查的数据，全国葛根的栽培面积约为 6 000 hm²，总产量约为 20 万 t。

| 采收加工 | **葛根：** 春、秋、冬季均可采挖，一般以冬季封冻前采挖为好。根挖出后，除去藤叶，洗净，置硫黄炕中熏一夜取出，刮去粗皮，切成厚块，再置硫黄炕内熏一夜，取出晒干或炕干。

葛花： 立秋前后摘取花序，晒干，除去梗、柄和杂质。

| 药材性状 | **葛根：** 本品多为斜切、纵切或横切的块片，长 5 ~ 35 cm，直径 4 ~ 15 cm，厚 0.5 ~ 1 cm，表面黄白色或淡棕色，有时可见横长的皮孔及残存的淡棕色外皮。切面粗糙，纤维性强。横切面可见由纤维及导管所形成的同心性环层。质轻松，气微，味淡。

葛花： 本品呈不规则的长圆形或扁肾形，干缩，长 0.7 ~ 1.8 cm，花萼灰绿色，基部连合成筒状，先端 5 齿裂，裂片披针形，其中 2 齿合生，两面均密被毛茸，花瓣 5，淡紫色或浅棕色，凸出萼外或被花萼所包，质脆，易碎。气微，味淡。

| **功能主治** | **葛根**：解肌透疹，生津止渴。用于感冒，发热恶寒，头项强痛，疹出不透，泻痢，消渴，心绞痛，突发性耳聋等。
| | **葛花**：醒胃，止泻，解酒止渴。用于酒醉烦渴，肠风下血。

| **用法用量** | **葛根**：内服煎汤，10 ~ 15 g。
| | **葛花**：内服煎汤，3 ~ 9 g。

| **附　注** | 一、市场信息
| | 葛根的市场供需和价格（约 7 元 /kg）较为平稳。
| | 二、濒危情况、资源利用和可持续发展
| | 葛根在湖北种植面积较大，钟祥是著名的"中国葛粉之乡"，野生的野葛和种植的粉葛的面积超过 10 万亩。

瓜蒌

| 来　　源 | 本品为葫芦科植物栝楼 *Trichosanthes kirilowii* Maxim. 或双边栝楼 *Trichosanthes rosthornii* Harms 的成熟果实。

| 原植物形态 | **栝楼：**果实宽椭圆形至球形，长 7 ~ 10.5 cm，果瓤橙黄色，黏稠，与多数种子黏结成团，果柄长 4 ~ 11 cm；果皮外表面橙红色或深橙黄色，先端钝圆，柱基短小，梗端稍窄，梗基直径 8 ~ 10 mm，周围有纵皱纹，其余部分皱纹围成不规则多角形的皱格，格长 5 ~ 8 mm，宽 2 ~ 6 mm；内表面黄白色，有筋脉纹。种子卵状椭圆形，扁平，长 11 ~ 16 mm，宽 7 ~ 12 mm，厚 3 ~ 3.5 mm。黄棕色至棕色，种脐端稍窄微凹，另端钝圆，表面平滑，沿边缘有 1 圈棱线，两侧稍不对称，种脊生于较突出一侧。

双边栝楼：果实宽椭圆形，长 8 ~ 22 cm，直径 6.5 ~ 10 cm，果瓤橙黄色，黏稠，与多数种子黏结成团，果柄长 4.5 ~ 8 cm；果皮较薄，浅棕色，不甚皱至皱缩，

皱格呈不规则长方形，长 8 ～ 20 mm，果柄痕较大。种子矩状椭圆形，甚扁平，长 15 ～ 18 mm，宽 8 ～ 9 mm，厚 4 ～ 5 mm，深棕色，略粗糙，距边缘稍远处有 1 圈明显棱线。

| **野生资源** | 生于海拔 200 ～ 1 800 m 的山坡林下、灌丛中、旱地和村旁田边。湖北有分布。

| **栽培资源** | 一、栽培条件

本种喜温暖潮湿气候，较耐寒，不耐干旱。以向阳、土层深厚、疏松肥沃的砂壤土地块栽培为宜，不宜在低洼地及盐碱地栽培。

二、栽培要点

（1）繁殖方法。种子、分根及压条繁殖，生产上以分根繁殖为主。种子繁殖：9 ～ 10 月选橙黄色短柄的成熟果实，翌春于 3 ～ 4 月将种子用 40 ～ 50 ℃温水浸泡 1 昼夜，取出晾干，并用湿砂催芽，按穴距 2 m 播种，覆土厚 3 ～ 4 cm。播种 15 ～ 20 d 后出苗。分根繁殖：10 ～ 12 月将块根和芦头全部挖出，选择新鲜、无病虫害的根部作种，分成 7 ～ 10 cm 的小段。注意雌、雄株的根要适当搭配，以利于授粉。按行株距 2 m×0.3 m 挖穴播种，1 个月左右即可出苗。压条繁殖：在夏、秋季将健壮茎蔓拉至地面，在叶的基部压上土，待根长出，剪断茎部，长出新茎，成为新株。翌年可移栽。

（2）田间管理。栽种后，每年春、冬季各中耕除草 1 次。每次中耕除草后均结合施肥。当茎蔓生长至 30 cm 以上时，需搭棚架引蔓上架。茎蔓上架后，注意修枝打杈，去掉弱蔓、徒长茎蔓、过多腋芽分枝，促使养分集中，以利于结果。

开花结果期应进行人工授粉，重施基肥。

（3）病虫害防治。病害主要是根线虫病。虫害有黄守瓜、栝楼透翅蛾、蚜虫和黑足黑守瓜等。黄守瓜成虫于 5 月开始咬食叶片，幼虫蛀食根部。幼虫期可用 30 倍烟碱水灌根。栝楼透翅蛾幼虫于 7 月开始蛀食茎蔓，引起整枝枯死。蚜虫 6 ~ 7 月为害嫩心叶。

| 采收加工 | 秋季采收，连果柄剪下，置于通风处阴干。

| 药材性状 | 本品呈类球形或宽椭圆形。表面橙黄色至橙红色，皱缩或较平滑，先端有圆形的花柱残基，基部略尖，其残存果柄。质脆，易破开，内表面黄白色，有红黄色丝络，果瓤橙黄色，黏稠，与多数种子黏结成团。具焦糖气，味微酸、甜。以个整齐、皮厚柔韧、皱缩、色杏黄或红黄、糖性足、不破者为佳。

| 功能主治 | 甘、微苦，寒。归肺、大肠、胃经。清热涤痰，宽胸散结，润燥滑肠。用于肺热咳嗽，心胸闷痛，胁痛，黄疸，糖尿病，便秘，乳腺炎，痈肿疮毒。

| 用法用量 | 内服煎汤，9 ~ 20 g；或入丸、散剂。不宜与乌头类同用。脾胃虚寒、便溏及寒痰、湿痰者慎服。外用适量，捣敷。

| 附　注 | 一、物种鉴别

（1）商品瓜蒌的原植物是栝楼和双边栝楼。此外，同属多种植物的果皮在部分地区也作瓜蒌皮入药。比较多见的有以下 5 种：①南方栝楼 *Trichosanthes damiaoshanensis* C. Y. Cheng et Yueh，其果皮在广西、贵州和四川等地区使用；②大子栝楼 *Trichosanthes truncata* Clarke，其果皮在广西小部分地区使用，果皮纵剖两瓣，长约 14 cm，外表面绿黄色而光滑；③王瓜 *Trichosanthes cucumeroides* (Ser.) Maxim.，在江苏、浙江地区其果皮纵剖或横切称为"栝楼皮"，长 3 ~ 6 cm，黄白色，皮薄易碎，认为其药效与瓜蒌皮近似而稍弱；④红花栝楼 *Trichosanthes rubriflos* Thorel ex Cayla，其果皮曾在云南、贵州等地区使用，曾将其果皮纵剖成瓣，长约 8 cm，外表面浅橙黄色，微皱缩，内表面黏附墨绿色果瓤；⑤长萼栝楼 *Trichosanthes laceribractea* Hayata，《中国植物志》将湖北栝楼 *Trichosanthes hupehensis* C. Y. Cheng et Yueh 作为长萼栝楼的异名，在江西及湖南北部、湖北南部等地区使用，将其果皮纵剖成瓣，长约 6 cm，外表面深橙色，较幼嫩者可见有白色斑块，果瓤墨绿色，作为瓜蒌皮使用。不仅如此，其果实、种子以及根（作为天花粉）均入药。其果皮含挥发油，油的酸性部分

成分有亚油酸、棕榈酸等，中性部分成分有棕榈酸乙酯、十六醛等 38 种成分。

（2）商品瓜蒌子的原植物是栝楼和双边栝楼，此外，其同属 10 余种植物的种子在部分地区曾用作瓜蒌子，主要有以下 4 种：①大子栝楼 *Trichosanthes truncatu* Clarke，种子椭圆形，稍不对称，长 2 ～ 3 cm，宽 1.5 ～ 2 cm，厚 4 ～ 6 mm，黄棕色，光滑；广西、云南地区使用本品；②南方栝楼 *Trichosanthes damiaoshanensis* C. Y. Cheng et Yueh，种子宽椭圆形，长 1.4 ～ 1.8 cm，宽 0.8 ～ 1.1 cm，深棕色，稍有细皱纹，两端钝圆；我国西南地区使用本品；③三尖栝楼 *Trichosanthes tricuspidata* Lour. ［同物异名：大苞栝楼 *Trichosanthes bracteata* (Lam.) Voigt］，种子长方形或椭圆状长方形，长 0.8 ～ 1.5 cm，宽 3 ～ 7 mm，厚 1.5 ～ 2.5 mm，污白色或淡棕色，种脐端扁圆形，常带黑色，另端方形或微凹；云南、贵州等地区曾将混有本品的瓜蒌子调拨至华北及东北地区等；④马干铃栝楼 *Trichosanthes lepiniana* (Naud.) Cogn.，种子形似斧头，矩状倒卵形，长 1.3 ～ 1.9 cm，宽 0.8 ～ 1.1 cm，厚约 2.5 mm，暗棕色至黑棕色，种脐端平截，另端窄缩；广西、云南部分地区使用本品。

何首乌

| 来　　源 | 本品为蓼科植物何首乌 *Polygonum multiflorum* Thunb. 的块根。

| 原植物形态 | 多年生缠绕草本。根细长，先端膨大成肥大不整齐的块根，表面红褐色至暗褐色。茎攀缘，基部略带木质，中空，上部多分枝，枝草质。叶互生，具长柄；托叶鞘膜质，褐色，抱茎，长 5 ~ 7 mm，先端易破碎；叶片窄卵形或心形，长 4 ~ 9 cm，宽 2.5 ~ 5 cm，先端渐尖，基部心形或耳状箭形，全缘或微带波状。花小，多数，密集为多枝的大型圆锥花序，小花梗长 1 ~ 3 mm，基部有膜质小苞片；小苞片卵状披针形，长 2 ~ 3 mm，内生小花 2 ~ 4 或更多；花绿白色或白色，花被片 5，倒卵形，大小不等，外侧 3 花被片的背部有翅；雄蕊 8，不等长，均比花被片短；子房卵状三角形，花柱几无，柱头 3 裂。瘦果椭圆形，有 3 棱，长 2 ~ 3.5 mm，黑色面光亮，包于宿存增大的翅状花被内，倒卵形，直径 5 ~ 6 mm，下垂。花期 8 ~ 10 月，果期 9 ~ 11 月。

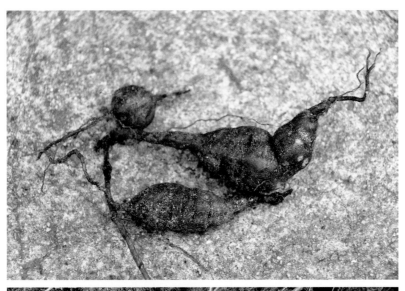

| 野生资源 | 生于草坡、路边、山坡石隙及灌丛中。分布于湖北建始及恩施等。

| 栽培资源 | 栽培条件。本种喜温暖、湿润、光照充足的环境。以在光照充足，土壤肥沃、疏松、排水良好、pH 6.5 ~ 7.5 的山坡上种植为宜。最好选用土质松散、蓬松、富含有机质的砂壤土、黑土或黄壤土等土栽培。

| 采收加工 | 在秋季落叶后或早春萌发前采挖，除去茎藤，将根挖出，洗净泥土，大的切成 2 cm 左右的厚片，小的不切，晒干或烘干。培育品 3 ~ 4 年即可收获，但以第 4 年收获产量较高。

| 药材性状 | 本品呈团块状或不规则纺锤形，长 6 ~ 15 cm，直径 4 ~ 12 cm。表面红棕色或红褐色，皱缩不平，有浅沟，并有横长皮孔样突起和细根痕。体重，质坚实，

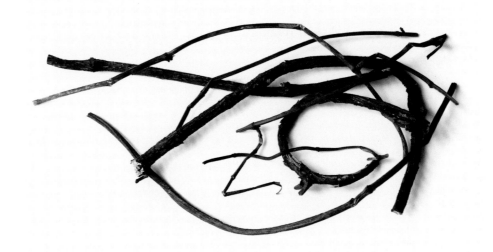

不易折断。断面浅黄棕色或浅红棕色，显粉性，皮部有 4 ~ 11 类圆形异型维管束环列，形成云锦状花纹，中央木部较大，有的呈木心。气微，味微苦而甘涩。

| 功能主治 | 微苦、甘，平。润肠通便，解疮毒。用于瘰疬，痈疮，阴血不足引起的大便秘结。

| 用法用量 | 内服煎汤，6 ~ 12 g。

| 附 注 | 一、物种鉴别
本种药材的伪品有以下 4 种。

（1）人形何首乌：芭蕉科植物芭蕉 *Musa basjoo* Sieb. et Zucc. 的新鲜根茎经过人工模型培造做成的物品。

（2）白首乌：萝藦科植物牛皮消 *Cynanchum auriculatum* Royle ex Wight、隔山消 *Cynanchum wilfordii* (Maxim.) Hemsl. 和白首乌 *Cynanchum bungei* Decne 的干燥块根。

（3）毛脉首乌：蓼科植物毛脉首乌 *Pleuropterus ciliinervis* Nakai 的干燥块根，呈卵形，表皮棕褐色，质坚硬，断面不平，土黄色，偶有不明显云锦纹及黄色纤维状脉纹，气略香，味微苦。

（4）翼蓼：蓼科植物翼蓼 *Pteroxygonum giraldii* Damm. et Diels 的干燥块根，表面棕褐色，多切成厚片，鲜品断面类白色，干后粉红色，无云锦花纹，味苦、极涩。

二、市场信息

近年来，由于大肆采挖，何首乌野生资源被严重破坏，加上资源类产品价格在全球范围内上扬，导致市场缺口不断扩大。在国内，何首乌的药材价格为 30 ~ 35 元 /kg，国际市场上，何首乌饮片价格高达 1 000 美元 /kg。

三、濒危情况、资源利用和可持续发展

何首乌因具有极高的药用、食用、保健医疗价值而引发人们滥采滥挖，目前市场上以野生品为主。盲目采挖之风使野生资源寥寥无几，难觅踪迹，几近灭绝，更显珍贵。近年来，何首乌市场价格一直稳中有升，供不应求，很多地方出现了有价无货的局面。因此，发展人工栽培何首乌前景广阔。通过人工栽培实验，大田生产管理集中，并采取喷施促控剂、膨大素等现代高科技手段，产量产值大幅度提高，收入极为可观。何首乌的最大效益优势是一年栽种，连续多年收获。

红花

| 来　　源 | 本品为菊科植物红花 *Carthamus tinctorius* L. 的花。 |

| 原植物形态 | 一年生草本。茎枝无毛。中下部茎生叶披针形、卵状披针形或长椭圆形，长7 ~ 15 cm，有锯齿或全缘，稀羽状深裂，齿端有针刺；向上的叶披针形，有锯齿；叶革质，两面无毛、无腺点，半抱茎。头状花序排成伞房花序，为苞叶所包，苞片椭圆形或卵状披针形，边缘有针刺或无针刺；总苞卵圆形，直径 2.5 cm，总苞片 4 层，无毛，外层竖琴状，中部或下部收缢，收缢以上叶质，绿色，边缘无针刺或有篦齿状针刺，先端渐尖，中、内层硬膜质，倒披针状椭圆形或长倒披针形；小花红色或橘红色，花丝上部无毛。瘦果倒卵圆形，乳白色，无冠毛。 |

| 野生资源 | 分布于湖北武汉、黄石（阳新）、宜昌（兴山）、襄阳、咸宁（崇阳）、恩施（利川、建始）及神农架等。 |

| 栽培资源 | 一、栽培条件

本种适应性较强，具喜光、耐旱、耐寒、耐盐碱、怕涝、怕高温、忌湿的特性。多栽培于气候温和、光照充足、地势高燥、肥力中等、排水良好且质地疏松的砂壤土。

二、栽培区域

湖北武汉、黄石（阳新）、宜昌（兴山）、襄阳、咸宁（崇阳）、恩施（利川、建始）及神农架等有栽培。

| 采收加工 | 夏季花由黄色变为红色时采摘，阴干或晒干。

| 药材性状 | 本品为不带子房的管状花，长 1 ~ 2 cm。表面红黄色或红色。花冠筒细长，先端 5 裂，裂片呈狭条形，长 5 ~ 8 mm。雄蕊 5，花药聚合成筒状，黄白色；柱头长圆柱形，先端微分叉。质柔软。气微香，味微苦。以花冠长、色红、鲜艳、质柔软无枝刺者为佳。

| 功能主治 | 辛，温。归心、肝经。活血通经，散瘀止痛。用于闭经，痛经，恶露不行，癥瘕痞块，跌扑损伤，疮疡肿痛。

| **用法用量** | 内服煎汤，3 ~ 9 g。

| **附　　注** | 一、市场信息

红花的市场供需和价格（约 136 元 /kg）较为平稳。

二、濒危情况、资源利用和可持续发展

红花适应性较强，分布范围广，其资源较为丰富。红花既是优质的药用植物，又是重要的油料作物，具有极高的药用价值和经济价值。

红豆杉

| 来　源 |

本品为红豆杉科植物红豆杉 *Taxus chinensis* (Pilger) Rehd. 的树皮、叶、种子。

| 原植物形态 |

乔木。高达 30 m，胸径 60 ~ 100 cm；树皮灰褐色、红褐色或暗褐色，裂成条片脱落；大枝开展，一年生枝绿色或淡黄绿色，秋季变成绿黄色或淡红褐色，二至三年生枝黄褐色、淡红褐色或灰褐色；冬芽黄褐色、淡褐色或红褐色，有光泽，芽鳞三角状卵形，背部无脊或有纵脊，脱落或少数宿存于小枝的基部。叶排成 2 列，条形，微弯或较直，长 1 ~ 3 cm（多为 1.5 ~ 2.2 cm），宽 2 ~ 4 mm（多为 3 mm），上部微渐窄，先端常微急尖，稀急尖或渐尖，上面深绿色，有光泽，下面淡黄绿色，有 2 气孔带，中脉带上有密生均匀而微小的圆形角质乳头状突起点，常与气孔带同色，稀色较浅。雄球花淡黄色，雄蕊 8 ~ 14，花药 4 ~ 8（多为 5 ~ 6）。种子生于杯状红色肉质的假种皮中，间或生于近膜质盘状的种托（即未发育成肉质假种皮的珠托）之上，常呈卵圆形，上部渐窄，稀倒卵状，长 5 ~ 7 mm，直径 3.5 ~ 5 mm，微扁或圆，上部常具 2 钝棱脊，稀上部三角

状具 3 钝脊，先端有凸起的短钝尖头，种脐近圆形或宽椭圆形，稀三角状圆形。

| 野生资源 | 生于海拔 1 000 m 以上的高山上。分布于湖北西部等。

| 栽培资源 | 本种喜凉爽湿润的气候环境，能够抵抗 –30 ℃ 的低温，适宜的生长温度为 20 ~ 25 ℃。冬天不需要采取过多的保暖措施，夏季温度过高时要注意遮光。对土壤的 pH 要求在 5.5 ~ 7.0，以疏松湿润、排水性良好、肥沃、有机质含量高的酸性砂质土壤种植为宜，也可以选用田园土、泥炭土和沙土混合在一起，再加上少量的腐熟有机肥即可。

| 采收加工 | 夏、秋季采收，晒干。

| 药材性状 | 本品树皮呈短段状，二年生树枝表皮棕色，新的当年枝棕绿色，可见叶序排列的突起残茎，二年生枝 1 ~ 2 mm，当年生枝与二年生枝几近等粗。叶线形，通常较直，上、下几等宽或上端稍渐狭，先端具凸起的尖头，基部两侧对称，长 2 ~ 3 cm，宽约 1.5 mm，主脉在背面隆起，边缘反曲。气芳香，味微苦、涩。

| 功能主治 | 甘，平；有小毒。归肾、心经。消肿散结，通经利尿。用于肾炎浮肿，小便不利，糖尿病。

| 用法用量 | 内服煎汤，3 ~ 7 g。

| 附　注 | 红豆杉主要在我国东北及云南地区有较为丰富的资源，分布范围较广。作为浅根植物，红豆杉的主根发育不明显，但侧根较为发达。其最大的价值在于具有显著的抗肿瘤效果，是世界上所公认的天然珍稀抗肿瘤植物。但是由于自然条件遭到破坏和人为乱砍滥伐等因素的影响，加上红豆杉生长速度较缓慢，再生能力也比较差，因此，红豆杉逐渐成为濒危植物。红豆杉天然资源的保护以及人工林的培育对红豆杉资源的可持续发展与利用具有积极的意义。近年来，随着自然环境的变化以及人为因素的影响，自然保护区域日益缩小，依靠在自然保护区生长的红豆杉的生长速度也相应降低。

厚朴

| 来　　源 |

本品为木兰科植物厚朴 *Houpoea officinalis* (Rehder & E. H. Wilson) N. H. Xia & C. Y. Wu 的干皮、根皮及枝皮。

| 原植物形态 |

落叶乔木。高 5 ~ 15 m，树皮紫褐色，小枝粗壮，淡黄色或灰黄色。冬芽粗大，圆锥形，芽鳞被浅黄色绒毛。叶柄粗壮，长 2.5 ~ 4 cm；托叶痕长约为叶柄的 2/3；叶近革质，大形，叶片 7 ~ 9 集生于枝顶，长圆状倒卵形，长 22 ~ 46 cm，宽 15 ~ 24 cm，先端短尖或钝圆，基部渐狭成楔形，上面绿色，无毛，下面灰绿色，褐灰色柔毛。花单生，芳香，直径 10 ~ 15 cm；花被 9 ~ 12 或更多，外轮 3 绿色，盛开时向外反卷，内 2 轮白色，倒卵状匙形；雌蕊多数，长 2 ~ 3 cm，花丝红色；雄蕊多数，分离。聚合果长圆形，长 9 ~ 15 cm；种子三角状倒卵形，外种皮红色。花期 4 ~ 5 月，果期 9 ~ 10 月。

| 野生资源 |

生于山坡山麓及路旁溪边的杂木林中。湖北有分布。

| 栽培资源 |

一、栽培条件

本种喜温和湿润气候，怕炎热，耐寒。幼苗怕强光，成年树宜向阳。以疏松肥沃、富含腐殖质、中性或微酸性的砂壤土为宜。山地黄壤土、黄红壤土也可栽种。

二、栽培区域

湖北恩施、宜昌等有栽培。

三、栽培要点

病害有叶枯病，可喷洒 1 ：1 ：100 波尔多液防治；根腐病、立枯病，可拔除病株，病穴用石灰消毒，还可喷 50% 托布津 1 000 倍液防治。虫害有褐天牛，可捕杀成虫防治。

| 采收加工 |

定植 20 年以上即可砍树剥皮，宜在 4 ~ 8 月生长盛期进行。根皮和枝皮直接阴干或卷筒后干燥，称根朴和枝朴；干皮可环剥或条剥，卷筒置于沸水中烫软后，埋置于阴湿处"发汗"。待皮内侧或横断面都变成紫褐色或棕褐色，并出现油润或光泽时，将每段树皮卷成双筒，用竹篾扎紧，削齐两端，暴晒干燥。

| 药材性状 |

本品干皮呈卷筒状或双卷筒状，长 30 ~ 35 cm，厚 2 ~ 7 mm，习称"筒朴"；近根部的干皮一端展开如喇叭口，习称"靴筒朴"。外表面灰棕色或灰褐色，粗糙，栓皮呈鳞片状，较易剥落，有明显的椭圆形皮孔和纵皱纹，刮去栓皮者显黄棕色；内表面紫棕色或深紫褐色，具细密纵纹，划之显油痕。质坚硬，不易折断，断面颗粒性，外层灰棕色，内层紫褐色或棕色，有油性，有的可见多数小亮尾。气香，味辛辣、微苦。根皮（根朴）为主根及支根的皮，厚 3 ~ 5 mm，形状不一，有卷筒状、片块状和羊耳状等；细小根皮弯曲如鸡肠，习称"鸡肠朴"。外表面灰黄色或灰褐色。质稍坚硬，较易折断，断面纤维性。枝皮（枝朴）呈单筒状，长 10 ~ 20 cm，厚 1 ~ 2 mm。外表面灰褐色，内表面黄棕色。质脆，易折断，断面纤维性。均以皮厚、肉细、油性大、断面紫棕色、有小亮星、气味浓厚者为佳。

| 功能主治 |

苦、辛，温。归脾、胃、肺、大肠经。燥湿消痰，下气除满。用于湿滞伤中，脘痞吐泻，食积气滞，腹胀便秘，痰饮喘咳。

| 用法用量 |

内服煎汤，3 ~ 10 g；或入丸、散剂。

| 附　　注 |

厚朴市场供需及价格（约 8 元 /kg）稳定。

湖北贝母

| 来　　源 | 本品为百合科植物湖北贝母 *Fritillaria hupehensis* Hsiao et K. C. Hsia 的鳞茎。

| 原植物形态 | 多年生草本。全株光滑无毛。茎单一，直立，长 25 ~ 50 cm。鳞茎肥厚，肉质，白色，卵球形或扁球形，由 2 鳞片组成，直径 1.5 ~ 3 cm。叶 3 ~ 7 轮生，中间常兼有对生或散生，矩圆状披针形，长 7 ~ 13 cm，宽 1 ~ 3 cm，先端不卷曲或多少弯曲。花 1 ~ 4，紫色，有黄色小方格条纹；叶状苞片通常 3，极少 4，多花时先端的花具 3 苞片，下面的具 1 ~ 2 苞片，先端卷曲；花梗长 1 ~ 2 cm；花被片 6，2 轮，长 4 ~ 4.5 cm，宽 1.5 ~ 1.8 cm，外花被片稍狭些；蜜腺窝在背面稍凸出；雄蕊 6，长约为花被片的一半，花药近基着，花丝常具小乳突；雌蕊 1，子房上位，柱头 3 裂。蒴果长 2 ~ 2.5 cm，宽 2.5 ~ 3 cm，棱上的翅宽 4 ~ 7 mm；种子多数，淡棕色，扁平，半圆形，有狭翼。花期 4 月，果期 5 ~ 6 月。

| **野生资源** | 生于海拔 1 000 ~ 1 800 m 的高山和二高山上。湖北有分布。

| **栽培资源** | 一、栽培条件

本种喜光照充足而又凉爽湿润的气候，怕高温、干旱和积水。宜选择疏松、富含腐殖质、微酸性的砂壤土种植。湖北西南部和西北部海拔 1 000 m 以上的山区均可种植。

二、栽培区域

湖北西南部和西北部等有栽培。

三、栽培面积与产量

依据第四次全国中药资源普查的数据，全国湖北贝母的栽培面积约为 330 hm^2，总产量约为 500 t。

| **采收加工** | 夏季初植株枯萎后采挖，采挖后将鳞茎洗净，放入石灰水（水 100 kg，生石灰 7.5 kg）或清水浸泡，干燥。

| **药材性状** | 本品呈扁圆球形，高 0.8 ~ 2.2 cm，直径 0.8 ~ 3.5 cm。表面类白色至淡棕色。外层鳞叶 2 瓣，肥厚，略呈肾形，或大小悬殊，大瓣紧抱小瓣，先端闭合或开

裂；内有鳞叶 2 ~ 6 及干缩的残茎。内表面淡黄色至类白色，基部凹陷呈窝状，残留有淡棕色表皮及少数须根。单瓣鳞叶呈元宝状，长 2.5 ~ 3.2 cm，直径 1.8 ~ 2 cm。质脆，断面类白色，富粉性。气微，味苦。

| 功能主治 | 清热化痰，止咳，散结。用于热痰咳嗽，瘰疬痰核，痈肿疮毒。

| 用法用量 | 内服煎汤，3 ~ 9 g。

| 附　　注 | 一、道地沿革

唐代苏敬《新修本草》关于湖北贝母的应用记载为："贝母，其叶如大蒜，四月蒜熟时采，良……出润州、荆州、襄州者最佳。江南诸州亦有。"其中，产润州及江南者主要指浙贝母，产荆州及襄州者是指湖北贝母，而且与所记述叶似大蒜，四月蒜熟时采，也相符合。宋代《本草图经》云："今河中、江陵府、郢、寿、随、郑、蔡、润、滁州皆有之。"其中，产于郢州、随州和江陵县者按书中所附插图应为湖北贝母。由此可见，湖北贝母作为贝母入药在我国有悠久的应用历史，而湖北也是古代本草记载的贝母主要产地之一。

另据《鄂西植物志》记载："湖北贝母在该地栽培和使用已有一百余年历史，均以川贝入药。"因当时以恩施板桥为商品集散地，故有"板贝"之称。1977 年，其原植物经肖培根院士、夏光成教授研究鉴定为贝母新种，命名为湖北贝母。2020 年版《中国药典》以湖北贝母之名记载。湖北为其道地产区。

二、市场信息

湖北贝母的市场供需和价格（约 50 元 /kg）较为平稳。

花椒

| 来　　源 | 本品为芸香科植物花椒 *Zanthoxylum bungeanum* Maxim. 的成熟果皮。

| 原植物形态 | 落叶小乔木。高 3 ~ 7 m。茎干上的刺常早落，枝有短刺，小枝上的刺基部宽而扁，呈劲直的长三角形，当年生枝被短柔毛。小叶 5 ~ 13，叶轴常有甚狭窄的叶翼；小叶对生，无柄，卵形或椭圆形，稀披针形，位于叶轴顶部的较大，近基部的有时圆形，长 2 ~ 7 cm，宽 1 ~ 3.5 cm；叶缘有细裂齿，齿缝有油点，其余无或散生肉眼可见的油点；叶背基部中脉两侧有丛毛或小叶两面均被柔毛，中脉在叶面微凹陷，叶背干后常有红褐色斑纹。花序顶生或生于侧枝先端，花序轴及花梗密被短柔毛或无毛；花被片 6 ~ 8，黄绿色，形状及大小大致相同；雄花的雄蕊 5 或多至 8，退化雌蕊先端叉状浅裂；雌花很少有发育雄蕊，心皮 2 或 3，间有 4，花柱斜向背弯。果实紫红色，单个分果瓣直径 4 ~ 5 mm，散生微凸起的油点，先端有甚短的芒尖或无；种子长 3.5 ~ 4.5 mm。花期 4 ~ 5 月，

果期 8 ~ 9 月或 10 月。

| **野生资源** | 生于平原至海拔较高的山地。湖北有分布。

| **栽培资源** | 一、栽培条件

本种喜温暖气候，喜光，稍耐阴、耐热、耐旱，不耐水涝；喜疏松肥沃的砂壤土。本种萌芽力强，耐修剪，生长缓慢。

二、栽培区域

湖北黄冈、襄阳、宜昌（长阳、秭归、五峰）、恩施（建始、鹤峰）等有栽培。

三、栽培面积与产量

依据第四次全国中药资源普查的数据，全国花椒的产量为 21 万 t；市场总价值约 168 亿元。

| **采收加工** | 立秋至处暑前后采摘，晒干。

| **药材性状** | 本品为蓇葖果，多单生，直径 4 ~ 5 mm。外表面紫红色或棕红色，散有多数疣状凸起的油点，直径 0.5 ~ 1 mm，对光观察呈半透明；内表面淡黄色。香气浓，味麻辣而持久。

| **功能主治** | 辛，温。归脾、胃、肾经。温中止痛，杀虫止痒。用于脘腹冷痛，呕吐泄泻，虫积腹痛；外用于湿疹，阴痒。

| **用法用量** | 内服煎汤，3 ~ 6 g。

| **附　　注** | 一、市场信息

花椒的市场供需和价格（约 45 元 /kg）较为平稳。

二、濒危情况、资源利用和可持续发展

花椒种植历史悠久，适应性强，分布范围广，我国多数地区均有分布，花椒资源丰富。花椒主要产地是山西、河北、陕西、云南、湖北、四川等地，其中四川种植的花椒质量较为优质，山西和河北地区的花椒产量最高。花椒作为药食同源的植物，不仅有良好的疗效，还广泛应用于食品行业和化妆品行业，发展前景较为广阔。

黄柏

| 来　　源 | 本品为芸香科植物黄皮树 *Phellodendron chinense* Schneid. 的树皮。

| 原植物形态 | 落叶乔木。高 10 ~ 25 m。树皮厚，外皮灰褐色，木栓发达，具不规则网状纵沟裂，内皮鲜黄色。小枝通常灰褐色或淡棕色，稀红棕色，有小皮孔。奇数羽状复叶对生，小叶柄短；小叶 5 ~ 15，披针形至卵状长圆形，长 3 ~ 11 cm，宽 1.5 ~ 4 cm，先端长渐尖，叶基不等的广楔形或近圆形，边缘有细钝齿，齿缝有腺点，上面暗绿色无毛，下面苍白色，仅中脉基部两侧密被柔毛，薄纸质。雌雄异株；圆锥状聚伞花序，花序轴及花枝幼时被毛；花小，黄绿色；雄花雄蕊 5，伸出花瓣外，花丝基部有毛；雌花的退化雄蕊呈小鳞片状；雌蕊 1，子房有短柄，5 室，花柱短，柱头 5 浅裂。浆果状核果呈球形，直径 8 ~ 10 mm，密集成团，成熟后紫黑色，内有种子 2 ~ 5。花期 5 ~ 6 月，果期 9 ~ 10 月。

| **野生资源** | 生于山地杂木林中或山谷溪流附近。湖北有分布。

| **栽培资源** | 本种喜凉爽气候，抗风力强，怕干旱、怕涝。苗期稍耐阴，成年树喜阳光，耐严寒。幼树易受冻害，树梢易受晚霜危害，致使分叉，干形不良。以选土层深厚、疏松肥沃、富含腐殖质的微酸性或中性壤土栽培为宜。

| **采收加工** | 定植 15 ~ 20 年后采收，5 月上旬至 6 月上旬，用半环剥、环剥或砍树剥皮等方法剥皮，目前多用环剥法。可在夏季初的阴天，平均温度在 22 ~ 26 ℃，此时形成层活动旺盛，再生树皮容易。选健壮无病虫害的植株，用刀分别在树段

的上下两端围绕树干环割一圈，再纵割一刀，切割深度以不损伤形成层为度，然后将树皮剥下，喷 10×10^{-6} 吲哚乙酸，再把略长于树段的小竹竿缚在树段上，以免塑料薄膜接触形成层，外面再包两层塑料薄膜，可促使再生新树皮。第 2、3 年连续剥皮，但产量略低于第 1 年。注意剥皮后一定要加强培育管理，使树势很快复壮，否则会出现衰退现象。剥下的树皮，趁鲜刮掉粗皮，晒至半干，再叠成堆，用石板压平，再晒至全干。

| **药材性状** | 本品树皮呈板片状，略弯曲，长宽不一，厚 1 ~ 7 mm。外表面黄绿色或淡黄棕色，平滑，残留栓皮灰棕色或灰白色，稍有弹性。内表面暗黄色或浅黄棕色，有细密的纵行纹理。体轻，质硬脆，断面绿黄色或淡黄色，皮层部位颗粒状，韧皮部纤维状，呈裂片状分层。气微，味极苦，嚼之有黏性。

| **功能主治** | 苦，寒。归肾、膀胱经。清热燥湿，泻火解毒，除骨蒸。用于湿热痢疾，泄泻，黄疸，梦遗，淋浊，带下，骨蒸劳热，口舌生疮，目赤肿痛，痈疽疮毒，湿疹。 |

| **用法用量** | 内服煎服，3 ~ 12 g。外用适量，研末调敷；或煎汤浸洗。 |

| **附　　注** | 一、市场信息 |

黄柏市场供需及价格（约 16 元 /kg）稳定。

二、濒危情况、资源利用和可持续发展

黄柏为我国传统大宗中药材之一，药用历史悠久，市场价值潜力巨大。黄柏药用价值很高，中医药界普遍认为它是清热燥湿药中的上品，在清热燥湿，泻火除蒸，解毒疗疮等方面功效显著。同时，黄柏的运用非常广泛，被制成各种中药剂型。

黄精

| 来　　源 | 本品为百合科植物黄精 *Polygonatum sibiricum* Red.、滇黄精 *Polygonatum kingianum* Coll. et Hemsl. 或多花黄精 *Polygonatum cyrtonema* Hua 的根茎。

| 原植物形态 | **黄精：**根茎圆柱状，由于结节膨大，因此"节间"一头粗、一头细，在粗的一头有短分枝，直径 1 ~ 2 cm。茎高 50 ~ 90 cm 或 1 m 以上，有时呈攀缘状。叶轮生，每轮 4 ~ 6，条状披针形，长 8 ~ 15 cm，宽 6 ~ 16 mm，先端拳卷或弯曲成钩。花序通常具 2 ~ 4 花，似呈伞形状，总花梗长 1 ~ 2 cm，花梗长 2.5 ~ 10 mm，俯垂；苞片位于花梗基部，膜质，钻形或条状披针形，长 3 ~ 5 mm，具 1 脉；花被乳白色至淡黄色，全长 9 ~ 12 mm，花被筒中部稍缢缩，裂片长约 4 mm；花丝长 0.5 ~ 1 mm，花药长 2 ~ 3 mm；子房长约 3 mm，花柱长 5 ~ 7 mm。浆果直径 7 ~ 10 mm，黑色，具 4 ~ 7 种子。花期 5 ~ 6 月，果期 8 ~ 9 月。

滇黄精：根茎近圆柱形或呈近连珠状，结节有时作不规则菱状，肥厚，直径
1～3 cm。茎高 1～3 m，先端作攀缘状。叶轮生，每轮 3～10，条形、条状
披针形或披针形，长 6～25 cm，宽 3～30 mm，先端拳卷。花序具 1～6 花，
总花梗下垂，长 1～2 cm，花梗长 0.5～1.5 cm；苞片膜质，微小，通常位于
花梗下部；花被粉红色，长 18～25 mm，裂片长 3～5 mm；花丝长 3～5 mm，
丝状或两侧扁，花药长 4～6 mm；子房长 4～6 mm，花柱长 8～14 mm。浆
果红色，直径 1～1.5 cm，具 7～12 种子。花期 3～5 月，果期 9～10 月。

多花黄精：根茎肥厚，通常连珠状或结节成块，少有近圆柱形，直径 1～2 cm。

茎高 50 ~ 100 cm，通常具 10 ~ 15 叶。叶互生，椭圆形、卵状披针形至矩圆状披针形，少有稍作镰状弯曲，长 10 ~ 18 cm，宽 2 ~ 7 cm，先端尖至渐尖。花序具（1 ~ ）2 ~ 7（ ~ 14）花，伞形，总花梗长 1 ~ 4（ ~ 6）cm，花梗长 0.5 ~ 1.5（ ~ 3）cm；苞片微小，位于花梗中部以下，或不存在；花被黄绿色，全长 18 ~ 25 mm，裂片长约 3 mm；花丝长 3 ~ 4 mm，两侧扁或稍扁，具乳头状突起至具短绵毛，先端稍膨大至具囊状突起，花药长 3.5 ~ 4 mm；子房长 3 ~ 6 mm，花柱长 12 ~ 15 mm。浆果黑色，直径约 1 cm，具 3 ~ 9 种子。花期 5 ~ 6 月，果期 8 ~ 10 月。

| 栽培资源 |

一、栽培条件

本种对生长环境选择性强，喜生于环境阴湿、土壤疏松肥沃、表层水分充足、背阴、透光性充足的林缘。

二、栽培区域

湖北恩施、宜昌、十堰、咸宁、黄冈等有栽培，咸宁、黄冈等地产量大，质量优。

三、栽培面积与产量

依据第四次全国中药资源普查的数据，黄精人工种植在近些年发展迅速，湖北栽培面积约为 2 000 hm²，其中房县约为 267 hm²、郧西约为 133 hm²、巴东约为 200 hm²、建始约为 133 hm²、利川约为 133 hm²、鹤峰约为 66.7 hm²、来凤约为 66.7 hm²、通城约为 66.7 hm²、通山约为 66.7 hm²、崇阳约为 667 hm²。此外，黄冈的多个县市亦有大面积种植。

| 采收加工 |

春、秋季采收，以秋采者质佳。采挖时挖取根茎，除去地上部分及须根，洗去泥土，置于蒸笼内蒸至呈现油润时，取出晒干或烘干；或置于水中煮沸后，捞出晒干或烘干。

| 药材性状 |

大黄精： 本品呈肥厚肉质的结节块状，结节长可达 10 cm 以上。表面淡黄色至黄棕色，具环节，有皱纹及须根痕，结节上侧茎痕呈圆盘状，四周凹入，中部突出。质硬而韧，不易折断。断面角质，淡黄色至黄棕色。气微，味甜，嚼之有黏性。

鸡头黄精： 本品呈结节状弯柱形，长 3 ~ 10 cm，直径 0.5 ~ 1.5 cm。结节长 2 ~ 4 cm，略呈圆锥形，常有分枝。表面黄白色或灰黄色，半透明，有纵皱纹，茎痕圆形，直径 5 ~ 8 mm。

姜形黄精： 本品呈长条结节块状，长短不等，常数个块状结节相连。表面灰黄色或黄褐色，粗糙，结节上侧有凸出的圆盘状茎痕，直径 0.8 ~ 1.5 cm。

| 功能主治 | 补气养阴，健脾，润肺，益肾。用于脾胃气虚，体倦乏力，胃阴不足，口干食少，肺虚燥咳，劳嗽咳血，精血不足，腰膝酸软，须发早白，内热消渴。

| 用法用量 | 内服煎汤，9 ~ 15 g。

| 附　　注 | 一、道地沿革

黄精药用始载于南北朝时期《名医别录》，列为上品，曰："生山谷。"南北朝梁代《本草经集注》记载："生山谷……今处处有。"宋代《本草图经》曰："今南北皆有之。以嵩山、茅山者为佳。"清代《植物名实图考》曰："别录上品。救荒本草谓其苗为笔管菜，处处有之……山西产与救荒图同。"《植物名实图考长编》曰："辰溪志：俗呼阳雀菜，衡山制卖者……福地记：武当县石阶山西北角……陶先生谓之西岳佐命，是也……秦时建阿房宫，采木者偶食黄精……峨眉山志：黄精，峨山产者，甚佳。"说明古时在今湖北武当山、陕西华山、四川峨眉山及陕西咸阳、湖南衡山都有黄精生长。黄精产地分布广泛，湖北一直是黄精的重要产地。

二、市场信息

黄精市场供需及价格（50 ~ 80 元 /kg）稳定。

三、濒危情况、资源利用和可持续发展

黄精是一种常见的中药材，具有较高的药用价值和食用价值。由于长期的过度开采和环境破坏，黄精的野生资源已经越来越少，部分品种处于濒危状态。为保护黄精资源，实现可持续开发，需要采取以下措施：①加强对黄精生长环境的保护，避免过度开采和破坏生态环境；②推广黄精的种植和培育技术，增加人工种植面积，减少对野生资源的依赖；③建立黄精资源监测和预警机制，及时掌握资源情况，为保护和开发提供科学依据；④加强黄精产品的研发和深加工，提高黄精资源的附加值，增加经济效益；⑤促进黄精资源的综合利用，如用于保健食品、化妆品、食品添加剂等领域，提高资源利用率。

黄连

| 来　　源 | 本品为毛茛科植物黄连 *Coptis chinensis* Franch.、三角叶黄连 *Coptis deltoidea* C. Y. Cheng et Hsiao 或云南黄连 *Coptis teeta* Wall. 的根茎。

| 原植物形态 | 多年生草本。高 15 ~ 25 cm。根茎黄色，常分枝，密生须根。叶基生，叶柄长 6 ~ 16 cm，无毛；叶片稍带革质，卵状三角形，宽达 10 cm，3 全裂；中央裂片稍呈菱形，长 3 ~ 8 cm，宽 2 ~ 4 cm，基部急遽下延成长 1 ~ 1.8 cm 的细柄，裂片再作羽状深裂，深裂片 4 ~ 5 对，近长圆形，先端急尖，彼此相距 2 ~ 6 mm，边缘具针刺状锯齿；两侧裂片斜卵形，比中央裂片短，不等 2 深裂或稀 2 全裂，裂片常再作羽状深裂；上面沿脉被短柔毛，下面无毛。花葶 1 ~ 2，与叶等长或较叶长；二歧或多歧聚伞花序，花 3 ~ 8；苞片披针形，3 ~ 5 羽状深裂；萼片 5，黄绿色，长椭圆状卵形至披针形，长 9 ~ 12.5 mm，宽 2 ~ 3 mm；花瓣线形或线状披针形，长 5 ~ 6.5 mm，先端尖，中央有蜜槽；雄蕊多数，外轮雄

蕊比花瓣略短或与花瓣近等长，花药广椭圆形，黄色；心皮 8 ~ 12。蓇葖果 6 ~ 12，具柄，长 6 ~ 7 mm；种子 7 ~ 8，长椭圆形，长约 2 mm，褐色。花期 2 ~ 4 月，果期 3 ~ 6 月。

| **野生资源** |

一、生境分布

生于海拔 1 000 ~ 2 000 m 山地密林中、山谷阴凉处或高山寒湿的林荫下。

主要分布于湖北西部。

二、蕴藏量

由于生态环境变化和 20 世纪 70 年代过度采挖，野生黄连资源蕴藏量几近枯竭，难以形成大量商品。

| **栽培资源** | 一、栽培区域

湖北恩施、十堰、宜昌及神农架等山区有栽培。湖北西部海拔 500 m 以上的山区林地均适合种植黄连，目前主要的种植区域有恩施（利川）、十堰（竹溪）及神农架等。

二、栽培要点

（一）前期准备

1. 选地整地

在海拔 1 200 ~ 1 800 m、年平均气温 13 ~ 17 ℃、平均年降水量 1 000 ~ 1 800 mm 及相对湿度为 85% ~ 90%、无霜期 220 ~ 260 d 的亚热带深丘、中山或亚高山地带，选择土壤疏松肥沃且富含腐殖质（含有机质 7% ~ 13%，含水量保持在 30% ~ 40%），地势平坦，排灌方便的地块作为黄连育苗地块。

将选好的地块进行翻耕，翻耕深度 30 cm，翻耕后晾晒 3 ~ 4 d，耙细，按畦宽 1 ~ 1.5 m 起沟，沟宽 20 cm，整理成长约 5 m 的苗床。如土壤黏性较重，可适当掺入细砂，耙匀，确保土壤疏松。

2. 苗床准备

将整好的苗床视土壤的肥力情况，按 200 ~ 600 kg/ 亩的比例施放腐熟的有机肥，耙匀，晾晒 3 ~ 4 d。

（二）选种育苗

1. 选种

选择健壮、无病虫害的 4 年生黄连作为采种种源，结合秋季除草拔去瘦小植株，保持行株距 20 cm×30 cm，按 300 kg/ 亩的用量追施腐熟的农家肥，增强种株抗病能力和开花结果率，经常观察，加强管理，及时防治病虫害。

2. 采种

于 3 ~ 6 月菁葵果由绿色变为褐色、尚未开裂时采收果实，及时拌入含水量为 10% ~ 20% 的细沙，放置于背风、阴凉、茅草覆盖的室外贮藏棚中，压实，覆盖一层湿润的腐殖土，放置 180 ~ 270 d，促进种子后熟。种子经过夏季和冬季低温期贮藏后，种孔部位出现裂口，表明种子完成后熟期，可以进行播种。

3. 播种方法

惊蛰前后，当气温达到 0 ℃以上时，即可播种黄连。播种时，将黄连种子连同细沙一同均匀撒播于苗床上，覆盖 1 ~ 2 cm 厚的腐殖土，盖上茅草，对于昼夜温差较大的高山区域，可用地膜做成育苗棚，以防夜间冻害。

4. 苗床管理

黄连苗出齐以后，拆去育苗棚，搭建遮阴棚，以防种苗被阳光灼伤；加强管理，预防病虫害，及时灌溉和排涝，及时除去杂草。在夏季和秋季分别追施腐熟的农家肥，促进种苗生长发育，增强抗病能力。幼苗长至 1 ~ 2 片真叶时，进行间苗，拔除部分弱苗，保持株距 1 cm 左右，黄连苗长至 4 片真叶以上时，即可移栽。

（三）移栽定植

1. 选地

于海拔 500 m 以上山区，选择夏季阴凉、冬季湿润，土壤肥沃、土质疏松、地势较为平坦、排灌性能良好、远离污染的地块或林下空地作为黄连种植用地。

2. 整地

将选好的地块进行翻耕，翻耕深度 30 cm，翻耕后晾晒 3 ~ 4 d，耙细，按畦宽 1 ~ 1.5 m，沟宽 20 cm 作畦，林下空地可不起沟作畦。将整好的种植用地视土壤的肥力情况，按 200 ~ 600 kg/ 亩的比例施放腐熟的有机肥作为底肥。

3. 定植

（1）种植时间。可于 2 ~ 3 月雪化之后，黄连新叶还未长出前移栽，或于 5 ~ 6 月黄连新叶长成时移栽，活苗率较高；低海拔地区还可以在 9 ~ 10 月土地未封冻之前移栽。

（2）种植密度。行株距 10 cm×10 cm，每亩种植 4 万 ~ 5 万株为佳。

（3）种植方法。于移栽季节的阴天或晴天早晚时分，挖取黄连种苗，随挖随栽。采用穴种或沟种的移栽方法，带土移栽黄连种苗。

（四）田间管理

1. 除草松土

栽培的前两年，可结合追肥进行除草松土，第 3 年后由于黄连已基本长满地块，不需进行特殊的松土和除草，检查时遇较明显的杂草，拔除即可。

2. 施肥

栽培的前两年，每年春季和秋季，可追施腐熟的农家肥，施用量视土壤肥力而定，通常在 200 ~ 600 kg/ 亩为宜，也可以每隔 1 ~ 3 个月施用稀释的人畜粪尿水。栽培第 3 年后以适当施用复合肥或腐熟的颗粒状农家肥为佳。

3. 间作

黄连为半阴性植物，需要背阴，特别是苗期对光照强度和时间比较敏感，黄连可与玉米、厚朴、黄柏等植物间作，提高土地使用效率。

4. 修剪

黄连无需特殊修剪和整理。

5. 灌溉与排水

黄连在移栽期和旱季应进行适当喷灌，保持土壤湿润，环境阴凉；雨季注意及时排涝，防止积水和涝灾。

（五）病虫害及防治

1. 病害及防治

（1）白粉病。又名冬瓜粉病，主要危害黄连的叶片。发病时叶背出现圆形或椭圆形的褐色小斑点，逐渐扩大或融汇，长出白色粉末，常在 7 ~ 8 月高温时发病，可造成植株焦枯死亡。

防治方法：合理密植，保持植株间通风透光，在冬季时全面清园，将枯枝残叶集中烧毁或深埋。发病时可喷洒石硫合剂，每周喷一次，连续 2 ~ 3 次。

（2）白绢病。主要危害根茎。发病初期地上部位无明显变化，到了病情后期，病菌向上延伸，密布在根茎附近的土表，形成茶褐色菌核。主要在夏、秋季时发病，影响植株的养分运输，常导致植株顶梢枯萎死亡。

防治方法：采用轮作的种植方式，可与玉米、小麦等禾本科植物轮作，不宜与玄参、芍药等药材轮作。发病时，可用石灰水浇灌或退菌特喷洒防治；及时拔除病株，对病穴进行消毒。

（3）根腐病。主要危害黄连根部。发病时，植株须根开始变为黑褐色，慢慢地干腐、干枯直至脱落，叶片出现紫红色的不规则病斑，逐渐变为暗紫红色。常在 4 ~ 5 月开始发病，7 ~ 8 月危害最为严重。

防治方法：种植前对地块进行杀虫和消毒，减少发病概率；及时拔除病株，以石灰粉做好病穴消毒；在发病初期可用退菌特、克瘟散防治。

（4）炭疽病。危害整株植物。发病时叶片出现条形的紫色斑，病斑可相互融合，最后导致叶片干枯而死。常在5月初开始发病，6月为高发期。

防治方法：发病初期，可用波尔多液或代森锰锌喷洒。

2. 虫害及防治

（1）蛞蝓。药农俗称"腺爬儿""天螺丝""蜗牛"，主要为害黄连叶片。蛞蝓常常将叶片咬成碎片。蛞蝓一般白天潜伏在阴湿处，夜间为害植物，雨天尤为严重。

（2）蛴螬和蝼蛄。蛴螬被药农称为"老木虫"，蝼蛄被药农称为"土狗子"。主要啃食黄连的根和叶柄及幼苗。

防治方法：施用充分腐熟的有机肥，减少虫害发生概率；可选择人工捕杀，也可使用伴有敌百虫或辛硫磷的新鲜菜叶或嫩草等毒饵诱杀，还可以使用杀螺胺乙醇胺盐等低毒、低残留杀虫剂杀虫。

三、栽培面积与产量

湖北黄连的栽培面积约5万亩，年产量约4 000 t，占全国黄连产量的40%左右。

| 采收加工 | 黄连一般在移栽后第5～6年开始收获，宜在10～11月采挖。采收时，选晴天，挖起全株，抖去泥沙，剪下须根和叶片，即得鲜根茎。鲜根茎不用水洗，直接干燥，干燥方法多采用炕干、烘干，注意火力不能过大，要勤翻动，干到易折断时，趁热放到槽笼里撞去泥沙、须根及残余叶柄，即得干燥根茎。

| **药材性状** | 本品多集聚成簇，常弯曲，形如鸡爪，单枝根茎长 3 ~ 6 cm，直径 0.3 ~ 0.8 cm。表面灰黄色或黄褐色，粗糙，有不规则结节状隆起、须根及须根残基，有的节间表面平滑如茎秆，习称"过桥"。上部多残留褐色鳞叶，先端常留有残余的茎或叶柄。质硬，断面不整齐，皮部橙红色或暗棕色，木部鲜黄色或橙黄色，呈放射状排列，髓部有的中空。气微，味极苦。以含小檗碱（$C_{20}H_{17}NO_4$）不少

于 5.5%，表小檗碱（$C_{20}H_{17}NO_4$）不少于 0.80%，黄连碱（$C_{19}H_{13}NO_4$）不少于 1.6%，巴马汀（$C_{21}H_{21}NO_4$）不少于 1.5%，粗壮、结实、质坚重、过桥短或无过桥、断面皮部较厚、色鲜黄或橙黄、有菊花心者为佳。

| 功能主治 | 清热燥湿，泻火解毒。用于湿热痞满，呕吐吞酸，泻痢，黄疸，高热神昏，心火亢盛，心烦不寐，心悸不宁，血热吐衄，目赤，牙痛，消渴，痈肿疔疮；外用于湿疹，湿疮，耳道流脓。

| 用法用量 | 内服煎汤，2 ~ 5 g；或入丸、散剂。外用适量，研末调敷；或煎汤洗；或熬膏涂；或浸汁用。

| 附　注 | 一、道地沿革

"黄连"之名始载于《范子计然》，该书曰："黄连出蜀郡，黄肥坚者善。"蜀郡在今四川成都一带。最早的本草学专著《神农本草经》将黄连列为上品，云："黄连……生山谷。"该书未对黄连的产地进行描述，仅叙述了生境特点。南北朝时期陶弘景所著《名医别录》记载："生巫阳及蜀郡、太山。"巫阳为今重庆巫山。《本草经集注》曰："今西间者色浅而虚，不及东阳，新安诸县最胜，临海诸县者不佳。用之当布裹去毛，令如连珠。"东阳辖境约为今浙江金华、衢江流域各地，新安辖境约为今浙江淳安以西、安徽新安江流域、祁门及江西婺源一带，临海诸县即今浙江临海一带。根据我国黄连属植物的自然分布情况，此时记载的黄连疑为短萼黄连。

唐代苏敬等人编纂的《新修本草》记载："蜀道者粗大节平，味极浓苦，疗渴为最。江东者节如连珠，疗痢大善。澧州者更胜。"江东为今安徽宣城，澧州为今湖南澧县。此时黄连有"蜀道"产和"江东""澧县"产，根据资源分布情况，"蜀道"产者应为"黄连"，"江东""澧县"产者疑为短萼黄连，因此外形特点和疗效有所不同。《蜀本草》云："黄连苗似茶……江左者节如连珠，蜀郡者节下不连珠，今秦地及杭州、柳州者佳。"江左为今安徽宣城，秦地指今陕西中部、甘肃东部，杭州是指今浙江杭州，柳州是指今广西柳州。根据资源分布情况，产于蜀郡为黄连、三角叶黄连和峨眉黄连，产于秦地者为黄连，产于江左、杭州、柳州疑为短萼黄连。孙思邈所著的《千金翼方》中记载黄连的产区有 7 个州，包括江南西道的宣州、饶州，江南东道的婺州、睦州、建州、歙州和剑南道的柘州等。宣州为今安徽宣城，饶州为今江西鄱阳，婺州为今浙江金华，睦州为今浙江建德，建州为今福建建瓯，歙州为今安徽歙县，柘州为今四川黑水。根据资源分布情况推测，除剑南道的柘州为黄连外，其余 6 个州所产黄连疑为短萼黄连。宋代《本草图经》记载："黄连，生巫阳川谷及蜀郡泰山，今江、湖、荆、夔州郡亦有，而以宣城者为胜，施、黔者次之。"江州为今江西九江，湖州为今浙江湖州，荆州为今湖北荆州，夔州为今重庆奉节一带，施州为今湖北恩施，黔州为今重庆彭水。根据资源分布情况推测，产江州、湖州者为短萼黄连，产荆州者、夔州者、施州者、黔州者为黄连、三角叶黄连及峨眉黄连。此时，明确湖北的恩施为黄连道地产区之一。

陈嘉谟所著《本草蒙筌》记载有"宣连"和"川连"，云："宣连，出宣城，属南直隶……川连生川省……并取类鹰爪连珠，不必分地土优劣。"根据本草记载特征和资源分布情况，推测川连为黄连、三角叶黄连或峨眉黄连，宣连为短萼黄连，并以"类鹰爪"的黄连为好。"云连"之名始载于《滇南本草》，云"滇连，一名云连，人多不识，生陆山，形似车前，小细子，黄色根，连结成条，此黄连功胜川连百倍。气味苦，寒无毒。"陆山在今云南昆明境内。

李时珍《本草纲目》记载："黄连，汉末李当之本草，惟取蜀郡黄肥而坚者为善。唐时以澧州者为胜。今虽吴、蜀皆有，惟以雅州、眉州［今四川眉山］者为良。药物之兴废不同如此。大抵有二种：一种根粗无毛有珠，如鹰鸡爪形而坚实，色深黄；一种无珠多毛而中虚，黄色稍淡。各有所宜。"其中"一种根粗无毛有珠，如鹰鸡爪形而坚实，色深黄。"原植物应为黄连，"一种无珠多毛而中虚，黄色稍淡。"原植物疑为三角叶黄连。赵学敏所著《本草纲目拾遗》云"南连，一名土连，浙温台金华山中俱有之……仙姑连，出台州仙居县……粗如鸡距，皆作连珠形，皮色青黄，光洁无毛，味大苦寒，折之有烟，色如赤金者佳。疗火症更捷于川产者，马药非此不可……天姥连，出天台，皮色鼠褐，略有毛刺，味苦，入口久含有清甘气。大泻心火，性寒而带散，故治目症尤效。" 书中记载的南连、仙姑连、天姥连均为浙江所产短萼黄连。清代吴其濬所著《植物名实图考》中记载："黄连，《本经》上品。今用川产，其江西山中所产者，谓之土黄连。"此时，基本上用到的黄连主产地在四川及其附近地区，江西山中所产者为"土黄连"。

从以上黄连品种与道地沿革可以看出，从宋代开始，湖北恩施即为黄连道地产区，其品种为毛茛科植物黄连的干燥根茎。

二、传统医药知识

黄连为临床常用大宗药材之一，湖北恩施、十堰及神农架等地有大规模种植，这些地区为黄连道地产区。其中，恩施从宋代开始即被历代医家推崇为道地产区。竹溪澂水乡（现竹溪桃源乡）在20世纪60年代被国务院授予"中国黄连之乡"称号。

黄连为多年生药材，一般栽培年限需达5年以上才能具备药用价值。在组织药材生产时，应注意做好规划，确保药材供应稳定，并维持药材价格稳定。

黄连为传统中药，用于治疗糖尿病、高脂血症已有1 000余年历史。黄连除根茎药用外，叶片、全部叶柄（千子连）、近芦头的叶柄（剪口连）、须根（黄连须）、花等部位中均含有小檗碱等生物碱，具有药用价值和开发应用价值，可作为综合开发利用资源。

黄连传统种植区域在海拔1 000 ~ 1 800 m。近年来研究发现，在海拔500 m以上（海拔500 m以下黄连难以成活）时，随着海拔的降低，黄连中小檗碱等生物碱的含量升高。这一发现可作为提高药材质量的选地参考。

黄连种子为后熟型种子。研究表明，在海拔1 200 m以上产地，通过室外搭棚进行自然贮藏能显著提高黄连种子发芽率，室内贮藏或窖藏的发芽率相对较低。

三、市场信息

（一）价格信息

历史上黄连价格随产量不同，有较大波动。2000年左右价格最高，达到400元/kg以上，2010年左右下跌至50元/kg左右。目前黄连价格随药材产地和质量不同，有一定波动，2023年湖北利川、竹溪、恩施所产的鸡爪连，一等品价格在300元/kg左右，二等品价格在200元/kg左右，统货价格在150元/kg左右；单支连较同等级鸡爪连较贵。

（二）年收购量与销量

黄连药材全国年收购量和销售量均约为10 000 t，产销基本平衡，药材基本来源于人工种植，且90%以上为黄连；云连产量较低，仅在产地有售；三角叶黄连尚无商品出售。

（三）混（伪）品

市场上尚未见黄连混伪品出售，但民间野生资源有时可见混伪品。这些混伪品主要有五裂黄连 *Coptis quinquesecta* W. T. Wang、古蔺黄连 *Coptis gulinensis* T. Z. Wang et C. K. Hsieh、线萼黄连 *Coptis linearisepala* T. Z. Wang et C. K. Hsieh、爪萼黄连 *Coptis chinensis* Franch. var. *unguiculata* T. Z. Wang et C. K. Hsieh 等。

四、濒危情况、资源利用与可持续发展

黄连全株含有小檗碱等活性成分，应加大对黄连叶、黄连须根的综合利用力度。通过开发以黄连叶、黄连须根为原料的中兽药、鱼药等新产品，分离纯化黄连叶、黄连须根中生物碱类成分等途径，进一步提高资源利用效率。

由于黄连具有降血糖、降血压等作用，可将其作为保健产品资源开发利用。

黄连中小檗碱等生物碱具有较强的抑菌、杀菌作用，可将其开发成肥皂、洗手液、抗蛀牙膏及其他洗护用品，亦可开发成消毒液，用于体表消毒。

中国是世界上种植黄连最早的国家，湖北是中国种植黄连最早的地区之一。公元 742 年（唐天宝元年）《元丰九域志》载："施州上贡黄连十斤，木药子百粒。"由此可见，黄连在唐朝就是当时极为珍贵的贡品。《宋史志》记载："施州下清江郡……贡黄连。"1891 年（光绪十七年）《利川县志》记载："黄连，邑产甚多，似鸡腿者良。" 据顾学裘 1939 年在《西康药材调查》中记载，中国从唐朝就开始人工种植黄连，黄连种植更是在中华人民共和国成立后得到较大的发展。1956 年，竹溪县人民政府选派黄连种植能手桃源乡柳树坪村一位四川籍农民作为代表出席全国群英会，被周恩来总理授予由其亲手书写的"黄连之乡"锦旗。自 1958 年开始，中国医学科学院药用植物研究所徐锦堂教授等人经过多年的努力，成功在利川市福宝山推广了"栽培黄连的玉米和造林遮阴技术"，黄连种植技术进一步提高。2014 年，湖北恩施黄连规范化种植基地通过国家 GAP 认证。随着全国城乡制药业的发展，尤其是出现成药生产基地后，社会的药材需求增加，野生资源逐步减少，难以满足生产和市场需求，黄连种植规模逐渐扩大。但随着环境变化和人们的过度采挖，野生黄连濒临灭绝，市场上已无野生药材商品。因此，保护黄连野生资源，保存优良种质资源，加大黄连优良品种培育，稳定栽培规模，提高栽培技术，成为黄连可持续发展中亟待解决的主要问题。

黄芩

| 来　　源 | 本品为唇形科植物黄芩 *Scutellaria baicalensis* Georgi 的根。

| 原植物形态 | 多年生草本。根短小，棕红色。茎具四棱，多分枝，棱边具膜质翅，节处较细，呈断裂状，表面枯绿色或绿褐色。叶长 1.5 ~ 4.5 cm，宽 3 ~ 12 mm，先端钝，基部近圆形，全缘，上面深绿色，无毛或微有毛，下面淡绿色，沿中脉被柔毛，密被黑色下陷的腺点。总状花序顶生或腋生，偏向一侧，长 7 ~ 15 cm；苞片叶状，卵圆状披针形至披针形，长 4 ~ 11 mm，近无毛；花萼二唇形，紫绿色，上唇背部有盾状附属物，果时增大，膜质；花冠二唇形，蓝紫色或紫红色，上唇盔状，先端微缺，下唇宽，中裂片三角状卵圆形，宽 7.5 mm，两侧裂片向上唇靠合，花冠管细，基部骤曲；雄蕊 4，稍露出，药室裂口有白色茸毛；子房褐色，无毛，4 深裂，生于环状花盘上，花柱细长，先端微裂。小坚果 4，卵球形，长 1.5 mm，直径 1 mm，黑褐色，有瘤。花期 6 ~ 9 月，果期 8 ~ 10 月。

| **野生资源** | 生于海拔 60 ~ 2 000 m 的向阳干燥山坡、荒地上，常见于路边。湖北有分布。 |

| **栽培资源** | 一、栽培条件 |

本种喜温暖凉爽气候，耐严寒，耐旱，耐瘠薄，成年植株地下部分可忍受 −30 ℃ 的低温。以光照充足，土层深厚、肥沃的中性或微碱性壤土或砂壤土栽培为宜。忌连作。

二、栽培要点

注意防治病虫害。病害有叶枯病和根腐病。叶枯病可通过清洁田园减少病原体，同时发病初期喷洒 1∶1∶200 波尔多液或用 50% 多菌灵 1 000 倍液防治。根腐病应注意排水，实行轮作以减轻病害。虫害主要为黄芩舞蛾，可用 90% 敌百虫防治。

| **采收加工** | 栽培 2 ~ 3 年后收获，于秋后茎叶枯黄时，选晴天挖取。采挖时将根部附着的茎叶去掉，抖落泥土，晒至半干，撞去外皮，晒干或烘干。 |

| **药材性状** | 本品呈圆锥形，多扭曲，长 5 ~ 25 cm，直径 1 ~ 3 cm。表面棕黄色或深黄色，粗糙，有明显的纵向皱纹或不规则网纹，具侧根残痕，先端有茎痕或残留茎基。质硬而脆，易折断，断面黄色，中间红棕色，老根木部枯朽，棕黑色或中空者称"枯芩"。气微，味苦。 |

| **功能主治** | 苦，寒。归肺、胆、脾、大肠、小肠经。清热燥湿，泻火解毒，止血，安胎。 |

用于湿温，暑湿，胸闷呕恶，湿热痞满，泻痢，黄疸，肺热咳嗽，高热烦渴，血热吐衄，痈肿疮毒，胎动不安。

| **用法用量** | 内服煎汤，3 ~ 9 g；或入丸、散剂。外用适量，煎汤洗；或研末调敷。

| **附　注** | 一、物种鉴别

（1）滇黄芩 *Scutellaria amoena* C. H. Wright。本品根茎横生或斜生，直径 1 cm 以上。根呈圆锥形的不规则条状，常有分枝，长 5 ~ 20 cm，直径 1 ~ 1.6 cm；表面黄褐色或棕黄色，常有粗糙的栓皮，有皱纹；下端有支根痕，断面纤维状，鲜黄色或微带绿色。

（2）粘毛黄芩 *Scutellaria viscidula* Bunge。本品根多细长，圆锥形或圆柱形，长 7 ~ 15 cm，直径 0.5 ~ 1.5 cm。表面与黄芩相似，很少中空或腐朽。

（3）丽江黄芩 *Scutellaria likiangensis* Diels。本品根呈圆柱形，有分枝，长 8 ~ 20 cm，直径 0.2 ~ 0.5 cm。表面黄棕色，断面黄色，老根中间显暗褐色，枯朽。

二、市场信息

黄芩市场供需及价格（约 23 元 /kg）稳定。

桔梗

| 来　　源 | 本品为桔梗科植物桔梗 *Platycodon grandiflorus* (Jacq.) A. DC. 的根。

| 原植物形态 | 多年生草本。高 30 ~ 120 cm，全株有白色乳汁。主根长纺锤形，少分枝。茎无毛，通常不分枝或上部稍分枝。叶 3 ~ 4 轮生、对生或互生；无柄或有极短的柄；叶片卵形至披针形，长 2 ~ 7 cm，宽 0.5 ~ 3 cm，先端尖，基部楔形，边缘有尖锯齿，下面被白粉。花 1 至数朵单生于茎顶或集成疏总状花序；花萼钟状，裂片 5；花冠阔钟状，直径 4 ~ 6 cm，蓝色或蓝紫色，裂片 5，三角形；雄蕊 5，花丝基部变宽，密被细毛；子房下位，花柱 5 裂。蒴果倒卵圆形，成熟时顶部 5 瓣裂。种子多数，褐色。花期 7 ~ 9 月，果期 8 ~ 10 月。

| 野生资源 | 生于海拔 2 000 m 以下的草丛向阳处、灌丛中，少生于林下。湖北各大山区均有分布。

| 栽培资源 |

一、栽培条件

本种喜温暖凉爽气候，耐寒。宜栽培在海拔 1 100 m 以下的丘陵半阴半阳地带的砂壤土中，以富含磷钾肥的中性夹砂土生长较好。

二、栽培要点

桔梗花期较长，花朵的生长发育需消耗大量营养，故在花果期摘除花果，减少花果对养分的消耗，可以提高根的产量。抽茎现蕾后要培土壅根，以防倒伏。桔梗病害主要有轮纹病、斑枯病和根腐病。轮纹病和斑枯病主要为害叶片，发病初期可喷施 1 ∶ 1 ∶ 100 波尔多液或 50% 多菌灵 1 000 倍液进行防治。根腐病可在发病初期拔除病株，同时用退菌特 50% 可湿性粉剂 500 倍液灌注。虫害主要为拟地甲，为害桔梗根部，可用 90% 敌百虫 800 倍液或 50% 锌硫磷 1 000 倍液喷杀。此外还需注意防控叶螨、地老虎、蚜虫、食子虫为害。

| 采收加工 | 春、秋季采挖，洗净，除去须根，趁鲜剥去外皮或不去外皮，干燥。

| 药材性状 | 本品呈圆柱形或微纺锤形，下部渐细，有的有分枝，略扭曲，长 7 ~ 20 cm，直径 0.7 ~ 2 cm。表面淡黄白色至黄色，不去外皮者表面黄棕色至灰棕色，具纵扭皱沟，并有横长的皮孔样斑痕及支根痕，上部有横纹。有的先端有较短的根茎或不明显，其上有数个半月形茎痕。质脆，断面不平坦，形成层环棕色，皮部黄白色，有裂隙，木部淡黄色。气微，味微甜后苦。

| 功能主治 | 苦、辛，平。归肺经。宣肺，利咽，祛痰，排脓。用于咳嗽痰多，胸闷不畅，咽痛音哑，肺痈吐脓。

| 用法用量 | 内服煎汤，3 ~ 10 g；或入丸、散剂。外用适量，烧灰研末敷。

| 附　　注 | 一、物种鉴别

桔梗属为单种属，与其最接近的为党参属，这 2 个属的区别为桔梗属柱头 5 裂，裂片狭窄，常为条形。桔梗药材易与荠苨、沙参混淆，桔梗根圆柱形，质硬，断面有环形层纹，味甜而微苦；荠苨根多为扁圆柱形，质较软，断面空泡无环形层纹，味甜；沙参呈圆锥形或圆柱形，略弯曲，长 7 ~ 27 cm，直径 0.8 ~ 3 cm，表面黄白色或淡棕黄色，凹陷处常有残留粗皮，上部多有深陷横纹，呈断续的环状，下部有纵纹和纵沟，先端具 1 或 2 根茎。体轻，质松泡，易折断，断面不平坦，黄白色，多裂隙，气微，味微甘。

二、市场信息

根据亳州中药材市场近 6 年（2017 年 6 月至 2023 年 5 月）的历史价格来看，带皮统个桔梗在 2020 年 1 月之前价格较低且波动不大，价格 20 ~ 25 元 /kg，从 2020 年 1 月份开始，桔梗价格稳步上升，至 2023 年 5 月份，达 40 元 /kg，市场需求和价格呈上升趋势。

三、濒危情况、资源利用和可持续发展

桔梗为广布种，全国各地均有分布，野生资源较丰富，但因市场需求大，野生资源采集成本高，现以人工栽培为主。桔梗用途广泛，一是药用，以根入药；二是食用，春季采摘嫩茎叶炒食或做汤饮，春秋季节采根，去皮后炒食或做泡菜、咸菜，亦可加工为果脯；三是园林绿化用，桔梗花朵较大，蓝色，形色俱佳，养护简单，可用于园林造景；四是美容养颜用，可用于日化产品的开发。此外，桔梗非药用部位和加工边角料也有广阔的开发空间。

菝葜

| 来　　源 | 本品为百合科植物菝葜 *Smilax china* L. 的根茎。

| 原植物形态 | 攀缘状灌木。根茎横走，呈不规则的弯曲状，质硬，肥厚，疏生须根。茎硬，高 0.7 ～ 2 m 或更高，有倒生或平出的疏刺。叶互生，革质，圆形至广椭圆形，长 5 ～ 7 cm，宽 2.5 ～ 5 cm，先端突尖或浑圆，基部浑圆或阔楔形，有时近心形，全缘，具 3 ～ 5 脉，下面绿色；叶柄长 4 ～ 5 mm，沿叶柄下部两侧有 2 卷须。花单性，雌雄异株；伞形花序，腋生；苞片卵状披针形；花被裂片 6，2 轮，矩圆形，黄绿色；雄花直径约 6 mm，雄蕊 6，花丝短，长约 4 mm，花药黄色；雌花较小，直径约 3 mm，退化雄蕊成丝状，子房上位，长卵形，3 室，柱头 3 裂，稍反曲。浆果球形，红色。花期 4 ～ 5 月。

| 野生资源 | 生于海拔 2 000 m 以下的林下、灌丛中、路旁、河谷或山坡上。湖北有分布。

| 栽培资源 | 一、栽培条件

本种喜温和湿润气候，耐寒。本种对土壤适应性较强，以土层深厚、排水良好、疏松肥沃的土壤栽培为宜。

二、栽培区域

湖北咸宁有栽培。

三、栽培要点

每年春季以分株繁殖为主，也可采用播种、扦插、压条等方法进行育苗。菝葜种子不宜隔年使用，如果采用播种的方式来育苗，最好在其成熟后尽快进行。

四、栽培面积与产量

湖北现有菝葜栽培面积 3 万亩，野生面积 6 万亩，其规模位列全国第一。

| 采收加工 | 2 月或 8 月采挖，除去泥土及须根，晒干。

| 药材性状 | 本品呈不规则的片状。外表皮黄棕色或紫棕色，可见残留刺状须根残基或细根。切面棕黄色或红棕色，纤维性，可见点状维管束。质硬，折断时有粉尘飞扬。气微，味微苦、涩。

| 功能主治 | 利湿去浊，祛风除痹，解毒散瘀。用于小便淋浊，带下，风湿痹痛，疔疮痈肿。

| 用法用量 | 内服煎汤，10 ~ 15 g。

| 附 注 | 一、道地沿革

菝葜始载于《名医别录》，被列为中品，记载其生于山野间，在二月、八月采根，晒干使用。《本草图经》记载，菝葜在今河南、浙江、江苏等地多有分布。《本草品汇精要》记载菝葜在江浙民间广泛使用，并提供有成德军菝葜、海州菝葜、江州菝葜和江宁府菝葜的图谱，表明菝葜在河北、江苏等地均广泛分布。现代《中华本草》和《中药大辞典》认为分布于湖北、湖南、江西、广东、浙江和重庆等。目前，湖北菝葜种植以通城为主，为湖北首批列入"一县一品"的中药材，被遴选为湖北"五大特色药材"之一。

二、市场信息

湖北咸宁为全国菝葜的主产区，湖北福人药业股份有限公司联合湖北中医药大学、湖北省农业科学研究院开展大规模种植和研究。通过产—学—研结合的方式，成功研发出"金刚藤糖浆"和"金刚藤胶囊"，这两种产品上市后，年销售额超过亿元，临床评价较好，产业链成熟。这一成果获得了湖北省科学技术进步奖二等奖，有力地推动了地方经济的发展。

菊花

| 来　　源 |

本品为菊科植物菊花 *Chrysanthemum morifo-lium* Ramat. 的干燥头状花序。

| 原植物形态 |

多年生草本。高 60 ~ 150 cm。茎直立，基部木质，多分枝，具细毛或绒毛。叶有柄，叶片卵圆形至窄长圆形；长 3.5 ~ 5 cm，宽 3 ~ 4 cm，边缘有缺刻及锯齿，基部心形，下面被白色绒毛。秋季开花，头状花序大小不等，直径 2.5 ~ 5 cm，单生于枝端或叶腋，或排列成伞房状；总苞片中央绿色，有宽阔膜质边缘，具白色绒毛，外围舌状花白色、黄色、淡红色或带淡紫色，中央管状花黄色，也有全为舌状花或管状花。瘦果柱状，无冠毛。花期 9 ~ 11 月。

| 野生资源 |

生于海拔 2 200 ~ 3 100 m 的山坡密林下及潮湿地，山丘河谷地带。分布于湖北黄冈（麻城）、襄阳（枣阳、南漳）、十堰等。

| 栽培资源 |

一、栽培条件
本种适应性强，对气候和土壤要求不高，我

国各地均可栽培，但低洼盐碱地不宜栽种。菊花盆栽或地栽皆可，但地栽忌连作。多采用扦插繁殖。以光照充足、通风良好、排水良好的砂壤土栽培为宜。气温在 10 ℃以上时开始萌芽，20 ~ 25 ℃时最适宜生长。

二、栽培区域

湖北黄冈（麻城）、襄阳（枣阳、南漳）、十堰等有栽培。

| 采收加工 | 秋季霜降前，花正开时采摘头状花序，烘干或蒸后晒干或置于通风处阴干；也可在花大部开放时采割全株，放入密室吊置，点燃硫黄，熏至花叶绵软后进行晾晒，至花朵将干时陆续摘花，再晒至足干。

| 药材性状 | **亳菊：**本品头状花序呈圆锥形或扁球形，直径 1.5 ~ 3 cm，总苞碟状；总苞片 3 ~ 4 层，卵形或椭圆形，外被柔毛，边缘膜质。舌状花数层，位于外围；花冠长约 1.8 cm，宽约 3 mm；类白色。管状花多数，两性，位于中央，被舌状花所隐藏，淡黄色。每花基部具 1 膜质鳞片。体轻，质柔润，干时松脆。气清香，味甘微苦。

滁菊：本品花头较小，直径 1 ~ 1.5 cm。舌状花长约 1.5 cm，宽约 3 mm；白色，不规则扭曲，内卷。管状花大多隐藏，基部鳞片不明显。质柔软。气香幽郁。

贡菊：本品花头直径 1.5 ~ 2.5 cm。舌状花长 1 ~ 1.2 cm，宽约 2 mm，白色；边缘多内卷成细筒样。管状花少，外露，基部鳞片甚少。

杭菊：本品花头较大而扁，直径 2.5 ~ 4 cm。舌状花较疏少而宽，长约 2.2 cm，宽约 6 mm；类白色、黄色或淡棕黄色。管状花多数，外露，基部鳞片不明显。质柔软。

怀菊：本品花序呈不规则球形或扁球形，直径 1.5 ~ 2.5 cm。多数为舌状花，舌状花类白色或黄色，不规则扭曲，内卷。

| 功能主治 | 甘、苦，凉。归肺、肝经。疏风散热，清肝明目，解疮毒。用于感冒风热，头痛目赤，咽喉肿痛，头眩耳鸣，疮痈肿毒。

| 用法用量 | 内服煎汤，6 ~ 18 g。

| 附　注 | 一、物种鉴别

菊花和野菊花的区别如下。

（1）生长环境不同。菊花均系栽培品，因产地不同可分为杭白菊、贡菊、滁菊、亳菊等，因产地不同而品质差异明显；野菊花多长于路边、丘陵、荒地、山坡等，全国大部分地区均有分布。

（2）形色差异。菊花花序呈圆锥形或扁球形，花直径 1.5 ~ 3 cm，花色多样，有黄色、棕色、白色等；野菊花呈类球形，花直径 0.3 ~ 1 cm，花色多为棕黄色，少量为褐色。

（3）功效差异。菊花，甘、苦，微寒。归肺、肝经。功效是散风清热，平肝明目。常用于风热感冒（桑菊饮）、肝阳上亢之头痛眩晕目赤（羚羊钩藤汤）、肝肾阴虚之眼目昏花（杞菊地黄丸）等。野菊花，苦、辛，微寒。归肝、心经。主要功效是清热解毒。主治痈肿、疔疮、目赤、瘰疬、天疱疮、湿疹等。由于其清热解毒之力甚于菊花，更适宜用于治疗各类疔疮痈肿之疾（代表方有"五味消毒饮"）。

二、市场信息

2022 年，菊花的年需求量为 5 000 ~ 10 000 t。2023 年，我国菊花出口量约为 2 368.46 t，出口金额约为 2 011.5 万美元。

决明子

| 来　　源 | 本品为豆科植物钝叶决明 *Cassia obtusifolia* L. 或决明 *Cassia tora* L. 的成熟种子。

| 原植物形态 | **钝叶决明：**一年生半灌木状草本。高 0.5 ~ 2 m。上部分枝多。叶互生，羽状复叶；叶柄长 2 ~ 5 cm；小叶 3 对，叶片倒卵形或倒卵状长圆形，长 2 ~ 6 cm，宽 1.5 ~ 3.5 cm，先端圆形，基部楔形，稍偏斜，下面及边缘有柔毛，最下 1 对小叶间有 1 条形腺体，或下面 2 对小叶间各有 1 腺体。花成对腋生，最上部的花聚生；总花梗极短；小花梗长 1 ~ 2 cm；萼片 5，倒卵形；花冠黄色，花瓣 5，倒卵形，长 12 ~ 15 mm，基部有爪；雄蕊 10，发育雄蕊 7，3 较大的花药先端急狭成瓶颈状；子房细长，花柱弯曲。荚果细长，近四棱形，长 15 ~ 20 cm，宽 3 ~ 4 mm，果柄长 2 ~ 4 cm；种子多数，菱柱形或菱形略扁，淡褐色，光亮，两侧各有 1 线形斜凹纹。花期 6 ~ 8 月，果期 8 ~ 10 月。

决明：一年生半灌木状草本。高 1 ~ 2 m。叶互生，羽状复叶；叶柄无腺体，在叶轴上两小叶之间有 1 棒状腺体；小叶 3 对，膜质；小叶柄长 1.5 ~ 2 mm；托叶线形，柔毛早落；叶片倒卵形或倒卵状长椭圆形，长 2 ~ 6 cm，宽 1.5 ~ 2.5 cm，先端圆钝而有小尖头，基部渐狭，偏斜，上面被稀疏柔毛，下面被柔毛。通常 2 花生于叶腋；总花梗长 6 ~ 10 mm；花梗长 1 ~ 1.5 cm；萼片 5，稍不等大，卵形或卵状长圆形，膜质，外面被柔毛，长约 8 mm；花黄色，花瓣 5，下面 2 略长，长 12 ~ 15 mm，宽 5 ~ 7 mm；雄蕊 10，能育雄蕊 7；子房线状，无柄，被白色细毛，花柱内弯。果实纤细，近扁，呈弓形弯曲，长 15 ~ 24 cm，直径 4 ~ 6 mm，被疏柔毛；种子多数，菱形，灰绿色，有光泽。花期 6 ~ 8 月，果期 9 ~ 10 月。

| **野生资源** | 生于山坡、旷野及河滩沙地上。湖北各地均有分布，主要分布于孝感等。

| **栽培资源** | 一、栽培条件

本种喜高温湿润气候，生长时需光照充足，以盛夏高温多雨季节生长最快。适宜的土壤为疏松肥沃的砂壤土，低洼、阴坡地不宜栽种。忌连作。

二、栽培要点

本种对气候和土壤要求不严格，但以向阳和排水良好的砂壤土栽种为好。繁殖方法为种子繁殖，南方 3 月、北方 4 月上旬播种，直播，按行距 0.5 ~ 0.67 m 开沟播种，覆土厚 1.67 cm，每亩播种量为 2.5 ~ 3 kg。10 d 左右出苗，苗高 6.67 ~ 10 cm 时间苗，适宜株距为 23.33 ~ 26.67 cm。生长初期和中期应酌施氮肥，后期可施磷肥。

| **采收加工** | 秋季采收成熟果实，晒干，打下种子，除去杂质。

| **药材性状** | 钝叶决明：本品略呈菱方形或短圆柱形，两端平行倾斜，长 3 ~ 7 mm，宽 2 ~ 4 mm。表面绿棕色或暗棕色，平滑，有光泽。一端较平坦，另端斜尖，背、腹面各有一凸起的棱线，棱线两侧各有一斜向对称而色较浅的线形凹纹。质坚硬，不易破碎。种皮薄，子叶 2，黄色，呈 "S" 形曲折并重叠。气微，味微苦。

决明：本品呈短圆柱形，较小，长 3 ~ 5 mm，宽 2 ~ 3 mm。表面棱线两侧各有一宽广的浅黄棕色带。以籽粒饱满、色绿棕者为佳。

| **功能主治** | 甘、苦、咸，微寒。归肝、大肠经。清热明目，润肠通便。用于目赤涩痛，畏光多泪，头痛眩晕，目暗不明，大便秘结。

| 用法用量 | 内服煎汤，9 ～ 15 g。

| 附　　注 | 一、物种鉴别

（1）同属植物望江南 *Cassia occidentalis* L. 的种子，称望江南子，扁平，类圆形，一端稍尖，长 0.3 ～ 0.5 cm，宽 0.3 ～ 0.4 cm，厚 0.1 ～ 0.2 cm；表面灰绿色或灰棕色，四周有 1 圈薄膜包被，表面的 2 平面中央各有 1 椭圆形凹斑；质坚硬，不易破碎，横切面可见灰白色胚乳与 2 平直紧贴的黄色子叶；气微，味淡。

（2）同属植物茳芒决明 *Cassia sophera* L. 的种子，与望江南子相似，唯稍大。果实呈圆柱形，粗壮，先端锐尖，基部收缩，常具果柄，长 5 ～ 8 cm；直径 0.6 ～ 0.8 cm；表面褐黄色，两侧自先端至基部有一宽约 0.3 cm 的暗深紫色带，腹缝线明显，常开裂，背腹缝线间凹凸横纹明显可见，种子间有横隔。

（3）豆科植物刺田菁 *Sesbania aculeata* Pers. 的种子，呈短圆柱形，长 0.2 ～ 0.4 cm，宽 0.1 ～ 0.2 cm；表面呈黄棕色至深绿褐色，光滑，两端钝圆，中部略缢缩，种脐白色，圆形，位于腹侧中部；气微，具显著的豆腥气。

二、濒危情况、资源利用和可持续发展

决明子种植历史悠久，适应性强，分布范围广，我国多数地区均适宜其生长，资源丰富。

苦参

| 来　　源 | 本品为豆科植物苦参 *Sophora flavescens* Aiton 的根。

| 原植物形态 | 草本或亚灌木，稀呈灌木状。通常高 1 m 左右，稀达 2 m。茎具纹棱，幼时疏被柔毛，后无毛。羽状复叶长达 25 cm；托叶披针状线形，渐尖，长 6 ~ 8 mm；小叶 6 ~ 12 对，互生或近对生，纸质，形状多变，椭圆形、卵形、披针形至披针状线形，长 3 ~ 4（~ 6）cm，宽（0.5 ~）1.2 ~ 2 cm，先端钝或急尖，基部宽楔形或浅心形，上面无毛，下面疏被灰白色短柔毛或近无毛，中脉在下面隆起。总状花序顶生，长 15 ~ 25 cm；花多数，疏或稍密；花梗纤细，长约 7 mm；苞片线形，长约 2.5 mm；花萼钟状，明显歪斜，具不明显波状齿，完全发育后近平截，长约 5 mm，宽约 6 mm，疏被短柔毛；花冠比花萼长 1 倍，白色或淡黄白色，旗瓣倒卵状匙形，长 14 ~ 15 mm，宽 6 ~ 7 mm，先端圆形或微缺，基部渐狭成柄，柄宽 3 mm，翼瓣单侧生，强烈折皱几达瓣片的顶部，

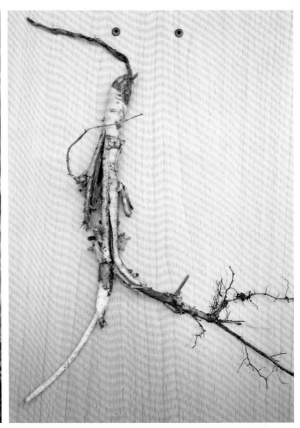

柄与瓣片近等长，长约 13 mm，龙骨瓣与翼瓣相似，稍宽，宽约 4 mm；雄蕊 10，分离或近基部稍连合；子房近无柄，被淡黄白色柔毛，花柱稍弯曲，胚珠多数。荚果长 5 ~ 10 cm，种子间稍缢缩，呈不明显串珠状，稍四棱形，疏被短柔毛或近无毛，成熟后开裂成 4 瓣，有种子 1 ~ 5；种子长卵形，稍压扁，深红褐色或紫褐色。花期 6 ~ 8 月，果期 7 ~ 10 月。

| **野生资源** | 生于海拔 1 500 m 以下的山坡、沙地草坡灌木林中或田野附近。

| **栽培资源** | 本种对土壤要求不严，一般在砂壤土和黏壤土中均可生长。本种为深根性植物，应选择地下水位低、排水良好的地块种植。

| **采收加工** | 春、秋季采挖，除去根头及小支根，洗净，干燥或趁鲜切片干燥。

| **药材性状** | 本品呈长圆柱形，下部常分枝，长 10 ~ 30 cm，直径 1 ~ 2.5 cm。表面棕黄色至灰棕色，具纵皱纹及横生皮孔。栓皮薄，常破裂反卷，易剥落，露出黄色内皮。质硬，不易折断，折断面纤维性。切片厚 3 ~ 6 mm，切面黄白色，具放射状纹理。气微，味苦。以条匀、断面色黄白、味极苦者为佳。

| 功能主治 | 苦,寒。归肝、肾、大肠、小肠、膀胱、心经。清热燥湿,祛风杀虫。用于湿热泻痢,肠风便血,黄疸,小便不利,水肿,带下,阴痒,疥癣,麻风,皮肤瘙痒,湿毒疮疡。

| 用法用量 | 内服煎汤,3 ~ 10 g;或入丸、散剂。外用适量,煎汤熏洗;或研末敷;或浸酒搽。

| 附　注 | 一、物种鉴别

古羊藤为萝藦科植物马莲鞍 *Streptocaulon griffithii* Hook. f. 的根,为苦参药材的伪品,呈圆柱形,弯曲;表面暗棕色,有小瘤状突起和不规则的纵皱纹;质硬,断面不平整,横切面皮部棕色,木部淡黄色,射线纤细,导管显著,呈小孔状;气微,味微苦。该种植物多生于山谷疏林中或灌丛中,分布于广东、广西、云南等地。

二、市场信息

苦参的市场供需和价格(约 16 元 /kg)较为平稳。

三、濒危情况、资源利用和可持续发展

苦参种植历史悠久,适应性强,分布范围广,我国东北地区、华北地区、西北地区东部、西南地区均有种植,此多个地区均可认为是道地产区。其中,东北平原、太行山脉、秦巴山区既是苦参的主产区,也是苦参的适宜种植区,所产苦参药材品质优良。

苦参因其确切的疗效,在临床得到了广泛的应用,目前,国内外以苦参为原料的单味药或复方制剂已有多种。苦参在兽药、农业和环境卫生等多个领域也得到了广泛的应用。

款冬花

| 来　　源 | 本品为菊科植物款冬 *Tussilago farfara* L. 的花蕾。

| 原植物形态 | 多年生草本。根茎横生地下，褐色。早春花叶抽出数个花葶，花葶高 5 ~ 10 cm，密被白色茸毛，有鳞片状互生的苞叶，苞叶淡紫色。基生叶阔心形，叶片长 3 ~ 12 cm，宽 4 ~ 14 cm，边缘波状，先端具增厚的疏齿，掌状网脉，下面被密白色茸毛；叶柄长 5 ~ 15 cm，被白色绵毛。头状花序单生于先端，初时直立，花后下垂；总苞钟状，果时长 15 ~ 18 mm，总苞片 1 ~ 2 层，线形，先端钝，常带紫色，被白色柔毛及腺毛，有时具黑色腺毛；边缘有多层雌花，花冠舌状，黄色，子房下位，柱头 2 裂；中央的两性花少数，花冠管状，先端 5 裂，花药基部尾状，柱头头状，通常不育。瘦果圆柱形，长 3 ~ 4 mm；冠毛白色，长 10 ~ 15 mm。

| **野生资源** | 生于海拔 1 500 m 以下的山沟、山谷、山边或较潮湿处。湖北有分布。

| **栽培资源** | 一、栽培条件

本种喜凉爽，怕旱、怕涝、忌强光，耐寒。栽培以土质疏松、深厚肥沃、湿润、腐殖质较丰富的微酸性砂壤土或红壤为宜。忌连作。

二、栽培区域

湖北有栽培。

| **采收加工** | 一般在栽培当年秋末冬初地冻前（立冬前后），花蕾未出土、苞片呈紫红色时采收。采收时仔细摘下花蕾，除去花梗和泥土，放筐里运回，防止挤压、揉搓，亦不可水洗，若花蕾上带泥，待干后去掉即可。将摘下的花蕾薄摊在席上，置于通风干燥处晾干后筛去泥土。

| **功能主治** | 润肺下气，止咳化痰。用于新久咳嗽，喘咳痰多，劳嗽咳血。

| **用法用量** | 内服煎汤，10 ~ 15 g。

| **附 注** | 一、市场信息

款冬花的市场供需和价格（约 340 元 /kg）较为平稳。

二、濒危情况、资源利用和可持续发展

款冬花在全国大部分地区均有分布，主产于河南、甘肃、山西、陕西等，湖北野生资源丰富。

雷公藤

| 来　　源 | 本品为卫矛科植物雷公藤 *Tripterygium wilfordii* Hook. f. 的木部。

| 原植物形态 | 藤本灌木。高 1 ~ 3 m。小枝棕红色，具 4 细棱，被密毛及细密皮孔。叶椭圆形、
倒卵状椭圆形、长方状椭圆形或卵形，长 4 ~ 7.5 cm，宽 3 ~ 4 cm，先端急尖
或短渐尖，基部阔楔形或圆形，边缘有细锯齿，侧脉 4 ~ 7 对，达叶缘后稍上弯；
叶柄长 5 ~ 8 mm，密被锈色毛。圆锥聚伞花序较窄小，长 5 ~ 7 cm，宽 3 ~ 4 cm，
通常有 3 ~ 5 分枝，花序、分枝及小花梗均被锈色毛，花序梗长 1 ~ 2 cm，小
花梗细长，长达 4 mm；花白色，直径 4 ~ 5 mm；萼片先端急尖；花瓣长方状卵形，
边缘微蚀；花盘略 5 裂；雄蕊插生于花盘外缘，花丝长达 3 mm；子房具 3 棱，
花柱柱状，柱头稍膨大，3 裂。翅果长圆状，长 1 ~ 1.5 cm，直径 1 ~ 1.2 cm，
中央果体较大，占全长的 1/2 ~ 2/3，中央脉及两侧脉共 5，分离，较疏，占翅
宽的 2/3，小果柄细圆，长达 5 mm；种子细柱状，长达 10 mm。

| **野生资源** | 生于山地林中阴湿处。湖北有分布。

| **栽培资源** | 一、栽培条件

本种喜温暖湿润的气候，具有抗寒、怕霜、怕风的特点。种植一般选择气候相对温和、全年降水量充足、有避风区、半阴半阳的区域，以排水良好、透气性好的微酸性砂壤土或红色壤土栽培为宜。

二、栽培要点

在落叶后至翌年 2 月上旬休眠前期内，选取一年生至二年生的枝条，剪成长 10 ~ 20 cm 的小段，每段插条应有 2 ~ 3 个节，然后将插条下端约 2 cm 的部分浸入浓度为 100×10⁻⁶ 的萘乙酸溶液 1 h 左右，按行株距 10 cm×（10 ~ 15）cm 扦插，将插条以 60° 角斜倚于沟内后，覆土压紧，上端露出地面部分为插条长的 1/4 ~ 1/3，插后立即浇水，并搭遮阴棚。40 d 后，插条即可发芽生根。1 年后可移栽，在杉、松及果树等幼林中套种，按行株距 50 cm×50 cm 挖穴，于 2 ~ 4 月上旬挖出种苗，1 穴定植 1 株，覆土厚 6 cm 并压紧，浇透水即可。

田间管理为一般每年除草施肥 1 ~ 2 次，6 月下旬除草松土宜浅，可结合施用过磷酸钙或复合肥料，肥料直接撒布于植株周围，用泥土稍加覆盖。定植后翌年，待苗藤长 100 cm 以上时，将主茎顶部剪去，以后每年修剪 1 次，使苗藤高度控制在 100 cm 左右，这可使植株复发枝条，促进根部发育，提高产量。

| **采收加工** | 栽培者的根长到一定规格后可于秋季采挖全根，抖净附在根上的泥土等杂质，去除最外的根皮，切成段或厚片，晒干。

| **药材性状** | 本品根呈圆柱形，扭曲，常具茎残基，直径 0.5 ~ 3 cm，商品常切成长短不一的段块。表面土黄色至黄棕色，粗糙，具细密的纵向沟纹及环状或半环状裂隙；栓皮层常脱落，脱落处呈橙黄色。皮部易剥离，露出黄白色的木部。质坚硬，折断时有粉尘飞扬，断面纤维性。横切面木栓层橙黄色，显层状；皮部红棕色；木部黄白色，密布针眼状孔洞，射线较明显。根茎的性状与根相似，多平直，有白色或浅红色髓部。气微，特异，味苦、微辛。

| **功能主治** | 有大毒。杀虫，祛风除湿，解毒。用于类风湿性关节炎，风湿性关节炎，肾炎，肾病综合征，红斑狼疮，湿疹，白塞综合征，银屑病，麻风，疥疮，顽癣。

| **用法用量** | 内服煎汤，15 ~ 25 g。外用适量，研末敷；或捣敷；或制成酊剂、软膏涂擦。内服宜慎。

| 附　注 | 一、市场信息

雷公藤的市场供需和价格（约 7 元 /kg）较为平稳。

二、濒危情况、资源利用和可持续发展

目前雷公藤资源的保护和管理迫在眉睫，野生雷公藤严禁乱采滥挖。

莲子

| 来　源 |

本品为睡莲科植物莲 *Nelumbo nucifera* Gaertn. 的成熟种子。

| 原植物形态 |

多年生水生草本。根茎肥厚横走，外皮黄白色，节部缢缩，节上生鳞片叶及须根。叶伸出水面，圆盾形，直径 25 ~ 90 cm，全缘而稍呈波状，上面暗绿色，光滑，具白粉，下面淡绿色；叶柄粗大，着生于叶背中央，圆柱形，中空，高 1 ~ 2 m，有刺毛。花大，单生于花梗先端，直径 14 ~ 24 cm，白色或粉红色，芳香；萼片 4 ~ 5，绿色，早落；花瓣多数，有脉；雄蕊多数，早落，花药线形，黄色，药隔先端有 1 棒状附属物；心皮 20 ~ 30，离生，嵌于平头倒圆锥形的肉质花托内；花托于果期膨大成莲蓬头状（习称莲蓬），直径 5 ~ 10 cm，海绵质。坚果卵形或椭圆形，外果皮坚硬光滑，内有 1 种子。花期 6 ~ 7 月，果期 9 ~ 10 月。

| 野生资源 |

生于湖泊、池塘、浅水或沼泽地。分布于湖北荆州（洪湖）、襄阳、鄂州等。

| 栽培资源 | 一、栽培条件

本种喜温暖湿润的气候，土温 10 ℃以上时，种藕顶芽开始萌发，气温 15 ℃以上时，茎叶生长，气温 20 ~ 30 ℃最适宜茎叶生长和开花结果，气温 25 ~ 35 ℃最适结藕，当气温下降至 15 ℃以下时植株停止生长。以光照充足、土层深厚、肥力充足的壤土、黏壤土、黏土或排灌方便的砂壤土种植为宜。

二、栽培区域

湖北荆州（洪湖、江陵、公安、监利）、鄂州、咸宁（嘉鱼）、孝感（汉川）等。

三、栽培要点

种植前深耕 30 cm 以上，并施加基肥。选择饱满、外表有光泽、无病虫害的种子，将其凹陷一端在水泥地上摩擦破口，或用老虎钳将其夹破，注意不要损伤种仁，破口后将其放到水里浸泡 3 ~ 7 d 即可种植。当种子嫩芽长到约 10 cm 时，需要及时移栽到淤泥里，加水达淤泥上 2 ~ 3 cm，让嫩芽露出水面。随着莲的不断生长，需及时调整水位以支撑浮叶生长。

四、栽培面积与产量

湖北莲的栽培面积约为 3.5 万 hm²，产量可达 5 万 t。

| 采收加工 | 9 ~ 10 月果实成熟时剪下莲蓬，剥出果实，趁鲜用快刀划开，剥去壳皮，晒干。

| 药材性状 | 本品略呈椭圆形或类球形，长 1.2 ~ 1.7 cm，直径 0.8 ~ 1.5 cm。表面浅黄棕色至红棕色，有细纵纹和较宽的脉纹，先端中央呈乳头状凸起，深棕色，常有裂口，其周围及下方略下陷。种皮薄，紧贴子叶，不易剥离。质硬，破开后可见黄白色肥厚子叶 2，中心凹入，呈槽形，具绿色莲子心。气微，味甘、涩，莲子心极苦。以个大饱满者为佳。

| 功能主治 | 甘、涩，平。归脾、肾、心经。补脾止泻，益肾涩精，养心安神。用于脾虚久泻，遗精，带下，心悸失眠。

| 用法用量 | 内服煎汤，6 ~ 15 g；或入丸、散剂。

| 附　注 | 一、道地沿革

莲子原名藕实，始载于《神农本草经》，被列为上品。《神农本草经》记载："藕实茎，味甘平，主补中养神，益气力，除百疾。久服轻身耐老，不饥延年……生池泽。"南北朝时期《名医别录》云："藕实茎，寒，无毒……生汝南。八月采。又，藕，主热渴，散血生肌。久服令人心欢。"李时珍所著的《本草纲

目》记载"大抵野生及红花者，莲多藕劣；种植及白花者，莲少藕佳也""白花藕大而孔扁者，生食味甘，煮食不美；红花及野藕，生食味涩，煮蒸则佳"。《本草纲目》还记载："莲藕，荆、扬、豫、益诸处湖泽陂池皆有之。"荆州为今湖北荆州，扬州为今江苏扬州，豫州为今河南一带，益州为今四川、重庆全境和陕西南部、云南西北部。现今莲子主要有福建、湖南、江西三大主产区，分别称为"建莲""湘莲""赣莲"，此外还有"湖莲""宣莲"，分别产自江苏及浙江武义，品质亦佳，但产量较小。总体来说，莲的各入药部位均以福建、湖南、江西三大道地产区所产者品质较好。湖北为千湖之省，水域面积大，莲藕种植已有千余年历史，现为我国莲子的道地产区之一。湖北的"洪湖莲子"为国家地理标志保护产品。

二、濒危情况、资源利用和可持续发展

本种分布范围较广，野生资源丰富。莲子为药食两用品种，营养价值高，除药用外，多被用于制保健品或煲汤。

猕猴桃

| 来　　源 |　本品为猕猴桃科植物猕猴桃 *Actinidia chinensis* Planch. 的果实。

| 原植物形态 |　大型落叶藤本。幼枝或厚或薄地被有灰白色茸毛、褐色长硬毛或铁锈色硬毛状刺毛，老时毛秃净或留有断损残毛；花枝短的长 4 ～ 5 cm，长的长 15 ～ 20 cm，直径 4 ～ 6 mm；隔年生枝完全秃净无毛，直径 5 ～ 8 mm，皮孔长圆形，比较显著或不甚显著；髓白色至淡褐色，片层状。叶纸质，倒阔卵形至倒卵形或阔卵形至近圆形，长 6 ～ 17 cm，宽 7 ～ 15 cm，先端平截且中间凹入或突尖、急尖至短渐尖，基部钝圆、平截至浅心形，边缘具脉出、直伸的睫状小齿，腹面深绿色，无毛或中脉和侧脉上有少量软毛或散被短糙毛，背面苍绿色，密被灰白色或淡褐色星状绒毛，侧脉 5 ～ 8 对，常在中部以上分歧成叉状，横脉比较发达，易见，网状小脉不易见；叶柄长 3 ～ 6（～ 10）cm，被灰白色茸毛、黄褐色长硬毛或铁锈色硬毛状刺毛。聚伞花序具 1 ～ 3 花；花序

梗长 7 ~ 15 mm，花梗长 9 ~ 15 mm；苞片小，卵形或钻形，长约 1 mm，均被灰白色丝状绒毛或黄褐色茸毛；花初开时白色，开后变淡黄色，有香气，直径 1.8 ~ 3.5 cm；萼片 3 ~ 7，通常 5，阔卵形至卵状长圆形，长 6 ~ 10 mm，两面密被压紧的黄褐色绒毛；花瓣 5，有时 3 ~ 4 或 6 ~ 7，阔倒卵形，有短距，长 10 ~ 20 mm，宽 6 ~ 17 mm；雄蕊极多，花丝狭条形，长 5 ~ 10 mm，花药黄色，长圆形，长 1.5 ~ 2 mm，基部叉开或不叉开；子房球形，直径约 5 mm，密被金黄色的压紧交织绒毛或不压紧、不交织的刷毛状糙毛，花柱狭条形。果实黄褐色，近球形、圆柱形、倒卵形或椭圆形，长 4 ~ 6 cm，被茸毛、长硬毛或刺毛状长硬毛，成熟时秃净或不秃净，具小而多的淡褐色斑点；宿存萼片反折；种子纵径 2.5 mm。

| 野生资源 |　　生于海拔 200 ~ 600 m 的低山区山林中。湖北有分布。

| 栽培资源 | 一、栽培条件

本种适宜栽培于大气、土壤、水质均无污染、交通运输条件较好、海拔 1 200 m 以下的浅丘陵、平原、梯田缓坡（坡度 25° 以下）区域。以 pH 5 ~ 6.5、地下水位 1 m 以下、排灌方便、土质疏松的微酸性土壤种植为宜。

二、栽培区域

湖北宜昌、十堰（郧阳）、襄阳、黄冈、咸宁等有栽培。

三、栽培面积与产量

截至 2019 年年底，全国猕猴桃的栽培面积约 29 万 hm²，总产量达 300 万 t。

| 采收加工 | 9 月中、下旬至 10 月上旬采摘成熟果实，鲜用或晒干。

| 药材性状 | 本品呈近球形、圆柱形、倒卵形或椭圆形，长 4 ~ 6 cm。表面黄褐色或绿褐色，被茸毛、长硬毛或刺毛状长硬毛，有的毛秃净，具小而多的淡褐色斑点，先端喙不明显，微尖。果肉外部绿色，内部黄色。种子细小，长 2.5 mm。气微，味酸、甘、微涩。

| 功能主治 | 解热，止渴，和胃，通淋。用于烦热，消渴，消化不良，黄疸，石淋，痔疮。

| 用法用量 | 内服煎汤，30 ~ 60 g。

| 附　注 | 一、市场信息

猕猴桃市场供需及价格（约 16 元 /kg）稳定。

二、濒危情况、资源利用和可持续发展

猕猴桃原产于我国湖北宜昌。经过人工栽培，猕猴桃在我国很多地区均有生产，尤其是长江流域和秦岭山区。猕猴桃有陕西、大别山、贵州、四川、广东、浙江、江西八大产区。

猕猴桃用途广泛，除药用外，还用于食品、观赏、环境美化等。

牡丹皮

| 来　　源 | 本品为毛茛科植物牡丹 *Paeonia suffruticosa* Andr. 的根皮。

| 原植物形态 | 落叶小灌木。高 1 ~ 2 m。根粗大。茎直立，枝粗壮，树皮黑灰色。叶互生，纸质；叶柄长 5 ~ 11 cm，无毛；叶通常为二回三出复叶，有时为二回羽状复叶，近枝顶的叶有 3 小叶；顶生小叶常 3 深裂，长 7 ~ 8 cm，宽 5.5 ~ 7 cm，裂片 2 ~ 3 浅裂或不裂，上面绿色，无毛，下面淡绿色，有时被白粉，沿叶脉被短柔毛或近无毛，小叶柄长 1.2 ~ 3 cm；侧生小叶狭卵形或长圆状卵形，长 4.5 ~ 6.5 cm，宽 2.5 ~ 4 cm，2 ~ 3 浅裂或不裂，近无柄。花两性，单生于枝顶，直径 10 ~ 20 cm；花梗长 4 ~ 6 cm；苞片 5，长椭圆形，大小不等；萼片 5，宽卵形，大小不等，绿色，宿存；花瓣 5 或为重瓣，倒卵形，长 5 ~ 8 cm，宽 4.2 ~ 6 cm，先端呈不规则的波状，紫色、红色、粉红色、玫瑰色、黄色、豆绿色或白色，颜色变异很大；雄蕊多数，长 1 ~ 1.7 cm，花丝紫红色，花药黄色；

花盘杯状，革质，先端有数个锐齿或裂片，完全包裹心皮，在心皮成熟时裂开；心皮5，稀更多，离生，绿色，密被柔毛。蓇葖果长圆形，腹缝线开裂，密被黄褐色硬毛。花期4～5月，果期6～7月。

| **栽培资源** | 一、栽培条件

本种喜温暖湿润的气候，较耐寒，耐旱，怕涝，怕高温，忌强光。以土层深厚、排水良好、肥沃疏松的砂壤土或粉砂壤土栽培为宜。盐碱地、黏土地不宜栽培。忌连作，隔3～5年再种，种子千粒重为198 g，宜随采随播。

二、栽培区域

湖北黄冈（红安）、五峰、十堰（郧阳）、襄阳（樊城、谷城）、荆门（东宝）有栽培。

| 采收加工 | 种子繁殖 4 ~ 6 年、分株繁殖 3 ~ 4 年收获，9 月下旬至 10 月上旬地上部分枯萎后采挖根，除去泥和须根，趁鲜抽出木心，晒干，称"原丹皮"；刮去粗皮、除去木心者，称"刮丹皮"。

| 功能主治 | 苦、辛，微寒。归心、肝、肾经。清热凉血，活血化瘀。用于热入营血，温毒发斑，吐血，衄血，夜热早凉，无汗骨蒸，闭经，痛经，跌扑伤痛，痈肿疮毒。

| 用法用量 | 内服煎汤，6 ~ 9 g；或入丸、散剂。

| 附　注 | 一、市场信息

牡丹皮市场供需及价格（约 21 元 /kg）稳定。

二、濒危情况、资源利用和可持续发展

牡丹种质资源丰富，根据花的颜色，可分为上百个品种。其中，紫斑牡丹是我国特有植物，为珍贵的花卉种质资源，对研究牡丹属植物的系统发育和培育牡丹新品种都具有一定意义。

木瓜

| 来　　源 | 本品为蔷薇科植物贴梗海棠 *Chaenomeles speciosa* (Sweet) Nakai 的近成熟果实。

| 原植物形态 | 落叶灌木。高达 2 m。枝条直立开展，有刺；小枝圆柱形，无毛，紫褐色或黑褐色，疏生浅褐色皮孔。单叶互生，叶片卵形至椭圆形，稀长椭圆形，长 3 ～ 9 cm，宽 1.5 ～ 5 cm，先端急尖，稀圆钝，基部楔形至宽楔形，边缘有尖锐锯齿，无毛或在萌蘖上沿下面叶脉有短柔毛；叶柄长约 1 cm；托叶草质，肾形或半圆形，稀卵形，长 5 ～ 10 mm，宽 12 ～ 20 mm，边缘有尖锐重锯齿，无毛。花两性，先叶开放，3 ～ 5 簇生于二年生老枝上；花梗长约 3 mm 或近无梗；花直径3 ～ 5 cm；萼筒钟状，外面无毛，萼片 5，直立，半圆形，稀卵形，长 3 ～ 4 mm，约为萼筒之半，宽 4 ～ 5 mm，先端圆钝，全缘或有波状齿及黄褐色睫毛；花瓣 5，倒卵形或近圆形，基部延伸成短爪，长 10 ～ 15 mm，宽 8 ～ 13 mm，深红色，稀淡红色或白色；雄蕊 45 ～ 50，长约为花瓣之半；雌蕊子房下位，5 室，

胚珠多数，花柱 5，柱头头状，有不明显分裂，约与雄蕊等长，基部合生，无毛或稍有毛。果实球形或卵球形，黄色或带黄绿色，有稀疏不明显的斑点，芳香；萼片脱落，果柄短或近无柄；种子多数，褐色，种皮革质。花期 3 ~ 5 月，果期 9 ~ 10 月。

野生资源 　生于海拔 1 800 m 以下的向阳坡地、平地、道旁。分布于湖北鹤峰、建始、宣恩、长阳、巴东、五峰等。

| **栽培资源** | 一、栽培条件

本种适应性强，各地普遍栽培，以海拔 800 ～ 1 000 m 生长最好。本种喜温暖湿润的气候及光照充足的环境，以肥沃、酸性或微酸性的黄棕壤和砂壤土种植为好。

二、栽培区域

湖北长阳、宜都、五峰、秭归、建始、鹤峰、宣恩、咸丰等有栽培。

三、栽培面积与产量

依据第四次全国中药资源普查的数据，全国木瓜的栽培面积在 1 100 hm² 以上，总产量在 3.06 万 t 以上。

| **采收加工** | 夏、秋季果实绿黄色时采收，置沸水中烫至外皮灰白色，纵剖成两瓣，晒干。

| **药材性状** | 本品呈长圆形，多纵剖成两瓣，长 4 ～ 9 cm，宽 2 ～ 5 cm，厚 1 ～ 2.5 cm。外表面紫红色或红棕色，有不规则的深皱纹；剖面边缘向内卷曲，果肉红棕色，中心部分凹陷，棕黄色；种子扁长三角形，多脱落。质坚硬。气微清香，味酸。以个大、色紫红、质坚实、皮皱、味酸者为佳。

| **功能主治** | 酸，温。归肝、脾经。舒筋活络，和胃化湿。用于湿痹拘挛，腰膝关节酸肿疼痛，暑湿吐泻，转筋挛痛，脚气，水肿。

| **用法用量** | 内服煎汤，6 ～ 9 g。

| **附　　注** | 一、物种鉴别

1. 与贴梗海棠形态特征相似的植物、地区习用品及药材混淆品

（1）蔷薇科植物木瓜 *Chaenomeles sinensis* (Thouan) Koehne 分布于多个省区，并有广泛栽培，成熟果实称"光皮木瓜"，有些地区将其果实作为木瓜使用。果实呈长圆形，多纵剖成 2 或 4 瓣，长 4 ～ 9 cm，直径 3.5 ～ 4.5 cm；外表红棕色或棕褐色，光滑或稍粗糙，果肉显颗粒性，质硬；种子多数，密集，扁三角形；气微，味微酸、涩，嚼之有砂砾感。

（2）蔷薇科植物毛叶木瓜 *Chaenomeles cathayensis* (Hemsl.) Schneid. 分布于陕西、甘肃、江西、湖北、湖南、四川、云南、贵州、广西等省区，且多地有栽培。形态特征与本种极相似，成熟果实在有些地区作木瓜使用。果实长卵形，先端凸起，表面棕色或棕黑色，有多数不规则皱缩的深皱纹；果肉较薄，厚约 0.5 cm，每室有种子 20 ～ 30，红棕色，扁平三角形；味酸、涩。

（3）蔷薇科植物西藏木瓜 *Chaenomeles thibetica* Yu 分布于西藏和四川，其果实在西藏和四川的部分地区作木瓜使用。果实长圆形或梨形，长 6 ~ 11 cm，直径 5 ~ 9 cm，多纵剖成 2 ~ 4 瓣，表面红棕色或灰褐色，饱满或皱缩；果肉较薄，大部分为子房；外形饱满者果肉疏松，表面皱缩者果肉较致密；种子多数，每室约 30，红棕色，扁平三角形；气特殊，味极酸。

（4）蔷薇科植物日本木瓜 *Chaenomeles japonica* (Thunb.) Lindl. 为引进物种，我国多地有栽种，有些地区将其果实（和木瓜）充作木瓜使用。

2. 伪品

蔷薇科植物云南榅桲 *Docynia delavayi* (Franch.) Schneid. 分布于云南、四川、贵州，蔷薇科植物榅桲 *Docynia indica* (Wall.) Dcne. 分布于云南、四川。此 2 种植物的果实称小木瓜、酸木瓜，呈椭圆形，多为横切或纵切的片；周边向内卷曲，直径 2 ~ 3.5 cm，厚 0.3 ~ 0.7 cm；外表紫红色，有细皱纹，略具蜡样光泽；果肉厚，棕黄色或红棕色；种子略呈三角形，一端尖，一端钝圆，个小；味酸。

二、市场信息

木瓜的市场供需和价格（约 25 元 /kg）较为平稳。

三、濒危情况、资源利用和可持续发展

贴梗海棠种植历史悠久，适应性强，分布范围广，我国多数地区均适宜其生长，木瓜资源丰富。木瓜主要有 3 个药材品种，分别为以安徽宣城为核心区域出产的"宣木瓜"、以浙江淳安为核心区域出产的"淳木瓜"和以湖北长阳为核心区域出产的"资丘木瓜"，此 3 种均为道地药材，品质优良。"宣木瓜""淳木瓜""资丘木瓜"均为国家地理标志保护产品。另外，以重庆綦江为主要产区出产的木瓜（川木瓜），品质亦佳，也是木瓜药材的主流品种之一。

贴梗海棠既是常用药材木瓜的基原植物，又是优美的观赏植物。在湖北，以长阳为核心，向周边延伸至恩施、宜昌的多个县市以及襄阳的部分县市，大量种植贴梗海棠，所产木瓜品质优良，现已逐步形成了集医药、食品、绿化、旅游文化为一体的产业结构。

闹羊花

| 来　　源 | 本品为杜鹃花科植物羊踯躅 *Rhododendron molle* G. Don 的花。

| 原植物形态 | 落叶灌木。高 1 ～ 2 m。老枝光滑，带褐色，幼枝有短柔毛。单叶互生，叶柄短，被毛；叶片椭圆形至椭圆状倒披针形，先端钝而具短尖，基部楔形，边缘具向上微弯的刚毛，幼时背面密被灰白色短柔毛。花多数，排成顶生的短总状花序，与叶同时开放；花萼 5 裂，宿存，被稀疏细毛；花金黄色，花冠漏斗状，外被细毛，先端 5 裂，裂片椭圆状至卵形，上面 1 较大，有绿色斑点；雄蕊 5，与花冠等长或稍伸出花冠外；雌蕊 1，子房上位，5 室，外被灰色长毛，花柱细，长于雄蕊。蒴果长椭圆形，成熟时深褐色，具疏硬毛，胞间裂开；种子多数，细小。花期 4 ～ 5 月，果期 6 ～ 7 月。

| 野生资源 | 生于海拔 1 000 m 的山坡草地、丘陵地带的灌丛或山脊杂木林下。分布于湖北

浠水、京山、蕲春、红安、阳新、远安、麻城、英山、当阳、夷陵、黄陂等。

| 栽培资源 |

一、栽培条件

本种喜强光和干燥、通风良好的环境，能耐 −20 ℃的低温，耐贫瘠和干旱，忌雨涝积水。栽培以排水良好而稍带酸性的黄色夹沙土或腐殖质土较好。

二、栽培要点

繁殖方法可采用种子繁殖和扦插繁殖。①种子繁殖。3 ~ 4 月播种于盆钵，翌年 2 ~ 3 月移栽于苗床，按行株距 12 cm×12 cm 栽植。除草、追肥 2 次，培育 2 ~ 3 年后移栽。②扦插繁殖。在 4 ~ 5 月开花时摘去花朵，剪下枝梢，剪成长 6 ~ 10 cm 的小段作为插条。在苗床上按行株距 12 cm × 12 cm 扦插，注意除草、施肥。培育 2 ~ 3 年后移栽，移栽在 4 ~ 5 月进行，按行株距 65 cm × 65 cm 开窝栽种，每窝 1 株。

在封林前，3 月、6 月、11 月进行中耕除草，并在 3 月、11 月追施人畜粪水 1 次；封林后，只在每年 3 月、11 月中耕除草、追肥 1 次。

三、栽培面积

依据第四次全国中药资源普查的数据，全国闹羊花的栽培面积约为 1.3 hm^2。

| **采收加工** | 全年均可采收，花微开时采摘，阴干或低温干燥。

| **药材性状** | 本品数花簇生于同一总梗上，多脱落为单花，灰黄色至黄褐色，皱缩；花萼 5 裂，裂片半圆形至三角形，边缘有较长的细毛；花冠钟状，筒部较长，长约 2.5 cm，先端卷折，5 裂，花瓣宽卵形，先端钝或微凹；雄蕊 5，花丝卷曲，等长或略长于花冠，中部以下有茸毛，花药红棕色，顶孔裂；雌蕊 1，柱头头状；花梗长 1 ~ 2.8 cm，棕褐色，有短茸毛。气微，味微麻。

| **功能主治** | 祛风除湿，散瘀定痛。用于风湿痹痛，跌打损伤，皮肤顽癣；外用于癣，龋齿痛。

| **用法用量** | 内服煎汤，0.6 ~ 1.5 g。外用适量，煎汤洗；或鲜品捣敷；或煎汤含漱。

| **附　注** | 闹羊花的市场供需和价格（约 170 元 /kg）较为平稳。

牛膝

| 来　　源 | 本品为苋科植物牛膝 *Achyranthes bidentata* Bl. 的根。

| 原植物形态 | 多年生草本。高 30 ~ 100 cm。根细长，直径 0.6 ~ 1 cm，外皮土黄色。茎直立，四棱形，具条纹，疏被柔毛，节略膨大，节上分枝对生。叶对生，叶柄长 5 ~ 20 mm；叶片椭圆形或椭圆状披针形，长 2 ~ 10 cm，宽 1 ~ 5 cm，先端长尖，基部楔形或广楔形，全缘，两面被柔毛。穗状花序腋生兼顶生，初时花序短，花紧密，其后伸长，连下部总花梗在内长 15 ~ 20 cm；花皆下折贴近花梗；苞片 1，膜质，宽卵形，上部突尖成粗刺状，另有 2 针状小苞片，先端略向外曲，基部两侧各具 1 卵状膜质小裂片；花被 5，绿色，直立，披针形，有光泽，长 3 ~ 5 mm，具 1 脉，边缘膜质；雄蕊 5，花丝细，基部合生，花药卵形，2 室，退化雄蕊先端平或呈波状缺刻；子房长圆形，花柱线状，柱头头状。胞果长圆形，光滑；种子 1，黄褐色。花期 7 ~ 9 月，果期 9 ~ 10 月。

| 野生资源 | 生于海拔 200 ~ 1 750 m 的山坡林下。分布于湖北嘉鱼、巴东、通山、来凤、利川、咸丰、南漳等。

| 栽培资源 | 一、栽培条件

本种为深根系植物，喜温暖干燥的气候，不耐严寒，在气温 −17 ℃时植株易冻死。以土层深厚的砂壤土栽培为宜，黏土及碱性土不宜生长。

二、栽培要点

栽培技术。繁殖方法采用种子繁殖。秋季果实由青色变黄褐色时采种，晒干备用。播种前将种子用 30 ℃温水浸泡 8 ~ 12 h，捞出，放入容器内，覆盖湿布，保持湿润，待 50%种子萌芽时，取出播种。一般南方适宜播种期为 6 月下旬至 7 月上、中旬；北方在 5 月下旬至 6 月初。过早播种植物生长快，茎叶茂盛，开花结果早而多，但根部短且分叉多，常出现木质化，品质差；过迟播种，生长期太短，植株矮小，根细而短，产量低。但适当延迟播种，可减少抽薹。

田间管理。在苗高约 7 cm 时间苗，苗高 17 ~ 20 cm 时按株距 13 cm 定苗。定苗前后中耕除草 2 ~ 3 次。肥料除施足基肥外，可在 7 ~ 8 月追施磷、钾肥，在收获前 1 个月喷过磷酸钙进行根外追肥。8 月下旬植物抽薹时，要及时除去花序，避免开花消耗养分，促使根生长，但切勿损伤茎叶。出苗后经常保持田间湿润，多雨季节需注意排水，防止烂根。收获前可灌水 1 次，以便挖掘根部。

病虫害防治。白锈病、叶斑病发病初期可喷 1∶1∶120 波尔多液或 50%可湿性甲基托布津 1 000 倍液防治。根腐病应注意排水并选择高燥的地块种植，忌连作。根腐病发病初期可用 50%多菌灵可湿性粉剂 1 000 倍液或石灰 2.5 kg 兑水 50 kg 灌穴。另有菟丝子为害。虫害有银纹被蛾，可进行捕杀或喷 90%敌百虫 800 倍液防治。另有棉红蜘蛛、线虫病为害。

三、栽培面积与产量

依据第四次全国中药资源普查的数据，全国牛膝的栽培面积约为 2.7 hm^2。

| 采收加工 | 冬季茎叶枯萎时采挖，除去须根及泥沙，捆成小把，晒至干皱后，将先端切齐，晒干。

| 药材性状 | 本品呈细长圆柱形，稍弯曲，上端稍粗，下端较细，长 15 ~ 70 cm，直径 0.4 ~ 1 cm。表面灰黄色或淡棕色，有微扭曲的细纵皱纹、排列稀疏的侧根痕和横长皮孔样的突起。质硬脆，易折断，受潮后变软。断面平坦，淡棕色，略呈角质样而油润，中心维管束木部较大，黄白色，其外周散有多数黄白色点状维管束，断续排列成 2 ~ 4 轮。气微，味微甜而稍苦、涩。

| 功能主治 | 逐瘀通经，补肝肾，强筋骨，利尿通淋，引血下行。用于闭经，痛经，腰膝酸痛，筋骨无力，淋证，水肿，头痛，眩晕，牙痛，口疮，吐血，衄血。

| 用法用量 | 内服煎汤，5 ~ 12 g。

| 附　注 | 一、物种鉴别

1. 与牛膝形态特征相似的植物、地区习用品及药材混淆品

（1）川牛膝（苋科植物川牛膝）：川牛膝药材近圆柱形，微扭曲，向下略细或有少数分枝，长 30 ~ 60 cm，直径 0.5 ~ 3 cm，较怀牛膝粗，故又名大牛膝。表面黄棕色或灰褐色，较怀牛膝颜色深，有纵皱纹、支根痕和多数横长的皮孔样突起。质柔韧，不易折断，断面浅黄色或棕黄色，有多数淡黄色小点（维管束 4 ~ 11 轮）排列成同心环。气微，因其含甜菜碱，故味甜，又名甜牛膝。

（2）红牛膝（苋科植物柳叶牛膝）：红牛膝是民间草药，不宜与怀牛膝混用。其根多呈簇状，表面黄棕色，具明显的纵皱纹及细侧根。质较韧而不易折断，断面灰棕色、淡红色或微带紫红色，有排列成 1 ~ 4 层的维管束小点。微臭，味略甜而微苦，麻舌。

（3）土牛膝（苋科植物粗毛牛膝）：其根多呈细长圆柱形，先端有根茎痕。表面灰黄色，具细顺纹与侧根痕。质柔韧而不易折断，断面显纤维性，维管束呈数层状排列。气微，味微甜、涩。

（4）味牛膝（爵床科植物腺毛马兰）：又名窝牛膝、尾膝、末牛膝。其根茎为不规则的块状结节，根的分枝较多，有的形如马尾。表面较光滑，暗灰色，有环状纹。断面皮部灰白色，木部紧韧，不易折断，呈暗灰色。气微，味淡。

（5）白牛膝（石竹科植物狗筋蔓）：又称水股牛。其根为稍扭曲的细长圆柱形。长短不等，有时有分枝。表面灰黄色，有纵皱纹及须根痕。质较脆，易折断。断面皮部灰白色，木部淡黄色。气微，味甜、微苦。

2. 伪品

伪品外观为圆形片状，直径 1 ~ 1.5 cm，表面棕褐色，质脆，易折断，断面可见深褐色的油状斑点；闻之气香，味苦而辣。

二、市场信息

牛膝的市场供需和价格（25 ~ 30 元 /kg）较为平稳。

三、濒危情况、资源利用和可持续发展

因牛膝价格多年低迷，加之物价与人工成本的提高，种植户种植积极性减弱，导致各产区每年种植面积都有所减少，当新货产出不能满足需求的时候，陈货

库存会被调用补充，从而使货源得到消化。因此，2021 年牛膝的货源供应已显现偏紧的局面，库存告急。2022 年各产区种植面积均出现扩增，内蒙古产区种植面积较 2021 年扩增了约 2 倍；河北产区也出现了明显扩增；河南产区虽总体种植面积在减少，但当年种植面积较 2021 年也有所扩增。由于中药材种植和采摘的不规范，以及市场需求量的增加，牛膝的价格也在不断上涨。因此，为了保证牛膝的质量和维持市场的稳定，需要加强中药材的种植和采摘管理，以及规范市场秩序。总体来说，牛膝作为一种重要的中药材，具有广泛的应用前景和强劲的市场需求。

牛蒡子

| 来　　源 | 本品为菊科植物牛蒡 *Arctium lappa* L. 的成熟果实。

| 原植物形态 | 二年生草本。高 1 ～ 2 m。根粗壮，圆锥形，肉质。茎直立，具多数纵条棱，上部多分枝，被稀疏的乳突状短毛、长蛛丝毛及棕黄色小腺点。基生叶丛生，叶柄长达 30 cm，叶片宽卵形，长达 30 cm，先端钝尖，基部心形，边缘具稀浅波状凹齿或齿尖，上面绿色，具稀疏的短糙毛及黄色小腺点，下面灰白色或淡绿色，密被短绒毛，具黄色小腺点；茎生叶互生，与基生叶近同形。头状花序簇生于枝端，排成伞房花序或圆锥状伞房花序；总苞卵球形，绿色，无毛；总苞片多层，近等长，长约 15 mm，先端具软骨质倒钩刺；花小，紫红色，全为管状花，管长 14 mm，先端 5 裂，裂片长约 2 mm，聚药雄蕊 5；子房下位，花柱长，柱头线状 2 歧。瘦果椭圆形，长 5 ～ 7 mm；冠毛短刺状，长达 3.8 mm，基部不连合成环，分散脱落。花果期 6 ～ 9 月。

| **野生资源** | 生于海拔 750 ~ 3 100 m 的山坡、山谷、林缘、林中、灌丛中、河边潮湿地、
村庄路旁或荒地。湖北各地均有分布，主要分布于湖北西部。 |

栽培资源　一、栽培条件

本种宜选择土层深厚、排水良好、疏松肥沃、排灌便利的地块进行栽培。

二、栽培区域

湖北西部有栽培。

| 采收加工 | 秋季果实成熟时采收果序，晒干，打下果实，除去杂质，再晒干。

| 药材性状 | 本品呈长倒卵形，略扁，微弯曲，长 5 ～ 7 mm，宽 2 ～ 3 mm。表面灰褐色，带紫黑色斑点，有数条纵棱，通常中间 1 ～ 2 较明显。先端钝圆，稍宽，顶面有圆环，中间具点状花柱残迹；基部略窄，着生面色较淡。果皮较硬，子叶 2，淡黄白色，富油性。气微，味苦后微辛而稍麻舌。以粒大饱满、外皮灰黑色、无杂质者为佳。

| 功能主治 | 辛、苦，寒。归肺、胃经。疏散风热，宣肺透疹，解毒利咽。用于风热感冒，咳嗽痰多，麻疹，风疹，咽喉肿痛，痄腮，丹毒，痈肿疮毒。

| 用法用量 | 内服煎汤，6 ～ 12 g。

| 附　　注 | 一、物种鉴别
与牛蒡子形态特征相似的植物、地区习用品及药材混淆品。

（1）新疆牛蒡子：菊科植物大鳍蓟 *Onopordum acanthium* L. 的成熟果实。产于新疆，与正品牛蒡子的主要区别为本品呈椭圆形，不弯曲，长 4 ～ 6 mm，宽 2 ～ 3 mm，表面灰白色，有多数隆起的水波状横纹。先端钝圆，稍凸起，常有白色冠毛残存。

（2）云木香子：菊科植物云木香 *Aucklandia lappa* Decne. 的果实。与正品牛蒡子的区别主要是本品呈楔形，略弯曲，具四钝棱，上端较宽，长 0.8 ～ 1 cm，宽 0.2 ～ 0.4 cm，表面灰褐色至灰黑色，色浅者可见黑褐色斑点，顶面呈不规则四边形或三角形。味苦，麻舌。

（3）绒毛牛蒡子：菊科植物毛头牛蒡 *Arctium tomentosum* Mill. 的果实。与正品牛蒡子的区别主要是本品呈矩卵圆形，稍弯曲，长 0.5 ～ 0.7 cm，宽 0.2 ～ 0.4 cm，两端近平截，顶面多角形，可见一直径约 0.2 cm 的黑色圆环，表面褐色，具黑色小斑点。

（4）水飞蓟：菊科植物水飞蓟 *Silybum marianum* (L.) Gaertn. 的果实。与正品牛蒡子的区别主要是本品呈类长卵形，两侧略不对称，长 0.5 ～ 0.7 cm，宽 0.2 ～ 0.4 cm。表面黑褐色，具横向波状细纹，有光泽；先端具微斜的白色浅环，中央常有 1 半球形突起，基部有 1 窄缝状着生痕。质硬，内含种子 1。气微，味微苦。

二、市场信息
牛蒡子可供货源量减少，价格（27 ～ 31 元 /kg）持续上涨。

糯稻根

| 来　　源 | 本品为禾本科植物糯稻 *Oryza sativa* L. var. *glutinosa* Matsum. 的根及根茎。

| 原植物形态 | 一年生草本。高 1 m 左右。秆直立，圆柱状。叶鞘与节间等长，下部者长过节间；叶舌膜质较硬，狭长披针形，基部两侧下延，与叶鞘边缘相结合；叶片扁平披针形，长 25 ~ 60 cm，宽 5 ~ 15 mm，幼时具明显叶耳。圆锥花序疏松，颖片常粗糙；小穗长圆形，通常带褐紫色；退化外稃锥刺状，能育外稃具 5 脉，被细毛，有芒或无芒；内稃 3 脉，被细毛；鳞被 2，卵圆形；雄蕊 6；花柱 2，柱头帚刷状，自小花两侧伸出。颖果平滑，粒饱满，稍圆，色较白，煮熟后黏性较大。花果期 7 ~ 8 月。

| 野生资源 | 分布于湖北恩施（利川、来凤）及神农架等。

| **栽培资源** | 一、栽培条件

本种适应性强，各地普遍栽培。

二、栽培面积与产量

依据第四次全国中药资源普查的数据，全国糯稻的栽培面积约 2 hm²。

| **采收加工** | 夏、秋季采挖，除去残茎，洗净，晒干。

| **药材性状** | 本品全体集结成疏松的团状，上端有分离的残茎，圆柱形，中空，长 2.5 ～ 6.5 cm，外包数层灰白色或黄白色的叶鞘；下端簇生多数须根。须根细长而弯曲，直径 1 mm，表面黄白色至黄棕色，表皮脱落后显白色，略具纵皱纹。体轻，质软。气微，味淡。

| **功能主治** | 养阴除热，止汗。用于阴虚发热，自汗盗汗，口渴咽干，肝炎，丝虫病。

| **用法用量** | 内服煎汤，15 ～ 30 g，大剂量可用 60 ～ 120 g。以鲜品为佳。

| **附　注** | 糯稻根的市场供需和价格（48 元 /kg 左右）较为平稳。

佩兰

| 来　源 |

本品为菊科植物佩兰 *Eupatorium fortunei* Turcz. 的地上部分。

| 原植物形态 |

多年生草本。高 40 ~ 100 cm。根茎横走，淡红褐色。茎直立，绿色或红紫色，基部茎达 0.5 cm，分枝少或仅在茎顶有伞房状花序分枝；全部茎枝被稀疏的短柔毛，花序分枝及花序梗上的毛较密；中部茎叶较大，3 全裂或 3 深裂，总叶柄长 0.7 ~ 1 cm；中裂片较大，长椭圆形、长椭圆状披针形或倒披针形，长 5 ~ 10 cm，宽 1.5 ~ 2.5 cm，先端渐尖，侧生裂片与中裂片同形但较小；上部的茎叶常不分裂，或全部茎叶不裂，披针形、长椭圆状披针形或长椭圆形，长 6 ~ 12 cm，宽 2.5 ~ 4.5 cm，叶柄长 1 ~ 1.5 cm；全部茎叶两面光滑，无毛，无腺点，羽状脉，边缘有粗齿或不规则的细齿；中部以下茎叶渐小，基部叶花期枯萎。头状花序多数在茎顶及枝端排成复伞房花序，花序直径 3 ~ 6（~ 10）cm；总苞钟状，长 6 ~ 7 mm；总苞片 2 ~ 3 层，呈覆瓦状排列，外层短，卵状披针形，中内层苞片渐长，长约 7 mm，长椭圆形；全部苞片紫红色，外面无毛，无腺点，

先端钝；花白色或带微红色，花冠长约5mm，外面无腺点。瘦果黑褐色，长椭圆形，5棱，长3～4mm，无毛，无腺点；冠毛白色，长约5mm。花果期7～11月。

| **野生资源** | 生于路边灌丛或溪边。分布于湖北十堰（郧阳、竹溪、房县）、宜昌（五峰）、黄冈（罗田）、咸宁（通山）、恩施（利川、鹤峰）及神农架等。

| **栽培资源** | 一、栽培条件

本种喜温暖湿润的气候，耐寒，怕旱，怕涝。气温低于19℃时生长缓慢，高温高湿季节则生长迅速。对土壤要求不严，以疏松肥沃、排水良好的砂壤土栽培为宜。

二、栽培要点

栽培技术。根茎繁殖，11月至翌年3月，挖掘根茎，选取白色、无病虫害、肥大、节密均匀的粗壮新鲜根茎作种。按行距30cm开条沟，沟深3～6cm，栽种2排，首尾相隔3cm，覆土，稍压实，经过15d左右出苗。

田间管理。当幼苗高9cm时，选阴天进行间苗，并结合松土除草，追施人粪尿。封行前及第1次收割后再进行1次中耕除草，重施人畜粪肥或硫酸铵，增施过磷酸钙等。雨季应及时排除积水；遇旱浇水，经常保持土壤湿润。

每隔1个月除草1次，施肥以什锦杂肥为主。

病虫害防治。病害有根腐病，可用5%石灰水浇注根部进行防治；虫害有红蜘蛛、菜青虫、叶跳虫等。

三、栽培面积与产量

依据第四次全国中药资源普查的数据，全国佩兰的栽培面积约为0.7 hm²。

| **采收加工** | 夏、秋季分两次采收，除去杂质，晒干。 |

| **药材性状** | 本品茎呈圆柱形，长 30 ~ 100 cm，直径 0.2 ~ 0.5 cm；表面黄棕色或黄绿色，有的带紫色，有明显的节及纵棱线；质脆，断面髓部白色或中空。叶对生，有柄，叶片多皱缩、破碎，绿褐色；完整叶片 3 裂或不分裂，分裂者中间裂片较大，展平后呈披针形或长圆状披针形，基部狭窄，边缘有锯齿；不分裂者展平后呈卵圆形、卵状披针形或椭圆形。气芳香，味微苦。 |

| **功能主治** | 芳香化湿，醒脾开胃，发表解暑。用于湿浊中阻，脘痞呕恶，口中甜腻，口臭，多涎，暑湿表证，头胀胸闷。 |

| **用法用量** | 内服煎汤，3 ~ 10 g。 |

| **附　注** | 一、物种鉴别
与佩兰形态特征相似的植物、地区习用品及药材混淆品。

（1）单叶佩兰 *Eupatorium japonicum* Thunb. 又名白头婆。在黑龙江、甘肃及四川部分地区有应用。分布于东北、华北、华东等。植物高 50 ~ 80 cm，叶对生，中部叶长椭圆形或披针形，先端渐尖，两面粗涩，被皱波状柔毛及黄色腺体，下面沿脉毛较密。总苞片 3 层，绿色或带紫红色，先端钝或圆形。花冠管状，外面有黄色腺点。瘦果 5 棱，无毛，被黄色腺点。本品药材多皱缩破碎，表面深绿色，背面灰绿色，有小腺点，气香，味微涩。

（2）华泽兰 *Eupatorium chinense* L. 分布于浙江、安徽、福建、湖北、湖南、广东、四川等地区。在四川、浙江少数地区有应用。本品叶多皱缩，展平后叶片宽卵形，先端稍尖，上表面黄绿色，下表面灰绿色，具黄色腺点，两面均具白色毛茸；茎先端有复伞房花序，总苞片 3 层，苞片长椭圆形，淡棕色。

（3）轮叶佩兰 *Eupatorium lindleyanum* DC. 别名林泽兰、野马追，分布几乎遍及全国各地。在甘肃、山东、湖南、江苏个别地区曾使用过，称尖佩兰或野佩兰，近期发现有些地区在收购过程中，有少量本品混入。本品茎密被白色毛，叶绿色或黄绿色，两面密被白毛和腺点，苞片长椭圆状披针形，先端急尖。

（4）大麻叶佩兰 *Eupatorium cannabinum* L. 分布于浙江、河南、西藏等。在西藏作佩兰应用。本品药材茎粗大，全株被短柔毛，叶多皱缩，展开后可见茎中、下部的叶 3 全裂。

二、市场信息
佩兰市场供需及价格（36.6 元 /kg 左右）稳定。 |

枇杷叶

| 来　　源 | 本品为蔷薇科植物枇杷 *Eriobotrya japonica* (Thunb.) Lindl. 的叶。

| 原植物形态 | 常绿小乔木。高可达 10 m。小枝粗壮，黄褐色，密生锈色或灰棕色绒毛。叶片革质，披针形、倒披针形、倒卵形或椭圆状长圆形，长 12～30 cm，宽 3～9 cm，先端急尖或渐尖，基部楔形或渐狭成叶柄，上部边缘有疏锯齿，基部全缘，上面光亮，多皱，下面密生灰棕色绒毛，侧脉 11～21 对；叶柄短或几无柄，长 6～10 mm，有灰棕色绒毛；托叶钻形，长 1～1.5 cm，先端急尖，有毛。圆锥花序顶生，长 10～19 cm，具多花；总花梗和花梗密生锈色绒毛；花梗长 2～8 mm；苞片钻形，长 2～5 mm，密生锈色绒毛；花直径 12～20 mm；萼筒浅杯状，长 4～5 mm，萼片三角卵形，长 2～3 mm，先端急尖，萼筒及萼片外面有锈色绒毛；花瓣白色，长圆形或卵形，长 5～9 mm，宽 4～6 mm，基部具爪，有锈色绒毛；雄蕊 20，远短于花瓣，花丝基部扩展；花柱 5，离生，

柱头头状，无毛，子房先端有锈色柔毛，5 室，每室有 2 胚珠。果实球形或长圆形，直径 2 ～ 5 cm，黄色或橘黄色，外有锈色柔毛，不久脱落；种子 1 ～ 5，球形或扁球形，直径 1 ～ 1.5 cm，褐色，光亮，种皮纸质。花期 10 ～ 12 月，果期 5 ～ 6 月。

| 野生资源 | 生于村边、平地或坡边。分布于湖北通山、铁山、阳新等。

| 栽培资源 | 一、栽培条件

本种喜温暖湿润环境，在年平均温度 12 ～ 15 ℃，年降水量在 1 000 mm 以上的地区均能生长。对土壤要求不严，以土层深厚、排水良好、富含腐殖质的砂壤土栽培为宜。

二、栽培区域

湖北通山、铁山等有栽培。

三、栽培要点

一般采用种子繁殖和嫁接繁殖。种子繁殖，5 ～ 6 月份种子成熟后，随采随播，条播或点播。播种后覆土，盖草，浇水，保持湿润，1 个月后发芽。培育 1 年后，于翌年春季移栽。嫁接繁殖，多采用枝接，小砧木一般用切接或腹接，大砧木采用劈接或皮接，于 3 ～ 6 月嫁接。培育 1 ～ 2 年即可移栽定植。

四、栽培面积与产量

湖北枇杷的栽培面积约为 3 300 hm^2，产量可达 400 t。

| 采收加工 | 全年均可采收，除去绒毛，用水喷润，切丝，干燥。

| 药材性状 | 本品干燥叶片呈长椭圆形，长 12 ～ 25 cm，宽 4 ～ 9 cm。先端渐尖，基部楔形，

上部边缘锯齿状，基部全缘。羽状网脉，中脉在下面隆起。叶面灰绿色、黄棕色或红棕色，上面有光泽，下面茸毛棕色。叶柄短。叶革质而脆。

| **功能主治** | 苦，微寒。归肺、胃经。清肺止咳，降逆止呕。用于肺热咳嗽，气逆喘急，胃热呕逆，烦热口渴。

| **用法用量** | 内服煎汤，9 ~ 15 g，大剂量可用至 30 g，鲜品 15 ~ 30 g；或熬膏；或入丸、散剂。

| **附　　注** | 本种分布较广，野生资源丰富。湖北通山的"大畈枇杷"为全国农产品地理标志产品。枇杷叶除用作药材外，还可用来泡茶以解酒，另外还用于护肤，可改善皮肤粗糙。

前胡

| 来　　源 | 本品为伞形科植物白花前胡 *Peucedanum praeruptorum* Dunn 的根。

| 原植物形态 | 多年生草本。高 30 ～ 120 cm。根圆锥形。茎直立，单一，上部分枝。基生叶和下部叶纸质，圆形至宽卵形，长 5 ～ 9 cm，2 ～ 3 回三出式羽状分裂，最终裂片菱状倒卵形，不规则羽状分裂，有圆锯齿；叶柄长 6 ～ 20 cm，基部有宽鞘，抱茎；先端叶片生在膨大的叶鞘上。复伞形花序，顶生或腋生，总伞梗 7 ～ 18，不等长，无总苞，小总苞片条状披针形，有缘毛；花萼 5，短三角形；花瓣白色，广卵形或近圆形，先端有向内曲的舌片；雄蕊 5，花药卵圆形；子房有毛，花柱 2，极短。双悬果椭圆形或卵圆形，光滑无毛，背棱和中棱线状，侧棱有窄翅。花期 8 ～ 10 月，果期 10 ～ 11 月。

| 野生资源 | 生于海拔 250 ～ 2 000 m 的山坡林缘、路旁或半阴性的山坡草丛中。湖北各地

均有分布，主要分布于长阳、五峰、巴东、鹤峰等。

| **栽培资源** |　一、栽培条件

本种对土壤的适应性比较强，适宜在中性或轻度酸性的砂壤土或壤土中生长。
宜选光照充足、土壤湿润而不积水、土层深厚、土质疏松、排水良好、土壤 pH
6.5 左右的砂壤土或壤土的平地或坡地栽培。前胡出苗期适宜气温为 10 ~ 20 ℃，
土壤温度 10 ~ 15 ℃；生育期适宜气温为 20 ~ 25 ℃，土壤温度 15 ~ 20 ℃。
前胡生长要求土壤湿度在 20% ~ 25%。仿野生种植一般选择平缓、土层深厚，
易耕种的疏林山坡；前胡规模化种植选择适合实现机械化生产、集约化经营和
规模化管理的平原田地。

二、栽培区域

湖北夷陵、兴山、宣恩、房县等有栽培。

三、栽培要点

本种属于阳性植物，喜冷凉湿润的气候，耐旱，耐寒。本种适应性较强，在山
地及平原均可生长，以肥沃深厚的腐殖质壤土生长为宜。在山坡林缘、草地下
可自然生长，亦可在山坡疏林下正常生长，但光照不足会影响生长和药材产量。
在大田栽培，由于阳光过于充足，田间的肥力足，容易造成前胡提早抽薹，抽
薹导致其根木质化，进而影响药材质量。

| 采收加工 | 冬季至翌年春季茎叶枯萎或未抽花茎时采挖，除去须根，洗净，晒干或低温干燥。

| 药材性状 | 本品呈不规则的圆柱形、圆锥形或纺锤形，稍扭曲，下部常有分枝，长 3 ～ 15 cm，直径 1 ～ 2 cm。表面黑褐色或灰黄色，根头部多有茎痕和纤维状叶鞘残基，上端有密集的细环纹，下部有纵沟、纵皱纹及横向皮孔样突起。质较柔软，干者质硬，可折断。断面不整齐，淡黄白色，皮部散有多数棕黄色油点，形成层环纹棕色，射线放射状。气芳香，味微苦、辛。以条粗壮、质柔软、香气浓者为佳。

| 功能主治 | 苦、辛，微寒。归肺经。降气化痰，散风清热。用于痰热喘满，咳痰黄稠，风热咳嗽痰多。

| 用法用量 | 内服煎汤，3 ～ 10 g。

| 附　注 | 一、道地沿革
前胡始载于南北朝时期陶弘景所著的《名医别录》，被列为中品。同时，陶弘景在《本草经集注》中记载："此近道皆有，生下湿地，出吴兴者胜。"《日华子本草》记载："越、衢、婺、睦等处者皆好，七八月采之，外黑里白。"《本草图经》《证类本草》等本草相互引用记载"旧不著所出州土，今陕西、梁、汉、江、淮、荆、襄州郡及相州、孟州皆有之""今最上者，出吴中。又寿春生者，皆类柴胡，而大，气芳烈，味亦浓苦，疗痰下气最要，都胜诸道者"。《本草纲目》总结为："大抵北地者为胜，故方书称北前胡云。"由此可知，前胡分布范围广泛，适宜生于气候较为湿润的地区；在宋朝以前主要产地为江浙一带，宋朝开始产区逐渐扩展，主要分布于浙江、江苏、安徽、河南、湖北、陕西、江西、四川等。

二、物种鉴别

1. 与白花前胡形态特征相似的植物、地区习用品及药材混淆品

（1）紫花前胡 Angelica decursiva (Miq.) Franch. et Savat. 全国大部分地区将其根作前胡药用。

（2）长前胡 Peucedanum turgeniifolium Wolff. 是四川前胡的主流品种，收录于1987 年版《四川省中药材标准》。

（3）华中前胡 Peucedanum medicum Dunn 在四川东部和湖北西部作前胡药用，收录于 1987 年版《四川中药材标准》。

（4）泰山前胡 Peucedanum wawrae (Wolff) Su 与白花前胡形态比较相似，在

山东、江苏部分地区作前胡药用，地方习称"狗头前胡"。

（5）红前胡 *Peucedanum rubricaule* Shan et Shch 在云南、四川部分地区作前胡药用，收录于 1987 年版《四川中药材标准》。

2. 伪品

（1）石防风 *Peucedanum terebinthaceum* (Fisch.) Fisch. ex Turcz.、宽叶石防风 *Peucedanum terebinthaceum* var. *gracile* 均为多年生草本植物，以根入药。在山东、山西部分地区混作前胡用。

（2）峨参 *Anthriscus sylvestris* (L.) Hoffm. 以根入药，具有益气健脾、活血止痛、壮腰补肾的功效。部分地区误作前胡用，与前胡的功效差别较大。

（3）竹节前胡 *Peucedanum dielsianum* Fedde ex Wolff，以根入药。有些地区混作前胡药用，但在四川作为"川防风"入药，不能混作前胡用。

（4）防葵 *Peucedanum japonicum* Thunb. 以根入药，具有清热利湿、消肿散结的功效，有毒。日本将此种作为防风的代用品，但在我国不能混作前胡用。

三、市场信息

据 2023 年市场行情分析，前胡作为化痰止咳平喘的常用中药，年需求量目前在 2 200 t 以上，市售前胡主要有栽培、仿野生、野生 3 种来源，而不同来源的前胡之间商品率及合格率差异显著。当前野生前胡虽然商品率及合格率最高，但其产能局限、货源稀缺；仿野生前胡商品率及合格率介于栽培与野生之间；栽培前胡由于抽薹、品种退化等诸多问题，商品率及合格率最低，但仍是市场主流商品来源。从宏观上看，前胡市场行情的涨跌周期受社会突发事件、自然灾害、国家政策、资本介入等因素所引起的不平衡的"供求关系"主导；从微观上看，前胡市场行情受"产新期"影响，会有小范围波动，产新期一般在冬至后至翌年萌芽前，集中于 12 月至翌年 1 月。

芡实

| 来　　源 | 本品为睡莲科植物芡 *Euryale ferox* Salisb. ex Konig et Sims 的成熟种仁。

| 原植物形态 | 一年生大型水生草本。沉水叶箭形或椭圆肾形，长 4 ~ 10 cm，两面无刺，叶柄无刺；浮水叶革质，椭圆状肾形至圆形，直径 10 ~ 130 cm，盾状，有或无弯缺，全缘，下面带紫色，有短柔毛，两面在叶脉分枝处有锐刺。叶柄及花梗粗壮，长可达 25 cm，皆有硬刺。花长约 5 cm；萼片披针形，长 1 ~ 1.5 cm，内面紫色，外面密生稍弯硬刺；花瓣矩圆状披针形或披针形，长 1.5 ~ 2 cm，紫红色，成数轮排列，向内渐变成雄蕊；无花柱，柱头红色，柱头盘凹入。浆果球形，直径 3 ~ 5 cm，污紫红色，外面密生硬刺；种子球形，直径超过 10 mm，黑色。花期 7 ~ 8 月，果期 8 ~ 9 月。

| 野生资源 | 生于池塘、湖沼中。湖北有分布。

| 栽培资源 |　　一、栽培条件

　　本种喜温暖、含有机质多的土壤，不耐寒也不耐旱。生长适宜温度为 20 ～ 30 ℃，水深 30 ～ 90 cm。本种适宜在水面不宽，水流动性小，水源充足，能调节水位高低，便于排灌的池塘、水库、湖泊和大湖湖边生长；土壤要求肥沃。栽培芡实大多选用湖边浅滩、沼泽、低塘栽培，每年 1 茬，可以连作。选择水位涨落平稳或排灌方便、风浪较小的湖塘和田块种植，水深超过 1.5 m 就会使植株生长势减弱，产量下降，大风大浪将影响芡扎根或易将叶片打碎。

二、栽培要点

芡用种子繁殖，有直播和育苗移栽 2 种栽培方法。生产上大多采用直播方法，于 4 月上旬播种，播种量为 22.5 ~ 30.0 kg/hm²。芡播种的方法主要有以下 2 种。一是穴播。穴播适合在浅水处应用（水深一般为 0.3 m），栽植穴不宜挖得太深，穴与穴之间的距离为 2.3 ~ 4 m。每穴播种的种子数目为 3 ~ 4 粒，播种后要及时覆盖泥土，覆土的厚度一般为 1 cm 左右。二是泥团点播。泥团点播主要适合在深水且水生动物较多的湖荡进行。方法是用潮泥将 3 ~ 4 粒种子裹成一团，然后播种。条播是在水里按 2.6 ~ 3.3 m 行距直线撒播，一般每隔 0.7 ~ 1 m 播 1 粒种子，要求种子播撒均匀，肥荡稀播，瘦荡密播。育苗移栽的过程主要包括催芽、育苗、移苗、定植，因需要大量的劳动力，生产上一般不采用。

| 采收加工 | 视果实成熟情况分 5 ~ 6 次采收。当果柄变软、果实发红而光滑时，即可采收。采收时，首先用竹刀划去老叶、残叶，形成采收通道，尽量保护幼嫩叶、当家叶，不伤叶柄，行走时防止踩伤根系。将成熟果实从水中轻轻拉起，用刀从基部将果实切下，保留果柄，以免进水腐烂。每次采收须走原通道，减少根系和叶片损伤。

| 药材性状 | 本品呈类球形，多为破粒，完整者直径 5 ~ 8 mm。表面有棕红色或红褐色内种皮，一端黄白色，约占全体的 1/3，有凹点状的种脐痕，除去内种皮显白色。质较硬，断面白色，粉性。气微，味淡。

| 功能主治 | 益肾固精，补脾止泻，除湿止带。用于遗精，滑精，遗尿，尿频，脾虚久泻，白浊，带下。

| 用法用量 | 内服煎汤，9 ~ 15 g。

| 附　注 | 新鲜的芡实根据大小和老嫩的程度也分为不同的档次，价格为 10 ~ 30 元 /kg。干芡实的价格起伏比较大，价格为 25 ~ 40 元 /kg。

桑叶、桑枝、桑白皮

| 来　　源 | 桑叶：本品为桑科植物桑 *Morus alba* L. 的叶。桑枝：本品为桑科植物桑 *Morus alba* L. 的嫩枝。桑白皮：本品为桑科植物桑 *Morus alba* L. 的根皮。

| 原植物形态 | 乔木或灌木。高 3 ～ 10 m 或更高，胸径可达 50 cm。树皮厚，灰色，具不规则浅纵裂；冬芽红褐色，卵形，芽鳞呈覆瓦状排列，灰褐色，有细毛；小枝有细毛。叶卵形或广卵形，长 5 ～ 15 cm，宽 5 ～ 12 cm，先端急尖、渐尖或圆钝，基部圆形至浅心形，边缘锯齿粗钝，有时叶为各种分裂，表面鲜绿色，无毛，背面沿脉有疏毛，脉腋有簇毛；叶柄长 1.5 ～ 5.5 cm，具柔毛；托叶披针形，早落，外面密被细硬毛。花单性，腋生或生于芽鳞腋内，与叶同时生出；雄花序下垂，长 2 ～ 3.5 cm，密被白色柔毛，雄花花被片宽椭圆形，淡绿色，花丝在芽时内折，花药 2 室，球形至肾形，纵裂；雌花序长 1 ～ 2 cm，被毛，总花梗长 5 ～ 10 mm，被柔毛，雌花无梗，花被片倒卵形，先端圆钝，外面和边缘被毛，两侧紧抱子

房，无花柱，柱头 2 裂，内面有乳头状突起。聚花果卵状椭圆形，长 1 ~ 2.5 cm，成熟时红色或暗紫色。花期 4 ~ 5 月，果期 5 ~ 8 月。

| **栽培资源** | 一、栽培条件
本种喜温暖湿润的气候，耐寒，耐旱，耐水湿能力极强；对土壤的适应性强，耐瘠薄和轻碱性，喜土层深厚、湿润、肥沃的土壤。
二、栽培区域
湖北宜昌、黄冈等有栽培。

| **采收加工** | 桑叶：初霜后采收，去除杂质，晒干。深秋（霜降）以后至冬季采集者最佳，又称霜桑叶、冬桑叶。

桑枝：春末夏初采收，去叶，晒干；或趁鲜切片，晒干。

桑白皮：秋末叶落时至次春发芽前采挖根部，刮去黄棕色粗皮，纵向剖开，剥取根皮，晒干。

| **药材性状** | 桑叶：本品多皱缩、破碎。完整者有柄，叶片展平后呈卵形或宽卵形，长 8 ~ 15 cm。先端渐尖，基部截形、圆形或心形，边缘有锯齿或钝锯齿，有的不规则分裂。上表面黄绿色或浅黄棕色，有的有小疣状突起；下表面颜色稍浅，叶脉突出，小脉网状，脉上被疏毛，脉基具簇毛。质脆。气微，味淡、微苦、涩。

桑枝：本品呈长圆柱形，少有分枝，长短不一，直径 0.5 ~ 1.5 cm。表面灰黄色或黄褐色，有多数黄褐色点状皮孔及细纵纹，并有灰白色略呈半圆形的叶痕和黄棕色的腋芽。质坚韧，不易折断，断面纤维性。切片厚 0.2 ~ 0.5 cm，皮部较薄，木部黄白色，射线放射状，髓部白色或黄白色。气微，味淡。

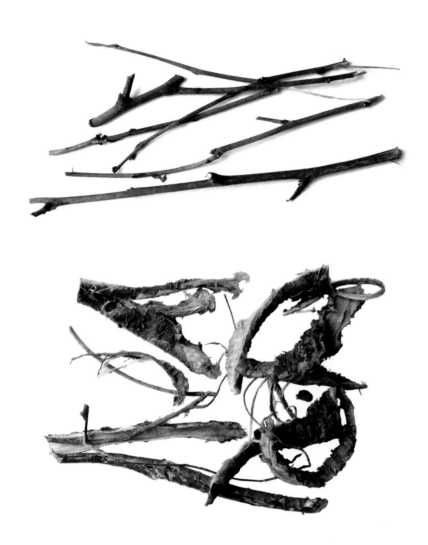

桑白皮：本品呈扭曲的卷筒状、槽状或板片状，长短、宽窄不一，厚1～4mm。外表面白色或淡黄白色，较平坦，有的残留橙黄色或棕黄色鳞片状粗皮；内表面黄白色或灰黄色，有细纵纹。体轻，质韧，纤维性强，难折断，易纵向撕裂，撕裂时有粉尘飞扬。气微，味微甘。

| 功能主治 |　**桑叶**：甘、苦，寒。归肺、肝经。疏散风热，清肺润燥，清肝明目。用于风热感冒，肺热燥咳，头晕头痛，目赤昏花。

　　　　　　桑枝：微苦，平。归肝经。祛风湿，利关节。用于风湿痹病，肩臂、关节酸痛麻木。

　　　　　　桑白皮：甘，寒。归肺经。泻肺平喘，利水消肿。用于肺热喘咳，水肿胀满，尿少，面目肌肤浮肿。

| 用法用量 |　**桑叶**：内服煎汤，5～10g。

桑枝：内服煎汤，9 ~ 15 g。

桑白皮：内服煎汤，6 ~ 12 g。

| 附　注 | 一、市场信息

桑叶市场供需及价格（约 7 元 /kg）稳定，桑枝市场供需及价格（约 4 元 /kg）稳定，桑白皮市场供需及价格（约 30 元 /kg）稳定。

二、濒危情况、资源利用和可持续发展

桑在我国具有悠久的栽培历史，栽种范围广，有丰富的资源，并在长期的栽培实践中培育出众多的桑品种。湖北黄冈等地区是桑的传统种植区域。桑有广泛的用途，除了用作药品，还用于食品、保健品、观赏、环境美化等领域。

山药

| 来　　源 | 本品为薯蓣科植物薯蓣 *Dioscorea opposita* Thunb. 的根茎。

| 原植物形态 | 藤本。块茎长圆柱形，垂直生长，长可超过 1 m，断面干时白色。茎通常带紫红色，右旋，无毛。单叶，在茎下部的互生，中部以上的对生，很少 3 叶轮生；叶片变异大，卵状三角形至宽卵形或戟形，长 3 ～ 9（～ 16）cm，宽 2 ～ 7（～ 14）cm，先端渐尖，基部深心形、宽心形或近截形，边缘常 3 浅裂至 3 深裂，中裂片卵状椭圆形至披针形，侧裂片耳状，圆形、近方形至长圆形；幼苗时一般叶片为宽卵形或卵圆形，基部深心形；叶腋内常有珠芽。雌雄异株。雄花序为穗状花序，长 2 ～ 8 cm，近直立，2 ～ 8 着生于叶腋，偶呈圆锥状排列；花序轴明显地呈 "之" 字状曲折；苞片和花被片有紫褐色斑点；雄花的外轮花被片为宽卵形，内轮卵形，较小；雄蕊 6。雌花序为穗状花序，1 ～ 3 着生于叶腋。蒴果不反折，三棱状扁圆形或三棱状圆形，长 1.2 ～ 2 cm，宽 1.5 ～ 3 cm，

外面有白粉；种子着生于每室中轴中部，四周有膜质翅。花期 6 ～ 9 月，果期
7 ～ 11 月。

| **野生资源** | 生于山区向阳处。湖北有分布。

| **栽培资源** | 一、栽培条件
本种栽培地区应选择土层深厚、排水良好、疏松肥沃的砂壤土。土壤酸碱度以
中性最好，薯蓣在地温达到 13 ℃以上时，才能发芽出苗。幼苗在适宜的土壤湿
度条件下，才能正常生长。地下块茎迅速生长发育时期，肥、水条件必须满足
其需要。
二、栽培面积与产量
湖北山药的栽培面积达到 4 500 hm²，年产量达 3 000 t。

| 采收加工 | **毛山药：**秋季或冬季挖取块茎，除去泥土、须根，切去芦头洗净，水浸 2 ~ 3 h，取出，用竹刀刮去外皮，反复用硫黄熏，晒至全干。
光山药：选择肥大顺直者，置清水中，浸至无干心，闷透，用硫黄熏后，再用木板搓成圆柱状，切成长 20 ~ 25 cm 的段，晒干，打光。

| 药材性状 | 本品为不规则的厚片，皱缩不平，切面白色或黄白色。质坚脆，粉性。气微，味淡、微酸。

| 功能主治 | 甘，平。归脾、肺、肾经。补脾养胃，生津益肺，补肾涩精。用于脾虚食少，久泻不止，肺虚喘咳，肾虚遗精，带下，尿频，虚热消渴。

| 用量用法 | 内服煎汤，15 ~ 30 g。

| 附 注 | 近年来，世界山药种植面积逐年稳步增长，2019 年世界山药种植面积达 897.84 万 hm²，同比增长 3.31%，而且随着人们"健康饮食"观念的加深，市场对于山药的需求量大大增加。为达到山药的可持续利用，首先需要我们对山药资源进行展开调查，为山药的资源利用提供依据；其次我们要加强对山药育种、栽培和加工等新技术的利用；同时系统整理全国山药品种及与山药相近的食用类薯蓣资源，为研究山药块茎生长发育机制、山药品种选育等奠定基础，确保山药资源的可持续利用。

山楂

来　　源	本品为蔷薇科植物山楂 *Crataegus pinnatifida* Bunge 的成熟果实。
原植物形态	落叶乔木。高达 6 m。枝刺长 1 ~ 2 cm 或无。单叶互生；叶柄长 2 ~ 6 cm；叶片宽卵形或三角状卵形，稀菱状卵形，长 6 ~ 12 cm，宽 5 ~ 8 cm，有 2 ~ 4 对羽状裂片，先端渐尖，基部宽楔形，上面有光泽，下面沿叶脉被短柔毛，边缘有不规则重锯齿。伞房花序，直径 4 ~ 6 cm；萼筒钟状，5 齿裂；花冠白色，直径约 1.5 cm，花瓣 5，倒卵形或近圆形；雄蕊约 20，花药粉红色；雌蕊 1，子房下位，5 室，花柱 5。梨果近球形，直径可达 2.5 cm，深红色，有黄白色小斑点，萼片脱落很迟，先端留下 1 圆形深凹；小核 3 ~ 5，向外的一面稍具棱，向内两侧面平滑。花期 5 ~ 6 月，果期 8 ~ 10 月。
野生资源	生于海拔 100 ~ 1 500 m 的溪边、山谷、林缘或灌丛。湖北有分布。

| 栽培资源 | 本种具有耐寒、抗风的特性，种植时需要有合适的温度、光照和水分，平地山坡均可栽培。对土壤条件要求以砂性为宜，黏重土则生长较差。种植宜在土层深厚、土壤肥沃、疏松、排水好的微酸性土壤中。在光照充足的条件下，山楂结果会更多，果子也更大，果实光泽度更好，营养成分更高，维生素 C 的含量也更多；土壤含水量在 15% 以上的地区，山楂都能正常生长。山楂虽然较抗涝，但不宜栽种在地下水位高或者低温的土壤中，山楂树适宜生长在土壤肥沃的平地、丘陵和缓坡地段，其中以东南坡最为适宜。 |

| 采收加工 | 秋季果实成熟时采摘，趁新鲜横切或纵切两瓣，晒干；或采摘后直接晒干。 |

| **药材性状** | 本品为圆形片，皱缩不平，直径 1 ~ 2.5 cm，厚 0.2 ~ 0.4 cm。外皮红色，具皱纹，有灰白色小斑点；果肉深黄色至浅棕色；中部横切片具 5 粒浅黄色果核，但核多脱落而中空，有的片上可见短而细的果柄或花萼残迹。气微清香，味酸、微甜。

| **功能主治** | 酸、甘，微温。归脾、胃、肝经。消食健胃，行气散瘀，化浊降脂。用于肉食积滞，胃脘胀满，泻痢腹痛，瘀血闭经，产后瘀阻，心腹刺痛，胸痹心痛，疝气疼痛，高脂血症。

| **用法用量** | 内服煎汤，9 ~ 12 g。

| **附　注** | 一、物种鉴别

山楂 *Crataegus pinnatifida* Bunge 果实类球形，直径 1 ~ 1.5 cm。表面深红色，有小斑点，先端有宿存花萼，基部有细长果柄。质较硬。气微清香，味酸、微甜。山里红 *Crataegus pinnatifida* Bunge var. *major* N. E. Br. 果实近球形，直径 1 ~ 2.5 cm。表面鲜红色至紫红色，有光泽，满布灰白色的斑点，先端有宿存花萼，基部有果柄残痕。山里红商品常加工成纵切或横切片，厚 2 ~ 8 mm，多卷曲或皱缩不平。果肉厚，深黄色至浅棕色；切面可见浅黄色种子 3 ~ 5，有的已脱落。质坚硬。气微清香，味酸、微甜。可以此区别二者。

二、传统医药知识

民间常用山楂和苹果煮汤来缓解婴幼儿积食的现象，因为这两种水果中含有大量的果蔬纤维，可以促进幼儿胃肠的蠕动，从而缓解胃胀的情况。

三、濒危情况、资源利用和可持续发展

山楂树是我国特有果树，近几年发展速度迅猛，栽培面积已达 700 万亩，约占我国果树种植总面积的 10%。现代研究表明，山楂果实、果核、叶子均含有类黄酮、三萜类、维生素和有机酸等多种营养物质，具有重要的药用价值。山楂是一种药食同源的植物，不仅可以作为日常水果食用，也可以根据其药理功效开发成保健品和药剂制品。

山茱萸

| 来　　源 | 本品为山茱萸科植物山茱萸 *Cornus officinalis* Sieb. et Zucc. 的成熟果肉。

| 原植物形态 | 落叶乔木或灌木。高 4 ～ 10 m；树皮灰褐色；小枝细圆柱形，无毛。叶对生，纸质，卵状披针形或卵状椭圆形，上面绿色无毛，下面浅绿色，脉腋密生淡褐色毛，全缘；叶柄细圆柱形，上面有浅沟，下面圆形。伞形花序；花小，两性，先叶开放；花萼 4，无毛；花瓣 4，黄色，反卷；雄蕊 4，与花瓣互生；花盘垫状；子房下位，2 室，胚珠 1。核果长椭圆形，长 1.2 ～ 1.7 cm，直径 5 ～ 7 mm，成熟时红色至紫红色；核骨质，狭椭圆形，长约 12 mm，有几条不整齐的肋纹。花期 3 ～ 4 月，果期 9 ～ 10 月。

| 野生资源 | 生于海拔 250 ～ 1 300 m 的地区。湖北有分布。

| **栽培资源** | 一、栽培条件

本种为暖温带阳性树种，耐阴但喜充足的光照。其种植区域要求生长适宜温度为 20 ~ 30 ℃，全年 ≥ 10 ℃的活动积温为 4 841 ℃，无霜期为 230 d，降水量在 822.3 mm 以上。山茱萸在海拔 800 ~ 1 000 m 的地区生长良好，抗寒性强，可耐短暂的 −18 ℃低温。宜栽培于排水良好，富含有机质、肥沃的中性或微酸性砂壤土中。光照和水分充足且温差大，有利于其活性物质的积累和产量的提高。

二、栽培区域

山茱萸群落为人工植被，见于沟谷两侧或耕地四周。湖北襄阳、黄冈、恩施等有栽培，以襄阳（南漳）栽培面积最大。

| 采收加工 | 适时采收是提高山茱萸产量和质量的前提，采收时期因各地自然条件和品种类型不同而有所差异，当果实成熟，果皮呈鲜红色并富有弹性时及时采收。一般果实成熟的时间为 9 月下旬至 10 月初。果实采摘过早，果肉干瘪，颜色不鲜艳，影响产量和质量，且不易捏皮，应严禁采青；过晚则易被鸟啄、鼠盗，落果减产。山茱萸果实的采收正值三秋大忙季节，果实小，数量大，比较费工费时，要合理安排劳动力和时间。采收时用手或带有钩的长杆将枝干拉弯，将成熟果实摘下，成熟一批，采收一批，每株树可分 2 ~ 3 次采完。雨天、雨后或露水未干时不宜采收，一般应当天采，当天晾，不宜堆压，以防腐烂变质。果实成熟时，枝条上已着生许多花芽，因此采收时要注意保护枝条和花芽，不损伤芽、不折枝，以免影响翌年产量。

一般每 7 ~ 8 kg 鲜果可加工 1 kg 果肉，其加工步骤分为净选、软化、去核、干燥 4 部分。

| 药材性状 | 本品呈不规则的片状或囊状，表面紫红色至紫黑色，皱缩，有光泽；先端有的有圆形宿萼痕，基部有果柄痕。质柔软。气微，味酸、涩、微苦。

| 功能主治 | 补益肝肾，收涩固脱。用于眩晕耳鸣，腰膝酸痛，阳痿，遗精，遗尿，尿频，崩漏，带下，大汗虚脱，内热消渴。

| 用法用量 | 内服煎汤，6 ~ 12 g。

| 附　注 | 一、道地沿革

山茱萸始载于《神农本草经》，被列为中品，该书云：“山茱萸，味酸，平。主心下邪气，寒热，温中，逐寒湿痹，去三虫。久服轻身。一名蜀枣。生山谷。”《建康记》云：“建康（今江苏江宁）出山茱萸。”《范子计然》云：“山茱萸出三辅（今陕西西安一带）。”其后，历代本草都有记载。魏晋时期吴普在《吴普本草》中云：“山茱萸，一名魃实，一名鼠矢，一名鸡足，神农、黄帝、雷公、扁鹊：酸，无毒。岐伯：辛。一经：酸。或生宛句（今山东菏泽一带）、琅邪（今山东青岛），或东海（今山东费城）承县（今山东峄城）。叶如梅，有刺毛。二月华，如杏。四月实，如酸枣赤。五月采实。”梁代陶弘景《名医

别录》云："生汉中及琅邪（今山东青岛）宛朐（今山东菏泽一带）、东海（今山东费城）承县（今山东峄城），九月、十月采实，阴干。"《千金翼方》在"药出州土"项把山茱萸列入关内道华州（今陕西华县）。宋代苏颂《本草图经》曰："今海州亦有之。木高丈余，叶似榆，花白。"宋代寇宗奭《本草衍义》云："山茱萸，与吴茱萸甚不相类。山茱萸色红，大如枸杞子。"明代朱橚《救荒本草》云："实枣儿树，本草名山茱萸，今钧州（今河南禹县）、密县（今河南密县）山谷中亦有之，叶似榆叶而宽，稍团，纹脉微粗。开淡黄白花，结果似酸枣大，微长，两头尖鞘，色赤，即干则皮薄味酸。"在清朝同治版本的《南漳县志》中有山茱萸的记载，表明南漳县山茱萸在清朝已经广泛有之。向承煜等人纂修的《南漳县志》中将山茱萸列为南漳特产，表明南漳很早就有山茱萸的栽培历史和使用历史，南漳县是山茱萸的道地产区。唐代苏敬《新修本草》、宋代唐慎微《证类本草》、明代李时珍《本草纲目》、清代吴其濬《植物名实图考》也记载了山茱萸，但均沿用了之前的文献记载，未新增内容。

以上典籍所载山茱萸的产地，按其作者时代的行政区划，大多指今山东西部、江苏北部、湖北西北部、陕西中部及河南等。

二、市场信息

2023 年，我国现有 500 多家中药生产厂家以山茱萸为原料，生产了 70 多种相关中成药，全国 5 000 多家中医医院以及众多的中医诊疗机构，每日都需要大量的山茱萸药材供应，市场需求量大。出口量也逐年增加，特别是东南亚国家和地区的市场，其发展前景巨大。南漳县早在 20 世纪 70 年代就已经开始大规模栽培山茱萸，经过 50 余年的山茱萸基地建设，现南漳县已有山茱萸林约 5 万亩，山茱萸树约 100 万株，覆盖薛坪镇、李庙镇、肖堰镇、长坪镇、板桥镇、东巩镇、巡检镇等乡镇，每年可收获山茱萸药材约 2 000 t，年产值约 7 000 万元。2019 年，在湖北省深化医改领导小组出台的《湖北省道地药材"一县一品"建设实施方案》中，将南漳山茱萸作为南漳县发展道地药材的优势品种，为药材产业发展提供了政策支持。

射干

| 来　　源 | 本品为鸢尾科植物射干 *Belamcanda chinensis* (L.) DC. 的根茎。

| 原植物形态 | 多年生草本。根茎为不规则的块状，斜伸，黄色或黄褐色；须根多数，带黄色。
茎高 1 ~ 1.5 m，实心。叶互生，嵌迭状排列，剑形，长 20 ~ 60 cm，宽 2 ~
4 cm，基部鞘状抱茎，先端渐尖，无中脉。花序顶生，叉状分枝，每分枝的先端
聚生数朵花；花梗细，长约 1.5 cm；花梗及花序的分枝处均包有膜质的苞片，
苞片披针形或卵圆形；花橙红色，散生紫褐色的斑点，直径 4 ~ 5 cm；花被裂
片 6，2 轮排列，外轮花被裂片倒卵形或长椭圆形，长约 2.5 cm，宽约 1 cm，先
端钝圆或微凹，基部楔形，内轮较外轮花被裂片略短而狭；雄蕊 3，长 1.8 ~ 2 cm，
着生于外花被裂片的基部，花药条形，外向开裂，花丝近圆柱形，基部稍扁而
宽；花柱上部稍扁，先端 3 裂，裂片边缘略向外卷，有细而短的毛，子房下位，
倒卵形，3 室，中轴胎座，胚珠多数。蒴果倒卵形或长椭圆形，长 2.5 ~ 3 cm，

直径 1.5 ～ 2.5 cm，先端无喙，常残存凋萎的花被，成熟时室背开裂，果瓣外翻，中央有直立的果轴；种子圆球形，黑紫色，有光泽，直径约 5 mm，着生在果轴上。花期 6 ～ 8 月，果期 7 ～ 9 月。

| **野生资源** | 生于海拔 1 500 m 的林缘或山坡草地，大部分生于海拔较低处。湖北各地均有分布，主要分布于武汉（新洲）、黄冈（浠水、蕲春、麻城、罗田、英山）、孝感（安陆）、随州等。

| **栽培资源** | 一、栽培条件

本种适宜在海拔 50 ～ 800 m 的地区栽培。本种喜温暖湿润的气候，好光，不耐

阴,耐旱,耐寒,对土壤要求不严格,山坡旱地均能栽培,适宜在疏松、肥沃、深厚且排水良好的砂壤土上生长,忌积水。中性或微碱性壤土适宜栽培,忌低洼地和盐碱地。光照要充足,夏季平均最高温度不超过 36 ℃,冬季平均最低温度不低于 −2 ℃,年平均气温为 15.7 ~ 17.5 ℃。

二、栽培区域

湖北武汉(新洲)、黄冈(浠水、蕲春、罗田、麻城、英山)、孝感(安陆)、随州等有栽培。

三、栽培面积与产量

依据第四次全国中药资源普查的数据,全国射干的栽培面积为 88 hm^2,总产量为 929.320 t。

| 采收加工 | 栽培后 2 ~ 3 年收获,春初刚发芽或秋末茎叶枯萎时采挖根茎,洗净泥土,晒干,搓去须根,再晒至全干。

| 药材性状 | 本品根茎呈不规则结节状,有分枝,长 3 ~ 10 cm,直径 1 ~ 2 cm。表面黄棕色、暗棕色或黑棕色,皱缩不平,有明显的环节及纵纹。上面有圆盘状凹陷的茎痕,有时残存有茎基;下面及两侧有残存的细根及根痕。质硬,断面黄色,颗粒性。气微,味苦、微辛。以根茎粗壮,质硬,断面色黄,气微,味苦、微辛者为佳。

| 功能主治 | 苦、辛,寒;有微毒。归肺经。清热解毒,散结消炎,消肿止痛,止咳化痰。用于热毒痰火郁结,咽喉肿痛,痰涎壅盛,咳嗽气喘。

| 用法用量 | 内服煎汤,3 ~ 10 g。

| 附　注 | 一、市场信息

射干的市场供需和价格(36.643 元 /kg)较为平稳。

二、濒危情况、资源利用和可持续发展

射干是湖北道地名贵药材之一,有野生品种和栽培品种两大类。其栽培历史悠久,品质优异,具有很浓厚的地方特色,是产地的拳头品种,畅销国内外。射干主产于湖北、河南,江苏、安徽、湖南、陕西、浙江、贵州、云南等地亦产。河南产量大,湖北品质好,并销省外。射干在湖北的资源蕴藏量较大,人们在黄冈、新洲等地建设了商品药材基地,把中药材种植基地、药材种植专业户和药农的力量充分发挥出来,共同推动了药材产业的发展。

升麻

| 来　　　源 | 本品为毛茛科植物升麻 *Actaea cimicifuga* L. 的根茎。

| 原植物形态 | 多年生草本。高 1 ～ 2 m。根茎粗壮，坚实，表面黑色，有许多内陷的圆洞状老茎残迹。茎直立，上部有分枝，被短柔毛。叶为二至三回三出羽状复叶；叶柄长达 15 cm；茎下部叶的顶生小叶具长柄，菱形，长 7 ～ 10 cm，宽 4 ～ 7 cm，常 3 浅裂，边缘有锯齿；侧生小叶具短柄或无柄，斜卵形，比顶生小叶略小，边缘有锯齿。复总状花序具 3 ～ 20 分枝，长达 45 cm，下部的分枝长达 15 cm；花序轴密被灰色或锈色腺毛；苞片钻形，比花梗短；花两性；萼片 5，花瓣状，倒卵状圆形，白色或绿白色，早落；无花瓣；退化雄蕊宽椭圆形，先端凹或 2 浅裂；雄蕊多数；心皮 2 ～ 5，密被灰色柔毛。蓇葖果长圆形，密被贴伏柔毛，喙短；种子椭圆形，褐色，四周有膜质鳞翅。

| **野生资源** | 生于海拔 1 700 ~ 2 300 m 的山地林缘、林中或路旁草丛中。湖北有分布。

| **栽培资源** | 一、栽培条件

本种喜温暖湿润的气候，耐寒，当年生幼苗在 −25 ℃能安全越冬。幼苗怕强光直射，开花结果期需要充足的光照，怕涝，忌土壤干旱。本种喜微酸性或中性的腐殖质土，在碱性或重黏土中生长不良。

二、栽培要点

根茎繁殖：春季萌芽前将老根挖出，按 33.33 cm × 33.33 cm 的行株距分株穴栽。为了创造背阴条件，可与玉米等高秆作物间作。春季气候干燥时要淋水保湿，生长期要经常松土除草，二年生升麻结果较少，种子质量差，为不影响根茎生长，在花蕾初期需剪去花序，7 ~ 8 月雨季到来前适当培土。

| **采收加工** | 野生品春、秋季采挖，栽培品于栽培后翌年或第 3 年秋季采挖根茎，晒至八九成干后，烧去外面须根，再用竹筐撞擦干净，晒干；亦有不再撞擦而直接晒干者。

| **药材性状** | 本品为不规则的长形块状，多分枝，呈结节状，长 10 ～ 20 cm，直径 2 ～ 4 cm。外表面黑褐色或棕褐色，粗糙不平，有的可见须根痕或坚硬的细须根残留，切面黄绿色或淡黄白色，具网状或放射状纹理。体轻，质硬，纤维性。气微，味微苦而涩。

| **功能主治** | 破血行气，通经止痛。用于胸胁刺痛，胸痹心痛，痛经，闭经，癥瘕，风湿肩臂疼痛，跌扑肿痛。

| **用法用量** | 内服煎汤，用于升阳，3 ～ 6 g，宜蜜炙、酒炒；用于清热解毒，可用至 15 g，宜生用；或入丸、散剂。外用适量，研末调敷；或煎汤含漱。

生姜

| 来　　源 |

本品为姜科植物姜 *Zingiber officinale* Roscoe 的根茎。

| 原植物形态 |

多年生草本。株高 0.5 ~ 1 m。根茎肥厚，多分枝，有芳香及辛辣味。叶片披针形或线状披针形，长 15 ~ 30 cm，宽 2 ~ 2.5 cm，无毛，无柄；叶舌膜质，长 2 ~ 4 mm。总花梗长达 25 cm；穗状花序球果状，长 4 ~ 5 cm；苞片卵形，长约 2.5 cm，淡绿色或边缘淡黄色，先端有小尖头；花萼管长约 1 cm；花冠黄绿色，管长 2 ~ 2.5 cm，裂片披针形，长不及 2 cm；唇瓣中央裂片长圆状倒卵形，短于花冠裂片，有紫色条纹及淡黄色斑点；侧裂片卵形，长约 6 mm；雄蕊暗紫色，花药长约 9 mm；药隔附属体钻状，长约 7 mm。花期秋季。

| 野生资源 |

生于温暖、降水较多的森林中。湖北有分布。

| 栽培资源 |

一、栽培条件

本种喜温暖湿润的气候，不耐寒，怕潮湿，

怕强光直射，忌连作。应选择气候温暖湿润的坡地和稍阴的地块栽培。以土层深厚、疏松、肥沃、排水良好的砂壤土至重壤土栽培为宜。

二、栽培面积与产量

湖北年播种面积近 6 000 hm²，年产量在 30 万 t 以上，其中播种面积最大的是恩施，年播种面积近 3 000 hm²；其次是随州，栽培面积为 523 hm²；面积在 100 hm² 以上的地区还有十堰（房县）、荆州、宜昌（枝江）、襄阳（宜城）等。

| 采收加工 | 10 ～ 12 月茎叶枯黄时采收，去掉茎叶、须根，晒干。

| 药材性状 | 本品呈不规则块状，略扁，具指状分枝，长 4 ～ 18 cm，厚 1 ～ 3 cm。表面黄褐色或灰棕色，有环节，分枝先端有茎痕或芽。质脆，易折断，断面浅黄色，内皮层环纹明显，有散在维管束。

| 功能主治 | 辛，凉。归肺、胃、脾经。发汗解表，温中止呕，解毒。用于感冒风寒，咳嗽，胃寒呕吐，生半夏、生南星中毒引起的喉舌肿麻疼痛等。

| 用法用量 |　内服煎汤，3 ~ 10 g。

| 附　　注 |　我国是世界上生姜种植面积最大、生产总量最高、出口最多的国家。据国家特色蔬菜产业技术体系调查数据，近几年我国生姜栽培面积维持在 20 万 hm^2 左右，年产量超过 800 万 t；据中国海关数据显示，2019 年中国出口生姜 53.78 万 t，创汇 5.72 亿美元。然而，我国生姜产业仍面临着缺乏专用型生姜品种、产品核心竞争力不足、生姜对外贸易大而不强等许多问题和挑战。

石斛

来　　源	本品为兰科植物金钗石斛 *Dendrobium nobile* Lindl、霍山石斛 *Dendrobium huoshanense* C. Z. Tang et S. J. Cheng、鼓槌石斛 *Dendrobium chrysotoxum* Lindl.、流苏石斛 *Dendrobium fimbriatum* Hook. 及其同属植物近似种的茎。
原植物形态	**金钗石斛**：附生草本。茎直立，肉质状，肥厚，稍扁的圆柱形，长 10 ~ 60 cm，直径达 1.3 cm，上部多少呈回折状弯曲，基部明显收狭，不分枝，具多节，节有时稍肿大；节间多少呈倒圆锥形，长 2 ~ 4 cm，干后金黄色。叶革质，长圆形，长 6 ~ 11 cm，宽 1 ~ 3 cm，先端钝并且不等侧 2 裂，基部具抱茎的鞘。总状花序从具叶或已落叶的老茎中部以上部分发出，长 2 ~ 4 cm，具 1 ~ 4 花；花序梗长 5 ~ 15 mm，基部被数枚筒状鞘；花苞片膜质，卵状披针形，长 6 ~ 13 mm，先端渐尖；花梗和子房淡紫色，长 3 ~ 6 mm；花大，白色带淡紫色先端，有时全体淡紫红色或除唇盘上具 1 紫红色斑块外，其余均为白色；中萼片

长圆形，长 2.5 ~ 3.5 cm，宽 1 ~ 1.4 cm，先端钝，具 5 脉；侧萼片与中萼片相似，先端锐尖，基部歪斜，具 5 脉，萼囊圆锥形，长 6 mm；花瓣斜宽卵形，长 2.5 ~ 3.5 cm，宽 1.8 ~ 2.5 cm，先端钝，基部具短爪，全缘，具 3 主脉和许多支脉；唇瓣宽卵形，长 2.5 ~ 3.5 cm，宽 2.2 ~ 3.2 cm，先端钝，基部两侧具紫红色条纹并且收狭为短爪，中部以下两侧围抱蕊柱，边缘具短的睫毛，两面密布短绒毛，唇盘中央具 1 紫红色大斑块；蕊柱绿色，长 5 mm，基部稍扩大，具绿色的蕊柱足；药帽紫红色，圆锥形，密布细乳突，前端边缘具不整齐的尖齿。花期 4 ~ 5 月。

霍山石斛：附生草本。茎直立，长达 9 cm，基部以上较粗，上部渐细。叶常 2 ~ 3 互生于茎上部，舌状长圆形，长 9 ~ 21 cm，宽 5 ~ 7 mm，先端稍凹缺，基部具带淡紫红色斑点的鞘。花序生于已落叶的老茎上部，具 1 ~ 2 花，花序梗长 2 ~ 3 mm；苞片白色带栗色，卵形，长 3 ~ 4 mm；花淡黄绿色；中萼片卵状披针形，长 1.2 ~ 1.4 cm，宽 4 ~ 5 mm，侧萼片镰状披针形，与中萼片等长，先端钝，基部歪斜而较宽，萼囊近矩形，长 5 ~ 7 mm；花瓣卵状长圆形，与萼片近等长而甚宽，唇瓣近菱形，长宽均 1 ~ 1.5 cm，基部楔形，具胼胝体，上部稍 3 裂，两侧裂片之间密生短毛，中裂片半圆状三角形，基部密生长白毛，上面具黄色横生椭圆形斑块；药帽近半球形，先端稍凹缺。

鼓槌石斛：附生草本。茎纺锤形，长达 30 cm，中部直径 1.5 ~ 5 cm，具多数圆钝条棱，近先端具 2 ~ 5 叶。叶革质，长圆形，长达 19 cm，宽 2 ~ 3.5 cm，先端尖，钩转，基部不下延为抱茎鞘。花序生于近茎端，斜出或稍下垂，长达 20 cm，疏生多花，花序梗基部具 4 ~ 5 鞘；花质厚，金黄色，稍有香气；中萼片长圆形，长 1.2 ~ 2 cm，侧萼片与中萼片近等大，萼囊近球形，直径约 4 mm；花瓣倒卵形，与中萼片等长而甚宽，先端近圆，唇瓣色较深，近肾状圆形，较花瓣大，先端 2 浅裂，基部两侧具少数红色条纹，边缘波状，上面密生绒毛，有时具 "U" 形栗色斑块。

流苏石斛：附生草本。茎坚挺，圆柱形，长 0.5 ~ 1 m。叶革质，长圆形或长圆状披针形，长 8 ~ 15.5 cm，先端有时微 2 裂，基部具抱茎鞘。花序疏生 6 ~ 12 花，花序梗长 2 ~ 4 cm，基部套迭数枚长 0.3 ~ 1 cm 的筒状鞘。

| **野生资源** | 生于海拔 480 ~ 1 700 m 的山地林中的树干上或山谷岩石上。分布于湖北宜昌、恩施（利川、咸丰）、黄冈（黄梅、罗田）及神农架等。

| 栽培资源 | 一、栽培条件
本种喜温暖、湿润而较阴凉的环境，大多生长在亚热带、海拔较高、湿度较大、有充足散射光的深山中。常在深山中附生于树皮疏松而厚的树干或树枝上，也生于石缝、石槽间。
二、栽培区域
湖北宜昌、恩施（利川、咸丰）、黄冈（黄梅、罗田）等有栽培。

| 采收加工 | 全年均可采收，鲜用者除去根和泥沙；干用者采收后，除去杂质，用开水略烫或烘软，再边搓边烘晒，至叶鞘搓净，干燥。11 月至翌年 3 月采收霍山石斛，除去叶、根须及泥沙等杂质，洗净，鲜用，或加热除去叶鞘制成干条；或边加热边扭成螺旋状或弹簧状，干燥，称霍山石斛枫斗。

| 药材性状 | 本品鲜品呈圆柱形或扁圆柱形，长约 30 cm，直径 0.4 ~ 1.2 cm；表面黄绿色，光滑或有纵纹，节明显，色较深，节上有膜质叶鞘，肉质多汁，易折断；气微，味微苦而回甜，嚼之有黏性。金钗石斛呈扁圆柱形，长 20 ~ 40 cm，直径 0.4 ~ 0.6 cm，节间长 2.5 ~ 3 cm；表面金黄色或黄中带绿色，有深纵沟；质硬而脆，断面较平坦而疏松；气微，味苦。霍山石斛干条呈直条状或不规则弯曲形，长 2 ~ 8 cm，直径 1 ~ 4 mm；表面淡黄绿色至黄绿色，偶有黄褐色斑块，有细纵纹，节明显，节上有的可见残留的灰白色膜质叶鞘；一端可见茎基部残

留的短须根或须根痕，另一端为茎尖，较细；质硬而脆，易折断，断面平坦，灰黄色至灰绿色，略角质状；气微，味淡，嚼之有黏性；鲜品稍肥大，肉质，易折断，断面淡黄绿色至深绿色；气微，味淡，嚼之有黏性且少有渣。枫斗呈螺旋状或弹簧状，通常为 2 ~ 5 旋纹，茎拉直后性状同干条。鼓槌石斛呈粗纺锤形，中部直径 1 ~ 3 cm，具 3 ~ 7 节；表面光滑，金黄色，有明显凸起的棱；质轻而松脆，断面海绵状；气微，味淡，嚼之有黏性。流苏石斛呈长圆柱形，直径 0.4 ~ 1.2 cm，节明显，节间长 2 ~ 6 cm；表面黄色至暗黄色，有深纵槽；质疏松，断面平坦或呈纤维性；味淡或微苦，嚼之有黏性。

| 功能主治 | 甘，微寒。归胃、肾经。益胃生津，滋阴清热。用于阴伤津亏，口干烦渴，食少干呕，病后虚弱，目暗不明。

| 用法用量 | 内服煎汤，6 ~ 12 g。

| 附　注 | 一、物种鉴别
兰科植物铁皮石斛 *Dendrobium officinale* Kimuraet Migo. 为本种的易混淆品。
二、市场信息
石斛的市场供需和价格（约 45 元 /kg）较为平稳。
三、濒危情况、资源利用和可持续发展
金钗石斛、鼓槌石斛和流苏石斛为国家二级重点保护野生植物，霍山石斛为国家一级保护野生植物，资源较为稀缺。石斛不仅具有极高的药用价值，而且在环境美化、食品、保健品、化妆品等领域都发挥着重要的作用。

石菖蒲

| 来　　源 | 本品为天南星科植物石菖蒲 *Acorus tatarinowii* Schotti 的根茎。

| 原植物形态 | 多年生草本。根茎芳香，直径 2 ～ 5 mm，外部淡褐色，节间长 3 ～ 5 mm，根肉质，具多数须根，根茎上部分枝甚密，植株因而呈丛生状，分枝常被纤维状宿存叶基。叶无柄，叶片薄，基部两侧膜质叶鞘宽可达 5 mm，上延几达叶片中部，渐狭，脱落；叶片暗绿色，线形，长 20 ～ 30 （ ～ 50 ） cm，基部对折，中部以上平展，宽 7 ～ 13 mm，先端渐狭，无中肋，平行脉多数，稍隆起。花序梗腋生，长 4 ～ 15 cm，三棱形。叶状佛焰苞长 13 ～ 25 cm，为肉穗花序长的 2 ～ 5 倍或更长，稀近等长；肉穗花序圆柱状，长 （2.5 ～ ） 4 ～ 6.5 （ ～ 8.5 ） cm，直径 4 ～ 7 mm，上部渐尖，直立或稍弯；花白色。成熟果序长 7 ～ 8 cm，直径可达 1 cm；幼果绿色，成熟时黄绿色或黄白色。花果期 2 ～ 6 月。

| **野生资源** | 生于海拔 20 ~ 2 600 m 的密林下湿地或溪旁石上。湖北有分布。

| **栽培资源** | 一、栽培条件

本种喜冷凉湿润的气候，耐寒，忌干旱。其适宜生长的温度为 20 ~ 25 ℃，10 ℃以下停止生长，冬季地下茎潜入泥中越冬。

二、栽培区域

湖北秦巴山区、武陵山区、大别山区、幕阜山区等有栽培。蕲春有较小面积的人工种植，现在正在开展规范化种植方法研究工作，以期达到规模化、规范化生产的目的。

| 采收加工 | 秋、冬季采挖，除去须根和泥沙，晒干。

| 药材性状 | 本品呈扁圆柱形，多弯曲，常有分枝。表面棕褐色或灰棕色，粗糙，有疏密不匀的环节，节间长 0.2～0.8 cm，具细纵纹，一面残留须根或圆点状根痕；叶痕呈三角形，左右交互排列，有的其上有毛鳞状的叶基残余。质硬，断面纤维性，类白色或微红色，内皮层环明显，可见多数维管束小点及棕色油细胞。气芳香，味苦、微辛。以条粗、坚实、断面色类白、香气浓者为佳。

| 功能主治 | 辛、苦，温。归心、胃经。开窍豁痰，醒神益智，化湿开胃。用于神昏癫痫，健忘失眠，耳鸣耳聋，脘痞不饥，噤口下痢。

| 用法用量 | 内服煎汤，3 ～ 10 g。

| 附　注 | 一、物种鉴别

1. 与石菖蒲形态特征相似的植物、地区习用品及药材混淆品

金钱蒲 *Acorus gramineus* Soland. var. *pusillus* (Siebold) Engl. 的根茎在少数地区作石菖蒲药用，性状与石菖蒲相似，与本种的区别是较细小，直径 0.2 ～ 0.7 cm，环节纹间距 0.1 ～ 0.4 cm，叶痕狭三角形，断面纤维性，具细辛样香气。

2. 伪品

百合科植物吉祥草 *Reineckea carnea* (Anclr.) Kunch 的根茎，称"硬菖蒲"。其根茎长圆柱形，少有分枝，长短不一，直径 0.3 ～ 0.8 cm。表面黄棕色，密具环节，环节纹间距 0.2 ～ 0.4 cm，环节上密生细须根或具细根痕。质坚硬，断面黄白色，纤维性，具多数白色筋脉小点（维管束）。气微，味微甘。

二、市场信息

2023 年，湖北石菖蒲全年总采挖量约 1 000 t，石菖蒲每年需求量约为 2 200 t，主要用于制作饮片、中成药以及出口，目前主要以野生供应为主。石菖蒲的市场供需和价格（63 ～ 70 元 /kg）较为平稳。

水蛭

| 来　　源 | 本品为水蛭科动物蚂蟥 *Whitmania pigra* Whitman、水蛭 *Hirudo nipponica* Whitman 或柳叶蚂蟥 *Whitmania acranulata* Whitman 的干燥全体。

| 原动物形态 | **蚂蟥：**呈扁平纺锤形，有多数环节，长 4 ～ 10 cm，宽 0.5 ～ 2 cm。背部黑褐色或黑棕色，稍隆起，用水浸后，可见黑色斑点排成 5 纵纹；腹面平坦，棕黄色。两侧棕黄色，前端略尖，后端钝圆，两端各具 1 吸盘，前吸盘不显著，后吸盘较大。质脆，易折断，断面胶质状。气微腥。

水蛭：扁长圆柱形，体多弯曲扭转，长 2 ～ 5 cm，宽 0.2 ～ 0.3 cm。

柳叶蚂蟥：狭长而扁，长 5 ～ 12 cm，宽 0.1 ～ 0.5 cm。

| 野生资源 | 生于水田、沟渠、池塘、沼泽和河流湖泊中，或临近水域岸边潮湿松软的泥土中。湖北有分布。

| 养殖资源 | 一、养殖条件
本种喜欢在石块较多、池底及池岸较坚硬的水中生活，这些环境有利于吸盘的固着、运动和取食。水生植物较丰富的水域水蛭相对较多，有利于其隐蔽、栖息和交配繁殖。在生活和繁殖季节，水蛭大都活动在沿岸和浅水流域，很少在较深的水底出现。在自然界里，蛭类都生活在 pH 范围相对较小的水体里，同一个种在不同地区的适应范围并不相同，通常可以在 pH 4.5 ~ 10.0 的范围内长期生存。

二、养殖区域
湖北荆州、随州、荆门、襄阳及潜江等有养殖。

| 采收加工 | 夏、秋季捕捉，用沸水烫死，晒干或低温干燥。

| 药材性状 | 本品呈不规则段状、扁块状或扁圆柱状，略鼓起，背部黑褐色，腹面棕黄色至棕褐色，附有少量白色滑石粉。断面松泡，灰白色至焦黄色。气微腥。

| 功能主治 | 咸、苦，平；有小毒。归肝经。破血通经，逐瘀消癥。用于血瘀闭经，癥瘕痞块，中风偏瘫，跌扑损伤。

| 用法用量 | 内服煎汤，1 ~ 3 g。

| 附　注 | 一、道地沿革
湖北为我国水蛭传统的道地产区，历史记载可追溯至春秋战国时期。西汉贾谊《新书》春秋篇记载："春秋楚惠王食寒菹得蛭，恐监食当死，遂吞之。"东汉王充《论衡》福虚篇记载："楚惠王食寒菹而得蛭，因遂吞之，腹有疾而不能食。"《本草经集注》记载："楚王食寒菹，所得而吞之，果能去结积，虽曰阴祐，亦是物性兼然。"表明在公元前 400 多年前，在湖北荆州地区就发现了水蛭，且有治愈疾病的作用。

二、物种鉴别
与水蛭原动物形态特征相似的动物、地区习用品及药材混淆品。

（1）日本医蛭 *Hirudo nipponica* Whitman 又名医用蛭。生活于水田及沼泽中。吸人、畜血液。行动敏捷，能作波浪式游泳和尺蠖式移行。春暖时即活跃，6 ~ 10 月为产卵期，冬季蛰伏。再生力很强，如将其切断饲养，能由断部再生成新体。全国各地均有分布。

（2）宽体金线蛭 *Whitmania pigra* Whitman 生活于水田、河流、湖沼中。不吸血，吸食水中浮游生物、小型昆虫、软体动物的幼虫及泥面腐殖质等。全国大部分地区均有分布。

（3）尖细金线蛭 *Whitmania acranulata* Whitman 又名牛鳖。全国大部分地区均有分布。

以上三种药材均以身干、体大、无泥者为佳。

三、市场信息

水蛭的市场供需和价格（约 1 500 元 /kg）逐年攀升。

四、濒危情况、资源利用和可持续发展

水蛭的野生资源分布具有局限性，生长和繁殖期长，产量低。水蛭的野生资源越来越少，这主要有两方面原因：一方面水体污染严重，其生存空间越来越小；另一方面人为过度滥捕。此外，水蛭养殖技术一直是制约水蛭大规模生产的关键因素。目前，宽体金线蛭的人工养殖已经获得较大成功，但吸血的水蛭（药用蛭）的养殖还远远不能满足市场需求。近年来在我国以水蛭素为主要成分的中成药已有许多种，如脉血康胶囊、脑血康口服液、抗血栓片、活血通胶囊等，年产值达 1 百亿元。含水蛭的新药也在不断研究和推出。

湖北荆州水蛭年产量约 100 t，湖北年总产量约 150 t，全国需求量约 500 t。

丝瓜络

| 来　　源 | 本品为葫芦科植物丝瓜 *Luffa cylindrica* (L.) Roem. 的成熟果实的维管束。

| 原植物形态 | 一年生攀缘草本。茎枝细长，柔弱，有棱角，粗糙或棱上有粗毛，卷须稍被 2 ～ 4 分叉的毛。叶互生，叶柄多角形，具柔毛，长 4 ～ 9 cm；叶片三角形或近圆形，长 8 ～ 25 cm，宽 15 ～ 32 cm；掌状 3 ～ 7 裂，裂片三角形，基部心形，先端渐尖或锐尖，边缘具细齿，主脉 3 ～ 5，幼时有细毛，老时粗糙而无毛。花单生，雌雄同株；雄花聚成总状花序，先开放；雌花单生；花萼绿色，5 深裂，裂片卵状披针形，外面被细柔毛；花冠黄色、淡黄色或白色，直径 5 ～ 9 cm，5 深裂，裂片阔倒卵形，边缘波状；雄花雌蕊 5，花药 2 室，多回折曲状，花丝分离；雌花子房下位，长圆柱状，柱头 3，膨大。瓠果长圆柱状，常下垂，长 20 ～ 60 cm，幼时肉质，绿色而带粉白色，有纵向浅沟或条纹，成熟后黄绿色，内有坚韧的网状丝络；种子长卵形，扁压，长 8 ～ 20 mm，直径 5 ～ 11 mm，黑色，

边缘有狭翅。花期 5 ~ 7 月，果期 6 ~ 9 月。

| 栽培资源 | 一、栽培条件
本种喜地势高燥、靠近水源、肥力中等的地块。
二、栽培要点
以营养钵育苗为主。选地势高燥、靠近水源、肥力中等的地块作苗床。为使丝瓜生长有足够的营养生长期，一般丝瓜种子于 3 月 15 日左右播种，每钵放 1 ~ 2 种子，并在钵面轻覆细熟泥，稍微踏实后用薄膜覆盖，再用小拱棚覆盖。

| 采收加工 | 9 ~ 11 月果实成熟、果皮变黄、内部干枯时采摘，搓去外皮及果肉，或用水浸泡至果皮和果肉腐烂，取出洗净，除去种子，晒干。

| 药材性状 | 本品为丝状维管束交织而成，多呈长棱形或长圆筒形，略弯曲，直径 7 ~ 10 cm。表面黄白色。体轻，质韧，有弹性，不能折断。横切面可见子房 3 室，呈洞空状。气微，味淡。

| 功能主治 | 祛风，通络，活血，下乳。用于麻痹疼痛拘挛，胸胁胀痛，乳汁不通，乳痛肿痛。

| 用法用量 | 内服煎汤，5 ~ 12 g。

太子参

来　源

本品为石竹科植物太子参 *Pseudostellaria heterophylla* (Miq.) Pax ex Pax et Hoffm. 的块根。

原植物形态

多年生草本。高 15 ~ 20 cm。块根长纺锤形，白色，稍带灰黄色。茎直立，单生，被 2 列短毛。茎下部叶常 1 ~ 2 对，叶片倒披针形，先端钝尖，基部渐狭成长柄状；上部叶 2 ~ 3 对，叶片宽卵形或菱状卵形，长 3 ~ 6 cm，宽 2 ~ 17（~ 20）mm，先端渐尖，基部渐狭，上面无毛，下面沿脉疏生柔毛。开花受精花 1 ~ 3，腋生或呈聚伞花序；花梗长 1 ~ 2 cm，有时长达 4 cm，被短柔毛；萼片 5，狭披针形，长约 5 mm，先端渐尖，外面及边缘疏生柔毛；花瓣 5，白色，长圆形或倒卵形，长 7 ~ 8 mm，先端 2 浅裂；雄蕊 10，短于花瓣；子房卵形，花柱 3，微长于雄蕊；柱头头状。闭花受精花具短梗；萼片疏生多细胞毛。蒴果宽卵形，含少数种子，先端不裂或 3 瓣裂；种子褐色，扁圆形，长约 1.5 mm，具疣状突起。花期 4 ~ 7 月，果期 7 ~ 8 月。

| **野生资源** | 生于海拔 800 ~ 2 700 m 的山谷林下阴湿处。分布于湖北黄冈（麻城）、随州等。 |

| **栽培资源** | 一、栽培条件

本种喜温暖湿润的气候，抗寒能力强，怕高温，怕涝，忌强光。本种在湖北多种植于向北、向东的丘陵坡地或地势较高的平地。宜在土层深厚、疏松肥沃、富含腐殖质的砂壤土中种植。

二、栽培区域

湖北黄冈（麻城）、随州、恩施等有栽培。

| 采收加工 | 夏季茎叶大部分枯萎时采收，洗净，置于沸水中略烫后晒至七八成干，搓去根须，再晒至足干。

| 药材性状 | 本品呈细长纺锤形或细长条形，稍弯曲，长 3 ～ 10 cm，直径 0.2 ～ 0.6 cm。表面灰黄色至黄棕色，较光滑，微有纵皱纹，凹陷处有须根痕。先端有茎痕。质硬而脆，断面较平坦，周边淡黄棕色，中心淡黄白色，角质样。气微，味微甘。

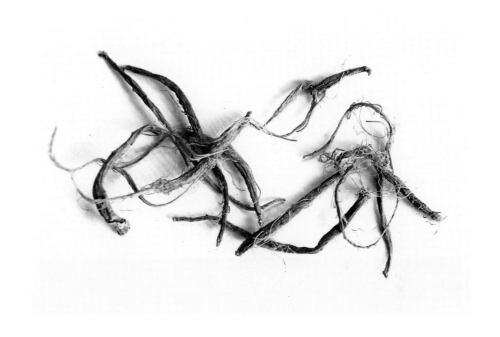

| 功能主治 | 益气健脾，生津润肺。用于脾虚体倦，食欲不振，病后虚弱，气阴不足，自汗口渴，肺燥干咳。

| 用法用量 | 内服煎汤，9 ～ 30 g。

| 附　注 | 太子参在中医方面用途广泛，发展前景良好，目前市场上处于供不应求的状态。因此，可以大力推广太子参规模化生产技术，建立太子参良种繁育体系，培育龙头企业，注重开发、延伸太子参产业链。

天冬

| 来　　源 | 本品为百合科植物天冬 *Asparagus cochinchinensis* (Lour.) Merr. 的块根。

| 原植物形态 | 攀缘植物。根在中部或近末端呈纺锤状膨大，膨大部分长 3 ~ 5 cm，直径 1 ~ 2 cm。茎平滑，常弯曲或扭曲，长可达 1 ~ 2 m，分枝具棱或狭翅。叶状枝通常每 3 成簇，扁平或由于中脉龙骨状而略呈锐三棱形，稍镰状，长 0.5 ~ 8 cm，宽 1 ~ 2 mm；茎上的鳞片状叶基部延伸为长 2.5 ~ 3.5 mm 的硬刺，在分枝上的刺较短或不明显。通常每 2 花腋生，淡绿色；花梗长 2 ~ 6 mm，关节一般位于中部，有时位置有变化；雄花花被长 2.5 ~ 3 mm；花丝不贴生于花被片上；雌花大小和雄花相似。浆果直径 6 ~ 7 mm，成熟时红色，有 1 种子。花期 5 ~ 6 月，果期 8 ~ 10 月。

| **野生资源** | 生于海拔 1 750 m 的山坡、路旁、疏林下、山谷或荒地上。分布于湖北武汉、十堰（房县）、宜昌（兴山）、襄阳（谷城）、荆门、黄冈（罗田）、咸宁（通城、崇阳、通山）、恩施（利川、巴东、宣恩、咸丰、来凤、鹤峰）及神农架等。 |

| **栽培资源** | 一、栽培条件
本种喜温暖潮湿的环境，不耐严寒，忌干旱及积水。宜在排水良好的砂壤土或腐殖质壤土中栽种。
二、栽培区域
湖北利川等有栽培。
三、栽培要点
分根繁殖，3～4 月植株未萌芽前，将根挖出，分成 3～5 簇不等，每簇有芽 1～2 个，穴栽，栽时注意用土把芽盖住，防止芽枯死。 |

| **采收加工** | 栽种 2～3 年，秋、冬季采挖块根，洗净，除去须根，放入锅内煮或蒸至透心，剥去外皮，洗净，切段，晒干。 |

| **药材性状** | 本品呈长纺锤形，略弯曲，表面黄白色至淡黄棕色，半透明，光滑或具深浅不等的纵皱纹，偶有残存的灰棕色外皮。质硬或柔润，有黏性，断面角质样，中柱黄白色。气微，味甜、微苦。 |

| 功能主治 | 养阴润燥，清肺生津。用于肺燥干咳，顿咳痰黏，腰膝酸痛，骨蒸潮热，内热消渴，热病津伤，咽干口渴，肠燥便秘。

| 用法用量 | 内服煎汤，6 ~ 12 g。

| 附　注 | 一、物种鉴别
与天门冬形态特征相似的植物如下。

（1）多刺天门冬 *Asparagus myriacanthus* F. T. Wang et S. C. Chen 块根粗大，茎分枝多，枝下部具刺，叶状枝每 6 ~ 14 成簇，锐三棱形，基部有刺。

（2）滇南天门冬 *Asparagus subscandens* F. T. Wang et S. C. Chen 块根直径 10 ~ 16 cm，植株上部稍攀缘状，茎平滑，无刺，分枝纵棱上疏生软骨质齿，叶状枝通常 3 ~ 7 成簇，镰状。

（3）羊齿天门冬 *Asparagus filicinus* D. Don 为直立草本，根簇生，在基部或近基部处膨大；叶状枝每 5 ~ 8 成簇，扁平，镰状，有中脉；花梗细长。

（4）短梗天门冬 *Asparagus lycopodineus* (Baker) Wang et Tang 的茎在上部有时具翅，叶状枝通常 3 成簇，扁平，镰状，有明显的中脉；花梗很短。根在基部 1 ~ 4 cm 处膨大，外皮呈暗褐色。

二、濒危情况、资源利用和可持续发展
本种主要分布在我国南方气温较高的地区。野生天冬因过度开采曾一度灭绝，所以野生天冬非常稀少。由于天门冬药用价值高，现在很多地区开始大量种植天门冬。天冬发展前景广阔，可以建立相关产业标准体系，促使产业规模化发展；延长产业链，培育龙头企业和打造特色品牌；提升产业、学术、研究和管理水平，推动产业创新发展。

天麻

| 来　　　源 | 本品为兰科植物天麻 *Gastrodia elata* Bl. 的块茎。

| 原植物形态 | 多年生草本。叶互生，嵌迭状排列，剑形，长 20 ~ 60 cm，宽 2 ~ 4 cm，基部鞘状抱茎，先端渐尖，无中脉。花序顶生，叉状分枝，每分枝的先端聚生数朵花；花梗细，长约 1.5 cm；花梗及花序的分枝处均包有膜质的苞片，苞片披针形或卵圆形；花橙红色，散生紫褐色的斑点，直径 4 ~ 5 cm；花被裂片 6，呈 2 轮排列，外轮花被裂片倒卵形或长椭圆形，长约 2.5 cm，宽约 1 cm，先端钝圆或微凹，基部楔形，内轮花被裂片较外轮花被裂片略短而狭；雄蕊 3，长 1.8 ~ 2 cm，着生于外花被裂片的基部，花药条形，外向开裂，花丝近圆柱形，基部稍扁而宽；花柱上部稍扁，先端 3 裂，裂片边缘略向外卷，有细而短的毛，子房下位，倒卵形，3 室，中轴胎座，胚珠多数。蒴果倒卵形或长椭圆形，黄绿色，长 2.5 ~ 3 cm，直径 1.5 ~ 2.5 cm，先端无喙，常残存凋萎的花被，成熟时室背开裂，果瓣外翻，

中央有直立的果轴；种子圆球形，黑紫色，有光泽，直径约 5 mm，着生在果轴上。花期 6 ~ 8 月，果期 7 ~ 9 月。

| **野生资源** | 生于海拔 400 ~ 3 100 m 的疏林下、林中空地、林缘、灌丛边缘。分布于湖北宜昌、黄冈、恩施、襄阳及神农架等。

| **栽培资源** | 湖北宜昌、黄冈、襄阳、恩施等有栽培。

| **药材性状** | 本品呈椭圆形或长条形，略扁，皱缩而稍弯曲，长 3 ~ 15 cm，宽 1.5 ~ 6 cm，厚 0.5 ~ 2 cm。表面黄白色至黄棕色，有纵皱纹及由潜伏芽排列而成的多轮横环纹，有时可见棕褐色菌索。先端有红棕色至深棕色鹦嘴状的芽或残留茎基；另一端有圆脐形疤痕。质坚硬，不易折断，断面较平坦，黄白色至淡棕色，角质样。气微，味甘。

| **功能主治** | 息风止痉，平抑肝阳，祛风通络。用于小儿惊风，癫痫抽搐，破伤风，头痛眩晕，半身不遂，肢体麻木，风湿痹痛。

| **用法用量** | 内服煎汤，3 ~ 10 g。

天南星

| 来　　源 | 本品为天南星科植物天南星 *Arisaema erubescens* (Wall.) Schott 的块茎。

| 原植物形态 | 多年生草本。块茎扁球形,直径2～4 cm,顶部扁平,周围生根,常有若干侧生芽眼。鳞芽4～5,膜质。叶常单一,叶柄圆柱形,粉绿色,长30～50 cm,下部3/4鞘筒状,鞘端斜截形;叶片鸟足状分裂,裂片13～19,有时更少或更多,倒披针形、长圆形、线状长圆形,基部楔形,先端骤狭渐尖,全缘,暗绿色,背面淡绿色;中裂片无柄或具长15 mm的短柄,长3～15 cm,宽0.7～5.8 cm,比侧裂片几短1/2;侧裂片长7.7～24.2(～31)cm,宽(0.7～)2～6.5 cm,向外渐小,排列成蝎尾状,间距0.5～1.5 cm。花序梗长30～55 cm,从叶柄鞘筒内抽出。佛焰苞管部圆柱形,长3.2～8 cm,直径1～2.5 cm,粉绿色,内面绿白色,喉部截形,外缘稍外卷;檐部卵形或卵状披针形,宽2.5～8 cm,长4～9 cm,几下弯成盔状,背面深绿色、淡绿色至淡黄色,先端骤狭渐尖。

肉穗花序两性，雄花序单性。两性花序的下部雌花序长 1 ~ 2.2 cm，上部雄花序长 1.5 ~ 3.2 cm，雄花疏，大部分不育，有的退化为钻形中性花，稀为仅有钻形中性花的雌花序。单性雄花序长 3 ~ 5 cm，直径 3 ~ 5 mm，各种花序附属器基部直径 5 ~ 11 mm，苍白色，向上细狭，长 10 ~ 20 cm，至佛焰苞喉部以外呈"之"字形上升（稀下弯）。雌花球形，花柱明显，柱头小，胚珠 3 ~ 4，直立于基底胎座上。雄花具柄，花药 2 ~ 4，白色，顶孔横裂。浆果黄红色、红色，圆柱形，长约 5 mm，内有棒头状种子 1，不育胚珠 2 ~ 3；种子黄色，具红色斑点。花期 4 ~ 5 月，果期 7 ~ 9 月。

| 野生资源 | 生于海拔 2 700 m 以下的林下、灌丛或草地。湖北有分布。

| 栽培资源 | 一、栽培条件
本种喜冷凉湿润的气候和阴湿的环境，怕强光。种植时应适度遮阴或与高秆作物或林木间作。宜选湿润、疏松、肥沃、富含腐殖质的壤土或砂壤土栽培，黏土及洼地不宜种植。山区可在山间沟谷、溪流两岸或疏林下的阴湿地种植。

二、栽培要点
用种子或块茎繁殖。因种子繁殖生长期长，产量不高，故生产上以块茎繁殖为主。生长期间要注意浇水，经常保持土壤湿润，雨季注意排水。花期除留种株外，其余花序全部摘除，要注意选留健壮无病毒的块茎作种，并防治蚜虫。虫害有短须螨，可用 20% 双甲脒乳油 1 000 倍液或 73% 克螨特 3 000 倍液喷雾。忌连作。

| 采收加工 | 秋、冬季茎叶枯萎时采挖，除去须根及外皮，干燥。

| 药材性状 | 本品呈扁球形，表面类白色或淡棕色，较光滑，先端有凹陷的茎痕，周围有麻点状根痕，有的块茎周边有小扁球状侧芽。质坚硬，不易破碎，断面不平坦，白色，粉性。气微辛，味麻辣。

| 功能主治 | 苦、辛，温；有毒。归肺、肝、脾经。散结消肿。外用于痈肿，蛇虫咬伤。

| 用法用量 | 外用生品适量，研末以醋或酒调敷。

| 附　注 | 一、物种鉴别
中药材"天南星"的原植物比较混乱，各地药用品种多不相同，包括天南星属的多种植物以及半夏属、犁头尖属植物，2020 年版《中国药典》收录的"天南星"

原植物有 3 种：天南星 *Arisaema erubescens* (Wall.) Schott、异叶天南星 *Arisaema heterophyllum* Bl. 及东北天南星 *Arisaema amurense* Maxim.，其中文名与中国植物志不一致，其中"天南星 *Arisaema erubescens* (Wall.) Schott"中文名应为"一把伞南星"，"异叶天南星 *Arisaema heterophyllum* Bl."中文名应为"天南星"，"东北天南星 *Arisaema amurense* Maxim."中文名应为"东北南星"。《中华本草》在"天南星"条目中另外收录了"虎掌 *Pinellia pedatisecta* Schott"为其原植物，虎掌为当前市场上流通的"天南星"主流商品，2020 年版《中国药典》收录的 3 种天南星占比较少，且多为野生。

二、市场信息

根据亳州中药材市场近 6 年（2018 年 1 月至 2023 年 5 月）的历史价格来看，河北产大粒天南星（虎掌）在 2021 年 6 月之前价格持续稳定，一直维持在 18 元 /kg，从 2021 年 7 月开始，价格稳步上升，至 2023 年 5 月，由 24 元 /kg 增长至 40 元 /kg，市场需求和价格呈上升趋势。

三、濒危情况、资源利用和可持续发展

中药"天南星"来源众多，使用范围较广的有天南星属的天南星、一把伞南星、东北南星，还有半夏属的虎掌，总体分布较广，野生资源较丰富。但因市场需求大，野生资源采集成本高，故现以人工栽培为主。其中，虎掌人工种植面积最大，是市场上中药天南星的主要来源，天南星、一把伞南星、东北南星主要为野生，市场上占比较少。天南星的用途以药用为主，以地下块茎入药，其广泛的药理活性具有很好的新药开发前景。此外，有研究表明天南星（东北南星）各个部位均含有黄酮、多糖、可溶性蛋白、葫芦巴碱以及铁锰铜锌等微量元素，并且地上部分含有的一些活性成分含量显著高于地下块茎，这也为天南星地上部位的综合利用提供了有益参考。除作药用外，天南星科植物多叶型优美，具奇特的肉穗花序，可作为观叶植物和观花植物，开发为盆栽绿植或用于园林绿化。

甜叶菊

| 来　　源 | 本品为菊科植物甜叶菊 *Stevia rebaudiana* (Bertoni) Hemsl. 的叶。

| 原植物形态 | 多年生草本。高 100 ~ 150 cm。根稍肥大，50 ~ 60，长可达 25 cm。茎直立，基部半木质化，直径约 1 cm，多分枝。叶对生；无柄；叶片倒卵形至宽披针形，长 5 ~ 10 cm，宽 1.5 ~ 3.5 cm，先端钝，基部楔形，上半部叶缘具粗锯齿。头状花序小，在枝端排成伞房状，每花序具 5 管状花，总苞圆筒状，长约 6 mm；总苞片 5 ~ 6，近等长，背面被短柔毛；小花管状，白色，先端 5 裂。瘦果，长纺锤形，长 2.5 ~ 3 mm，黑褐色；冠毛多条，长 4 ~ 5 mm，污白色。花期 7 ~ 9 月，果期 9 ~ 11 月。

| 栽培资源 | 一、栽培条件
通常选避风向阳且排水和浇灌便利的地带栽培，以疏松、肥沃、有机质含量高

的土壤长势良好。前茬应选择种植过小麦、豆类、玉米等作物的熟地，忌重茬，土壤 pH 以中性为佳。本种为短日照植物，喜温，生长期适宜温度为 25 ~ 29 ℃，临界日照为 12 h。

二、栽培区域

湖北武汉、随州、荆州、宜昌（当阳）、黄冈（蕲春）等有栽培。

三、栽培面积与产量

湖北甜叶菊的栽培面积为 19.3 hm² 左右，总产量为 22.9 t 左右。

| **采收加工** | 春、夏、秋季均可采收，除去茎枝，摘取叶片，鲜用或晒干。

| **药材性状** | 本品多破碎或皱缩，草绿色，完整的叶片展平后呈倒卵形至宽披针形，长 4.5 ~ 9.5 cm，宽 1.5 ~ 3.5 cm；先端钝圆，基部楔形；中上部边缘有粗锯齿，下部全缘；叶脉三出，中央主脉明显，两面均有柔毛；具短叶柄，叶片常下延至叶柄基部；薄革质，质脆易碎。气微，味极甜。

| **功能主治** | 甘，平。归肺、胃经。生津止渴，养阴潜阳。用于消渴，头晕。

| **用法用量** | 内服煎汤，3 ~ 10 g；或开水泡，代茶饮。

| **附　注** | 一、传统医药知识

本种叶泡茶饮用可治疗糖尿病；叶及茎泡茶饮用可避孕。

二、市场信息

甜叶菊的市场供需和价格（约 13 元 /kg）较为平稳。

三、濒危情况、资源利用和可持续发展

甜叶菊原产于南美洲，1977 年由日本引入中国。由于甜叶菊适应性强，在我国的安徽、黑龙江、山东、江苏、江西等 20 多个省市均有种植。除了药用价值以外，甜叶菊还因其作为低热量高甜度的新型甜味剂而备受人们推崇。由于其具有广阔的发展前景，我国甜叶菊种植面积逐年扩大，已成为甜叶菊种植面积最大的国家。

龟甲

| 来　源 | 本品为龟科动物乌龟 *Chinemys reevesii* (Gray) 的背甲及腹甲。

| 原动物形态 | 腹甲为板块状，分 2 层，由内面骨板及覆盖在其外表的盾片组成。具有角质盾片 12 块，其上多少具有偏心类方形环纹，盾片间有沟，喉盾常为三角形，两侧有残缺、呈翼状向后弯曲的甲桥。骨板 9 块，其间大多呈锯齿状嵌接，质坚硬，可于白骨缝处断裂。背甲为拱状，后部稍宽于前部，均由内外两层构成，内层由若干骨板组成，外层由若干角质盾片组成，骨板与盾片的位置和数目不相吻合。一般具有角质盾片 38，颈盾 1（有的缺），小，椎盾 5，肋盾左右各 4，缘盾左右各 11，臀盾 2（有的 1）。盾上具偏心类方形环纹，内面骨板 48 ~ 50，呈锯齿状镶嵌，脊部有 1 凸起的椎骨。

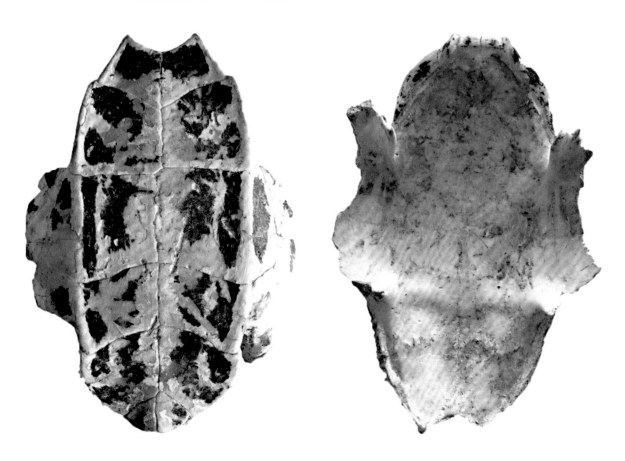

| **野生资源** | 一、生境分布
本种主要生长在湖北的湖泊、河流和水塘中，需要湿润的环境和适宜的水质。湖北主要湖泊水系均有分布，如荆门（钟祥、京山）、荆州（公安）、孝感（汉川）、黄冈（蕲春、红安）等。湖北京山为全国最大的乌龟养殖县。乌龟的野生资源主要分布于湖北的一些特定地区，比如荆州（洪湖）、鄂州、黄石等。

二、蕴藏量
本种的蕴藏量较为丰富，但是由于其生长环境的特殊性，野生资源的数量有限。

| **养殖资源** | 一、养殖条件
本种喜安静、水质洁净、温暖的环境，常栖息于河流、湖泊、稻田、溪流、池塘、沼泽等水生环境中。水质要求无毒、无污染，以 pH 5 ~ 7、水体溶氧量在 3 mg/L 以上、透明度在 20 ~ 25 cm 为宜。环境需要安静，背风向阳；水源水质应符合《渔业水质标准》（GB 11607—1989）的规定，生产用水水质应符合《无公害食品 淡水养殖用水水质》（NY 5051—2001）的规定；空气、底质应符合有关规定的要求。

二、养殖区域
目前，本种的主要养殖区域是湖北的一些水产养殖场和农田。

| **采收加工** | 捕捉后将龟杀死，取其甲，剔去筋肉，洗净后，晒干或晾干，即为"血板"。若将龟用沸水烫死，剥取背甲和腹甲，除去残肉等，晒干或晾干，则为"烫板"。一般认为"血板"质量较佳。

| **药材性状** | 本品背甲及腹甲由甲桥相连，背甲稍长于腹甲，与腹甲常分离。背甲呈长椭圆形拱状，长 7.5 ~ 22 cm，宽 6 ~ 18 cm；外表面棕褐色或黑褐色，脊棱 3；颈盾 1，前窄后宽；椎盾 5，第 1 椎盾长大于宽或近相等，第 2 ~ 4 椎盾宽大于长；肋盾两侧对称，各 4，缘盾每侧 11，臀盾 2。腹甲呈板片状，近长方椭圆形，长 6.4 ~ 21 cm，宽 5.5 ~ 17 cm；外表面淡黄棕色至棕黑色，盾片 12，每块常具紫褐色放射状纹理，腹盾、胸盾和股盾中缝均长，喉盾、肛盾次之，肱盾中缝最短；内表面黄白色至灰白色，有的略带血迹或残肉，除净后可见骨板 9 块，呈锯齿状嵌接；前端钝圆或平截，后端具三角形缺刻，两侧残存呈翼状向斜上方弯曲的甲桥。质坚硬。气微腥，味微咸。

| **功能主治** | 咸、甘，平、微寒。滋阴潜阳，益肾强骨，养血补心，固经止崩。用于阴虚潮热，骨蒸盗汗，头晕目眩，筋骨痿软，健忘，心虚等。

| **用法用量** | 内服煎汤，9 ~ 24 g，先煎。

| **附　注** | 一、物种鉴别

与乌龟形态特征相似的动物、地区习用品及药材混淆品如下。

（1）缅甸陆龟 *Testudo elougata* Blyth。本品腹甲肱胸沟呈波状弯曲，内表面前端角质覆盖面宽，腹盾沟最长，肛盾沟最短，肛盾缺刻可将肛盾分开成两片。背甲有颈盾，每一椎盾与肋盾过渡较平滑，绿黄色，有黑斑，臀盾呈舌片状下延。

（2）凹甲陆龟 *Testudo impressa* (Güenther)。本品腹甲胸盾内缘狭窄，两侧渐宽。背甲颈盾三角状，宽大于长。每一椎盾和肋盾向内凹陷，无棱脊。

（3）锯齿摄龟 *Cyclemys dentata* (Gray)。本品腹甲后端有缺刻，胸腹沟向前弯，与具有不明显韧带的舌下缝不完全重合，肱盾沟和喉盾沟最短，每块盾片常具黑褐色放射状条纹。背甲背部圈拱状，棱脊 1，黑褐色或棕褐色，可见放射状条纹。

（4）安布闭壳龟 *Cuora amboinensis* Daudin。本品腹甲后端圆形，胸腹沟平直，与具有明显韧带的舌下缝重合，肱盾沟或股盾沟最短，每块盾片外缘常见 1 黑色斑点。背甲隆起高，顶面看不见中部缘盾，灰褐色内面边缘角质黄白色，有黑圆点。

（5）马来龟 *Damonia subtrijuga* (Schlegel et Müler)。本品腹甲先端一侧宽大于喉盾沟，两旁有骨状小结节，腹盾沟大于胸盾沟，喉盾沟小于股盾沟，外表面黄色，具有对称的黑褐色的斑块。背甲隆起低，顶面可见全部缘盾，棕褐色，内面边缘角质黄棕色，有黑斑。

（6）眼斑沼龟 *Moremia ocellata* (Boulenger)。本品腹甲先端一侧宽大于喉盾沟，腹盾沟约等于胸盾沟，喉后沟约等于股盾沟，外表面黄色无斑点。背甲椎盾和肋盾上有大眼斑，外圈淡黄色，中央黑褐色，盾片薄，虫纹状。

二、濒危情况、资源利用和可持续发展

目前，龟甲的野生资源面临着一定的濒危情况。由于龟的生长环境受到破坏和污染，野生龟甲的数量正在逐渐减少。为了保护龟甲的野生资源，有关部门需要加强监管和管理。

随着现代社会人们的保健养生意识的普遍增强，特别是日益增长的老龄化群体及工作压力较大的年轻人群，对防治老年性疾病及改善亚健康状态的产品越发重视和青睐。因此，乌龟产业具有极大的市场需求和发展潜力。目前，湖北在乌龟养殖及龟甲、龟甲胶等产品的生产方面具备明显优势，并在全国范围内占据领先地位。此外，湖北在临床适应证挖掘、新产品研发和品牌宣传方面取得了一定的成果。

乌龟主要成分多为蛋白质、多肽等大分子物质，因其分离鉴定困难，致使乌龟的许多功效成分尚不明确。同时，支撑临床（及扩大）适应证的现代药效学评价和高标准高要求的质量保障体系也尚需开展研究。以传统中医药理论为指导，结合现代先进科学技术研究乌龟的活性成分及其调控机制、阐释龟甲传统核心功效的现代科学内容，是构建乌龟质量评价及产品开发等一体化产业体系的关键。这将有助于进一步发掘乌龟药食两用价值，加强资源有效开发和综合利用，从而更好地满足老年及亚健康人群社会需求，促进乌龟产业的持续发展。

吴茱萸

| 来　源 | 本品为芸香科植物吴茱萸 *Evodia rutaecarpa* (Juss.) Benth.、石虎 *Evodia rutaecarpa* (Juss.) Benth. var. *officinalis* (Dode) Huang 或疏毛吴茱萸 *Evodia rutaecarpa* (Juss.) Benth. var. *bodinieri* (Dode) Huang 的近成熟果实。

| 原植物形态 | **吴茱萸**：小乔木或灌木。高 3 ~ 5 m，嫩枝暗紫红色，与嫩芽同被灰黄色或红锈色绒毛或疏短毛。叶有 5 ~ 11 小叶，小叶薄纸质至厚纸质，卵形、椭圆形或披针形，长 6 ~ 18 cm，宽 3 ~ 7 cm，叶轴下部的较小，两侧对称或一侧的基部稍偏斜，全缘或呈浅波浪状，小叶两面及叶轴被长柔毛，毛密如毡状，或仅中脉两侧被短毛，油点大且多。花序顶生；雄花序的花彼此疏离，雌花序的花密集或疏离；萼片及花瓣均 5，偶 4，镊合排列；雄花花瓣长 3 ~ 4 mm，腹面被疏长毛，退化雌蕊 4 ~ 5 深裂，下部及花丝均被白色长柔毛，雄蕊伸出花瓣之上；雌花花瓣长 4 ~ 5 mm，腹面被毛，退化雄蕊鳞片状、短线状或兼有细小

的不育花药，子房及花柱下部被疏长毛。果序宽（3～）12 cm，果实密集或疏离，暗紫红色，有大油点，每分果瓣有 1 种子；种子近圆球形，一端钝尖，腹面略平坦，长 4～5 mm，褐黑色，有光泽。花期 4～6 月，果期 8～11 月。

石虎：小叶纸质，宽稀超过 5 cm，叶背密被长毛，油点大；果序上的果实较少，彼此密集或较疏松。

疏毛吴茱萸：小叶薄纸质，叶背仅叶脉被疏柔毛。雌花序上的花彼此疏离，花瓣长约 4 mm，内面被疏毛或几无毛。果柄纤细且延长。

| **野生资源** | 生于平地至海拔 1 000 m 的山坡。湖北有分布。

| **栽培资源** | 一、栽培条件

本种对土壤要求不严，中性、微碱性或微酸性的土壤都能生长，但作苗床时尤以土层深厚、较肥沃、排水良好的壤土或砂壤土为佳，低洼积水地不宜种植。

二、栽培区域

湖北阳新等有栽培。

三、栽培要点

（1）选地整地。本种对土壤要求不严，一般山坡地、平原、房屋前后、路旁均可种植，每亩施农家肥 2 000～3 000 kg 作基肥（或每亩施复合肥 150 kg），深翻暴晒几日，碎土耙平，整成 1～13 m 宽的高畦。

（2）适时移栽。冬、春两季移栽，根据各地季节不同，冬季 10～12 月移栽为好，春季 2～4 月移栽为好。按 250～300 cm 的株行距挖穴，穴大小 30 cm×30 cm×30 cm 左右，穴深视根的长短而定。栽培时苗木要竖直，树根要自然伸展，先用表土填实，使根与土壤充分接触，浇透定根水以保证成活率，再盖上一层浮土，保持土壤的通透性。每株用 0.2 kg 钙镁磷肥和有机肥与底土混合作基肥，同时适时多追肥，防止落花落果。夏季应多施磷、钾、硼肥，少施氮肥。可适度喷施防落果素。

（3）田间管理。适时中耕除草并保持土壤湿润，春季萌发前施一次腐熟的人粪尿，施肥量随树龄而定。三年生植株每株施人粪尿 10～25 kg，在距植株 48 cm 左右开环状浅沟施下，覆土。7 月开花结果前，施一次磷钾肥，冬季追施一次堆肥（或河泥、人粪尿）、草木灰等，培土防冻。

（4）整枝修剪。幼树株高 80～100 cm 时剪去主秆顶梢，促进其发芽，在向四面生长的侧枝中，选留 3～4 个健壮的枝条，培育成为主枝。翌年夏季，在主枝叶腋间选留 3～4 个生长发育充实的分枝，培育成为副主枝，以后再在主枝上生出侧枝。经过几年的整形修剪，使其成为外圆内空、树冠开阔、通风透光、矮秆低冠的自然开心形的丰产树型，3～4年之后便可进入盛果期。

| **采收加工** | 8～11月果实尚未开裂时，剪下果枝，晒干或低温干燥，除去枝、叶、果柄等杂质。

| **药材性状** | 本品呈球形或略呈五角状扁球形，直径2～5 mm。表面暗黄绿色至褐色，粗糙，有多数点状突起或凹下的油点。先端有五角星状的裂隙，基部残留被黄色茸毛的果柄。质硬而脆，横切面可见子房5室，每室有淡黄色种子1。气芳香浓郁，味辛辣而苦。

| **功能主治** | 散寒止痛，降逆止呕，助阳止泻。用于厥阴头痛，寒疝腹痛，寒湿脚气，经行腹痛，脘腹胀痛，呕吐吞酸，五更泄泻。

| **用法用量** | 内服煎汤，2～5 g。

| **附　　注** | 一、市场信息
吴茱萸的市场供需和价格（40～46元/kg）较为平稳。
二、其他
吴茱萸的生长环境较为苛刻，对温度、湿度等方面都有较高的要求。而在实际种植过程中，由于气候变化等多种因素，吴茱萸的生长环境可能会受到影响，从而影响吴茱萸的产量和质量。
虽然吴茱萸的市场需求不断增加，但是由于市场竞争较为激烈且吴茱萸的供应量较为有限，一旦出现供需失衡的情况，吴茱萸的价格也有可能出现大幅波动。

蜈蚣

来源

本品为蜈蚣科动物少棘巨蜈蚣 *Scolopendra subspinipes mutilans* L. Koch 的全体。

原动物形态

成虫体长 110 ~ 140 mm。头板和第 1 背板金黄色，自第 2 背板起呈墨绿色或暗绿色；末背板有时近黄褐色；胸腹板和步足淡黄色。背板自 4 ~ 9 节起，有 2 不显著的纵沟；腹板在第 2 ~ 19 节有纵沟，在第 3、5、8、10、12、14、16、18、20 体节的两侧各具气门 1 对；头板前部的两侧各有 4 单眼，集成左、右眼群，颚肢内部有毒腺；齿板前缘具 5 小齿，内侧 3 小齿相互接近。步足 21 对，最末步足最长，伸向后方，呈尾状；基侧板后端有 2 小棘；前腿节腹面外侧有 2 棘，内侧有 1 棘；背面内侧有 1 棘和 1 隅棘；隅棘先端有 2 小棘。

野生资源

生于长江中下游沿长江水系地区海拔 600 m以下的丘陵、平原。分布于湖北宜昌、随州、荆门、襄阳等。

| **养殖资源** | 一、养殖条件

本种喜群居，具有怕光、怕水、对温度变化敏感等特点，多分布在热带、亚热带地区；常栖息在阴暗潮湿的环境，如落叶林、土壤间、瓦片堆和岩石下；多生活于海拔 600 m 以下的丘陵地带，常藏身于温暖、潮湿、阴暗环境中；适宜生长温度一般为 25 ～ 32 ℃，活动时间多为每年 4 ～ 10 月。

二、养殖区域

湖北宜昌、随州、荆门和襄阳等为主产区，黄冈、孝感等为次产区。

| **采收加工** | 春、夏季捕捉，用竹片插入头、尾，绷直，干燥。

| **药材性状** | 本品呈扁平长条形，长 9 ～ 15 cm，宽 0.5 ～ 1 cm。由头部和躯干部组成，全体共 22 环节。头部暗红色或红褐色，略有光泽，有头板覆盖，头板近圆形，前端稍突出，两侧贴有颚肢 1 对，前端两侧有触角 1 对。躯干部第 1 背板与头板同色，其余 20 背板为棕绿色或墨绿色，具光泽，自第 4 背板至第 20 背板上常有 2 纵

沟线；腹部淡黄色或棕黄色，皱缩；自第 2 节起，每节两侧有步足 1 对；步足黄色或红褐色，偶有黄白色，呈弯钩形，最末 1 对步足尾状，故又称尾足，易脱落。质脆，断面有裂隙。气微腥，有特殊刺鼻的臭气，味辛、微咸。以身干、虫体条长完整、头红身绿者为佳。

| 功能主治 | 辛，温；有毒。归肝经。息风镇痉，通络止痛，攻毒散结。用于肝风内动，痉挛抽搐，小儿惊风，中风口歪，半身不遂，破伤风，风湿顽痹，偏正头痛，疮疡，瘰疬，蛇虫咬伤。

| 用法用量 | 内服煎汤，3 ~ 5 g。

| 附　注 | 一、道地沿革
蜈蚣始载于秦汉时期《神农本草经》，记载为："生川谷。"南北朝时期《名医别录》记载："生大吴江南。"唐代《新修本草》记载："生大吴川谷江南。赤头足者良。今赤足者多出京口，长山、高丽山、茅山亦甚有，于腐烂积草处得之，勿令伤，曝干之，黄足者甚多，而不堪用，人多火灸令赤以当之，非真也。"五代时期《蜀本草》记载："生山南谷土石间，人家屋壁中亦有……今出安、襄、邓、随、唐等州，七月、八月采。"该书记载的安、襄、邓、随、唐等州，系指今湖北中西部及河南南部地区。宋代《本草图经》曰："蜈蚣，生吴中川谷及江南，今江浙、山南、唐、邓间皆有之。多在土石及人家屋壁间，以头、足赤者为胜。"明代《本草蒙筌》记载："墙壁多藏，各处俱有。端午收者美，赤头足者良。"清代《本草崇原》记载："蜈蚣，江以南处处有之。"1963年版《中国药典》记载："产于江苏、浙江、安徽、湖北、湖南等地。"1996年版《中国药材学》记载："主产于湖北、浙江、湖南、安徽、河南、江苏、陕西等地。"《中华本草》记载："主产于江苏、浙江、湖北、湖南、陕西、河南等地。"

二、物种鉴别
蜈蚣科动物多棘蜈蚣 *Scolopendra multidens* Newport 生活在海拔 1 000 m 左右的地区，头部为暗红色，背部呈棕绿色或墨绿色，足为黄色；两侧的棘数较多。多棘蜈蚣产量较少，在少数地区有使用，在商品药材中偶有发现。在广西商品名为"广西蜈蚣"。

三、市场信息
蜈蚣的市场供需和价格（约 3 元 / 条）逐年攀升。

四、濒危情况、资源利用和可持续发展

在《中国药典》中，蜈蚣只有少棘巨蜈蚣一个来源，少棘巨蜈蚣主要分布在我国的长江中下游流域。根据《常用中药材品种整理和质量研究》的记载，湖北、江苏、浙江等长江中下游地区的蜈蚣产量占全国 90% 以上。其中湖北蜈蚣年产量占全国年总产量的 70% 以上，是湖北道地药材之一。湖北宜昌、随州等地所产蜈蚣体形壮实，头部暗红色，腿部黄色，品质较优，被称为"金头蜈蚣"。其中，"随州金头蜈蚣"获中国地理标志集体商标保护。

少棘巨蜈蚣因为独特的自然环境需求（海拔 600 m 以下）、特殊的生活习性和对空气环境的极高要求，人工养殖技术始终未有明显突破，加之土地资源的破坏和使用造成野生面积缩小，资源衰减。

湖北蜈蚣蕴藏量在 50 亿条左右，正常年份商品蜈蚣年产量近 5 亿条，占全国总产值的 70% 以上。湖北宜昌、随州、荆门、襄阳为主产区，黄冈、孝感等地为次产区。随着蜈蚣用量日益增长，野生资源已不能满足需要。目前在湖北宜都、枝江和襄阳等地有部分合作社实现了蜈蚣人工养殖，然而，蜈蚣的人工养殖技术正处于探索阶段的攻关期。为加快这一进程，目前已广泛开展蜈蚣的标准化养殖探究，如养殖饲料的开发、蜈蚣无冬眠养殖技术、蜈蚣抗病优良品种选育等。

五倍子

| 来　　源 | 本品为漆树科植物盐肤木 *Rhus chinensis* Mill.、青麸杨 *Rhus potaninii* Maxim. 或红麸杨 *Rhus punjabensis* Stew. var. *sinica* (Diels) Rehd. et Wils. 叶上的虫瘿，主要由五倍子蚜 *Melaphis chinensis* (Bell) Baker 寄生而成。

| 原植物形态 | **盐肤木：**落叶小乔木或灌木。高 2 ~ 10 m；小枝棕褐色，被锈色柔毛，具圆形小皮孔。奇数羽状复叶有小叶（2 ~）3 ~ 6 对，叶轴具宽的叶状翅，小叶自下而上逐渐增大，叶轴和叶柄密被锈色柔毛；小叶多形，卵形、椭圆状卵形或长圆形，长 6 ~ 12 cm，宽 3 ~ 7 cm，先端急尖，基部圆形，顶生小叶基部楔形，边缘具粗锯齿或圆齿，叶面暗绿色，叶背粉绿色，被白粉，叶面沿中脉疏被柔毛或近无毛，叶背被锈色柔毛，脉上较密，侧脉和细脉在叶面凹陷，在叶背凸起；小叶无柄。圆锥花序宽大，多分枝，雄花序长 30 ~ 40 cm，雌花序较短，密被锈色柔毛；苞片披针形，长约 1 mm，被微柔毛，小苞片极小，花白色，花

梗长约 1 mm，被微柔毛；雄花花萼外面被微柔毛，裂片长卵形，长约 1 mm，边缘具细睫毛，花瓣倒卵状长圆形，长约 2 mm，开花时外卷，雄蕊伸出，花丝线形，长约 2 mm，无毛，花药卵形，长约 0.7 mm，子房不育；雌花花萼裂片较短，长约 0.6 mm，外面被微柔毛，边缘具细睫毛，花瓣椭圆状卵形，长约 1.6 mm，边缘具细睫毛，内面下部被柔毛，雄蕊极短，花盘无毛，子房卵形，长约 1 mm，密被白色微柔毛，花柱 3，柱头头状。核果球形，略压扁，直径 4 ~ 5 mm，被具节柔毛和腺毛，成熟时红色，果核直径 3 ~ 4 mm。花期 8 ~ 9 月，果期 10 月。

青麸杨： 落叶乔木。高 5 ～ 8 m，树皮灰褐色，小枝无毛。奇数羽状复叶有小叶 3 ～ 5 对，叶轴无翅，被微柔毛；小叶卵状长圆形或长圆状披针形，长 5 ～ 10 cm，宽 2 ～ 4 cm，先端渐尖，基部多少偏斜，近回形，全缘，两面沿中脉被微柔毛或近无毛，小叶具短柄。圆锥花序长 10 ～ 20 cm，被微柔毛；苞片钻形，长约 1 mm，被微柔毛；花白色，直径 2.5 ～ 3 mm；花梗长约 1 mm，被微柔毛；花萼外面被微柔毛，裂片卵形，长约 1 mm，边缘具细睫毛；花瓣卵形或卵状长圆形，长 1.5 ～ 2 mm，宽约 1 mm，两面被微柔毛，边缘具细睫毛，开花时先端外卷；花丝线形，长约 2 mm，在雌花中较短，花药卵形；花盘厚，无毛；子房球形，直径约 0.7 mm，密被白色绒毛。核果近球形，略压扁，直径 3 ～ 4 mm，密被具节柔毛和腺毛，成熟时红色。

红麸杨： 落叶乔木或小乔木，高 4 ～ 15 m，树皮灰褐色，小枝被微柔毛。奇数羽状复叶有小叶 3 ～ 6 对，叶轴上部具狭翅，极稀不明显；叶卵状长圆形或长圆形，长 5 ～ 12 cm，宽 2 ～ 4.5 cm，先端渐尖或长渐尖，基部圆形或近心形，全缘，叶背疏被微柔毛或仅脉上被毛，侧脉较密，约 20 对，不达边缘，在叶背明显凸起；叶无柄或近无柄。圆锥花序长 15 ～ 20 cm，密被微绒毛；苞片钻形，长 1 ～ 2 cm，被微绒毛；花小，直径约 3 mm，白色；花梗短，长约 1 mm；花萼外面疏被微柔毛，裂片狭三角形，长约 1 mm，宽约 0.5 mm，边缘具细睫毛；花瓣长圆形，长约 2 mm，宽约 1 mm，两面被微柔毛，边缘具细睫毛，开花时先端外卷；花丝线形，长约 2 mm，中下部被微柔毛，在雌花中较短，长约 1 mm，花药卵形；花盘厚，紫红色，无毛；子房球形，密被白色柔毛，直径约 1 mm，雄花中有不育子房。核果近球形，略压扁，直径约 4 mm，成熟时暗紫红色，被具节柔毛和腺毛；种子小。

| **野生资源** | **盐肤木：** 生于海拔 170 ～ 2 700 m 的向阳山坡、沟谷、溪边的疏林或灌丛中。湖北有分布。

青麸杨： 生于海拔 900 ～ 2 500 m 的山坡疏林或灌木中。湖北有分布。

红麸杨： 生于海拔 460 ～ 3 000 m 的石灰山灌丛或密林中。湖北有分布。

| **栽培资源** | 一、栽培条件
本种喜温暖湿润的气候，也能耐一定寒冷和干旱。对土壤要求不严，酸性、中性或石灰岩的碱性土壤上都能生长，耐瘠薄，不耐水湿。根系发达，有很强的萌蘖性。

二、栽培区域

湖北五倍子的主要产地集中分布于秦岭、大巴山、武当山、巫山、武陵山等山区和丘陵地带。垂直分布在海拔 250 ~ 1 600 m 的地区，以海拔 500 ~ 600 m 处较集中。肚倍类五倍子主产于湖北竹山、房县、竹溪等。角倍类五倍子主产于湖北利川、宣恩、来凤、咸丰、鹤峰、建始、巴东、长阳。

| 采收加工 | 秋季采摘，置沸水中略煮或蒸至表面呈灰色，杀死蚜虫，取出，干燥。

| 药材性状 | **肚倍**：本品呈长圆形或囊状纺锤形，长 2.5 ~ 9 cm，直径 1.5 ~ 4 cm。表面灰褐色或灰棕色，微有柔毛。质硬而脆，易破碎。断面角质样，有光泽，壁厚 0.2 ~ 0.3 cm，内壁平滑，有黑褐色死蚜虫及灰色粉状排泄物。气特异，味涩。

角倍：本品呈菱形，具不规则的钝角状分枝，柔毛较明显，壁较薄。

| 功能主治 | 酸，温。归肝、脾经。舒筋活络，和胃化湿。用于湿痹拘挛，腰膝关节酸重疼痛，暑湿吐泻，转筋挛痛，脚气，水肿。

| 用法用量 | 内服煎汤，3 ~ 6 g。外用适量，煎汤熏洗；或研末撒敷。

| 附 注 | 一、市场信息

五倍子的市场供需和价格（约 82 元 /kg）较为平稳。

二、其他

盐肤木、青麸杨、红麸杨环境适应性极强，除了东北及内蒙古、新疆个别地区外，我国的其他地区均有分布，在海拔 170 ~ 2 000 m 的向阳的山坡、山谷、溪水边或者灌丛中均有生长。

五倍子中含有树脂、脂肪、蜡质和淀粉等成分，还含有有机酸、维生素等营养物质，这些成分可以提高新陈代谢的速率，给身体供应更多的氧气，提高记忆力。

五加皮

| 来　源 |

本品为五加科植物细柱五加 *Acanthopanax gracilistylus* W. W. Smith 的根皮。

| 原植物形态 |

小灌木或亚灌木。茎高达 1 m，无毛，分枝。3 叶轮生，同一轮中不等大，无毛；叶片坚纸质，两侧不相等，椭圆形、长椭圆形或椭圆状卵形，长 4.5 ～ 13.5 cm，宽 2.2 ～ 6 cm，先端渐尖，基部斜宽楔形，或一侧楔形、另一侧圆形，全缘或浅波状（齿退化为腺体），侧脉每侧 4 ～ 7，不明显或稍明显；叶柄长 0.2 ～ 2 cm。聚伞花序腋生，1 ～ 2 回分枝，有 3 ～ 8 花，无毛；花序梗长 1 ～ 2 cm；苞片对生，椭圆形，长约 5 mm，宽 3 mm；花梗长 2.5 ～ 4.5 mm；花萼长 8 ～ 9 mm，无毛，5 裂达基部，裂片披针状线形，宽 1.1 ～ 2 mm，先端微钝，有 3 脉；花冠黄色，长 1.7 ～ 2.1 cm，外面无毛，内面下部被短腺毛，花冠筒漏斗状筒形，长 10 ～ 12.5 mm，口部直径 6.5 ～ 9 mm，上唇长 4 mm，2 浅裂，下唇长 7 ～ 8 mm，3 裂近中部，裂片宽卵形；雄蕊无毛，花丝着生于距花冠基部 4 ～ 5 mm 处，线形，长约 7 mm，在中部之下或近中部处

呈膝状弯曲，花药圆卵形，宽 2 mm；退化雄蕊 2，着生于距花冠基部 3 ～ 4 mm
处，近丝形，长 2.2 ～ 3 mm，被短腺毛；花盘环状，高 1.1 mm，边缘有浅齿；
雌蕊长 9 ～ 14 mm，无毛，子房线形，长 7 mm，宽 1 ～ 1.6 mm，柱头扁头形，
直径 1.5 mm。蒴果线形，长 5.4 ～ 10 cm，宽 2 mm，无毛；种子纺锤形或狭线形，
长 0.7 mm，每端各有 1 长 0.7 ～ 1.2 mm 的毛。花期 6 ～ 7 月，果期 7 ～ 10 月。

| 野生资源 | 生于海拔 200 ～ 1 600 m 的灌丛、林缘、山坡路旁和村落中。湖北有分布。

| 栽培资源 | 一、栽培条件
本种喜温和湿润气候，耐阴，耐寒。适宜种植在较潮湿的向阳山坡、丘陵、河边，
以土层深厚肥沃、排水良好、稍带酸性的冲积土或砂壤土种植为宜，不宜在砾
质土、黏质土或砂土上种植。
二、栽培区域
湖北武汉（武昌）、宜昌（秭归）、荆门（京山、钟祥）、黄冈（罗田、麻城）、
咸宁（崇阳）、恩施（利川、建始、巴东、宣恩、鹤峰）及神农架等有栽培。

| 采收加工 | 夏、秋季采挖根部，洗净，剥取根皮，晒干。

| 药材性状 | 本品呈不规则卷筒状，长 5 ～ 15 cm，直径 0.4 ～ 1.4 cm，厚约 0.2 cm。外表面
灰褐色，有稍扭曲的纵皱纹和横长皮孔样斑痕；内表面淡黄色或灰黄色，有细

纵纹。体轻，质脆，易折断，断面不整齐，灰白色。气微香，味微辣而苦。以皮厚、气香、断面灰白色者为佳。

| **功能主治** | 辛、苦，温。归肝、肾经。祛风除湿，补益肝肾，强筋壮骨，利水消肿。用于风湿痹痛，筋骨痿软，小儿行迟，体虚乏力，水肿，脚气。

| **用法用量** | 内服煎汤，5 ~ 10 g。

| **附　注** | 一、道地沿革

五加皮始载于《神农本草经》，被列为上品，后历代本草均有记载，又名五茄，尚有豺漆、五花、木骨、追风使、刺通、白刺等异名。《名医别录》记载："五叶者良，生汉中及宛朐，五月、七月采茎，十月采根，阴干。"《蜀本草》记载："树生小丛，赤蔓，茎间有刺，五叶生枝端，根若荆根，皮黄黑，肉白，骨硬。"《本草图经》云："今江淮、湖南州郡皆有之。春生苗，茎叶俱青，作从。赤茎又似藤蔓，高三五尺，上有黑刺，叶生五叉作簇者良。四叶、三叶者最多，为次。每一叶下生一刺。三四月开白花，结细青子，至六月渐黑色。根若荆根，皮黑黄，肉白，骨坚硬。蕲州人呼为木骨。"

1871 年，《中国本草的贡献》记载五加皮的基原为 *Aralia palmata* Lour.，书中描述五加皮为一种灌木的根皮，分布于陕西汉中、湖北宜昌等长江流域地区，常浸酒用于治疗风湿病。1881 年，《先辈欧人对中国植物的研究》一书将五加皮的来源植物定为 *Aralia palmata* Lour.。1888 年，《亨利氏中国植物名录》报道当时宜昌地区所用五加皮的基原经鉴定为糙叶五加 *Eleutherococcus henryi* Oliver 与藤五加 *Eleutherococcus leucorrhizus* Oliver，并描述二者为生于巴东悬崖上的灌木，根皮作为一种药物使用，这与四川、湖北等地以此 2 种五加属植物作为五加皮的地方习用品相符。

二、物种鉴别

1. 与细柱五加形态特征相似的混淆品

香加皮（北五加皮）：为萝藦科植物杠柳 *Periploca sepium* Bge. 的根皮，呈卷筒状或槽状，少数呈不规则块片状，长短不一，直径 1 ~ 2 cm，厚 2 ~ 4 mm；外表面灰棕色或黄棕色，栓皮松软，呈鳞片状，易剥落；内表面淡黄色或淡黄棕色，较平滑，有细纵纹；质较脆，易折断，断面黄白色，较平整；有浓烈的特殊香气，味苦。

2. 伪品

地骨皮：为茄科植物宁夏枸杞 *Lycium barbarum* L. 或枸杞 *Lycium chinense* Mill. 的根皮，呈筒状、槽状或不规则块片状，厚 1 ~ 3 mm；外表面土黄色或灰黄色，外皮较粗糙，有不规则纵裂纹，易呈片状剥落；内表面黄白色至灰黄色，有细纵纹。质脆，易折断，断面外层黄棕色，内层灰白色；气微，味微甘而后苦。

三、市场信息

五加皮市场供需及价格（约 45 元 /kg）稳定。

四、濒危情况、资源利用和可持续发展

细柱五加在我国分布较为广泛，西自四川西部（天全）至云南西北部（维西），东至我国东部沿海地区，北至山西西南部（永济）、陕西北部（延安），南至云南南部（蒙自）和东南沿海地区，但野生资源蕴藏量较为有限。五加皮是常用中药材，也是五加酒（《千金要方》）、五加皮散（《太平圣惠方》）、五加皮汤（《圣济总录》）、五皮汤（《医宗金鉴》）等经典名方的主药。此外，五加皮还是重要的保健食品原料，具有广泛的应用价值。

夏枯草

| 来　　源 | 本品为唇形科植物夏枯草 *Prunella vulgaris* L. 的果穗。

| 原植物形态 | 多年生草本。茎高 15 ~ 30 cm。有匍匐于地上的根茎，节上生须根。茎上升，下部伏地，自基部多分枝，钝四棱形，具浅槽，紫红色，被稀疏的糙毛或近无毛。叶对生，具柄；叶柄长 0.7 ~ 2.5 cm，自下部向上逐渐变短；叶片卵状长圆形或圆形，大小不等，长 1.5 ~ 6 cm，宽 0.7 ~ 2.5 cm，先端钝，基部圆形、截形至宽楔形，至叶柄下延成狭翅，边缘具不明显的波状齿或几近全缘。轮伞花序密集排列成顶生、长 2 ~ 4 cm 的假穗状花序，花期时较短，随后逐渐伸长；苞片肾形或横椭圆形，具骤尖头；花萼钟状，长达 10 mm，二唇形，上唇扁平，先端平截，有 3 不明显的短齿，中齿宽大，下唇 2 裂，裂片披针形，果时花萼由于下唇 2 齿斜伸而闭合；花冠紫色、蓝紫色或红紫色，长约 13 mm，略超出于花萼，下唇中裂片宽大，边缘具流苏状小裂片；雄蕊 4，二强，花丝先端 2 裂，

1 裂片能育，具花药，花药 2 室，室极叉开；子房无毛。小坚果黄褐色，长圆状卵形，长 1.8 mm，微具沟纹。花期 4 ~ 6 月，果期 6 ~ 8 月。

| **野生资源** | 生于海拔 3 000 m 以下的荒坡、草地、溪边及路旁等湿润土地上。分布于湖北蕲春、郧西、通山、丹江口、钟祥、远安、铁山、梁子湖、汉川、东宝、枣阳、利川等。

| **栽培资源** | 一、栽培条件

本种喜温和湿润的气候，耐寒。对土壤要求不严，以排水良好的砂壤土栽培为宜，黏重土壤或低湿地不宜栽培。

二、栽培区域

湖北蕲春有栽培。

三、栽培面积

全国夏枯草的栽培面积约为 56.3 hm²。

| **采收加工** | 夏季果穗呈棕红色时采收，除去杂质，晒干。

| **药材性状** | 本品呈圆柱形，略扁，淡棕色至棕红色。全穗由数轮至 10 数轮宿萼与苞片组成，每轮有对生苞片 2，苞片呈扇形，先端尖尾状，脉纹明显，外表面有白毛。每苞片内有 3 花，花冠多已脱落，宿萼二唇形，内有小坚果 4。小坚果卵圆形，棕色，尖端有白色突起。体轻。气微，味淡。

| **功能主治** | 清肝泻火，明目，散结消肿。用于目赤肿痛，目珠夜痛，头痛眩晕，瘰疬，瘿瘤，乳痈，乳癖，乳房胀痛。

| **用法用量** | 内服煎汤，9 ~ 15 g。

仙鹤草

| 来　　源 | 本品为蔷薇科植物龙芽草 *Agrimonia pilosa* Ledeb. 的地上部分。

| 原植物形态 | 多年生草本。全体被白色柔毛。茎下部圆柱形，直径 4 ~ 6 mm，红棕色，上部方柱形，四面略凹陷，绿褐色，有纵沟和棱线，有节。奇数羽状复叶互生，暗绿色，皱缩卷曲；叶片有大、小 2 种，相间生于叶轴上，先端小叶较大，完整小叶片展平后呈卵形或长椭圆形，先端尖，基部楔形，边缘有锯齿；托叶 2，抱茎，斜卵形。总状花序细长，花萼下部呈筒状，萼筒上部有钩刺，先端 5 裂，花瓣黄色。瘦果倒卵状圆锥形，先端有数层钩刺。花果期 5 ~ 12 月。

| 野生资源 | 一、生境分布
生于低山地区的山坡、草地、路旁、林缘及疏林下。湖北有分布。

二、蕴藏量

2020 年，湖北仙鹤草的资源整体蕴藏量为 0.5 万～ 1 万 t。

| 栽培资源 | 一、栽培条件

本种适宜生长温度为 20 ～ 30 ℃，对土壤要求不严，但以土层深厚、土质疏松肥沃的砂壤土为宜。

二、栽培区域

湖北十堰（房县、丹江口）、襄阳（保康）、随州、孝感等有栽培。

三、栽培要点

选适宜的田块，精耕细作。结合整地，施足基肥，每亩施土杂肥 3 000 kg、尿素 20 kg、磷钾肥 50 kg，然后做宽 1 ~ 3 m 的平畦或高畦，等待播种。采用种子繁殖或分根繁殖，播种可分为秋播和春播，秋播在封冻之前，春播在清明前后。播前先在整好的畦面上开浅沟，再将种子均匀地撒入沟内，耙平，使土没过种子，浇水、覆土、保墒，以利出苗。每亩播种量 3 kg。及时摘除花蕾，合理间苗，适时追肥。

| **采收加工** | 夏、秋季茎叶茂盛时采割，除去残根和杂质，洗净，稍润，切段，干燥。

| **药材性状** | 本品为不规则的段。茎多数方柱形，有纵沟和棱线，有节，切面中空。叶多破碎，暗绿色，边缘有锯齿；托叶抱茎。有时可见黄色花或带钩刺的果实。气微，味微苦。

| **功能主治** | 收敛止血，截疟，止痢，解毒，补虚。用于咯血，吐血，崩漏下血，疟疾，血痢，痈肿疮毒，阴痒，带下，脱力劳伤。

| **用法用量** | 内服煎汤，6 ~ 12 g。外用适量，捣敷；或熬膏涂敷。

| **附　注** | 市场仙鹤草货源以批量走动为主，整体走动一般，行情回稳，2023 年市场仙鹤草统货售价为 5.5 ~ 6 元 /kg。

小茴香

| 来　　源 | 本品为伞形科植物茴香 *Foeniculum vulgare* Mill. 的成熟果实。

| 原植物形态 | 多年生草本。高 0.5 ~ 2 m。茎直立，光滑无毛，中空，上部分枝。基生叶丛生，叶柄基部呈鞘状抱茎，叶片 3 ~ 4 回羽状细裂，最后为线形小裂片。复伞形花序，顶生或腋生，花两性，金黄色。双悬果卵状长圆形或圆柱形，两端较尖，长 4.5 ~ 7 mm，宽 1.5 ~ 3 mm，黄绿色至灰棕色，光滑无毛。花期 5 ~ 7 月，果期 8 ~ 9 月。

| 野生资源 | 一、生境分布
生于湿润凉爽气候的地势平坦、肥沃疏松、排水良好的砂壤土或轻碱性黑土中。湖北有分布。
二、蕴藏量
湖北小茴香资源整体蕴藏量约 2 万 t。

| 栽培资源 | 一、栽培条件
本种种植以地势平坦、肥沃疏松、排水良好的砂壤土或轻碱性黑土为宜。前茬作物以玉米、高粱、荞麦和豆类为好。

二、栽培要点
繁殖方法为种子繁殖，春播 4 ~ 5 月，秋播 9 ~ 10 月。条播，按行距 25 cm 开沟，沟深 5 ~ 7 cm；亦可穴播，按行株距 30 cm×30 cm 开穴。种子拌细土后均匀撒入沟或穴中，覆土厚 1.5 ~ 2.5 cm，稍镇压。每亩用种量 1 ~ 2 kg。10 ~ 15 d 出苗。苗高 10 ~ 12 cm 时间苗，每穴留苗 2 株；苗高 20 ~ 23 cm 时，每穴留苗 1 株。生长初期中耕宜浅，以施氮肥为主；开花前期增施磷、钾肥，以促进开花结实。干旱时要适时灌溉。病害有灰斑病，防治方法为播种前将种子用 50 ℃水浸 3 ~ 5 min，晾干后播种。虫害有黄翅茴香螟，可用苏云金杆菌制剂喷洒以防治幼虫，有效率可达 87% ~ 99%。

| 采收加工 | 秋季采摘，除去杂质，晒干。

| 药材性状 | 本品为双悬果，呈圆柱形，有的稍弯曲，直径 1.5 ~ 2.5 mm。表面黄绿色或淡黄色，两端略尖，先端残留有黄棕色凸起的柱基，基部有时有细小的果柄。分果呈长椭圆形，背面有纵棱 5，接合面平坦而较宽。横切面略呈五边形，背面的 4 边约等长。有特异香气，味微甜、辛。

| 功能主治 | 散寒止痛，理气和胃。用于寒疝腹痛，睾丸偏坠，痛经，少腹冷痛，脘腹胀痛，食少吐泻。

| 用法用量 | 内服煎汤，3 ~ 6 g；或入丸、散剂。外用适量，研末调敷；或炒热温熨。

| 附　注 | 个别地区误作小茴香用的原植物有下列 2 种。

（1）莳萝 *Anethum graveolens* L.：双悬果为宽椭圆形，扁平，长 3 ~ 5 mm，宽 2 ~ 3 mm，厚约 1 mm，背棱稍凸起，侧棱延展成翅，东北、西北地区等以之误作小茴香用。

（2）田葛缕子 *Carum buriaticum* Turcz.：山西等地以其果实作山小茴使用，应注意鉴别。

续断

| 来　　源 | 本品为川续断科植物川续断 *Dipsacus asper* Wall. ex Henry 的根。

| 原植物形态 | 多年生草本。高 60 ～ 200 cm。根 1 至数条，圆柱状，黄褐色，稍肉质，侧根细长，疏生。茎直立，具 6 ～ 8 棱，棱上有刺毛。基生叶稀疏丛生，具长柄，叶片琴状羽裂，长 15 ～ 25 cm，宽 5 ～ 20 cm，两侧裂片 3 ～ 4 对，靠近中央裂片的 1 对较大，向下渐小，侧裂片倒卵形或匙形，最大的长 4 ～ 9 cm，宽 3 ～ 4.5 cm，上面被短毛，下面脉上被刺毛；茎生叶在茎中下部者羽状深裂，中央裂片特长，披针形，长可达 11 cm，宽达 5 cm，先端渐尖，有疏粗锯齿，两侧裂片 2 ～ 4 对，披针形或长圆形，较小，具长柄，向上叶柄渐短，茎上部叶披针形，不裂或基部 3 裂。花序头状球形，直径 2 ～ 3 cm；总花梗长可达 55 cm；总苞片 5 ～ 7，着生在花序基部，叶状，披针形或长线形，长 1 ～ 4.5 cm，宽 2 ～ 5 mm，被硬毛；小苞片倒卵状楔形，长 7 ～ 11 mm，最宽处为 5 mm，先端稍平截，被短柔

毛，中央尖头稍扁平，长 2 ~ 3 mm；小总苞每侧面有 2 浅纵沟，先端 4 裂，裂片先端急尖，裂片间有不规则细裂；花萼四棱皿状，长约 1 mm，不裂或 4 浅裂至 4 深裂，外被短毛，先端毛较长；花冠淡黄白色，花冠筒窄漏斗状，长 9 ~ 11 mm，基部 1/4 ~ 1/3 处窄缩成细管，先端 4 裂，裂片倒卵形，1 稍大，外被短柔毛；雄蕊 4，着生于花冠筒的上部，明显超出花冠，花丝扁平，花药紫色，椭圆形；花柱短于雄蕊，柱头短棒状，子房下位，包于小总苞内。瘦果长倒卵形柱状，长约 4 mm，仅先端露于小总苞之外。花期 8 ~ 9 月，果期 9 ~ 10 月。

| 野生资源 | 生于土壤肥沃、潮湿的山坡、草地。分布于湖北恩施（巴东、建始、鹤峰、利川）、宜昌（五峰、长阳、兴山）、襄阳（南漳）、黄冈（罗田、麻城）、咸宁（通山）、荆州（松滋）及神农架等。 |

| 栽培资源 | 一、栽培条件
本种喜温暖湿润的气候，耐寒，忌高温。在海拔 400 ～ 2 200 m、年平均气温 12 ～ 15 ℃、平均年降水量 800 ～ 1 300 mm、生长期相对湿度在 70% ～ 90% 的地区适宜生长。以肥沃疏松、富有腐殖质的壤土种植为佳，重黏土和低洼地不宜种植。
二、栽培区域
湖北恩施（利川、巴东、鹤峰、建始）、宜昌（五峰、长阳、秭归）等有栽培。
三、栽培面积与产量
依据第四次全国中药资源普查的数据，全国续断的栽培面积为 0.83 hm²，总产量为 56.625 t。 |

| 采收加工 | 秋播第 3 年采收、春播翌年采收。在霜冻前采挖，除去泥土，用火烘烤或晒干，也可将鲜根置沸水或蒸笼中蒸或烫至根稍软时取出，堆起，用稻草覆盖，"发汗"至草上出现水珠时，再摊开晒干或烤至全干，去掉须根、泥土。 |

| 药材性状 | 本品呈圆柱形，略扁，有的微弯曲，长 5 ～ 15 cm，直径 0.5 ～ 2 cm。表面灰褐色或黄褐色，有稍扭曲或明显扭曲的纵皱纹及沟纹，可见横列的皮孔样斑痕和少数须根痕。质软，久置后变硬，易折断。断面不平坦，皮部墨绿色或棕色，外缘褐色或淡褐色，木部黄褐色，导管束呈放射状排列。气微香，味苦、微甜而后涩。以根条粗、质软、皮部绿褐色、断面墨绿色、气微香、味苦而微甜后涩者为佳。 |

| 功能主治 | 苦、辛，微温。归肝、肾经。补肝肾，强筋骨，续折伤，止崩漏。用于肝肾不足，腰膝酸软，风湿痹痛，跌扑损伤，筋伤骨折，崩漏，胎漏。 |

| 用法用量 | 内服煎汤，9 ～ 15 g。 |

| 附　注 | 一、物种鉴别
峨眉续断 Dipsacus asperoides C. Y. Cheng et T. M. Ai var. *omeiensis* Z. T. Yin 与本种的区别在于叶先端裂片为宽的长椭圆形，偶三角形，主脉和侧脉凸出，叶面疏被白色短毛，背面近光滑，小苞片喙尖的两侧无刺毛，仅被白色短毛。 |

二、市场信息

续断的市场供需和价格（10 元 /kg）较为平稳。

三、濒危情况、资源利用和可持续发展

续断主产于湖北、四川、贵州，在云贵高原是优势中药资源之一。续断在湖北多为野生，家种的少，要想发展续断种植，可在鹤峰、巴东、利川、长阳、五峰等 5 个市（县）建立商品药材基地，把中药材种植基地、药材种植专业户和药农的力量充分发挥出来；药材部门协助制订资源长久开发规划，根据技术、经济等情况，因地制宜地布局品种，合理使用劳力，按市场需要发展产品；同时要协助改善经营管理和解决生产上所需种苗、肥料、农药、资金及商品销路等问题；还要加强技术指导，提高续断药材的产量和质量，提高经济效益，使其发展壮大。

玄参

| 来　　源 | 本品为玄参科植物玄参 *Scrophularia ningpoensis* Hemsl. 的根。

| 原植物形态 | 多年生草本。高 60 ～ 120 cm。根肥大，近圆柱形，下部常分枝，外皮灰黄色或灰褐色。茎直立，四棱形，有沟纹。下部的叶对生，上部的叶有时互生，均具柄；叶片卵形或卵状椭圆形，长 7 ～ 20 cm，宽 3.5 ～ 12 cm，先端尖，基部圆形或近心形，边缘具细齿。聚伞花序疏散开展，呈圆锥状，总花梗长 1 ～ 3 cm，花序轴及花梗均被腺毛；花萼长 2 ～ 3 mm，5 裂几达基部，裂片近圆形，边缘膜质；花冠暗紫色，长 8 ～ 9 mm，花冠筒斜壶状，先端 5 裂，上面 2 裂片较长而大，侧面 2 裂片次之，下面 1 裂片最小；能育雄蕊 4，退化雄蕊 1，近圆形，贴生在花冠筒上；子房上位，2 室，花柱细长。蒴果卵球形，长 8 ～ 9 mm，先端短尖。花期 7 ～ 8 月，果期 8 ～ 9 月。

| **野生资源** | 生于山坡林下。湖北有分布。

| **栽培资源** | 一、栽培条件

本种喜温暖湿润、雨量充沛、日照时数短的气候，耐寒，忌高温、干旱。气温在 30 ℃以下，植株生长随温度的升高而加快，30 ℃以上植株的生长则受到抑制。地下块根生长的适宜温度为 20 ~ 25 ℃。5 ~ 7 月地上部分生长旺盛，7 月开始抽薹、开花，8 ~ 9 月为块根膨大期，11 月地上植株枯萎，生长周期约 300 d。

二、栽培面积与产量

湖北玄参的栽培面积为 1 333.333 hm² 左右，总产量为 4 760 t 左右。

| **采收加工** | 10 ~ 11 月采挖，除去茎叶及泥土，剥下子芽供留种栽培，根部晒至半干且内部色变黑时剪去芦头及须根，堆放 3 ~ 4 d "发汗"后，再晒干或烘干。

| 药材性状 | 本品呈类圆柱形，中间略粗或上粗下细，有的微弯曲，长 6 ～ 20 cm，直径 1 ～ 3 cm。表面灰黄色或灰褐色，有不规则的纵沟、横长皮孔样突起和稀疏的横裂纹、须根痕。质坚实，不易折断，断面黑色，微有光泽。气特异，似焦糖，味甘、微苦。 |

| 功能主治 | 甘、苦、咸，微寒。凉血滋阴，泻火解毒。用于热病伤阴，舌绛烦渴，温毒发斑，津伤便秘，骨蒸劳嗽，目赤，咽痛，瘰疬，白喉，痈肿疮毒。 |

| 用法用量 | 内服煎汤，9 ～ 15 g。不宜与藜芦同用。 |

| 附　注 | 一、市场信息
玄参的市场供需和价格（约 19.5 元 /kg）受干旱天气影响，有所波动。
二、其他
玄参既有家种，也有野生，市场上货源供应以家种为主。玄参主产于湖北、湖南、河南、浙江、安徽、贵州等地，其中，湖北产的玄参无芦头、肉质厚、质量较好，湖北已成为我国第一大玄参产区。 |

延胡索

| 来　　源 | 本品为罂粟科植物延胡索 *Corydalis yanhusuo* W. T. Wang ex Z. Y. Su et C. Y. Wu 的块茎。

| 原植物形态 | 多年生草本。高达 30 cm。块茎球形。茎直立，常分枝，基部以上具 1（~ 2）鳞片，鳞片及下部茎生叶常具腋生块茎。叶二回三出或近三回三出，小叶 3 裂或 3 深裂，裂片披针形，长 2 ~ 2.5 cm，全缘，下部叶具长柄及小叶柄。总状花序具 5 ~ 15 花；苞片披针形或窄卵圆形，全缘，有时下部苞片稍分裂，长约 8 mm；花梗长约 1 cm；花冠紫红色，外花瓣宽，具齿，先端微凹，具短尖，上花瓣长 1.5 ~ 2.2 cm，瓣片与距常上弯，距圆筒形，长 1.1 ~ 1.3 cm，蜜腺贯穿距长的 1/2，下花瓣具短爪，内花瓣长 8 ~ 9 mm，爪长于瓣片；柱头近圆形，具 8 乳突。蒴果线形，长 2 ~ 2.8 cm；种子 1 列。

| **野生资源** | 生于背阴、潮湿的山地疏林、林缘草丛中或背阴的山坡、石缝中。分布于湖北武汉、黄冈等。 |

| **栽培资源** | 一、栽培条件
本种喜温暖湿润的气候，怕干旱，耐寒，怕涝，忌强光照，忌连作。通常选在海拔 1 200 m 以下的丘陵地带栽培，以向阳、深厚、疏松肥沃、排水良好的砂壤土栽培为宜。
二、栽培区域
湖北武汉、黄冈（英山、罗田）等有栽培。
三、栽培面积
2022 年湖北延胡索的栽培面积为 200 hm^2。 |

| **采收加工** | 夏初茎叶枯萎时采挖，除去须根，洗净，置沸水中煮或蒸至无白心时取出，晒干。 |

| **药材性状** | 本品呈不规则的扁球形，直径 0.5 ~ 1.5 cm。表面黄色或黄褐色，有不规则网状皱纹，先端有略凹陷的茎痕，底部常有疙瘩状突起。质硬而脆。断面黄色，角质样，有蜡样光泽。气微，味苦。 |

| **功能主治** | 活血，行气，止痛。用于胸胁、脘腹疼痛，胸痹心痛，闭经，痛经，产后瘀阻，跌扑肿痛。 |

| **用法用量** | 内服煎汤，3 ~ 10 g；或研末吞，1.5 ~ 3 g。 |

| **附 注** | 一、物种鉴别
夏天无 *Corydalis decumbens* (Thunb.) Pers. 与延胡索的区别在于块茎呈类球形、长圆形或不规则块状，长 0.5 ~ 3 cm，直径 0.5 ~ 2.5 cm。表面灰黄色、暗绿色或黑褐色，有瘤状突起和不明显的细皱纹，上端钝圆，可见茎痕，四周有淡黄色点状叶痕及须根痕。质硬。断面黄白色或黄色，颗粒状或角质样，有的略带粉性。气微，味苦。
二、市场信息
现延胡索市场售价为 120 ~ 130 元 /kg。 |

益母草

| 来　　源 | 本品为唇形科植物益母草 *Leonurus japonicus* Houtt. 的地上部分。

| 原植物形态 | 一年生或二年生草本。主根密生须根。茎直立，通常高 30 ~ 120 cm，钝四棱形，微具槽，有倒向糙伏毛，毛在节及棱上尤为密集，在基部有时近无毛，多分枝或仅于茎中部以上有能育的小枝条。叶形变化很大，茎下部叶为卵形，基部宽楔形，掌状 3 裂，裂片呈长圆状菱形至卵圆形，通常长 2.5 ~ 6 cm，宽 1.5 ~ 4 cm，裂片上再分裂，上面绿色，有糙伏毛，叶脉稍下陷，下面淡绿色，被疏柔毛及腺点，叶脉凸出，叶柄纤细，长 2 ~ 3 cm，由于叶基下延而在上部略具翅，腹面具槽，背面圆形，被糙伏毛；茎中部叶为菱形，较小，通常分裂成 3 或多个长圆状线形的裂片，基部狭楔形，叶柄长 0.5 ~ 2 cm；花序最上部的苞叶近无柄，线形或线状披针形，长 3 ~ 12 cm，宽 2 ~ 8 mm，全缘或具稀少牙齿。轮伞花序腋生，具 8 ~ 15 花，圆球形，直径 2 ~ 2.5 cm，多数

远离而组成长穗状花序；小苞片刺状，向上伸出，基部略弯曲，比萼筒短，长约 5 mm，有贴生的微柔毛；花梗无；花萼管状钟形，长 6 ~ 8 mm，外面贴生微柔毛，内面离基部 1/3 以上被微柔毛，脉 5，显著，齿 5，前 2 齿靠合，长约 3 mm，后 3 齿较短，等长，长约 2 mm，齿均为宽三角形，先端刺尖；花冠粉红色至淡紫红色，长 1 ~ 1.2 cm，外面伸出萼筒部分被柔毛，花冠筒长约 6 mm，等大，内面在离基部 1/3 处有近水平的不明显鳞毛毛环，毛环在背面间断，其上部多少有鳞状毛，冠檐二唇形，上唇直伸，内凹，长圆形，长约 7 mm，宽 4 mm，全缘，内面无毛，边缘具纤毛，下唇略短于上唇，内面在基部疏被鳞状毛，3 裂，中裂片倒心形，先端微缺，边缘薄膜质，基部收缩，侧裂片卵圆形，细小；雄蕊 4，均延伸至上唇片之下，平行，前对较长，花丝丝状，扁平，疏被鳞状毛，花药卵圆形，2 室；花柱丝状，略超出雄蕊而与上唇片等长，无毛，先端相等 2 浅裂，裂片钻形，子房褐色，无毛；花盘平顶。小坚果长圆状三棱形，长 2.5 mm，先端平截而略宽大，基部楔形，淡褐色，光滑。花期通常在 6 ~ 9 月，果期 9 ~ 10 月。

| **野生资源** | 生于田埂、路旁、溪边或山坡草地，尤以向阳地带为多。湖北大部分地区均有分布，主要分布于孝感等。

| **栽培资源** | 一、栽培条件

本种喜温暖湿润的气候，可栽培于海拔 1 000 m 以下的地区。对土壤要求不严，

但以向阳、肥沃、排水良好的砂壤土栽培为宜。

二、栽培区域

湖北孝感、襄阳（枣阳）等有栽培。

三、栽培要点

早熟品种春播、夏播、秋播均可，冬性益母草必须秋播。春播以雨水至惊蛰期间为宜，北方为利用夏季休闲地种植，因此采用夏播，低温地区多采用秋播。益母草播种有条播、穴播和撒播，平原地区多采用条播，坡地多采用穴播，撒播多不采用。播种前将种子混入草木灰或细土杂肥，既能保证生长营养，又能防止虫害。

四、栽培面积与产量

湖北益母草的栽培面积约为 70 hm^2，产量可达 3 500 t。

| 采收加工 | 一般于枝叶生长旺盛、每株开花达 2/3 时收获。采收时割取地上部分，去除枯叶、杂质，洗净泥土，晒干或烘干。不可堆积，以免叶片发酵变黄。

| 药材性状 | 本品呈黄绿色。茎方而直，上端多分枝，有纵沟，密被茸毛，棱及节上更密；质轻而韧，断面中心有白色髓部。叶交互对生于节上，边缘有稀疏的锯齿，上面深绿色，下面色较浅，两面均有细毛茸；多皱缩破碎；质薄而脆。有的在叶腋部可见紫红色皱缩小花或有少数小坚果。有青草气，味甘、微苦。以茎细、质嫩、色绿、无杂质者为佳。

| 功能主治 | 苦、辛，微寒。归肝、心包经。活血调经，利尿消肿。用于月经不调，痛经，闭经，恶露不尽，水肿尿少，急性肾炎性水肿。

| 用法用量 | 内服煎汤，干品 9 ~ 30 g，鲜品 12 ~ 40 g；或熬膏；或入丸、散剂。外用适量，煎汤洗；或捣敷。

| 附 注 | 一、物种鉴别

细叶益母草 *Leonurus sibiricus* L. 与本种的区别在于茎中部叶呈卵形，基部宽楔形，掌状 3 全裂，裂片又羽状分裂成线状小裂片；花序上的苞叶明显 3 深裂，小裂片线状。

二、濒危情况、资源利用和可持续发展

本种分布较广，野生资源丰富，除作药材外，也用于现代化妆品和妇女用品，如益母草纸巾、益母草保健洗液；另外，还可用作食品，如益母草蛋汤、益母草八宝粥和益母草红枣煲瘦肉。

薏苡仁

| 来　　源 | 本品为禾本科植物薏米 *Coix lacryma-jobi* L. var. *ma-yuen* (Roman.) Stapf 的成熟种仁。

| 原植物形态 | 一年生或多年生草本。高 1 ~ 1.5 m。须根较粗，直径可达 3 mm。秆直立，约具 10 节。叶片线状披针形，长可达 30 cm，宽 1.5 ~ 3 cm，边缘粗糙，中脉粗厚，于背面凸起；叶鞘光滑，上部者短于节间；叶舌质硬，长约 1 mm。总状花序腋生成束；雌小穗位于花序下部，外面包以骨质念珠状的总苞，总苞约与小穗等长；能育小穗第 1 颖下部膜质，上部厚纸质，先端钝，第 2 颖舟形，被包于第 1 颖中，第 2 外稃短于第 1 外稃，内稃与外稃相似而较小，雄蕊 3，退化，雌蕊具长花柱；不育小穗退化成筒状的颖，雄小穗常 2 ~ 3 生于第 1 节；无柄小穗第 1 颖扁平，两侧内折成脊而具不等宽的翼，第 2 颖舟形，内稃与外稃皆为薄膜质，雄蕊 3；有柄小穗与无柄小穗相似，但较小或有更退化者。颖果外

有坚硬的总苞，卵形或卵状球形。花期 7 ~ 9 月，果期 9 ~ 10 月。

| 野生资源 | 生于屋旁、荒野、河边、溪涧、山坡阴湿的灌丛或山谷中。分布于湖北蕲春等。

| 栽培资源 | 一、栽培条件

本种喜温和潮湿的气候，忌高温闷热，不耐寒，忌干旱，苗期、抽穗期和灌浆期尤其要求土壤湿润。各类土壤均可种植，对盐碱地、沼泽地的盐害和潮湿耐受性较强，但以向阳、肥沃的壤土或黏壤土栽培为宜。忌连作，也不宜与禾本科作物轮作。

二、栽培区域

湖北蕲春有栽培。

三、栽培要点

近年来发现在潮湿的水稻土上栽培，可显著增产。栽培方法采用种子繁殖。为预防黑穗病，播前将种子用 60 ℃温水浸 10 ~ 20 min，捞出后包好置于 5% 生石灰水中浸 1 ~ 2 d，注意不要损坏水面上的薄膜。

四、栽培面积与产量

湖北薏苡仁的栽培面积约为 50 hm²，产量可达 140 t。

| 采收加工 | 秋季果实成熟时采割植株，晒干，打下果实，再晒干，除去外壳、黄褐色种皮及杂质，收集种仁。

| 药材性状 | 本品呈宽卵形或长椭圆形，长 4 ~ 8 mm，宽 3 ~ 6 mm。表面乳白色，光滑，偶有残存的黄褐色种皮。一端钝圆，另一端较宽而微凹，有 1 淡棕色点状种脐。背面圆凸，腹面有一宽而深的纵沟。质坚实，断面白色，粉质。气微，味微甜。以粒大充实、色白、无皮碎者为佳。

| 功能主治 | 甘、淡，凉。归脾、胃、肺经。健脾渗湿，除痹止泻，清热排脓。用于水肿，脚气，小便不利，湿痹拘挛，脾虚泄泻，肺痈，肠痈，扁平疣。

| 用法用量 | 内服煎汤，10 ~ 30 g；或入丸、散剂；或浸酒；或煮粥；或做羹。

| 附 注 | 本种分布较广，野生资源丰富。薏苡仁是药食两用药材，营养价值高，除作药材外，还被用来制成保健品或煲汤。另外，薏苡仁的坚硬外皮及麸皮营养价值较高，可用于制作优质饲料。

白果、银杏叶

| 来　　源 | 白果：本品为银杏科植物银杏 *Ginkgo biloba* L. 的成熟种子。银杏叶：本品为银杏科植物银杏 *Ginkgo biloba* L. 的叶。 |

| 原植物形态 | 乔木。高达 40 m，胸径可达 4 m；幼树树皮浅纵裂，大树树皮呈灰褐色，深纵裂，粗糙；幼年及壮年树冠圆锥形，老则广卵形。枝近轮生，斜向上伸展（雌株的大枝常较雄株开展）；一年生的长枝淡褐黄色，二年生以上的变为灰色，并有细纵裂纹；短枝密被叶痕，黑灰色，短枝上亦可长出长枝。冬芽黄褐色，常为卵圆形，先端钝尖。叶扇形，有长柄，淡绿色，无毛，有多数叉状并列细脉，先端宽 5 ～ 8 cm，在短枝上常具波状缺刻，在长枝上常 2 裂，基部宽楔形，叶柄长 3 ～ 10 cm（多为 5 ～ 8 cm），幼树及萌生枝上的叶常较大（叶片长达 13 cm，宽 15 cm）而深裂，有时裂片再分裂（这与较原始的化石种类的叶相似），叶在一年生长枝上呈螺旋状散生，在短枝上 3 ～ 8 叶呈簇生状，秋季落 |

叶前变为黄色。球花雌雄异株，单性，生于短枝先端的鳞片状叶的腋内，呈簇生状；雄球花柔荑花序状，下垂，雄蕊排列疏松，具短梗，花药常 2，长椭圆形，药室纵裂，药隔不发达；雌球花具长梗，梗端常分 2 叉，稀 3 ~ 5 叉或不分叉，每叉顶生 1 盘状珠座，胚珠着生其上，通常仅 1 个叉端的胚珠发育成种子，风媒传粉。种子具长柄，下垂，常为椭圆形、长倒卵形、卵圆形或近圆球形，长 2.5 ~ 3.5 cm，直径为 2 cm，外种皮肉质，成熟时黄色或橙黄色，外被白粉，有臭味；中种皮白色，骨质，具 2 ~ 3 纵脊；内种皮膜质，淡红褐色；胚乳肉质，味甘、略苦；子叶 2，稀 3，发芽时不出土，初生叶 2 ~ 5，宽条形，长约 5 mm，宽约 2 mm，先端微凹，第 4 或第 5 片叶起之后生叶扇形，先端具 1 深裂及不规则的波状缺刻，叶柄长 0.9 ~ 2.5 cm；有主根。花期 3 ~ 4 月，种子 9 ~ 10 月成熟。

| 野生资源 | 生于海拔 500 ~ 1 000 m 的天然林中。主要分布于湖北随州、孝感、十堰、襄阳、咸宁、武汉等。

| 栽培资源 | 一、栽培条件

本种喜光、耐寒、耐干旱，能在酸性土壤、碱性土壤和中性土壤中生长，但是不耐盐碱。栽培以光照充足、地势高、土层深厚、土壤肥沃、排水性好的地区为宜。适宜生长温度为 12 ~ 25 ℃，冬季不宜低于 −10 ℃。

二、栽培区域

湖北随州、孝感（安陆）、十堰、襄阳等有栽培。

三、栽培要点

本种用种子繁殖，春播、秋播均可。春播时种子宜先沙藏，沙藏期间应保持湿润，但避免过湿发芽。开沟条播，覆土厚 3.3 ~ 6.6 cm。幼苗忌涝，夏季需要遮阴。生长 7 ~ 8 年，春、秋季移栽，株距 3.33 ~ 5 cm。

| 采收加工 | **白果**：秋后种子成熟后采收，除去肉质外种皮，洗净，晒干，用时打碎取种仁。

银杏叶：秋季采收，晒干。

| 药材性状 | **白果**：本品呈椭圆形，表面黄白色或淡棕黄色，具 2 ~ 3 棱线；中种皮（壳）骨质，坚硬；内种皮膜质，种仁扁球形，横断面淡黄色或淡绿色。无臭，味甘、微苦。

| 功能主治 | **白果**：甘、苦，平；有毒。润肺，定喘，涩精，止带。
银杏叶：微苦，平；有小毒。归肺、肾经。活血止痛，敛肺定喘，止带浊，缩小便。用于痰多喘咳，带下，白浊，遗尿，尿频。

| 用法用量 | 内服煎汤，4.5 ~ 9 g。

| 附　　注 | 一、物种鉴别
白果和开心果的区别如下。

（1）外形区别。白果和开心果的外形有很大的不同。白果一般呈扁球形，大小比较一致，有 1 硬壳包裹，同时还有 1 层果皮覆盖；而开心果则呈椭圆形，表面气泡比较多，口感比较酥脆，通常是杏仁型的，中间有 1 个裂缝，果皮薄而软。

（2）口感区别。白果和开心果的口感也有很大的不同。白果口感较硬，同时也较为单薄，相对来说味道比较淡，常常作糕点的装饰；而开心果口感松脆酥甜，具有浓郁的坚果香味，更适合作为零食。

（3）产地区别。白果和开心果的产地也有所不同。白果通常产自我国中部和南部地区，主要分布在云南、陕西、四川、湖南等；而开心果则主要产自西南亚地区、欧洲及美国，尤其以伊朗、土耳其及我国新疆等地所产开心果品质为佳。

（4）营养成分区别。白果和开心果的营养成分也有所不同。白果富含黄酮类、萜类化合物和甘露醇等成分；而开心果主要含有蛋白质、糖类和脂肪等成分。

二、传统医药知识

当误服银杏过量导致中毒时，可出现发热、呕吐、腹泻、惊厥、抽搐、肢体强直、皮肤青紫、瞳孔散大、脉弱而乱甚至昏迷不醒等症状。解救方法包括洗胃，导泻，服鸡蛋清、活性炭，并对症处理，例如皮肤出现青紫可给氧气或进行人工呼吸，出现抽搐可注射镇静剂，出现昏迷可吸入氨水并注射兴奋剂。

三、市场信息

银杏叶主产于广西、四川、河南、山东、辽宁、江苏、江西、湖北等地，全国年产量约 2 000 t。其中广西每年收购量为 500 t，销往全国并出口。目前，有100 多家生产经营单位生产银杏叶及其浸膏，浸膏的出口量不断增加。在市场上，银杏叶的价格为 12 元 /kg。

四、濒危情况、资源利用和可持续发展

银杏在我国分布广泛，野生资源得到了较好的保护，人工栽培繁育技术也是突飞猛进，很多城市将其作为城市绿化园林栽培的首选树种，银杏更是被成都、丹东、临沂、潮州等城市定为市树。不少国家纷纷从我国引进银杏树种并广为栽培，如今银杏遍布世界各地。银杏是一种生长缓慢、种植周期长的树种，因此在发展银杏产业时需要注意保护环境、合理利用资源，实现银杏资源的可持续发展。

鱼腥草

| 来　　源 | 本品为三白草科植物蕺菜 *Houttuynia cordata* Thunb. 的全草或地上部分。 |

| 原植物形态 | 多年生草本。有腥臭味。高 30 ~ 60 cm。茎下部伏地，节上轮生小根，上部直立，无毛或节上被毛，有时带紫红色。单叶互生，薄纸质，有腺点，背面尤甚，卵形或阔卵形，长 4 ~ 10 cm，宽 2.5 ~ 6 cm 或更宽，先端短渐尖，基部心形，两面无毛，背面常呈紫红色，叶脉 5 ~ 7，全部基出或最内 1 对在离基约 5 mm 的中脉发出，如为 7 脉时，则最外 1 对很纤细或不明显，全缘；叶柄长 1 ~ 3.5 cm，无毛；托叶膜质，长 1 ~ 2.5 cm，先端钝，下部与叶柄合生而成长 8 ~ 20 mm 的鞘，常有缘毛，基部扩大，略抱茎。花小，两性，聚集成顶生或与叶对生的穗状花序，花序基部有 4 白色花瓣状的总苞片；总苞片长圆形或倒卵形，长 10 ~ 15 mm，宽 5 ~ 7 mm，先端钝圆；花序长约 2 cm，宽 5 ~ 6 mm；总花梗长 1.5 ~ 3 cm，无毛；无花被；雄蕊 3，花丝长为花药的 3 倍；雌蕊由 3 |

部分合生的心皮组成，子房上位，1 室，侧膜胎座 3，每侧膜胎座有胚珠 6 ~ 8，花柱 3，柱头侧生。蒴果近球形，长 2 ~ 3 mm，先端开裂，有宿存的花柱。花期 4 ~ 7 月，果期 10 ~ 11 月。

| 野生资源 | 一、生境分布

生于低海拔至中高海拔的沟边、溪边或林下湿地上。分布于湖北恩施（来凤、咸丰、鹤峰、利川、宣恩、建始、巴东）、宜昌（兴山、宜都、枝江、远安、秭归）、十堰（房县）、咸宁（咸安、赤壁）、武汉（黄陂、新洲、江夏）、黄冈（罗田）等。

二、蕴藏量

鱼腥草在湖北分布很广，野生资源也很丰富，蕴藏量在 300 t 以上。

| 栽培资源 | 一、栽培条件

本种喜温暖潮湿的环境，以湿润肥沃的砂质土或富含腐殖质的壤土种植为宜。不宜种植于黏土或碱性土壤中。

二、栽培区域

湖北多地均有栽培。

三、栽培面积与产量

依据第四次全国中药资源普查的数据，全国鱼腥草的栽培面积在 50 hm² 以上，总产量为 1 090 t 左右。

| 采收加工 | 全年均可采收全草，除去杂质，鲜用。夏季茎叶茂盛、花穗多时采割地上部分，除去杂质，晒干。

| 药材性状 | 本品新鲜的茎呈圆柱形，长 20 ~ 45 cm，直径 0.25 ~ 0.45 cm；上部绿色或紫红色，下部白色，节明显，下部节上生须根，无毛或被疏毛。叶互生；叶片心形，长 3 ~ 10 cm；先端渐尖，全缘，上表面绿色，密生腺点，下表面常呈紫红色；叶柄细长，托叶基部与叶柄合生成鞘状。穗状花序顶生。具鱼腥气，味涩。干燥的茎呈圆柱形，扭曲，表面黄棕色，具数条纵棱；质脆，易折断。叶片卷折皱缩，展平后呈心形，上表面暗黄绿色至暗棕色，下表面灰绿色或灰棕色。穗状花序黄棕色。搓碎有鱼腥气，味涩。以茎叶完整、色灰绿、有花穗、鱼腥气浓者为佳。

| 功能主治 | 辛，微寒。归肺经。清热解毒，消痈排脓，利尿通淋。用于肺痈吐脓，痰热喘咳，热痢，热淋，痈肿疮毒。

| 用法用量 | 内服煎汤，15 ~ 25 g，不宜久煎，鲜品加倍；或捣汁。外用适量，捣敷；或煎汤熏洗。

| 附 注 | 一、物种鉴别

1. 与蕺菜形态特征相似的植物、地区习用品及药材混淆品

（1）三白草科植物裸蒴 *Gymnotheca chinensis* Decne. 分布于湖北、湖南、广东、广西、云南、贵州、四川等地区，干燥全草在湖南部分地区民间作鱼腥草使用。其根茎表面灰白色，叶片心形或肾状心形，无腺点，花序下部苞片极小，成熟果实不开裂；无鱼腥气。

（2）三白草科植物白苞裸蒴 *Gymnotheca involucrata* Pei 分布于四川，干燥全草在四川、贵州作鱼腥草使用。其根茎表面灰白色，叶片心形或肾状心形，无腺点，花序下部苞片白色叶状，成熟果实不开裂；无鱼腥气。

2. 伪品

（1）眼子菜科植物穿叶眼子菜 *Potamogeton perfoliatus* Linn. 分布于我国大部分省区市，在甘肃部分地区混作鱼腥草使用。其茎纤细，脆弱，叶无柄，表面无腺点及茸毛，花序无苞片；无鱼腥气。

（2）玄参科植物北水苦荬 *Veronica anagallis-aquatica* L. 分布于我国大部分省区，有些地区（如甘肃）将干燥全草混作鱼腥草使用。其叶对生，全缘或有波状齿，基部半抱茎，无柄，总状花序，雄蕊 2；无鱼腥气。

二、市场信息

鱼腥草资源充足，市场价格不高（约 15 元 /kg）且稳定。

三、濒危情况、资源利用与可持续发展

鱼腥草分布广、生长快、产量高，除作药用外，在许多地方还作蔬菜食用，为药食同源植物。目前，鱼腥草的野生资源和栽培资源均较丰富。

玉竹

| 来　　源 | 本品为百合科植物玉竹 *Polygonatum odoratum* (Mill.) Druce 的根茎。

| 原植物形态 | 多年生草本。根茎横走，肉质，黄白色，密生多数须根，圆柱形，直径 5 ～ 14 mm。茎单一，高 20 ～ 50 cm，具 7 ～ 12 叶。叶互生，无柄；叶片椭圆形至卵状矩圆形，长 5 ～ 12 cm，宽 3 ～ 16 cm，先端尖，基部楔形，上面绿色，下面带灰白色，下面脉平滑至乳头状粗糙。花腋生，花序具 1 ～ 4 花（栽培者可多至 8 花），总花梗（单花时为花梗）长 1 ～ 1.5 mm，无苞片或有条状披针形苞片；花被黄绿色至白色，长 13 ～ 20 mm，花被筒较直，长 13 ～ 20 mm，黄绿色至白色，先端 6 裂，裂片卵圆形，长 3 ～ 4 mm，常带绿色；雄蕊 6，着生于花被筒的中部，花丝丝状，近平滑至具乳头状突起，花药长约 4 mm；子房长 3 ～ 4 mm，花柱长 10 ～ 14 mm。浆果球形，蓝黑色，直径 7 ～ 10 mm，具 7 ～ 9 种子。花期 5 ～ 6 月，果期 7 ～ 9 月。

| **野生资源** | 生于海拔 500 ~ 3 000 m 的林中或山野阴坡。湖北各地均有分布，主要分布于咸宁（赤壁、崇阳）、襄阳（南漳）、宜昌等。

| 栽培资源 | 一、栽培条件

本种喜温暖湿润的气候和阴湿环境，较耐寒，在山区和平坝均可栽培。宜选土层深厚、疏松肥沃、排水良好、富含腐殖质的向阳微酸性砂壤土栽培。不宜在黏土、湿度过大的地方种植。忌连作。

二、栽培区域

湖北咸宁（赤壁、崇阳）、襄阳（南漳）、宜昌等有栽培。

三、栽培面积与产量

依据第四次全国中药资源普查的数据，全国玉竹的栽培面积为 17 hm²，总产量为 446.7 t。

| 采收加工 | 栽种 3 ~ 4 年后于秋季采挖，割去茎叶，抖去泥沙，除去须根，洗净，晒或炕至发软时，边搓揉边晒，反复数次，至柔软光滑、无硬心、色黄白时晒干即可；或将鲜玉竹蒸透后，边晒边搓，揉至软而半透明时晒干或鲜用。

| 药材性状 | 本品根茎呈长圆柱形，略扁，少有分枝，直径 0.3 ~ 1.6 cm，环节明显，节间距 1 ~ 15 mm。表面黄白色或淡黄棕色，半透明，具纵皱纹和微隆起的环节，有白色圆点状的须根痕和圆盘状基痕。质硬而脆或稍软，易折断。断面角质样或显颗粒性。气微，味甘，嚼之发黏。以表面黄白色至淡黄色、断面黄白色、半透明、质地柔软、味微甜者为佳。

| **功能主治** | 甘，微寒。归肺、胃经。养阴润燥，生津止渴。用于肺胃阴伤，燥热咳嗽，咽干口渴，内热消渴。 |

| **用法用量** | 内服煎汤，6 ~ 12 g。 |

| **附　注** | 一、物种鉴别

玉竹的混淆品为百合科植物黄精 *Polygonatum sibiricum* Red.、卷叶黄精 *Polygonatum cirrhifolium* Royle 或多花黄精 *Polygonatum cyrtonema* Hua 的根茎。黄精药材有鸡头黄精和姜形黄精 2 种，前者圆锥形，后者呈不规则块状或长圆柱形，直径 1 ~ 4 cm，味微甜。

二、市场信息

玉竹的市场供需和价格（23.6 元 /kg）较为平稳。

三、濒危情况、资源利用和可持续发展

玉竹在我国有着长达 2 000 年的药用历史，是我国的道地药材之一，现湖南、河南产量大，浙江新昌产者质量佳。我国医药行业每年对玉竹的需求量为 3 000 万 ~ 4 000 万 t，玉竹每年的出口量为 300 万 ~ 500 万 t。玉竹为药食两用品种，幼苗可食用，可于每年 4 ~ 5 月间采集茎叶包卷成锥状的嫩苗，用开水烫后炒食或做汤；根茎亦可食用，可于每年 3 ~ 5 月或 9 ~ 10 月采挖根茎，去掉须根，洗净浸泡后蒸食；果实有毒，不可食用。同时，玉竹还可用来制作保健食品。

在人工种植中，人们发展林下栽种玉竹或与其他作物套种，可充分利用林地资源，提高林地利用率，维护森林生态系统的稳定，"以种代抚、以短养长"有效解决了林木周期长、见效慢的问题。研究发现，玉竹对铅、镉等重金属元素有一定的耐受性，尤其是根部对铅元素的吸收能力大于叶片和茎，因此玉竹也可作为生态修复植物。因玉竹叶色浓绿，花朵淡雅别致，常成片生长，地面覆盖效果极佳，可应用于城市园林绿化中。 |

预知子、木通

| 来　　源 | 预知子：本品为木通科植物木通 *Akebia quinata* (Thunb.) Decne.、三叶木通 *Akebia trifoliata* (Thunb.) Koidz. 或 白 木 通 *Akebia trifoliata* (Thunb.) Koidz. var. *australis* (Diels) Rehd. 的近成熟果实。木通：本品为木通科植物木通 *Akebia quinata* (Thunb.) Decne.、三叶木通 *Akebia trifoliata* (Thunb.) Koidz. 或白木通 *Akebia trifoliata* (Thunb.) Koidz. var. *australis* (Diels) Rehd. 的藤茎。

| 原植物形态 | **木通：** 落叶木质藤本。茎纤细，圆柱形，缠绕，茎皮灰褐色，有圆形、小而凸起的皮孔。掌状复叶互生或在短枝上簇生，通常有小叶 5，偶有 3 ~ 4 或 6 ~ 7 小叶；小叶纸质，倒卵形或倒卵状椭圆形，长 2 ~ 5 cm，宽 1.5 ~ 2.5 cm，先端圆或凹入，具小凸尖，基部圆或阔楔形，上面深绿色，下面青白色，中脉在上面凹入，在下面凸起，侧脉每边 5 ~ 7，与网脉均在两面凸起；叶柄纤细，长 4.5 ~ 10 cm，小叶柄纤细，长 0.8 ~ 1 cm，中间 1 小叶柄长可达 1.8 cm。伞

房花序式的总状花序腋生，长 6 ~ 12 cm，疏花；花单性，雌雄同株同序，基部有雌花 1 ~ 2，以上 4 ~ 10 为雄花；总花梗长 2 ~ 5 cm，着生于缩短的侧枝上，基部为芽鳞片所包托；花略芳香；雄花花梗纤细，长 0.7 ~ 1 cm，萼片通常 3，有时 4 或 5，淡紫色，偶有淡绿色或白色，兜状阔卵形，先端圆形，长 0.6 ~ 0.8 cm，宽 0.4 ~ 0.6 cm，雄蕊 6（~ 7），离生，初时直立，后内弯，花丝极短，花药长圆形，具钝头，退化心皮 3 ~ 6，小；雌花花梗细长，长 2 ~ 4（~ 5）cm，萼片暗紫色，偶有绿色或白色，阔椭圆形至近圆形，长 1 ~ 2 cm，宽 0.8 ~ 1.5 cm，心皮 3 ~ 6（~ 9），离生，圆柱形，柱头盾状，顶生，退化雄蕊 6 ~ 9。蓇葖果孪生或单生，长圆形或椭圆形，长 5 ~ 8 cm，直径 3 ~ 4 cm，成熟时紫色，腹缝开裂；种子多数，卵状长圆形，略扁平，呈不规则的多行排列，着生于白色、多汁的果肉中，种皮褐色或黑色，有光泽。花期 4 ~ 5 月，果期 6 ~ 8 月。

三叶木通：落叶木质藤本。茎皮灰褐色，有稀疏的皮孔及小疣点。掌状复叶互生或在短枝上簇生；小叶 3，纸质或薄革质，卵形至阔卵形，长 4 ~ 7.5 cm，宽 2 ~ 6 cm，先端通常钝或略凹入，具小凸尖，基部平截或圆形，边缘具波状齿或浅裂，上面深绿色，下面浅绿色，侧脉每边 5 ~ 6，与网脉同在两面略凸起；叶柄直，长 7 ~ 11 cm，中央小叶柄长 2 ~ 4 cm，侧生小叶柄长 0.6 ~ 1.2 cm。总状花序自短枝上的簇生叶中抽出；花单性，雌雄同株同序，下部有 1 ~ 2 雌花，以上有 15 ~ 30 雄花，长 6 ~ 16 cm；总花梗纤细，长约 5 cm；雄花花梗丝状，长 0.2 ~ 0.5 cm，萼片 3，淡紫色，阔椭圆形或椭圆形，长 2.5 ~ 3 mm，雄蕊 6，离生，排列为杯状，花丝极短，药室在开花时内弯，退化心皮 3，长圆状锥形；雌花花梗稍较雄花的粗，长 1.5 ~ 3 cm，萼片 3，紫褐色，近圆形，长 1 ~ 1.2 cm，宽约 1 cm，先端圆而略凹入，开花时广展反折，退化雄蕊 6 或更多，小，长圆形，无花丝，心皮 3 ~ 9，离生，圆柱形，直，长（3 ~）4 ~ 6 mm，柱头头状，具乳突，橙黄色。蓇葖果长圆形，长 6 ~ 8 cm，直径 2 ~ 4 cm，直或稍弯，成熟时灰白色略带淡紫色；种子极多数，扁卵形，长 5 ~ 7 mm，宽 4 ~ 5 mm，种皮红褐色或黑褐色，稍有光泽。花期 4 ~ 5 月，果期 7 ~ 8 月。

白木通：与三叶木通的不同之处在于小叶片革质，卵状长圆形或卵形，长 4 ~ 7 cm，宽 1.5 ~ 3（~ 5）cm，先端狭圆，顶微凹入而具小凸尖，基部圆形、阔楔形、平截或心形，通常全缘，有时略具少数不规则的浅缺刻。总状花序长 7 ~ 9 cm，腋生或生于短枝上；雄花萼片长 2 ~ 3 mm，紫色，雄蕊长约 2.5 mm，红色或紫红色，干后褐色或淡褐色；雌花直径约 2 cm，萼片长 9 ~ 12 mm，宽 7 ~ 10 mm，暗紫色，心皮 5 ~ 7，紫色。果实长圆形，直径 3 ~ 5 cm，成熟

时黄褐色；种子卵形，黑褐色。果期 6 ~ 9 月。

| 野生资源 | 一、生境分布

木通：生于海拔 300 ~ 1 500 m 的山地灌丛、林缘和沟谷中。分布于湖北宜昌（宜都、秭归、兴山）、咸宁（崇阳、赤壁、通山）、黄冈（罗田）、武汉（江夏）等。

三叶木通：生于海拔 250 ~ 2 100 m 的山坡灌丛或沟谷疏林中。分布于湖北恩施（来凤、宣恩、建始、鹤峰）、宜昌（兴山、五峰）、十堰（竹溪、丹江口）、荆门（钟祥）、黄冈（罗田）等。

白木通：生于海拔 300 ~ 2 100 m 的山坡灌丛或沟谷疏林中。分布于湖北恩施（来凤、咸丰、利川、宣恩、建始、鹤峰、巴东）、咸宁（崇阳）、宜昌（长阳、宜都、五峰、兴山）等。

二、蕴藏量

预知子、木通的野生资源较丰富。

| 栽培资源 | 一、栽培条件

本种喜阴凉湿润的环境，适宜种植于林边、河边、沟旁半阴处，以含腐殖质的深层壤土或冲积土栽培为宜。

二、栽培区域

湖北部分县市有小规模栽培。

三、栽培面积与产量

依据第四次全国中药资源普查的数据，全国木通的栽培面积在 5 hm^2 左右，预知子总产量 90 t 左右，木通药材产量 100 t 左右。

| 采收加工 | **预知子**：夏、秋季果实呈绿黄色时采收，晒干，或置于沸水中略烫后晒干。

木通：秋季采收，截取茎部，除去细枝，阴干。

| 药材性状 | **预知子**：本品呈肾形或长椭圆形，稍弯曲，直径 1.5 ~ 3.5 cm。表面黄棕色或黑褐色，有不规则的深皱纹，先端钝圆，基部有果柄痕。质硬，破开后，果瓤淡黄色或黄棕色；种子多数，扁长卵形，黄棕色或紫褐色，具光泽，有条状纹理。气微香，味苦。以个大、色黄棕、质硬、皮皱者为佳。

木通：本品呈圆柱形，常稍扭曲，长 30 ~ 70 cm，直径 0.5 ~ 2 cm。表面灰棕色至灰褐色，外皮粗糙而有许多不规则的裂纹或纵沟纹，具凸起的皮孔。节部膨大或不明显，具侧枝断痕。体轻，质坚实，不易折断。断面不整齐，皮部较厚，

黄棕色，可见淡黄色颗粒状小点；木部黄白色，射线呈放射状排列，髓小或有时中空，黄白色或黄棕色。气微，味微苦而涩。以条匀、内黄色者为佳。

| 功能主治 | **预知子**：苦，寒。归肝、胆、胃、膀胱经。疏肝理气，活血止痛，散结，利尿。用于脘胁胀痛，痛经，闭经，痰核痞块，小便不利。

木通：苦，寒。归心、小肠、膀胱经。利尿通淋，清心除烦，通经下乳。用于淋证，水肿，心烦尿赤，口舌生疮，闭经乳少，湿热痹痛。

| 用法用量 | **预知子**：内服煎汤，3 ~ 9 g。

木通：内服煎汤，3 ~ 6 g。

| 附　注 | 一、物种鉴别

木通科植物八月瓜 *Holboellia latifolia* Wall. 分布于云南、贵州、四川、西藏等省区，狭叶八月瓜 *Holboellia latifolia* Wall. var. *angustifolia* Hook. f. 分布于云南、四川。云南、四川部分地区将此二种植物的果实作预知子使用。

二、市场信息

2023 年预知子的供需较为稳定，价格不高（不足 10 元 /kg）；木通的流通量较大，价格约 50 元 /kg。

三、濒危情况、资源利用和可持续发展

预知子为不常用中药，市场需求量不大。木通药材市场需求量较大，采收时经常发生整株被采的情况。目前湖北未见较大规模的木通栽培，为确保其资源的可持续性，应适当进行规模化人工栽培。

月季花

| 来　　源 | 本品为蔷薇科植物月季花 *Rosa chinensis* Jacq. 的花。

| 原植物形态 | 直立灌木。高 1 ～ 2 m。小枝粗壮，圆柱形，近无毛，有短粗的钩状皮刺或无刺。叶互生，羽状复叶；小叶 3 ～ 5，稀 7，连叶柄长 5 ～ 11 cm，宽卵形至卵状长圆形，长 2.5 ～ 6 cm，宽 1 ～ 3 cm，先端长渐尖或渐尖，基部近圆形或宽楔形，边缘有锐锯齿，两面近无毛，上面暗绿色，常带光泽，下面颜色较浅；顶生小叶片有柄，侧生小叶片近无柄，总叶柄较长，有散生皮刺和腺毛；托叶大部分贴生于叶柄，仅先端分离部分呈耳状，边缘常有腺毛。花数朵集生，稀单生，直径 4 ～ 5 cm；花两性；花梗长 2.5 ～ 6 cm，近无毛或有腺毛；萼片 5，卵形，先端尾状渐尖，有时呈叶状，边缘常有羽状裂片，稀全缘，外面无毛，内面密被长柔毛；花冠重瓣至半重瓣，红色、粉红色至白色，倒卵形，先端有凹缺，基部楔形；雄蕊多数，生于花盘周围；子房上位，心皮多数，分离，胚

珠1，花柱离生，伸出萼筒口外，约与雄蕊等长。聚合瘦果卵球形或梨形，长1～2 cm，红色，萼片脱落；瘦果木质，多数，着生在肉质萼筒内形成蔷薇果。花期4～9月，果期6～11月。

| 栽培资源 |
一、栽培条件
本种对环境适应能力很强，在光照充足的湿润肥沃、中性或弱酸性、排水良好的土壤中生长良好。
二、栽培区域
湖北襄阳、随州、黄冈、咸宁等有规模化栽培。

| 采收加工 |
全年均可采收，花微开时采摘，阴干或低温干燥。

| 药材性状 |
本品呈类球形。花托长圆形，萼片5，暗绿色，先端尾尖；花瓣呈覆瓦状排列，有的散落，长圆形，紫红色或淡紫红色；雄蕊多数，黄色。体轻，质脆。气清香，味淡、微苦。以形完整、色紫红、半开放、气清香者为佳。

| 功能主治 |
甘，温。归肝经。活血调经，疏肝解郁。用于气滞血瘀，月经不调，痛经，闭经，胸胁胀痛。

| 用法用量 |
内服煎汤，3～6 g。

| 附　　注 |
一、市场信息
月季花市场供需及价格（约30元/kg）稳定。
二、濒危情况、资源利用和可持续发展
月季花是我国特有物种，具有悠久的栽培历史，栽种范围广，资源丰富，并且在长期的栽培实践中，培育出众多的品种。湖北是月季花的主要产地之一，襄阳等地区是月季花的传统种植区域。
月季花有广泛的用途，除药用外，还应用于食品、保健品、化妆品、环境美化等领域。

皂角刺、猪牙皂、大皂角

| 来　　源 |　皂角刺：本品为豆科植物皂荚 *Gleditsia sinensis* Lam. 的棘刺。猪牙皂：本品为豆科植物皂荚 *Gleditsia sinensis* Lam. 的不育果实。大皂角：本品为豆科植物皂荚 *Gleditsia sinensis* Lam. 的成熟果实。

| 原植物形态 |　落叶乔木或小乔木。高可达 30 m；枝灰色至深褐色；刺粗壮，圆柱形，常分枝，多呈圆锥状，长达 16 cm。叶为一回偶数羽状复叶，常簇生，长 10 ~ 18（~ 26）cm；小叶（2 ~）3 ~ 9 对，纸质，小叶卵状披针形至长圆形，长 2 ~ 8.5（~ 12.5）cm，宽 1 ~ 4（~ 6）cm，先端急尖或渐尖，圆钝，具小尖头，基部圆形或楔形，有时稍歪斜，边缘具细锯齿，上面被短柔毛，下面中脉上稍被柔毛；网脉明显，在两面均凸起；小叶柄长 1 ~ 2（~ 5）mm，被短柔毛；托叶小，早落。花杂性，黄白色，总状花序腋生或顶生，长 5 ~ 14 cm，被短柔毛；雄花直径 9 ~ 10 mm；花梗长 2 ~ 8（~ 10）mm，花托长 2.5 ~ 3 mm，深棕

色，外面被柔毛，萼片 4，三角状披针形，长 3 mm，两面被柔毛，花瓣 4，白色，近等大，长圆形，长 4 ~ 5 mm，被微柔毛，雄蕊（6 ~）8，伸出，花丝下部稍扁宽并被长曲柔毛，退化雌蕊长 2.5 mm；两性花直径 10 ~ 12 mm，花梗长 2 ~ 5 mm，花萼、花瓣与雄花的相似，萼片长 4 ~ 5 mm，花瓣长 5 ~ 6 mm，雄蕊 8，子房缝线及基部被毛，柱头 2 浅裂，子房上位，1 室，胚珠多数。荚果带状，长 12 ~ 37 cm，宽 2 ~ 4 cm，劲直或扭曲，果肉稍厚，两面鼓起，或有的荚果短小，多少呈柱形，长 5 ~ 13 cm，宽 1 ~ 1.5 cm，弯曲成新月形，通常称猪牙皂，内无种子；果颈长 1 ~ 3.5 cm；果瓣革质，褐棕色或红褐色，常被白色粉霜；种子多颗，长圆形或椭圆形，长 11 ~ 13 mm，宽 8 ~ 9 mm，棕色，光亮。花期 3 ~ 5 月，果期 5 ~ 12 月。

| **野生资源** | 一、生境分布
生于海拔 2 500 m 以下的山坡林中或谷地、路旁。分布于湖北宜都、枝江、兴山、建始、巴东、五峰、神农架、宜城、随县、赤壁、通城、咸安、红安、罗田、安陆、孝昌、江夏、新洲等。

二、蕴藏量
皂荚在湖北分布较广，野生、半野生资源较为丰富。

| **栽培资源** | 一、栽培条件
本种在海拔 2 500 m 以下、光照充足、气候温暖、排水性较好的山地或平地均能种植，对土壤要求不高。

二、栽培区域
湖北多地均有栽种。

三、栽培面积与产量
依据第四次全国中药资源普查的数据，全国皂荚的栽培面积在 120 hm² 左右，皂角刺总产量在 254.5 t 左右，猪牙皂、皂荚产量在 300 t 以上。

| **采收加工** | **皂角刺**：全年均可采收棘刺，干燥，或趁鲜切片，干燥。
猪牙皂：秋季采收不育果实，除去杂质，干燥。
大皂角：秋末霜降后果实成熟时采收，干燥。

| **药材性状** | **皂角刺**：本品为主刺和 1 ~ 2 次分枝的棘刺。主刺长圆锥形，长 3 ~ 15 cm 或更长，直径 0.3 ~ 1 cm；分枝刺长 1 ~ 6 cm，刺端锐尖。表面紫棕色或棕褐色。体轻，质坚硬，不易折断。切片厚 0.1 ~ 0.3 cm，常带有尖细的刺端；木部黄白

色，髓部疏松，淡红棕色。质脆，易折断。气微，味淡。以体粗壮、外表色紫棕、质坚、中心砂粉状者为佳。

猪牙皂： 本品呈圆柱形，略扁而弯曲，长 5 ~ 11 cm，宽 0.7 ~ 1.5 cm。表面紫棕色或紫褐色，被灰白色蜡质粉霜，擦去后有光泽，并有细小的疣状突起和线状或网状的裂纹。先端有鸟喙状花柱残基，基部具果柄残痕。质硬而脆，易折断。断面棕黄色，中间疏松，有淡绿色或淡棕黄色的丝状物，偶有发育不全的种子。气微，有刺激性，味先甜而后辣。以个小、饱满、色紫黑、有光泽者为佳。

大皂角： 本品呈长条形，略扁，稍弯曲，似鞘状，长 12 ~ 37 cm，宽 2 ~ 4 cm，厚 0.8 ~ 1.5 cm。表面紫棕色或紫黑色，被灰白色粉霜，擦去后有光泽。两端略尖，基部有果柄或果柄痕，背缝线凸起，呈棱脊状。质硬脆，摇之有响声。断面黄棕色，外果皮革质，中果皮纤维性，内果皮粉性，中间疏松，有灰绿色和淡棕黄色丝状物，纵向剖开可见整齐的凹窝。种子多数，扁椭圆形，外皮黄棕色，光滑、有光泽。种仁（子叶）2，黄白色。果皮气微而特异，有辛辣感，嗅其粉末则打喷嚏。种子气微，味微苦。以肥厚、饱满、质坚者为佳。

| 功能主治 | **皂角刺：** 辛，温。归肝、胃经。消肿托毒，排脓，杀虫。用于痈疽初起或脓成不溃；外用于疥癣麻风。

猪牙皂： 辛、咸，温；有小毒。归肺、大肠经。祛痰开窍，散结消肿。用于中风口噤，昏迷不醒，癫痫痰盛，关窍不通，喉痹痰阻，顽痰喘咳，咳痰不爽，大便燥结；外用于痈肿。

大皂角： 辛、咸，温；有小毒。归肺、大肠经。开窍，豁痰，杀虫。用于中风口眼歪斜，咳嗽痰喘，痰涎壅盛，神昏不语，癫痫，喉痹，大便不通，痈肿，疥癣。

| 用法用量 | **皂角刺：** 内服煎汤，3 ~ 10 g。外用适量，醋蒸取汁涂。

猪牙皂： 内服多入丸、散剂，1 ~ 1.5 g。外用适量，研末吹鼻取嚏；或研末调敷。

大皂角： 内服入丸、散剂，1 ~ 2 g。外用适量，煎汤洗；或捣烂研末敷。

| 附　注 | 一、物种鉴别

1. 与皂荚形态特征相似的植物、地区习用品及药材混淆品

（1）豆科植物华南皂荚 *Gleditsia fera* (Lour.) Merr. 分布于江西、湖南、福建、台湾、广东、广西等地区，形态特征与皂荚相似，其棘刺混作皂角刺。

（2）豆科植物山皂荚 *Gleditsia japonica* Miq. 分布于辽宁、河北、山东、河南、

江苏、安徽、浙江、江西、湖南等地区，《中药大辞典》《中华本草》等文献将山皂荚棘刺作为皂角刺的来源之一，有些地区将本种作为习用品或混作皂角刺。

（3）豆科植物野皂荚 *Gleditsia microphylla* Gordon ex Y. T. Lee 分布于河北、山东、河南、山西、陕西、江苏、安徽等地区，形态特征与皂荚相似，其棘刺混作皂角刺。

（4）豆科植物美国皂荚 *Gleditsia triacanthos* Linn. 在我国部分地区有栽培，棘刺和果实的功效与皂荚相同。

2. 伪品

（1）蔷薇科植物插田泡 *Rubus coreanus* Miq. 分布于陕西、甘肃、河南、江西、湖北、湖南、江苏、浙江、福建、安徽、四川、贵州、新疆地区，有些地区将插田泡的茎加工成皂角刺药材饮片。插田泡茎两端均呈钝圆形，外表面红棕色，具纵沟纹，偶见皮刺脱落后的痕迹。断面木部薄，黄白色，中央为灰黄色疏松的髓。气无，味淡、微涩。

（2）鼠李科植物酸枣 *Ziziphus jujuba* Mill. var. *spinosa* (Bunge) Hu ex H. F. Chow 分布于辽宁、内蒙古、河北、山东、山西、河南、陕西、甘肃、宁夏、新疆、江苏、安徽等地区，其带刺枝条伪作皂角刺。酸枣刺有两种，一种为针状直刺，长 1.5 ~ 2.5 cm，另一种为反曲短刺，长 0.2 ~ 0.6 cm，枝条直径 0.3 ~ 0.6 cm；表面棕褐色或灰褐色，具点状皮孔。断面木部黄白色，髓较小，类白色。体轻，质硬，易折断。气微香，味淡。

（3）桑科植物柘 *Cudrania tricuspidata* (Carr.) Bur. 分布于我国大部分地区，其带刺枝条伪作皂角刺。柘树茎枝呈圆柱形，较粗壮，表面较光滑，全体黄色或淡黄棕色，刺细长至 5 cm。质硬，难折断，断面不平坦，黄色至黄棕色，断面中央髓小。气微，味淡。

二、市场信息

皂角刺的商品资源较为充足，价格（约 120 元 /kg）比较稳定。猪牙皂用量较小，商品资源和价格稳定。大皂角用于多个行业，资源丰富且价格稳定。

三、濒危情况、资源利用和可持续发展

皂荚分布广，数量多，既有野生种群，也有规模化种植，其产量较高，种质资源较为丰富。作为高大乔木，皂荚树一经长成，其资源可在较长时期使用。

皂荚具有多种用途，不仅其多个部位可供药用，还可应用于其他行业如日化、生物制药等。

泽泻

| 来　源 |

本品为泽泻科植物东方泽泻 *Alisma orientale* (Samuel.) Juz. 的块茎。

| 原植物形态 |

多年生水生或沼生草本。块茎直径 2 ～ 6 cm 或较大。叶基生，多数；挺水叶宽披针形或椭圆形，长 3.5 ～ 11.5 cm，宽 1.3 ～ 6.8 cm，先端渐尖，基部近圆形或浅心形，叶脉 5 ～ 7，叶柄长 3.2 ～ 34 cm，较粗壮，基部渐宽，边缘窄膜质。花葶高 35 ～ 90 cm 或更高；花序长 20 ～ 70 cm，具 3 ～ 9 轮分枝，每轮分枝 3 ～ 9；花两性，直径约 0.6 cm；花梗不等长，长（0.5 ～）1 ～ 2.5 cm；外轮花被片卵形，长 0.2 ～ 0.25 cm，宽约 0.15 cm，边缘窄膜质，具 5 ～ 7 脉，内轮花被片近圆形，比外轮大，白色至淡红色，稀黄绿色，边缘波状；雄蕊 6，着生于内轮花被片基部两侧，花丝基部较宽，向上渐窄，心皮多数，分离，两侧压扁，轮生于花托，心皮排列不整齐；花柱直立，柱头长约为花柱的 1/5；花托在果期凹陷。瘦果椭圆形，长 1.5 ～ 2 mm，宽 1 ～ 1.2 mm，背部具 1 ～ 2 浅沟，腹部自果喙处凸起，呈膜质翅，两侧果皮纸质，半

透明，或否，果喙长约 0.5 mm，自腹侧中上部伸出；种子紫红色，长约 1.1 mm，宽约 0.8 mm。花果期 5 ～ 9 月。

| **野生资源** | 生于海拔几十米至 2 500 m 的湖泊、水塘、沟渠或沼泽中。分布于湖北来凤、利川、秭归、黄梅、罗田等。

| **栽培资源** | 一、栽培条件

本种宜选择在光照充足、土壤肥沃且具有腐殖质泥土的水田、沼泽、水沟旁种植。

二、栽培区域

湖北来凤、利川、秭归、黄梅等有栽培。

三、栽培面积与产量

依据第四次全国中药资源普查的数据，全国泽泻的栽培面积在 270 hm² 以上，总产量为 400 t 左右。

| 采收加工 | 冬季茎叶开始枯萎时采挖，洗净，干燥，除去须根和粗皮。

| 药材性状 | 本品呈类球形、椭圆形或卵圆形，长 2～7 cm，直径 2～6 cm。表面淡黄色至淡黄棕色，有不规则的横向环状浅沟纹和多数细小凸起的须根痕，底部有的有瘤状芽痕。质坚实，断面黄白色，粉性，有多数细孔。气微，味微苦。以个大、质坚、色黄白、粉性足者为佳。

| 功能主治 | 甘、淡，寒。归肾、膀胱经。利水渗湿，泻热，化浊降脂。用于小便不利，水肿胀满，泄泻尿少，痰饮眩晕，热淋涩痛，高脂血症。

| 用法用量 | 内服煎汤，6～10 g。

| 附 注 | 一、物种鉴别
泽泻科植物泽泻 *Alisma plantago-aquatica* Linn. 分布于黑龙江、吉林、辽宁、内蒙古、河北、山西、陕西、新疆、云南等地区。
2015 年版《中国药典》收载的泽泻为泽泻科植物泽泻 *Alisma orientale* (Samuel.) Juz.，《中华本草》《中药大辞典》《全国中草药汇编》《新编中药志》等文献也记载泽泻的基原植物是泽泻科植物泽泻 *Alisma orientale* (Samuel.) Juz.，异名为 *Alisma plantago-aquatica* var. *orientale* Sam.；《中国植物志》将泽泻分为泽泻 *Alisma plantago-aquatica* Linn. 和东方泽泻 *Alisma orientale* (Samuel.) Juz. 两种；《道地药材标准汇编》依据《中国植物志》的分类明确指出，主产于福建的泽泻（建泽泻）来源为东方泽泻 *Alisma orientale* (Samuel.) Juz.，主产于四川的泽泻（川泽泻）来源为泽泻 *Alisma plantago-aquatica* Linn.。"建泽泻"与"川泽泻"均为国家地理标志产品。
二、市场信息
泽泻药材供需相对平稳，价格（约 25 元 /kg）稳中有升。
三、濒危情况、资源利用和可持续发展
泽泻分布广泛，对生长环境要求不高，其主要用于药用方面，资源较为丰富。湖北可充分利用地理优势，扩大种植规模，提高泽泻产能。

知母

| 来　　源 | 本品为百合科植物知母 *Anemarrhena asphodeloides* Bunge 的根茎。

| 原植物形态 | 草本。根茎横走，直径0.5～1.5 cm，具较粗的根，为残存的叶鞘所覆盖。叶基生，禾叶状，长15～60 cm，宽1.5～11 mm，向先端渐尖成近丝状，基部渐宽成鞘状，具多条平行脉，没有明显的中脉。花葶比叶长得多，从叶丛中或一侧伸出；总状花序通常较长，长可达20～50 cm，花2～3簇生；苞片小，卵形或卵圆形，先端长渐尖；花粉红色、淡紫色至白色；花被片6，在基部稍合生，条形，长5～10 mm，中央具3脉，宿存；雄蕊3，生于内花被片近中部，花丝短，扁平；子房上位，3室，每室具2胚珠；花柱与子房近等长，柱头小。蒴果狭椭圆形，长8～13 mm，宽5～6 mm，先端有短喙；种子长7～10 mm，黑色，具3～4纵狭翅。花果期6～9月。

| 野生资源 | 生于海拔 1 450 m 以下的山坡、草地及路旁较干燥及向阳处。湖北有分布。

| 栽培资源 | 一、栽培条件

本种适应性强，喜温暖湿润的气候，耐寒，耐旱。以土质疏松、肥沃、排水良好的腐殖质土壤和砂质土壤栽培为宜。

二、栽培区域

湖北有栽培。

三、栽培面积与产量

依据第四次全国中药资源普查的数据，全国知母的栽培面积在 100 hm² 左右，总产量为 1 217 t 左右。

| 采收加工 | 春、秋季采挖根茎，除去须根和泥沙，晒干，习称"毛知母"；或除去外皮，晒干，习称"知母肉（光知母）"。

| 药材性状 | 本品毛知母呈长条形，微弯曲，略扁，偶有分枝，长 3 ~ 15 cm，直径 0.8 ~ 1.5 cm，一端有浅黄色的茎叶残痕。表面黄棕色至棕色，上面有一凹沟，具紧密排列环状节，节上密生黄棕色的残存叶基，由两侧向根茎上方生长；下面隆起而略皱缩，并有凹陷或凸起的点状根痕。质硬，易折断，断面黄白色。气微，

味微甜、略苦，嚼之带黏性。光知母表面类白色，有扭曲的沟纹，一侧可见不规则散在的小型根痕。以条粗长、质硬、断面色黄白者为佳。

| **功能主治** | 苦、甘，寒。归肺、胃、肾经。清热泻火，滋阴润燥。用于外感热病，高热烦渴，肺热燥咳，骨蒸潮热，内热消渴，肠燥便秘。

| **用法用量** | 内服煎汤，6 ~ 12 g。

| **附　注** | 一、物种鉴别

鸢尾科植物鸢尾 *Iris tectorum* Maxim. 分布于山西、安徽、江苏、浙江、福建、湖北、湖南、江西、广西、陕西、甘肃、四川、贵州、云南、西藏等地区。有的地方将鸢尾根茎误作知母用。本种与知母的区别在于本种根茎呈不规则块状，全体稍扁，一端膨大，另一端条形，长 3 ~ 12 cm，膨大部位直径 1 ~ 3 cm；外表灰黄色至黄棕色，具横纹、皱纹及凹入的点状须根痕；质较松脆，易折断，断面黄白色或淡棕色；气微，味甘、苦。

二、市场信息

知母药材的市场供需、价格（约 15 元 /kg）较为稳定。

三、濒危情况、资源利用和可持续发展

河北为知母的主产地之一，易县及周边区域是知母的道地产区，所产药材"西陵知母"质量优良。"西陵知母"为国家地理标志产品。

知母在湖北野生资源极少，但人工栽培已具有一定的规模，药用资源较为丰富。湖北可适当扩大知母的种植规模，并逐步推动其产业发展。

栀子

| 来　　源 | 本品为茜草科植物栀子 *Gardenia jasminoides* Ellis 的成熟果实。

| 原植物形态 | 灌木。高达 3 m。叶对生或 3 轮生，长圆状披针形、倒卵状长圆形、倒卵形或椭圆形，长 3 ～ 25 cm，宽 1.5 ～ 8 cm，先端渐尖或短尖，基部楔形，两面无毛，侧脉 8 ～ 15 对；叶柄长 0.2 ～ 1 cm；托叶膜质，基部合生成鞘。花芳香，单生于枝顶，萼筒宿存；花冠白色或乳黄色，高脚碟状。果实卵形、近球形、椭圆形或长圆形，黄色或橙红色，长 1.5 ～ 7 cm，直径 1.2 ～ 2 cm，有翅状纵棱 5 ～ 9，宿存萼裂片长达 4 cm，宽 6 mm；种子多数，近圆形。

| 野生资源 | 生于海拔 200 ～ 300 m 的山坡或林缘。分布于湖北利川、巴东、赤壁、罗田、鹤峰等。

| 栽培资源 | 一、栽培条件

本种一般散生在低山丘陵，常与落叶灌木林、山冈矮林、灌木草丛、山地草甸灌丛等植被混交生长。本种喜光照充足、温暖湿润的环境，具有喜光、怕严寒的生长特性。

二、栽培区域

湖北恩施（利川、巴东、来凤、鹤峰）、宜昌（长阳、宜都）、咸宁（赤壁、通山、崇阳）、黄冈（罗田）、武汉等有栽培。

| 采收加工 | 9 ~ 11 月果实成熟呈红黄色时采收，除去果柄和杂质，蒸至上气或置于沸水中略烫，取出，干燥。

| 药材性状 | 本品呈长卵圆形或椭圆形，长 1.5 ~ 3.5 cm，直径 1 ~ 1.5 cm。表面红黄色或棕红色，具 6 翅状纵棱，棱间常有 1 明显的纵脉纹，并有分枝；先端残存萼片，

基部稍尖，有残留果柄。果皮薄而脆，略有光泽；内表面色较浅，有光泽，具 2 ～ 3 隆起的假隔膜。种子多数，扁卵圆形，集结成团，深红色或红黄色，表面密具细小疣状突起。气微，味微酸而苦。以个小、完整、仁饱满、内外色红者为佳。

| 功能主治 | 苦，寒。归心、肺、三焦经。泻火除烦，清热利尿，凉血解毒。用于热病心烦，黄疸尿赤，血淋涩痛，血热吐衄，目赤肿痛，火毒疮疡；外用于扭挫伤痛。

| 用法用量 | 内服煎汤，6 ～ 9 g。

| 附　　注 | 一、道地沿革
汉代栀子主产于河南南阳，多为野生品种。在唐代，湖北襄阳、河南邓州等地成为栀子产区，同样以野生品种为主要药用来源。宋代栀子产地进一步向南迁移，并发展到南方各地，《本草图经》记载："栀子，生南阳川谷，今南方及西蜀州郡皆有之。"《宝庆本草折衷》言："生南阳川谷及西域、西蜀、南方及建州、江陵府、临江军。"宋代栀子产地囊括华南、华东和华中的大部分地区，其中，江西樟树、湖北江陵、福建建瓯为栀子道地产区。南宋杭州地方性本草《履巉岩本草》中说："今处处种有之。"可见，此时除了野生栀子，栽培品种也作药用，并且在杭州乃至全国各地均有种植。到了明代，刘文泰在《本草品汇精要》中明确指出栀子产地为"〔道地〕临江军、江陵府、建州"，与宋

代的道地产区一致。同时，明代仍有文献记载其产地为"山谷产""生山间"，表明当时栀子野生、家种均有，均做药用。清代开始有"建栀"的概念，"福建建瓯"作为栀子的道地产区已成为共识。《类经证治本草》言："川产者良。"说明四川也是当时栀子重要的产地。民国时期，《药物出产辨》记载："以广东北江、星子、连州产者佳。"表明广东部分地区同样产栀子。综上所述，古籍中记载的栀子产地经历了由北至南的变迁，由单纯野生品种入药到野生和家种品种共同入药，历代主要道地产区包括河南南阳、江西樟树、湖北江陵、福建建瓯及四川多地等。现代栀子产地囊括我国中部和南部的大部分地区，主产于江西、福建、浙江、四川、河南、湖北等地，湖南、江苏、安徽、广东、广西等地亦有出产。江西是道地栀子的主产区，樟树、丰城、新干等地产的栀子皮薄色红，并远销海外。

二、物种鉴别

茜草科植物水栀子 *Gardenia jasminoides* Ellis var. *radcans* (Thunb.) Mak. 为本种的伪品。与本种的区别在于果实呈长椭圆形，长 3 ~ 5.5 cm，直径 1.5 ~ 2 cm，果柄长 0.5 ~ 1 cm，外表面红褐色、橙红色或红黄色，略具光泽，具 6 翅状棱，棱间具一明显的纵脉，果皮表面散在小的疣状突起，先端具宿萼残基，长约 0.6 cm，颜色较暗。基部稍尖，有残留的果柄。果皮稍厚，内表面橙红色或鲜黄色，有的颜色不鲜明，有光泽，具 2 ~ 3 隆起的假隔膜。碎断面鲜黄色，种子团含种子 110 ~ 250，单粒种子扁卵圆形，深红棕色，表面密具细小的疣状突起。气微，味微酸而苦。

三、市场信息

栀子的市场供需和价格（约 28 元 /kg）较为平稳。

四、濒危情况、资源利用和可持续发展

栀子种植历史悠久，适应性强，分布范围广，我国多数地区均有分布，其资源丰富。栀子浑身都是宝，不仅具有药食两用的价值，因其花香气扑鼻，还是一种极具观赏性的植物。同时，在过去的很长一段时间，栀子树还曾被作为水土保持林来种植，展现出极高的经济价值以及环境友好的特性。目前湖北已经有很多地方都开始大量种植栀子，并拥有较为优良的品种。目前栀子产业已在湖北多个地区逐步形成了集医药、美化环境、文旅为一体的产业结构。

枳实

| 来　　源 | 本品为芸香科植物酸橙 *Citrus aurantium* L. 及其栽培变种或甜橙 *Citrus sinensis* Osbeck 的幼果。

| 原植物形态 | 常绿小乔木。分枝多，枝具棱和短刺。单身复叶，互生；叶片宽椭圆形或宽卵形，长 7 ~ 12 cm，宽 4 ~ 7 cm，先端窄而锐或急尖，基部圆形或宽楔形；叶柄翅倒卵形，宽 1 ~ 1.5 cm，有时较窄或宽，叶柄短。花白色，单生或 2 ~ 3 簇生于叶腋；花萼杯状，5 浅裂；花瓣 5，长圆形，具芳香，有脉纹；雄蕊约 25，花丝基部结合。果实近球形，直径 5 ~ 8 cm，橙黄色，果皮粗糙；瓤囊 10 ~ 12 瓣，果肉酸，带苦味；种子约 20，卵形，子叶乳白色，单胚。花期 5 ~ 7 月，果期 11 ~ 12 月。

| 栽培资源 | 本种喜温暖湿润的气候，耐阴性强。为保证其正常生长，年平均气温要在 15 ℃

以上，发芽有效温度要在 10 ℃以上。其生长适宜温度为 20 ~ 25 ℃，在 -5 ℃以上能安全生长，最低耐受温度为 -9 ℃，最高耐受温度为 40 ℃；年降水量需达 1 000 ~ 2 000 mm，相对湿度为 75% 左右。以光照充足、土层深厚、疏松肥沃、富含腐殖质、排水良好的微酸性冲积土或酸性黄壤土、红壤土栽培为宜。

| 采收加工 |　种子繁殖者在栽后 8 ~ 10 年开花结果，嫁接繁殖者在栽后 4 ~ 5 年结果。于 5 ~ 6 月间采摘幼果或待其自然脱落后拾其幼果，大者横切成两半，晒干；较小者直接晒干或低温干燥。

| 药材性状 | **酸橙枳实：**本品果实呈半球形、球形或卵圆形，直径 0.5 ~ 2.5 cm。外表面黑绿色或暗棕绿色，具颗粒状突起和皱纹。顶部有明显的花柱基痕，基部有花盘残留或果柄脱落痕。切面光滑而稍隆起，灰白色，厚 3 ~ 7 mm，边缘散有 1 ~ 2 列凹陷油点，瓤囊 7 ~ 12 瓣，中心有棕褐色的囊，呈车轮纹。质坚硬。气清香，味苦、微酸。

甜橙枳实：本品外皮黑褐色，较平滑，具微小的颗粒状突起。切面类白色，厚 2 ~ 4 mm，瓤囊 8 ~ 11 瓣，味酸、苦。

均以外果皮绿褐色、果肉厚、色白、瓤小、质坚实、香气浓者为佳。

| 功能主治 | 苦、辛、酸，温。归脾、胃经。理气宽中，行滞消胀。用于胸胁气滞，胀满疼痛，食积不化，痰饮内停，胃下垂，脱肛，子宫脱垂。

| 用法用量 | 内服煎汤，3 ~ 9 g；或入丸、散剂。外用适量，研末调涂；或炒热熨。

| 附 注 | 一、物种鉴别

（1）云南枳实：为 20 世纪 70 年代我国云南南部红河发现的一个新品种，近年云南省已对其开发利用，栽培量大，药材称为"红河枳实"。

（2）绿衣枳实：即枸橘枳实，为芸香科枳属植物枸橘 *Poncirus trifoliata* (L.) Raf 的干燥幼果，为古代枳壳、枳实的主要来源，现仅福建、广东等少数地区作枳壳、枳实用，称为"建枳实"或"绿衣枳实"。主产于福建，产地自产自销或销往邻省。

（3）香圆枳实：为芸香科柑橘属植物香圆 *Citrus wilsonii* Tanakd 的干燥幼果，分布于陕西、甘肃、湖北、安徽、浙江、江苏等。陕西汉中将本地栽培的香圆枳实作枳实用，仅自产自销。

（4）橘幼果：为芸香科柑橘属植物柑橘 *Citrus reticulata* Blanco 的干燥幼果，混入商品枳实中，以"鹅眼枳实"居多，产于江南一带。

（5）柚枳壳：为芸香科柑橘属植物柚 *Citrus grandis* (L.) Osbeck 的干燥幼果，在长江流域及南方各地广泛栽培，其幼果有被混入枳实药材中使用的现象。

二、市场信息

枳实的市场供需和价格（约 35 元 /kg）较为平稳。

三、濒危情况、资源利用和可持续发展

枳实种植历史悠久，适应性强，分布范围广，我国多数地区均有分布，且资源丰富。枳壳富含多种活性物质，具有较高的营养价值。

枳实商品药材有江枳实、川枳实、湘枳实、香圆枳壳、甜橙枳实、柚枳壳、蟹橙枳壳、宜昌橙枳壳、建枳实（绿衣枳实）等多个品种。江枳实产于江西，按大小及采收时间不同分为鸡眼、鹅眼、小片、中片、大片5个等级，川枳实和湘枳实分别产于四川和湖南，这两种枳实大小混同以供药用，未分等级；香圆枳壳主产于陕西，个头比较大。甜橙枳实又称广柑枳实，产于四川、贵州、广东等地。柚枳壳为柚的干燥幼果，分布于长江流域及南方各地，该品种一般混杂于正品枳壳药材中；蟹橙枳壳的原植物为蟹橙，在湖南、湖北、陕西、甘肃、云南、贵州等地均有分布，蟹橙枳壳皮薄而有特殊香气。宜昌橙枳壳的原植物为宜昌橙，分布于湖北、四川，宜昌橙表面黄绿色，皮极薄。建枳实又名绿衣枳实，原植物为枸橘，产于福建，建枳实外皮灰绿色或黄绿色，皮略薄。我国长江流域及南方各地的枳实资源丰富，枳实资源按产地分为江枳实（产于江西）、川枳实（产于四川）、湘枳实（产于湖南）、苏枳实（产于江苏、浙江等地）4种。

枳实具有很高的经济价值，同时也表现出很强的区域性，是食品化工、香料、医药和化学工业等领域的重要原料。现枳实产业已逐步形成了集医药、食品、美化环境、旅游文化为一体的产业结构。

猪苓

| 来　　源 | 本品为多孔菌科真菌猪苓 *Polyporus umbellatus* (Pers.) Fries 的菌核。

| 原植物形态 | 菌核体呈块状或不规则形状，表面为棕黑色或黑褐色，有许多凹凸不平的瘤状突起及皱纹。内面近白色或淡黄色，干燥后变硬，整个菌核体由多数白色菌丝交织而成；菌丝中空，直径约 3 mm，极细而短。子实体生于菌核上，伞形或伞状半圆形，常多数合生，半木质化，直径 5 ～ 15 cm 或更大，表面深褐色，有细小鳞片，中部凹陷，有细纹，呈放射状，孔口微细，近圆形。孢子卵圆形。

| 野生资源 | 生于林中树根旁地上或腐木桩旁。分布于湖北保康、兴山等。

| 栽培资源 | 一、栽培条件

本种生于海拔 1 000 ～ 2 000 m 的山地次生林中。本种在我国多雨的南方多生长

于阳坡，而在北方多生长于阴坡或半阳坡。猪苓菌核的萌发需要在 5 cm 深的土壤中，萌发地温为 8 ~ 9 ℃，月平均地温为 14 ~ 20 ℃时新苓生长快，萌发多，地温 22 ~ 25 ℃时形成子实体。猪苓适宜在疏松透气、腐殖质含量高、肥沃、偏酸性的砂壤土中生长，土壤含水量为 30% ~ 50%。猪苓与蜜环菌存在共生关系，故猪苓的伴生植物和蜜环菌腐生与寄生的树种有关，常与柞、桦、槭、橡、榆、杨、柳、枫、女贞等树种生活在一起。

二、栽培要点

本种可采用半野生栽培，应选择蜜环菌能够生长的灌木林、薪柴林，不宜选用用材林和经济林。栽培前，应先培养蜜环菌枝，从中选择合适的作为菌种，用来伴栽猪苓。猪苓菌种应选择生活力旺盛、灰褐色的鲜苓作种苓。栽种时需在穴底和穴顶都铺一层树叶。此外，猪苓也可以在大棚内栽培。

猪苓下种后不宜翻动，并忌牲畜践踏。栽培猪苓的关键在于温度，猪苓在地下 10 cm 深处，地温在 10 ℃时即可萌发。萌发后地温在 18 ~ 22 ℃时生长最快，一旦温度超过 28 ℃生长就会变得缓慢，低于 9 ℃或超过 30 ℃时则会停止生长。

三、栽培面积与产量

湖北猪苓的栽培面积约为 17 hm²，年产量为 31 t。

| **采收加工** | 南方全年均可采收，北方以夏、秋季采收为多，挖出后去掉泥沙，晒干。

| **药材性状** | 本品呈条形、类圆形或扁块状，有的有分枝，长 5 ~ 25 cm，直径 2 ~ 6 cm。表面黑色、灰黑色或棕黑色，皱缩或有瘤状突起。体轻，质硬，断面类白色或黄白色，略呈颗粒状。气微，味淡。

| **功能主治** | 利水渗湿。用于小便不利，水肿，泄泻，淋浊，带下。

| **用法用量** | 内服煎汤，6 ~ 12 g。

| **附　　注** | 一、物种鉴别

与猪苓形态相似的药材为多孔菌科真菌茯苓 *Poria cocos* (Schw.) Wolf 的干燥菌核。常见者为菌核体。多为不规则的块状，呈球形、扁形、长圆形或长椭圆形等，大小不一，小者如拳，大者直径 20 ~ 30 cm 或更大。表皮淡灰棕色或黑褐色，呈瘤状皱缩，内部白色稍带粉红色，由无数菌丝组成。子实体伞形，直径 0.5 ~ 2 mm，口缘稍有齿；有性世代不易见到，蜂窝状，通常附菌核的外皮而生，初白色，后逐渐转变为淡棕色，孔作多角形，担子棒状，担孢子椭圆形至圆柱形，稍屈曲，一端尖，平滑，无色。有特殊臭气。茯苓寄生于松科植物赤松或马尾松等树根上，深入地下 20 ~ 30 cm，这也是与猪苓的重要区别特征。

二、濒危情况、资源利用和可持续发展

猪苓有很好的发展前景，不仅具有利尿和抗菌作用，还具有抗肿瘤作用，因此导致其需要量逐年增加。同时，人工栽培猪苓已基本取得成功。我国森林资源丰富，适宜栽培的土地较多，发展生产潜力很大。

目前，猪苓生产存在的主要问题一方面是野生资源保护工作尚未得到充分重视，群众连年采挖，导致其资源越来越少；另一方面是栽培面积少，单位产量低，收益少，发展缓慢。因此，在切实加强资源保护工作、指导群众合理采挖的同时，还要进一步加强科研工作，深入研究并推广优质高产栽培技术，积极扩大种植面积，逐步形成生产基地，以满足医药卫生事业日益发展的需要。

竹节参

| 来　　源 | 本品为五加科植物竹节参 *Panax japonicus* (T. Nees) C. A. Meyer 的根茎。

| 原植物形态 | 多年生草本。高 50 ～ 80 cm 或更高。根茎横卧，呈竹鞭状，肉质肥厚，白色，结节间具凹陷茎痕。叶为掌状复叶，轮生于茎顶；叶柄长 8 ～ 11 cm；小叶通常 5，叶片膜质，倒卵状椭圆形至长圆状椭圆形，长 5 ～ 18 cm，宽 2 ～ 6.5 cm，先端渐尖，稀长尖，基部楔形至近圆形，边缘具锯齿或重锯齿，上面叶脉无毛或疏生刚毛，下面无毛或疏生茸毛。伞形花序单生于茎顶，有花 50 ～ 80 或更多；总花梗长 12 ～ 20 cm，无毛或疏被短柔毛；花小，淡绿色；小花梗长约 10 mm；花萼绿色，先端 5 齿，齿三角状卵形；花瓣 5，长卵形，呈覆瓦状排列；雄蕊 5，花丝较花瓣短；子房下位，2 ～ 5 室，花柱 2 ～ 5，中部以下连合，上部分离，果时外弯。核果状浆果，球形，未成熟时呈绿色，成熟后为半红半黑色，

靠近果实基部为红色，先端为黑色，直径 5 ～ 7 cm；种子 2 ～ 5，白色，三角状长卵形，长约 4.5 mm。花期 5 ～ 6 月，果期 7 ～ 9 月。

| **野生资源** | 生于海拔 1 200 ～ 2 500 m 的密林及灌丛中或阴湿的沟边及山路旁。广泛分布于湖北西部地区。

| **栽培资源** | 一、栽培条件

本种喜冷凉、湿润的气候，为阴性植物，喜散射光或斜射光，忌强光直射，耐寒，忌高温。人工栽培时需要搭棚，以适应竹节参对光温的需求。对土壤要求比较严格，适宜生长在排水良好、富含腐殖质的中性或微酸性砂质黄棕壤土、黄壤土和红壤土中，并以潮土和腐殖土为主。适宜生长的气候属亚热带季风气候，其产地内自然条件以山脉纵横，丘陵起伏，夏无酷热，冬无严寒，水热源丰富，年平均气温约 14.8 ℃，无霜期 220 d 为宜。伴生植物群落主要为乔木层、灌木层和草本层。

二、栽培区域

湖北恩施（宣恩、鹤峰）、宜昌（五峰）等有栽培。

三、栽培面积与产量

依据第四次全国中药资源普查的数据，全国竹节参的栽培面积约为 200 hm²，总产量约为 75 t。

| **采收加工** | 移栽定植 4 年后，在 9 月下旬至 10 月上旬地上部分茎叶枯萎时采收，采挖后除去泥土，用清水清洗，烘干。烘干时先用文火，逐渐升温，最高温度控制在

50 ℃以下，并经常翻动，保证干燥均匀一致。

| **药材性状** | 本品略呈圆柱形，长 5 ~ 22 cm，直径 0.8 ~ 2.5 cm，稍弯曲，有的具肉质侧根。表面黄色或黄褐色，粗糙，有致密的纵皱纹及根痕。节明显，节间长 0.8 ~ 2 cm，每节有 1 凹陷的茎痕。质硬。断面黄白色至淡黄棕色，黄色点状维管束排列成环。气微，味苦而后微甜。

| **功能主治** | 散瘀止血，消肿止痛，祛痰止咳，补虚强壮。用于劳嗽咯血，跌扑损伤，咳嗽痰多，病后虚弱。

| **用法用量** | 内服煎汤，6 ~ 9 g。

| **附　注** | 一、市场信息
竹节参的市场供需和价格（1 300 ~ 1 400 元 /kg）较为平稳。
二、濒危情况、资源利用和可持续发展
竹节参在全国分布范围甚广，主要分布在我国黄河流域以南湿润半湿润区。在湖北，其产地主要集中在西部地区，种植面积稳定在 3 000 亩左右。由于竹节参种植周期长，加上市场上对竹节参的需求量不大，该品种供销稳定。

紫苏叶

| 来　　源 | 本品为唇形科植物紫苏 *Perilla frutescens* (L.) Britt. 的枝叶。

| 原植物形态 | 直立草本。茎高 0.3 ~ 2 m，绿色或紫色，钝四棱形，具四槽，密被长柔毛。叶阔卵形或圆形，长 7 ~ 13 cm，宽 4.5 ~ 10 cm，先端短尖或突尖，基部圆形或阔楔形，边缘在基部以上有粗锯齿，膜质或草质，两面绿色或紫色，或仅下面紫色，上面被疏柔毛，下面被贴生柔毛，侧脉 7 ~ 8 对，位于下部者稍靠近，斜上升，与中脉在上面微凸起，在下面明显凸起，色稍淡；叶柄长 3 ~ 5 cm，背腹扁平，密被长柔毛。轮伞花序 2 花，组成长 1.5 ~ 15 cm、密被长柔毛、偏向一侧的顶生及腋生总状花序；苞片宽卵圆形或近圆形，长、宽均约 4 mm，先端具短尖，外被红褐色腺点，无毛，边缘膜质；花梗长 1.5 mm，密被柔毛；花萼钟形，10 脉，长约 3 mm，直伸，下部被长柔毛，夹有黄色腺点，内面喉部有疏柔毛环，结果时增大，长至 1.1 cm，平伸或下垂，基部一边膨大；萼檐二

唇形，上唇宽大，3齿，中齿较小，下唇比上唇稍长，2齿，齿披针形；花冠白色至紫红色，长 3 ~ 4 mm，外面略被微柔毛，内面在下唇片基部略被微柔毛；花冠筒短，长 2 ~ 2.5 mm，喉部斜钟形；冠檐近二唇形，上唇微缺，下唇 3 裂，中裂片较大，侧裂片与上唇相近似；雄蕊 4，几不伸出，前对稍长，离生，插生于喉部，花丝扁平，花药 2 室，平行，其后略叉开或极叉开；雌蕊 1，子房 4 裂，花柱基底着生，先端相等 2 浅裂；花盘前方呈指状膨大。小坚果近球形，灰褐色，直径约 1.5 mm，具网纹。花期 8 ~ 11 月，果期 8 ~ 12 月。

| 栽培资源 | 本种喜温暖湿润的环境，较耐高温，在高温雨季生长旺盛，喜欢在排水良好的土壤中生长，排水不良会严重影响其产量和品质。本种适应性强，对土壤要求不严，在排水较好的砂壤土、壤土、黏土上均能生长良好，适宜土壤 pH 6.0 ~ 6.5；较耐高温，生长适宜温度为 25 ℃，但高温伴随干旱时对植株生长影响较大。开花期适宜温度为 21.3 ~ 23.4 ℃。

| 采收加工 | 夏、秋季采收叶或带叶小枝，阴干后收贮入药；或在秋季割取全株，先挂在通风处阴干，再取叶入药。

| 药材性状 | 本品叶片多皱缩卷曲，常破碎，完整的叶片呈卵圆形，先端急尖，基部阔楔形，边缘有撕裂状锯齿。叶柄长 2 ~ 7 cm，两面紫色至紫蓝色或上面紫绿色，疏被灰白色毛，下面可见多数凹陷的腺点。质脆易碎。气辛香，味微辛。以叶片大、

色紫、不带枝梗、香气浓郁者为佳。

| **功能主治** | 解表散寒，行气和胃。用于感冒风寒，恶寒发热，咳嗽，气喘，胸腹胀满等。

| **用法用量** | 内服煎汤，5 ～ 10 g。

| **附　注** | 一、物种鉴别

与紫苏形态特征相似的植物。

（1）野生紫苏 *Perilla frutescens* (L.) Britton var. *acuta* (Odash.) Kudo 与紫苏的区别在于本种果萼小，长 4 ～ 5.5 mm，下部被疏柔毛，具腺点；茎被短疏柔毛；叶较小，卵形，长 4.5 ～ 7.5 cm，宽 2.8 ～ 5 cm，两面被疏柔毛；小坚果较小，土黄色，直径 1 ～ 1.5 mm。

（2）耳齿紫苏 *Perilla frutescens* (L.) Britton var. *auriculatodentata* C. Y. Wu & Hsuan ex H. W. Li 与野生紫苏形态特征极近似，不同之处在于本种叶基圆形或几心形，具耳状齿缺；雄蕊稍伸出于花冠。

（3）回回苏 *Perilla frutescens* (L.) Britton var. *crispa* (Thunb.) Hand.-Mazz. 与紫苏的区别在于本种叶皱曲，边缘有狭而深的锯齿，呈流苏状，或条状深裂呈鸡冠状；果萼较小，长约 4 mm；小坚果直径 0.5 ～ 1 mm，暗棕色或暗褐色。

二、市场信息

紫苏的未来价格趋势看好，评级高，值得种植发展。紫苏价格从 15.5 元 /kg 涨到 55 元 /kg，涨幅约为 254.83%。

三、濒危情况、资源利用和可持续发展

紫苏不仅具有食用、药用、油用、观赏等多重价值，还具有重要的经济价值。其在中国的栽种历史悠久，据文献记载，早在 2 000 多年前古人就已开始食用栽培紫苏。

作为一种多功能的经济植物，紫苏目前在医药、食品、保健等领域具有广泛用途。随着现代科学的进步发展，人们对紫苏的功能有了深入认识与开发，紫苏籽油、紫苏叶精油及酚酸类提取物已被广泛应用于保健品及化妆品行业。紫苏的研究开发及经济价值已经引起了国内外的广泛关注。

紫菀

| 来　　源 |

本品为菊科植物紫菀 *Aster tataricus* L. f. 的根及根茎。

| 原植物形态 |

多年生草本。根茎斜升。茎直立，高 40 ～ 50 cm，粗壮，基部有纤维状枯叶残片且常有不定根，有棱及沟，疏被粗毛，有疏生的叶。单叶互生，基部叶在花期枯落，长圆状或椭圆状匙形，下半部渐狭成长柄，连柄长 20 ～ 50 cm，宽 3 ～ 13 cm，先端尖或渐尖，边缘有具小尖头的圆齿或浅齿；下部叶匙状长圆形，常较小，下部渐狭或急狭成具宽翅的柄，渐尖，边缘除顶部外有密锯齿；中部叶长圆形或长圆状披针形，无柄，全缘或有浅齿，上部叶狭小；全部叶厚纸质，上面被短糙毛，下面被稍疏但沿脉被较密的短粗毛，中脉粗壮，网脉明显。头状花序多数，直径 2.5 ～ 4.5 cm，在茎和枝端排列成复伞房状；花序梗长，有线形苞叶；总苞半球形，长 7 ～ 9 mm，直径 10 ～ 25 mm；总苞片 3 层，线形或线状披针形，先端尖或圆形，外层长 3 ～ 4 mm，宽 1 mm，全部或上部草质，被密短毛，内层长 8 mm，宽 1.5 mm，边缘宽膜质且带紫红色，有草质中脉；雌花花冠舌

状，20 余，管部长 3 mm，舌片蓝紫色，长 15 ~ 17 mm，宽 2.5 ~ 3.5 mm，有 4 至多脉；两性花管状，长 6 ~ 7 mm，且稍有毛，5 裂，裂片长 1.5 mm，雄蕊 5，合生成筒状，花柱 2，花柱附片披针形，长 0.5 mm，子房下位，2 心皮合生，1 室，具一直立的胚珠。瘦果倒卵状长圆形，紫褐色，长 2.5 ~ 3 mm，两面各有 1 脉或少有 3 脉，上部被疏粗毛；冠毛污白色或带红色，长 6 mm，有多数不等长的糙毛。花期 7 ~ 9 月，果期 8 ~ 10 月。

| **野生资源** | 生于海拔 400 ~ 2 000 m 的低山阴坡湿地、山顶和低山草地及沼泽地。分布于湖北五峰、神农架等。

| **栽培资源** | 一、栽培条件
本种喜温暖湿润的气候，耐寒，较耐涝。适宜栽种于土层深厚、疏松肥沃且富含腐殖质的中性或弱酸性砂质土壤。忌连作。
二、栽培区域
湖北黄梅、五峰、宜都等有栽培。
三、栽培面积与产量
依据第四次全国中药资源普查的数据，全国紫菀的栽培面积在 10 hm^2 左右，总产量为 86.6 t 左右。

| **采收加工** | 春、秋季采挖，除去有节的根茎和泥沙，编成辫状晒干或直接晒干。

| **药材性状** | 本品根茎呈不规则块状，大小不一，先端有茎叶残基；质稍硬。根茎簇生多数细根，长 3 ~ 15 cm，直径 0.1 ~ 0.3 cm，多编成辫状。表面紫红色或灰红色，有纵皱纹。质较柔软。气微香，味甜、微苦。以根长、色紫红、质柔软者为佳。

| **功能主治** | 辛、苦，温。归肺经。润肺下气，消痰止咳。用于痰多喘咳，新久咳嗽，劳嗽咯血。

| **用法用量** | 内服煎汤，5 ~ 10 g。

| **附　　注** | 一、物种鉴别
1. 与紫菀形态特征相似的植物、民族药及民间用药
（1）菊科植物三脉紫菀 *Aster ageratoides* Turcz. 分布于多个地区，有些地区将其根及根茎作紫菀用。
（2）菊科植物小舌紫菀 *Aster albescens* (DC.) Hand.-Mazz. 分布于西藏、云南、

贵州、四川、湖北、甘肃、陕西等地区，在西藏地区作藏药使用。

（3）菊科植物耳叶紫菀 *Aster auriculatus* Franch. 分布于云南、贵州、四川等地区，在云南有些地区作民间药用。

（4）菊科植物萎软紫菀 *Aster flaccidus* Bunge 分布于多个地区，西藏地区将其根及根茎作紫菀用。

（5）菊科植物缘毛紫菀 *Aster souliei* Franch. 分布于四川、甘肃、云南、西藏，西藏地区将其根及根茎作紫菀用。

（6）菊科植物狭苞紫菀 *Aster farreri* W. W. Sm. 分布于青海、甘肃、山西、河北、四川等地区，其根及根茎为藏药"藏紫菀"。

2. 地区习用品

（1）菊科植物蹄叶橐吾 *Ligularia fischeri* (Ledeb.) Turcz. 分布于四川、湖北、贵州、湖南、河南、安徽、浙江、甘肃、陕西、河北、山西、山东、辽宁、吉林等地区，其根及根茎在多个地区被称为"山紫菀"或"硬紫菀"，药材均自产自销。本品呈不规则团块状，根茎横生，先端直径 2 ~ 5 cm，其上有茎基及残存的叶柄，向下密生多数细长的根，长 3 ~ 10 cm，直径约 0.2 cm，集成尾状或团块状；表面黑棕色或棕褐色，有纵皱纹。体轻，质脆。断面中央有浅黄色木心。具特殊香气，味微苦、辛、涩。

（2）菊科植物橐吾 *Ligularia sibirica* (L.) Cass. 分布于云南、四川、贵州、甘肃、陕西、山西、内蒙古、河北、辽宁、吉林、黑龙江、湖南、安徽等地区，根及根茎在四川一些地区被称为"川紫菀""土紫菀"，作紫菀应用。本品全体呈不规则团块状，根茎圆形或椭圆形，直径 2 ~ 7 cm，上端留有残存的茎基及叶基干枯后的棕色纤维状物，向下丛生细根，直径约 0.1 cm，长可达 7 cm，略弯曲，棕褐色或棕色。质脆，易折断。具特殊枯草气。

（3）菊科植物鹿蹄橐吾 *Ligularia hodgsonii* Hook. 分布于云南、四川、湖北、贵州、广西、甘肃、陕西等地区，根及根茎在云南部分地区称为"滇紫菀"，作紫菀药用。本品根茎呈块状，下方生多数圆柱形细根，长 7 ~ 15 cm，直径 0.1 ~ 0.3 cm；表面浅棕褐色或浅棕黄色，有纵皱纹。质脆，易折断。

（4）菊科植物狭苞橐吾 *Ligularia intermedia* Nakai 分布于云南、四川、贵州、湖北、湖南、河南、甘肃、陕西、河北、内蒙古、山西、山东、黑龙江、吉林、辽宁等地区，根及根茎在四川、贵州作紫菀使用。

（5）在四川、湖北部分地区将菊科橐吾属多种植物的根茎去根后作药用，称"光紫菀"，其根茎呈类球形、长椭圆形或葫芦形，直径 1 ~ 3 cm，表面棕黄色或棕褐色，布满凸起或凹陷的点状根痕，先端有茎基残痕及叶基的干枯棕色纤维状物。

二、市场信息

紫菀药材的供需和价格（约 25 元 /kg）较为平稳。

三、濒危情况、资源利用和可持续发展

紫菀的药用资源主要来源于栽培，其生长周期短，资源较为丰富。安徽谯城、涡阳及周边区域和河北安国及周边区域为紫菀的道地产区，所产药材品质优良，分别称为"亳紫菀"和"祁紫菀"。亳紫菀和祁紫菀均为国家地理标志产品。

下 篇

湖北省中药资源各论

菌类植物

曲霉科 Eurotiaceae 红曲霉属 Monascus

红曲 *Monascus purpureus* Went

| 药 材 名 | 红曲。

| 形态特征 | 菌丝体大量分枝，初期无色，渐变为红色，老后紫红色。菌丝有横隔，多核，含橙红色颗粒。成熟时在分枝的先端产生单个或串生的分生孢子，2～6分生孢子成链。分生孢子褐色，（6～9）μm×（7～10）μm。菌丝先端还产生单个的橙红色球形子囊壳（闭囊壳），闭囊壳橙红色，近球形，有柄，柄长短不一，直径25～75 μm，内含多个子囊。子囊球形，含8子囊孢子，成熟后子囊壁消失。子囊孢子卵形或近球形，光滑透明，无色或淡红色，（5.5～6）μm×（3.5～5）μm。

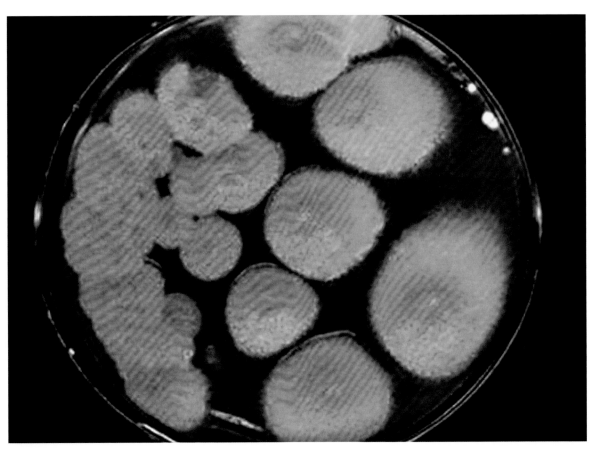

| **生境分布** | 多存在于乳制品中，亦可用粳米作培养基进行人工培养。湖北有分布。

| **功能主治** | 健脾消食，活血化瘀。用于饮食积滞，脘腹胀满，赤白痢，产后恶露不尽，跌打损伤。

| **附　　注** | 脾阴不足、内无瘀血者慎服。

木耳
Auricularia auricula (L.) Underw.

| 药 材 名 | 木耳。

| 形态特征 | 子实体丛生，常呈覆瓦状叠生，由具横隔和分枝的管状菌丝组成，耳状、叶状或近杯状，边缘波状，薄而有弹性，胶质，半透明，中凹，宽 2 ～ 6 cm，最大者宽可达 12 cm，厚约 2 mm，以侧生的短柄或狭细的基部固着于基质上。初期为柔软的胶质，黏而富弹性，以后稍带软骨质，干后强烈收缩，变为黑色，呈硬而脆的角质至近革质。背面外侧呈弧形，紫褐色至暗青灰色，疏生短绒毛。绒毛基部褐色，向上渐尖，尖端几无色，（1.15 ～ 1.35）μm×（5 ～ 6）μm。内面凹入，平滑或稍有脉状皱纹，黑褐色至褐色。菌肉由有锁状联合的菌丝组成，直径 2 ～ 35 μm，子实层生于内面，由担子、担孢子及侧丝组成。担子长 60 ～ 70 μm，直径约 6 μm，横隔明显。担孢子肾形，

无色，（9～15）μm×（4～7）μm；分生孢子近球形至卵形，（1.1～1.5）μm×（4～7）μm，无色，常生于子实层表面。

| **生境分布** | 生于栎、榆、杨、槐等阔叶树的腐木上。湖北有分布。

| **功能主治** | 补气养血，润肺止咳，止血，降血压，抗肿瘤。用于气虚血亏，肺虚久咳，咯血、衄血，血痢，痔疮出血，崩漏，高血压，眼底出血，子宫颈癌，阴道癌，跌打伤痛。

木耳科 Auriculariaceae 木耳属 Auricularia

毛木耳

Auricularia polytricha (Mont.) Sacc.

| **药 材 名** | 毛木耳。

| **形态特征** | 子实体初期杯状，渐变为耳状至叶状或不规则状，胶质，柔韧，干后软骨质，较光滑，基部常有折皱，直径 10 ~ 15 cm，干后强烈收缩。不孕面灰褐色至红褐色，密生绒毛，绒毛无色，仅基部带褐色，（50 ~ 600）μm×（45 ~ 65）μm。子实层紫褐色至近黑色，平滑并稍有皱纹，成熟时上面有白色粉状物，即孢子。孢子无色，肾形，（13 ~ 18）μm×（5 ~ 6）μm。

| **生境分布** | 寄生于栎、杨、榕、槐等 120 多种阔叶树的腐木上。湖北有分布。

| **功能主治** | 补气养血，润肺止咳，止血，降血压，抗肿瘤。用于气虚血亏，肺

虚久咳，咯血，衄血，血痢，痔疮出血，崩漏，高血压，眼底出血，子宫颈癌，阴道癌，跌打伤痛。

| **附　注** | 虚寒溏泻者慎服。

陵齿蕨科 Lindsaeaceae 乌蕨属 Odontosoria

乌蕨 Odontosoria chinensis J. Sm.

| 药 材 名 | 大叶金花草。

| 形态特征 | 多年生草本，高可达 65 cm。根茎坚硬而短，横走，密被赤褐色钻状鳞片。叶近生；叶柄长达 25 cm，禾秆色，光亮，直立；叶近革质，无毛；叶片 3 ~ 4 回羽状分裂，披针形，长 20 ~ 40 cm，宽 5 ~ 12 cm，下部羽片卵状披针形，斜展，长 5 ~ 10 cm，宽 2 ~ 5 cm，小羽片矩圆形或披针形，末回小羽片楔形，先端截形，有牙齿，基部楔形，下延，叶脉在下面明显，二叉分枝。孢子囊群顶生，每裂片上 1 ~ 2；囊群盖灰棕色，半杯形，宽与叶缘等长，向外开裂。

| 生境分布 | 生于海拔 200 ~ 1 900 m 的林下、路边或空旷处。湖北有分布。

| 资源情况 | 野生资源丰富。药材来源于野生。

| 采收加工 | **全草**：夏、秋季采挖，除去杂质，洗净，鲜用或晒干。

| 功能主治 | 清热解毒，利湿，止血。

多孔菌科 Polyporaceae 革盖菌属 *Coriolus*

彩绒革盖菌
Coriolus versicolor (L. ex Fr.) Quél.

药材名

云芝。

形态特征

革质至半纤维质，侧生无柄，常呈覆瓦状叠生，往往左右相连，生于伐桩断面或倒木上的子实体常呈莲座状。菌盖呈半圆形至贝壳形，（1～6）cm×（1～10）cm，厚1～3 mm；盖面幼时白色，渐变为深色，有密生的细绒毛，毛长短不等，呈灰色、白色、褐色、蓝色、紫色、黑色等，并构成云纹状的同心环纹；盖缘薄而锐，呈波状，完整，色淡。管口面初期白色，渐变为黄褐色、赤褐色至淡灰黑色，管口呈圆形至多角形，每毫米具3～5齿裂，后期开裂，菌管单层，白色，长1～2 mm。菌肉白色，纤维质，干后纤维质至近革质。孢子呈圆筒状，稍弯曲，平滑，无色，（1.5～2）μm×（2～5）μm。

生境分布

生于多种阔叶树的枯立木、倒木、枯枝上或落叶松、黑松等针叶树的腐木上。湖北有分布。

| **采收加工** | **子实体：**全年均可采收，除去杂质，晒干。 |

功能主治 健脾利湿，止咳平喘，清热解毒，抗肿瘤。用于慢性活动性肝炎，肝硬化，慢性支气管炎，小儿支气管痉挛，咽喉肿痛，肿瘤，类风湿性关节炎，白血病。

多孔菌科 Polyporaceae 灵芝属 Ganoderma

树舌
Ganoderma applanatum (Pers. ex Wall.) Pat.

| 药 材 名 | 树舌。

| 形态特征 | 子实体多年生，侧生无柄，木质或近木栓质。菌盖扁平，半圆形、扇形、扁山丘形至低马蹄形；盖面皮壳灰白色至灰褐色，常覆有 1 层褐色

孢子粉，有明显的同心环棱和环纹。常有大小不一的疣状突起，干后常有不规则的细裂纹；盖缘薄而锐，有时钝，全缘或波状。管口面初期白色，渐变为黄白色至灰褐色，受伤处立即变为褐色；管口圆形，每 1 mm 间 4 ~ 6；菌管多层，在各层菌管间夹有 1 层薄的菌丝层，老的菌管中充塞有白色粉末状的菌丝。孢子卵圆形，一端有截头壁双层，外壁光滑，无色，内壁有刺状突起，褐色，

| 生境分布 | 生于多种阔叶树的树干上。湖北有分布。

| 采收加工 | 夏、秋季采摘成熟子实体，除去杂质，切片，晒干。

| 功能主治 | 消炎，抗肿瘤。用于咽喉炎，食管癌，鼻咽癌。

多孔菌科 Polyporaceae 灵芝属 Ganoderma

赤芝 *Ganoderma lucidum* (Curtis) P. Karst.

| 药 材 名 | 灵芝。

| 形态特征 | 子实体中等至较大或更大。菌盖直径 5 ~ 15 cm，厚 0.8 ~ 1 cm，半圆形、肾形或近圆形，木栓质，红褐色并有油漆光泽，具有环状棱纹和辐射状皱纹，边缘薄，往往内卷。菌肉白色至淡褐色，管孔面初期白色，后期变浅褐色、褐色，平均每毫米 3 ~ 5。菌柄长 3 ~ 15 cm，直径 1 ~ 3 cm，侧生或偶偏生，紫褐色，有光泽。

| 生境分布 | 生于栎及其他阔叶树的木桩上。湖北有分布。

| 采收加工 | **子实体**：全年均可采收，除去杂质，剪除附有朽木、泥沙或培养基的下端菌柄，阴干或在 40 ~ 50 ℃下烘干。

| 功能主治 |　补气安神，止咳平喘。用于心神不宁，失眠心悸。

多孔菌科 Polyporaceae 灵芝属 Ganoderma

紫芝

Ganoderma sinense J. D. Zhao, L. W. Hsu et X. Q. Zhang

| 药 材 名 | 灵芝。

| 形态特征 | 子实体中等至大，一年生，木质。菌盖直径 5 ~ 30 cm，厚 0.6 ~ 1 cm，半圆形至肾形，极少数为近圆形，表面黑色有光泽。菌肉锈褐色。菌管也为锈褐色，硬，平均每毫米有 5 个管孔。菌柄细长，长 10 ~ 15 cm，有漆黑色光泽，侧生。孢子内壁深褐色，有小疣，外壁无色，广椭圆形，（10 ~ 12）μm×（6 ~ 9）μm。

| 生境分布 | **子实体**：生于阔叶树或松科松属的树桩上。湖北有分布。

| **功能主治** | 补气安神，止咳平喘。用于心神不宁，失眠心悸，肺虚咳喘，虚劳短气，不思饮食。

多孔菌科 Polyporaceae 多孔菌属 Polyporus

猪苓
Polyporus umbellatus (Pers.) Fr.

| 药 材 名 | 猪苓。

| 形态特征 | 菌核形状不规则，呈大小不一的团块状，坚实，表面紫黑色，有多数凹凸不平的皱纹，内部白色，大小一般为（3～5）cm×（3～20）cm。子实体从埋生于地下的菌核上发出，有柄并多次分枝，形成 1 丛菌盖，总直径可达 20 cm。菌盖圆形，直径 1～4 cm，中部脐状，有淡黄色的纤维鳞片，近白色至浅褐色，无环纹，边缘薄而锐，常内卷，肉质，干后硬而脆。菌肉薄，白色。菌管长约 2 mm，与菌肉同色，下延。管口呈圆形至多角形，每毫米 3～4。孢子无色，光滑，圆筒形，一端圆形，一端有歪尖，大小（7～10）μm×（3～4.2）μm。

生境分布	生于林中树根旁地上或腐木桩旁。湖北有分布。
采收加工	**菌核**：春、秋季采挖，除去泥沙，干燥。
功能主治	利水渗湿。用于小便不利，水肿，泄泻，淋浊，带下。

多孔菌科 Polyporaceae 茯苓属 *Poria*

茯苓

Poria cocos (Schw.) Wolf

| 药 材 名 | 茯苓、茯苓皮、茯神、茯神木。

| 形态特征 | 菌核体多为不规则的块状,球形,扁形,长圆形或长椭圆形,大小不一,小者如拳,长径 10 ~ 30 cm 或更长,重 500 ~ 5 000 g 甚至更多。菌核有特殊臭味,深入地下 20 ~ 30 cm。新鲜时较软,干燥后变硬。表面淡灰棕色至黑褐色,粗糙,具瘤状皱缩的皮壳,内部由无数菌丝组成,粉粒状,外层淡粉红色,内部白色;子实体平卧于菌核表面,厚 3 ~ 8 mm,白色,老熟或干燥后,逐渐变为浅褐色或淡棕色,菌管单层,孔为多角形至不规则形,深 2 ~ 3 mm,直径 0.5 ~ 2 mm,孔壁薄,孔缘渐变为齿状。于显微镜下观察,担子棒状,担孢子椭

圆形至圆柱形，稍屈曲，一端斜尖，壁表面平滑，无色。

| **生境分布** | 生于海拔 700 ~ 1 000 m 气候凉爽、干燥、土壤为砂壤土的区域。分布于湖北罗田、英山、麻城。

| **功能主治** | **茯苓**：利水渗湿，健脾，宁心。用于水肿尿少，痰饮眩悸，脾虚食少，便溏泄泻，心神不安，惊悸失眠。

茯苓皮：利水消肿。用于水肿，小便不利。

茯神：宁心安神，利水。用于心虚惊悸，健忘，失眠，惊病，小便不利。

茯神木：平肝安神。用于惊悸健忘，中风不语，脚气转筋。

鬼笔科 Phallaceae 竹荪属 Dictyophora

竹荪

Dictyophora indusiata (Vent. ex Pers.) Desv

| 药 材 名 | 竹荪。

| 形态特征 | 菌蕾球形至倒卵形，污白色，具包被，成熟时包被开裂，菌柄伸长外露，包被遗留菌柄基部形成菌托。成熟的子实体高 12 ~ 20 cm。菌托白色，直径 3 ~ 5.5 cm。菌柄白色，中空，基部直径 2 ~ 3 cm，向上渐细，壁呈海绵状。菌盖呈钟形，高、宽均 3 ~ 5 cm，有明显的网格，先端平，具穿孔，上有暗绿色、微臭的黏性孢体。菌裙白色，从菌盖下垂超过 10 cm，具多角形网眼，网眼直径 0.5 ~ 1 cm。孢子光滑，呈椭圆形，（2.8 ~ 3.5）μm×（1.5 ~ 2.3）μm。

| 生境分布 | 生于竹林或阔叶林下枯枝落叶多、腐殖质多的厚层土中或腐木上。湖北有分布。

| 采收加工 | **子实体**：菌蕾破壳开伞至成熟需 2.5 ~ 7 小时，成熟后即开始萎缩，因此当竹荪开伞、待菌裙下沿伸至菌托、孢子胶质将开始自溶时（子实体已成熟）即可采收。用手指握住菌托，将子实体轻轻扭动拔起，小心地放进篮子，切勿损坏菌裙，影响质量。采得后，随即除去菌盖和菌托，不要使黑褐色的孢子胶汁污染柄裙，然后将子实体插到晒架的竹签上进行日晒或烘烤。

| 功能主治 | 补气养阴，润肺止咳，清热利湿。用于肺虚热咳，喉炎，痢疾，带下，高血压，高脂血症。

鬼笔科 Phallaceae 鬼笔属 Phallus

深红鬼笔 *Phallus rubicundus* (Bosc.) Fr.

| 药 材 名 | 深红鬼笔。

| 形态特征 | 子实体高 6 ~ 20 cm，幼期包于白色的肉质膜内。菌盖钟形，高 1.5 ~ 3.3 cm，宽 1 ~ 1.5 cm，先端平截，中央有 1 穿孔，外表具网络和凹巢。表面覆盖以青褐色、黏而有臭气的孢体。菌柄圆柱状，橘红色，向下色渐淡，中空，海绵质。孢子椭圆形，透明，（4 ~ 4.5）μm×2 μm。

| **生境分布** | 生于竹林、混交林地、路边或田野中。湖北有分布。

| **采收加工** | 夏、秋季采收，洗净，晒干。

| **功能主治** | 清热解毒，消肿生肌。用于恶疮，痈疽，喉痹，刀伤，烫火伤。

地衣类植物

○

○

○

牛皮叶科 Stictaceae 肺衣属 Lobaria

老龙皮

Lobaria pulmonaria (L.) Hoffm. var. *meridionalis* Zahlbr.

| 药 材 名 | 老龙皮。

| 形态特征 | 植物体大型，叶状，长约 20 cm，表面凹凸不平，呈网状，湿润时鲜绿色，干燥时黄褐色或褐色，下面白色，凹陷内密生黄褐色或黑褐色茸毛。边缘分裂，裂片呈鹿角状，先端平截。子囊盘赤褐色，皿状，直径 1 ~ 3 mm；雄器小，黑点状，生于表面裂片的边缘和凸出部的棱线上。

| 生境分布 | 生于山坡石上。湖北有分布。

| 资源情况 | 野生资源较少。药材来源于野生。

| 采收加工 | **全草**：全年均可采收，除去杂质，晒干。

| 功能主治 | 健脾，利水，祛风，败毒，消炎，止痒。用于消化不良，疳积，蛔虫病，腹胀，肾炎性水肿，烫火伤，无名肿毒，皮肤瘙痒等。

网肺衣
Lobaria retigera (Ach.) Trevis

| 药 材 名 | 网肺衣。

| 形态特征 | 植物体叶状，长约 20 cm，凹凸不平，呈网状，上面湿润时鲜蓝绿色，干燥时黄褐色或褐色，下面淡褐色，网沟内密生黄褐色或黑紫色绵毛。边缘分裂，裂片多枝，略如鹿角状，先端平截或微凹。子囊盘赤褐色，浅杯状，直径 1 ~ 3 mm；子囊孢子梭形，4 室。

| 生境分布 | 生于树干基部或藓类植物丛中。湖北有分布。

| 资源情况 | 野生资源较少。药材来源于野生。

| 采收加工 | **叶状体**：全年均可采收，洗净后晒干。

| 功能主治 | 健脾，利水，祛风，止痒。用于消化不良，疳积，腹水，肾炎性水肿，皮肤瘙痒；外用于烫火伤，疮疡肿毒。

石耳科 Umbilicariaceae 石耳属 *Umbilicaria*

石耳
Umbilicaria esculenta (Miyoshi) Minks

| **药 材 名** | 石耳。

| **形态特征** | 地衣体单片型，幼小时正圆形，长大后为椭圆形或稍不规则，直径约 12 cm，大者可达 18 cm，革质。裂片边缘浅撕裂状；上表面褐色，近光滑，局部粗糙无光泽或局部斑点脱落而露出白色髓层；下表面棕黑色至黑色，具细颗粒状突起，密生黑色粗短而具分叉的假根，中央脐部青灰色至黑色，直径 5 ~ 12 mm，有时自脐部向四周放射的脉络明显而凸出。子囊盘少见。

| **生境分布** | 生于裸露的岩石上，尤喜生在硅质岩上。湖北有分布。

| **采收加工** | 四季均可采收，晒干。

| 功能主治 | 养阴润肺，凉血止血，清热解毒。用于肺虚劳嗽，吐血，衄血，崩漏，肠风下血，痔漏，脱肛，淋浊，带下，毒蛇咬伤，烫伤，刀伤。

长松萝
Usnea longissima Ach.

| 药 材 名 | 长松萝。

| 形态特征 | 植株长 20 ~ 40 cm，最长者长可达 100 cm，向下悬垂，为羽状分枝的丝状体。无横裂，密生细小、长约 1 cm 的侧枝。全体灰绿色；外皮部质粗松，中心质坚密。孢子器稀少，皿状，生于枝的先端。

| 生境分布 | 多附生于高山区的针叶树树枝上或高山岩石上。湖北有分布。

| 资源情况 | 野生资源较少。药材来源于野生。

| 采收加工 | **地衣体**：全年均可采收，晒干。

| 功能主治 |　舒筋活血，拔毒生肌，驱虫。用于颈部淋巴结炎，跌打损伤，刀伤，疖肿，风湿关节痛，蛔虫病。

苔藓类植物

蛇苔科 Conocephalaceae 蛇苔属 Conocephalum

蛇苔

Conocephalum conicum (L.) Dum.

| 药 材 名 | 蛇苔。

| 形态特征 | 植物体宽带状，革质，深绿色，略具光泽，多回二歧分叉。背面有肉眼可见的六角形或菱形气室。每室中央有1单一型气孔，孔边细胞5～6列。气室内有多数直立的营养丝，先端细胞呈梨形。腹面两侧各有1列深紫色鳞片。雌雄异株。雄器托呈椭圆盘状，紫色，无柄，贴生于植物体背面的先端；雌器托呈圆锥状，柄长3～5cm，着生于叶状体背面的先端，托的下面着生5～8总苞，每苞内具一梨形、有短柄的孢蒴。

| 生境分布 | 生于山坡阴湿地。湖北有分布。

| **资源情况** | 野生资源较丰富。药材来源于野生。

| **功能主治** | 清热解毒，消肿止痛。用于毒蛇咬伤，发背痈疽，烫火伤。

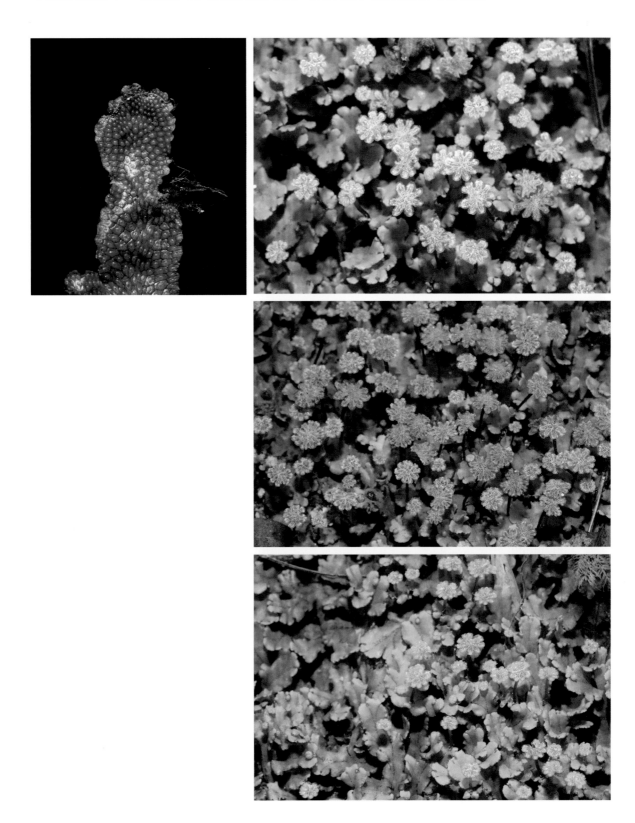

地钱科 Marchantiaceae 地钱属 Marchantia

地钱 *Marchantia polymorpha* L.

| 药 材 名 | 地钱。

| 形态特征 | 植物体扁平，呈叶状，先端叉裂，背面绿色，气孔明显，下面带褐色，生有假根，边缘微波状。雌雄异体，长大后分别生伞状雌器托和雄器托；雌器托的伞状部边缘裂成细条，下面生许多雌器，器内各生1卵；雄器托上面着生雄器，内生具纤毛的精子。孢子体基部着生于雌器托，一端长成蒴，内生孢子。原叶体近中肋处能发生杯状体，内生胚芽。

| 生境分布 | 生于岩石阴湿处或沟边。湖北有分布。

| 资源情况 | 野生资源较丰富。药材来源于野生。

| **采收加工** | **全草：**全年均可采收，晒干。

| **功能主治** | 生肌，拔毒，清热。用于刀伤，骨折，毒蛇咬伤，疮痈肿毒，烫伤等。

泥炭藓 *Sphagnum palustre* L.

药材名

泥炭藓。

形态特征

柔软、疏松丛生，灰白色带黄绿色，略呈淡红色。茎直立，高 18 ~ 20 cm，枝丛疏生，每丛具 2 ~ 3 斜立的强枝和 1 ~ 2 下垂的弱枝。茎叶阔舌形，长 1 ~ 2 cm，宽 0.8 ~ 0.9 cm，具宽的分化边；枝叶阔卵状莲瓣形，长约 2 mm，宽 1.5 ~ 1.8 mm，具宽尖部，边缘内卷，无色，细胞壁上具螺纹及水孔；雌雄异株。精子器球形，集生于雄株的头状枝或短枝先端，每苞叶的腋间生 1；颈卵器生于雌株的头状枝丛的雌器苞内；孢蒴球形或卵形，成熟时棕栗色。

生境分布

生于山地湿润区或沼泽。湖北有分布。

资源情况

野生资源丰富。药材来源于野生。

采收加工

全草：全年均可采收，晒干。

| 功能主治 | 清热明目，止痒。用于目生云翳，皮肤病，虫叮咬瘙痒。

葫芦藓科 Funariaceae 葫芦藓属 *Funaria*

葫芦藓 *Funaria hygometrica* Hedw.

| 药 材 名 |

葫芦藓。

| 形态特征 |

茎常单一，高 6 ~ 10 cm。叶尖形，密生于茎顶，干燥时集合成花蕾状，长卵状椭圆形或卵状椭圆形，锐尖，全缘或上部有细锯齿，柄黄色，后变红色，干燥时卷曲。孢蒴呈不对称的梨形，倾斜或下垂；蒴柄常较茎长 4 ~ 6 倍；蒴盖呈扁圆形；蒴齿 2 层；蒴帽兜形。

| 生境分布 |

生于含氮丰富的阴湿地上。湖北有分布。

| 资源情况 |

野生资源较丰富。药材来源于野生。

| 采收加工 |

全草： 夏季采收，洗净，晒干。

| **功能主治** | 除湿，止血。用于劳伤吐血，跌打损伤，湿气脚病等。

真藓科 Bryaceae 大叶藓属 Rhodobryum

暖地大叶藓
Rhodobryum giganteum (Schwaegr) Par.

| 药 材 名 | 暖地大叶藓。

| 形态特征 | 茎直立；具明显的横生根茎。叶丛生于茎顶，呈伞状，鲜绿色或略呈褐绿色，微具光泽，疏生或成片散生；茎下部叶小，鳞片状，紫红色，紧密贴茎；顶叶基部狭，倒卵状长椭圆形，锐尖，长15 ~ 20 mm，宽 4 ~ 5 mm，上半部边缘锐锯齿双生，中肋长达叶尖。雌雄异株，蒴柄紫红色，直立；孢蒴长筒形，下垂，褐色；蒴齿 2 层。孢子球形，黄棕色。

| 生境分布 | 生于溪边石上或潮湿林下。湖北有分布。

| 资源情况 | 野生资源较少。药材来源于野生。

| **采收加工** | 全草：夏季采收，晒干。

| **功能主治** | 清热明目，镇静安神。用于冠心病，高血压，神经衰弱，目赤，刀伤等。

万年藓科 Climaciaceae 万年藓属 Climacium

万年藓
Climacium dendroides (Hedw.) Web. et Mohr.

| 药 材 名 | 万年藓。

| 形态特征 | 植物体大型树状，青绿色或黄绿色，略具光泽，散生成片。主茎匍

匍伸展，密被红棕色假根；支茎直立，长6～7 cm，下部不分枝，密被鳞片状叶片，上部密分枝成树形；枝细长；茎与枝均着生多数分枝鳞毛。茎叶与枝叶异型：茎叶阔心形，枝叶卵状披针形，基部宽阔，耳状，具多数弱纵褶。叶边上部具粗齿；中肋单一，消失于叶片上部。雌雄异株。蒴柄红棕色，高出植物体。孢蒴直立，长卵形。

| **生境分布** | 生于潮湿的针阔叶混交林下或沼泽地附近。湖北有分布。

| **资源情况** | 野生资源较少。药材来源于野生。

| **采收加工** | **全草**：春、夏季采收，洗净，晒干。

| **功能主治** | 清热除湿，舒筋活络。用于风湿劳伤，筋骨疼痛。

羽藓科 Thuidiaceae 羽藓属 Thuidium

大羽藓
Thuidium cymbifolium Dozy. et Molk.

| 药 材 名 | 大羽藓。

| 形态特征 | 植物体交织成片，鲜绿色或黄绿色。茎匍匐，一般规则 2～3 回羽
状分枝。鳞毛多数，披针形至线形，分叉。茎叶三角状卵圆形或阔
三角形，具褶，先端延长成 6～16 由单列细胞组成的长毛尖；边缘
具细齿；中肋粗壮，止于叶尖，背具刺疣。枝叶凹，内弯，长卵形，
短尖，边缘具细齿；中肋达叶长的 2/3。雌雄异株。蒴柄细长；孢蒴
长卵形，弯曲；蒴盖兜形，平滑。

| 生境分布 | 生于岩石表面、林地湿土表面及树干上。湖北有分布。

| 资源情况 | 野生资源较少。药材来源于野生。

| 采收加工 | 全草：春、夏季采收，烤干。

| 功能主治 | 清热，拔毒，生肌。用于烫火伤。

灰藓科 Hypnaceae 大灰藓属 Calohypnum

大灰藓
Calohypnum plumiforme (Wilson) Jan Kučera & Ignatov

| 药 材 名 | 大灰藓。

| 形态特征 | 体形大，黄绿色或绿色，有时带褐色。茎匍匐，长达 10 cm，横切面圆形，皮层细胞厚壁，4 ~ 5 层，中部细胞较大，薄壁，中轴稍发育，红褐色；规则或不规则羽状分枝；分枝平铺或倾立，扁平或近圆柱形，长可达 1.5 cm；假鳞毛少数，黄绿色，丝状或披针形。茎生叶基部不下延，阔椭圆形或近心形，渐上阔披针形，渐尖，尖端一向弯曲，长 1.8 ~ 3 mm，宽 0.6 ~ 1 mm，上部有纵褶；叶缘平展，尖端具细齿；中肋 2，细弱。叶细胞狭长线形，厚壁，基部细胞短，胞壁加厚，黄褐色，有壁孔，角细胞大，薄壁，透明，无色或带黄色，上部有 2 ~ 4 列较小、近方形细胞。枝叶与茎生叶同形，小于茎生叶，阔披针形，长 1.4 ~ 2.1 mm，宽 0.5 ~ 0.8 mm，中部细胞

较短，长 40 ~ 60（~ 70）μm，宽约 3 μm，在背腹面有时具角突，薄壁或厚壁，角细胞与茎生叶角细胞相似。雌雄异株；雌苞叶直立，基部阔，上部具长尖，呈阔披针形，叶缘平展，具细齿，种类不明显，有纵褶。蒴柄黄红色或红褐色，开裂后蒴口下部收缩，长 2.5 ~ 3 mm；蒴齿发育完全，齿毛 2 ~ 3，与齿片等长；环带由 2 ~ 3 列细胞组成；蒴盖短钝，圆锥形。孢子直径 12 ~ 18 μm。

| 生境分布 |　生于低山、马尾松林下或土坡草地上。湖北有分布。

| 功能主治 |　清热解毒，凉血。用于烧伤，鼻衄，咯血，吐血，血崩等。

金发藓科 Polytrichaceae 小金发藓属 Pogonatum

东亚小金发藓 *Pogonatum inflexum* (Lindb.) Lac.

| 药 材 名 | 东亚小金发藓。

| 形态特征 | 植物体暗绿色或绿色，老时黄褐色。茎单一，直立，稀分枝，高
2 ~ 8 cm，基部密生假根。干时叶紧围茎曲卷，湿时叶片倾立，如
杉树苗叶状；叶片基部椭圆形，内凹，半鞘状，上部阔披针形，长
6 ~ 7 mm，宽 0.4 ~ 0.7 mm，叶缘中上部具红色锯齿，由 2 ~ 3 细
胞组成；中肋较粗，达叶尖，栉片布满腹面，约30，高 4 ~ 6 个细
胞，顶细胞大，内凹。雌雄异株。雄株较小，先端精子器呈花蕾状；
雌株蒴柄长 2 ~ 4 cm，橙黄色；孢蒴圆柱形，具长喙；蒴帽兜形，
被黄白色下垂长绒毛。

| **生境分布** | 生于林下湿土上或岩石薄土上。湖北有分布。

| **采收加工** | 春、夏季采收，洗净，晒干。

| **功能主治** | 镇静安神，散瘀，止血。用于心悸怔忡，失眠多梦，跌打损伤，吐血。

金发藓科 Polytrichaceae 金发藓属 Polytrichum

金发藓 *Polytrichum commune* L. ex Hedw.

| 药 材 名 | 金发藓。

| 形态特征 | 植物体深绿色，老时黄绿褐色，粗壮，高 10 ~ 30 cm，常成大片群落。茎直立，单一，常扭曲。叶丛生于上部，向下渐稀疏而细小，基生叶呈鳞片状，基部呈鞘状，上部长披针形，渐尖，干时紧贴，叶尖卷曲，叶边有密锐齿；中肋突出叶尖成刺状，腹面有多数栉片。雌雄异株。蒴柄长，棕红色，蒴帽有棕红色毛，覆盖全蒴。孢蒴红棕色，呈四棱短方柱形。

| 生境分布 | 生于山野阴湿土坡、森林沼泽的酸性土壤上。湖北有分布。

| 资源情况 | 野生资源较丰富。药材来源于野生。

| **采收加工** | **全草:** 全年均可采收,洗净,晒干。

| **功能主治** | 止血,收敛,清热解毒。用于刀伤出血,衄血,便血,妇人下血,吐血,肺结核,毒痈等。

蕨类植物

瓶尔小草科 Ophioglossaceae 瓶尔小草属 Ophioglossum

尖头瓶尔小草 *Ophioglossum pedunculosum* Desv.

| 药 材 名 |

一支箭。

| 形态特征 |

多年生小草本，高 15 ～ 25 cm。具短而直立的根茎和肉质簇生的粗根。叶单一，总柄纤细，长 10 ～ 20 cm；营养叶自总柄下部 6 ～ 10 cm 处生出；叶片草质，卵圆形，长 3 ～ 6 cm，宽 2 ～ 2.8 cm，近基部最宽，近圆楔形，略下延，全缘，先端圆钝或有小突尖；叶脉网状。孢子叶自营养叶基部抽出，具长柄，高出营养叶。孢子囊穗条形，长 3 ～ 4 cm，先端具突尖，从总柄先端生出长 8 ～ 16 cm 的柄。

| 生境分布 |

生于海拔约 1 000 m 的开阔山坡灌丛中。分布于湖北西部以及黄冈东部山区。

| 资源情况 |

野生资源较少。药材来源于野生。

| 采收加工 |

全草：春、夏季采挖带根全草，除去泥土，洗净，阴干或鲜用。

| 功能主治 |　　清热解毒，活血散瘀。

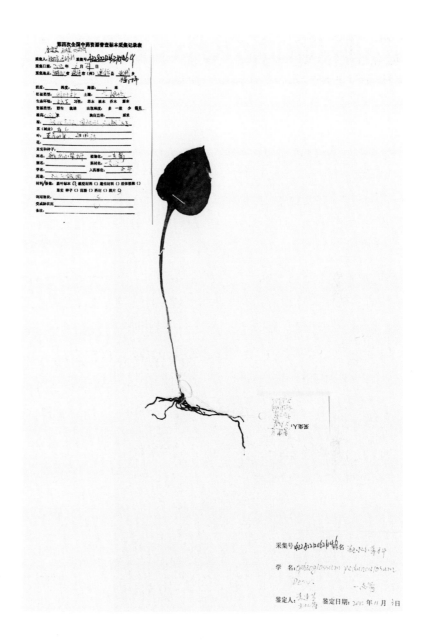

瓶尔小草科 Ophioglossaceae 瓶尔小草属 *Ophioglossum*

心脏叶瓶尔小草 *Ophioglossum reticulatum* L.

| 药 材 名 |

一支箭。

| 形态特征 |

根茎短细,直立,有少数粗长的肉质根。总叶柄长 4 ~ 8 cm,淡绿色,向基部为灰白色,营养叶片长 3 ~ 4 cm,宽 3.5 ~ 6 cm,卵形或卵圆形,先端圆或近钝头,基部深心形,有短柄,边缘多少呈波状,草质,网状脉明显。孢子叶自营养叶叶柄的基部生出,长 10 ~ 15 cm,细长;孢子囊穗长 3 ~ 3.5 cm,纤细。

| 生境分布 |

生于海拔 1 600 m 以下的密林下。分布于湖北西部山区。

| 资源情况 |

野生资源较少。药材来源于野生。

| 采收加工 |

全草:春、夏季采挖带根全草,除去泥土,洗净,阴干或鲜用。

| 功能主治 |　　清热解毒，活血散瘀。

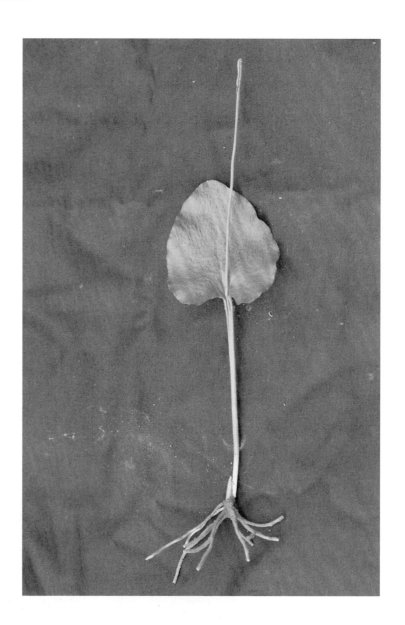

瓶尔小草科 Ophioglossaceae 瓶尔小草属 Ophioglossum

狭叶瓶尔小草 *Ophioglossum thermale* Kom.

| 药 材 名 | 一支箭。

| 形态特征 | 植株高 10 ~ 20 cm。根茎短而直立。根肉质，簇生，纤细，不分枝。叶单生或 2 ~ 3 叶同由根部分出；总叶柄纤细，长 3 ~ 6 cm，绿色

或埋于土中的部分呈灰白色；营养叶草质，从总柄下部 3 ~ 6 cm 处生出，倒披针形或长圆状倒披针形，长 2 ~ 5 cm，宽 3 ~ 10 mm，基部狭楔形，全缘，先端微尖或稍钝；叶脉网状。孢子叶自总柄先端抽出，具长 5 ~ 7 cm 的柄，高出营养叶；孢子囊穗狭线形，长 2 ~ 3 cm，先端具小突尖，由 15 ~ 28 对孢子囊组成；孢子灰白色。

| 生境分布 | 生于山坡草地或温泉附近。分布于湖北西部山区。

| 资源情况 | 野生资源较少。

| 采收加工 | 春、夏季采挖带根全草，除去泥土，洗净，阴干或鲜用。

| 功能主治 | 清热解毒，活血散瘀。

瓶尔小草科 Ophioglossaceae 瓶尔小草属 Ophioglossum

瓶尔小草
Ophioglossum vulgatum L.

| 药 材 名 | 瓶尔小草。

| 形态特征 | 多年生草本，高 7 ~ 20 cm，冬天无叶。根茎短，直立；根多数，黄色，细长。营养叶 1，狭卵形或狭披针形，少有矩圆形，长 3 ~ 12 cm，宽 1 ~ 4 cm，先端钝或稍急尖，基部短楔形，全缘，稍肉质；叶脉网状，中脉两侧的二次细脉与中脉平行。孢子叶初夏从营养叶的叶腋间抽出，具柄，约为营养叶片长的 2 倍；孢子囊 10 ~ 50 对，排列为 2 行，形成穗状，淡黄色；孢子囊无环状盖，成熟时横裂；孢子球状四面体形，具小突起。

| 生境分布 | 生于海拔 350 ~ 3 000 m 的林下潮湿草地、灌木林中或田边。分布于湖北大部分丘陵和山区。

| **资源情况** | 野生资源一般。药材来源于野生。

| **采收加工** | **全草**：夏、秋季采收，洗净，晒干或鲜用。

| **功能主治** | 清热凉血，镇痛，解毒。

阴地蕨科 Botrychiaceae 阴地蕨属 Botrychium

华东阴地蕨 Botrychium japonicum (Prantl) Underw.

| 药 材 名 | 华东阴地蕨。

| 形态特征 | 多年生蕨类植物，植株高 35 ~ 60 cm，较粗壮。具短而直立的根茎。根肉质，较粗壮。叶 2 裂；营养叶有长柄，长 10 ~ 15 cm；叶片略呈五角形，草质，长 12 ~ 20 cm，宽 15 ~ 18 cm，先端短而渐尖，3 回羽状分裂；羽片约 6 对，最下 1 对羽片最大，有柄；末回小羽片或裂片为椭圆形，边缘有整齐的尖锯齿；叶脉明显，直达锯齿。孢子叶自总柄抽出，其柄常高出营养叶；孢子囊穗圆锥状，长可达 10 cm，二回羽状；孢子囊圆球形，无柄，横裂，孢子四面体形。

| 生境分布 | 生于海拔 1 200 m 以下的山地阔叶林下阴湿溪边。分布于湖北东部丘陵地区。 |

| 资源情况 | 野生资源较丰富。 |

| 采收加工 | 夏、秋季采收，洗净，晒干或鲜用。 |

| 功能主治 | 清肝明目，化痰消肿。 |

粗壮阴地蕨 *Botrychium robustum* (Rupr.) Underw.

药材名

阴地蕨。

形态特征

根茎短而直立，有一簇肉质粗根，各根上部又生出许多小根。总叶柄极短，高 1.5 ~ 2 cm；叶片五角形，长约 7 cm，具短渐尖头，下部 3 回羽状分裂，上部 2 回羽状分裂，羽片 4 ~ 5 对，张开，各回羽片密接，基部 1 对最大，阔三角形，柄长 1 cm，二回羽状，一回小羽片 4 ~ 5 对，开展，基部 1 对最长，对生，几相等，长 2.5 ~ 3 cm，宽 1 ~ 1.5 cm，近钝头，有短柄，基部近心形，羽状分裂，上方各对缩小，长圆状披针形，略为浅羽裂或为波状，末回小羽片长卵形，长 1 ~ 1.5 cm，浅羽裂或不裂，边缘有密生的小圆齿状牙齿；叶轴无毛，或稍有疏毛，叶草质，黄绿色，表面皱凸。孢子叶总长 19 ~ 23 cm，直立；孢子囊穗圆锥状，散开，二至三回羽状，无毛。

生境分布

生于海拔 2 000 m 以下的林缘或草坡上。分布于湖北西部。

| 资源情况 | 野生资源较少。药材来源于野生。

| 采收加工 | **全草:** 冬季至翌年春季连根挖取,洗净,鲜用或晒干。

| 功能主治 | 清热解毒,平肝息风,止咳,止血,明目去翳。

阴地蕨科 Botrychiaceae 阴地蕨属 Botrychium

阴地蕨

Botrychium ternatum (Thunb.) Sw.

| 药 材 名 | 阴地蕨。

| 形态特征 | 根茎短而直立，有一簇粗健肉质的根。总叶柄短，细瘦，淡白色。营养叶的叶柄细长，光滑无毛；叶片阔三角形，长 8 ~ 10 cm，具短尖头，3 回羽状分裂，侧生羽片 3 ~ 4 对，几对生或近互生，有柄，下部 2 对相距不及 2 cm，略张开，基部 1 对最大，羽片长、宽均约5 cm，阔三角形，具短尖头，二回羽状，一回小羽片 3 ~ 4 对，有柄，几对生，基部下方 1 较大，稍下先出，一回羽状，末回小羽片为长卵形至卵形，基部下方 1 较大，略浅裂，有短柄，其余较小，边缘密生不整齐、细而尖的锯齿；叶绿色，厚草质，遍体无毛，表面皱凸不平。孢子叶有长柄，长 12 ~ 25 cm，远超出营养叶之上；孢子囊穗为圆锥状，二至三回羽状，小穗疏松，略张开，无毛。

| 生境分布 | 生于海拔 400 ~ 1 000 m 的丘陵地灌丛阴处。湖北有分布。

| 资源情况 | 野生资源一般。药材来源于野生。

| 采收加工 | **全草**：冬季至翌年春季连根挖取，洗净，鲜用或晒干。

| 功能主治 | 清热解毒，平肝息风，止咳，止血，明目去翳。

阴地蕨科 Botrychiaceae 阴地蕨属 Botrychium

蕨萁
Botrychium virginianum (L.) Sw.

| 药 材 名 | 春不见。

| 形态特征 | 多年生草本，高 30 ~ 50 cm。根茎短，直立，簇生多数肉质根，褐色或暗褐色。总柄长 15 ~ 30 cm。叶有营养叶与孢子叶之分，同生于总叶柄上。营养叶阔三角形，几无柄，薄革质，长 15 ~ 20 cm，宽 25 ~ 30 cm，3 ~ 4 回羽裂，一回小羽片披针状矩圆形，几对生，末回小羽片披针状矩圆形，羽状浅裂，裂片狭长。孢子叶自营养叶的基部抽出，高出营养叶；孢子囊穗集合成圆锥花序状，长 6 ~ 16 cm，二回羽状着生。

| 生境分布 | 生于海拔 1 600 ~ 2 000 m 的山谷林下阴湿处。湖北有分布。

| **资源情况** | 野生资源较丰富。药材来源于野生。

| **采收加工** | **全草**：春季采挖，洗净，晒干或鲜用。

| **功能主治** | 清热解毒，平肝散结，祛风定惊。

紫萁科 Osmundaceae 紫萁属 Osmunda

绒紫萁

Osmunda claytoniana L. var. *pilosa* (Wall.) Ching

| 药 材 名 | 紫萁贯众。

| 形态特征 | 根茎短粗。叶为一型；叶柄红棕色或棕禾秆色；叶片为长圆形，长 30 ~ 40 cm，宽 15 ~ 24 cm，具急尖头，幼时通体被淡棕色绒毛，成长后毛逐渐脱落或部分残留叶轴上，2 回羽状深裂，羽片 18 ~ 25 对，对生或近对生，平展或上部的略斜向上，无柄，长 8 ~ 12 cm，披针形，具急尖头，基部近截形，向顶部的羽片逐渐缩短，羽状深裂几达羽轴，裂片彼此接近，14 ~ 18 对，长圆形，具圆头，长 1 ~ 1.5 cm，全缘；叶草质，绿色，叶轴上多少有淡红色的绒毛。基部 1 ~ 2 对营养羽片以上的为能育羽片，2 ~ 3 对，大大缩短，暗棕色，被淡红色绒毛。

| **生境分布** | 生于草甸或草甸沼泽。分布于湖北西部山区。

| **资源情况** | 野生资源一般。药材来源于野生。

| **采收加工** | **根茎及叶柄残基：** 春、秋季采挖根茎，削去叶柄、须根，除净泥土，晒干或鲜用。

| **功能主治** | 清热解毒，祛瘀止血，杀虫。

紫萁
Osmunda japonica Thunb.

| 药 材 名 | 紫萁贯众。

| 形态特征 | 植株高 50 ～ 80 cm 或更高。根茎短粗。叶簇生，直立；叶柄长 20 ～ 30 cm，禾秆色，幼时被密绒毛，不久毛脱落；叶片为三角状广卵形，长 30 ～ 50 cm，顶部一回羽状，其下为二回羽状，羽片 3 ～ 5 对，对生，长圆形，长 15 ～ 25 cm，基部 1 对稍大，有柄，斜向上，奇数羽状，小羽片 5 ～ 9 对，对生或近对生，无柄，分离，长圆形或长圆状披针形，先端稍钝或急尖，向基部稍宽，圆形或近截形，相距 1.5 ～ 2 cm，向上部稍小，顶生的同形，有柄，基部往往有 1 ～ 2 合生圆裂片或阔披针形的短裂片，边缘有均匀的细锯齿；叶为纸质。孢子叶羽片和小羽片均短缩，小羽片变成线形，沿中肋两侧背面密生孢子囊。孢子叶春、夏季间抽出，深棕色，成熟后枯死。

| 生境分布 | 生于林下或溪边酸性土上。湖北有分布。

| 资源情况 | 野生资源丰富。药材来源于野生。

| 采收加工 | **根茎及叶柄残基：**春、秋季采挖根茎，削去叶柄、须根，除净泥土，晒干或鲜用。

| 功能主治 | 清热解毒，祛瘀止血，杀虫。

瘤足蕨科 Plagiogyriaceae 瘤足蕨属 *Plagiogyria*

耳形瘤足蕨 *Plagiogyria stenoptera* (Hance) Diels

| 药 材 名 | 小牛肋巴。

| 形态特征 | 植株高 35 ~ 70 cm。具粗壮直立的根茎。叶簇生，二型；营养叶叶柄长 5 ~ 20 cm，三棱形，基部有 1 对气囊体；叶片披针形或狭倒卵形，长 25 ~ 50 cm，宽 6 ~ 14 cm，向基部急缩成半圆形小耳片，1 回羽状深裂几达叶轴；羽片坚纸质，30 ~ 38 对，互生，线状披针形，先端渐尖或尾状，近全缘，顶部有粗齿，长 5.5 ~ 8.5 cm，宽 1 ~ 1.2 cm；叶脉羽状，侧脉单一或 2 叉。孢子叶叶柄长 10 ~ 40 cm；叶片长 20 ~ 35 cm；羽片强度收缩成条形，宽约 2 mm，彼此远离着生。

| 生境分布 | 生于海拔 1 500 ~ 3 000 m 的林下。分布于湖北西部山区。

| **资源情况** | 野生资源较少。

| **采收加工** | 夏、秋季采收，洗净，晒干或鲜用。

| **功能主治** | 清热解毒，发表止咳。

海金沙科 Lygodiaceae 海金沙属 *Lygodium*

海金沙
Lygodium japonicum (Thunb.) Sw.

| 药 材 名 | 海金沙。

| 形态特征 | 多年生攀缘草本，长 1 ~ 4 m。根茎细而匍匐，被细柔毛。茎细弱，呈干草色，有白色微毛。叶为 1 ~ 2 回羽状复叶，纸质，两面均被细柔毛；能育羽片卵状三角形，长 12 ~ 20 cm，宽 10 ~ 16 cm，小叶卵状披针形，边缘有锯齿或不规则分裂，上部小叶无柄，羽状或戟形，下部小叶有柄；不育羽片尖三角形，通常与能育羽片相似，但有时为一回羽状复叶，小叶阔线形，或基部分裂成不规则的小片。孢子囊生于能育羽片的背面，在二回小叶的齿及裂片先端呈穗状排列，穗长 2 ~ 4 mm；孢子囊盖鳞片状，卵形，每盖下生一横卵形的孢子囊，环带侧生，聚集一处。孢子囊多在夏、秋季产生。

| **生境分布** | 生于阴湿山坡灌丛中或路边林缘。湖北有分布。

| **资源情况** | 野生资源丰富。药材来源于野生。

| **采收加工** | **孢子**：秋季孢子未脱落时采割藤叶，晒干，搓揉或打下孢子，除去藤叶。

| **功能主治** | 清利湿热，通淋止痛。

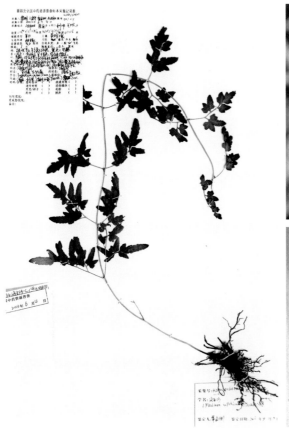

海金沙科 Lygodiaceae 海金沙属 Lygodium

小叶海金沙 *Lygodium scandens* (L.) Sw.

| 药 材 名 | 小叶海金沙。

| 形态特征 | 植株蔓生，攀缘。茎纤细，长达 5 ~ 7 m。叶薄草质，近二型；二回羽状，羽片多数，相距 7 ~ 9 cm 着生，羽片对生于叶轴的短枝上，短枝先端密生红棕色毛；营养羽片生于叶轴下部，长圆形，长 7 ~ 8 cm，宽 4 ~ 7 cm，单数羽状，顶生小羽片有时二叉；小羽片 4 对，互生，具短柄，柄端有关节，卵状三角形或长圆形，基部心形，边缘有齿；叶脉三出，小脉 2 ~ 3 分叉；孢子羽片长圆形，长 8 ~ 10 cm，宽 4 ~ 6 cm，常为单数羽状；小羽片 9 ~ 11，互生，三角形或卵状三角形，长 1.5 ~ 3 cm，宽 1.5 ~ 2 cm。孢子囊穗线形，黄褐色，排列于叶缘，有孢子囊 5 ~ 8 对。

| 生境分布 | 生于海拔 110 ～ 150 m 的溪边灌丛中。湖北有分布。

| 采收加工 | 秋季采收，打下孢子，晒干。

| 功能主治 | 清热，利湿，舒筋活络，止血。用于尿路感染，尿路结石，肾炎性水肿，肝炎，痢疾，目赤肿痛，风湿痹痛，筋骨麻木，跌打骨折，外伤出血。

莎草蕨科 Schizaeaceae 莎草蕨属 Schizaea

莎草蕨
Schizaea digitata (L.) Sw.

| 药 材 名 | 莎草蕨。

| 形态特征 | 根茎短，匍匐。先端被棕色短毛。叶簇生，禾草状；叶片狭线形，

向基部逐渐狭细，呈三棱形，柄与叶片难分辨，叶片长 16 ~ 25 cm，宽 2 ~ 3.5 mm，无锯齿，有软骨质的狭边，干后常略向背面反卷，仅有 1 主脉，明显，在上面凹下，在下面凸出。叶草质或纸质，两面光滑。能育羽片同不育羽片同形，先端紧缩，其上掌状深裂成 5 ~ 15 裂片；裂片长 2 ~ 4 cm，宽 1 mm 左右。孢子囊在裂片中脉两侧各排成 1 行，无毛，棕黄色，几覆盖整个裂片下面。

| **生境分布** | 生于海拔 200 m 的低丘陵干瘠砂壤土疏林下。湖北有分布。

| **功能主治** | 清热解毒。用于感冒发热，扁桃体炎，咽喉肿痛。

里白科 Gleicheniaceae 芒萁属 *Dicranopteris*

大芒萁

Dicranopteris ampla Ching et Chiu

| 药 材 名 | 大芒萁。

| 形态特征 | 植株高 1 ~ 1.5 m。根茎横走，直径 2.5 ~ 4 mm，坚硬，木质，红棕色。

叶远生；叶柄长达 80 cm，直径 3.5 ~ 5 mm，圆柱形，暗棕色，光滑，稍光亮，叶轴 3 ~ 4 回二叉分枝，顶钝，边缘具不规则的粗牙齿，除末回叶轴外，各回分枝处两侧均有 1 对托叶状的羽片，羽片长 14 ~ 23 cm，长圆状披针形，羽状深裂，末回羽片披针形或长圆形，顶渐尖，具尾头，基部上侧稍变狭，篦齿状深裂几达羽轴，裂片披针形至线形，基部上侧的数对裂片短缩为三角形，全缘，具软骨质的狭边，基部下侧具 2 托叶状羽片，线形，具钝头，边缘波状或具圆牙齿，基部羽片的基部汇合；叶近革质，上面深绿色，下面灰绿色，无毛。孢子囊群圆形，沿中脉两侧排成不规则的 2 ~ 3 列，生于每组的基部上侧。

| **生境分布** | 生于海拔 600 ~ 1 400 m 的疏林中或林缘。分布于湖北西部。

| **资源情况** | 野生资源较少。药材来源于野生。

| **采收加工** | **嫩叶**：春、夏季采收，洗净，晒干或鲜用。

| **功能主治** | 解毒，止血。

里白科 Gleicheniaceae 芒萁属 Dicranopteris

芒萁

Dicranopteris dichotoma (Thunb.) Bernh.

| 药材名 | 芒萁骨根。

| 形态特征 | 多年生草本，高 30 ~ 60 cm。根茎横走，细长，褐棕色，被棕色鳞片及根。叶远生；叶柄褐棕色，无毛；叶片重复假二歧分叉，在每一交叉处均有羽片（托叶）着生，在最后一分叉处有羽片二歧着生，羽片披针形或宽披针形，长 20 ~ 30 cm，宽 4 ~ 7 cm，先端渐尖，羽片深裂，裂片长线形，长 3.5 ~ 5 cm，宽 4 ~ 6 mm，先端渐尖，具钝头，边缘干后稍反卷；叶下白色，与羽轴、裂片轴均被棕色鳞片；细脉 2 ~ 3 次分叉，每组 3 ~ 4。孢子囊群着生于细脉中段，有孢子囊 6 ~ 8。

| 生境分布 | 生于具有强酸性土的荒坡或林缘，在砍伐后的森林或放荒后的坡地

上常形成优势群落。湖北有分布。

| 资源情况 |　野生资源丰富。药材来源于野生。

| 采收加工 |　**根茎：**全年均可采挖，洗净，晒干或鲜用。

| 功能主治 |　清热利湿，化瘀止血，止咳。

里白科 Gleicheniaceae 芒萁属 *Dicranopteris*

铁芒萁
Dicranopteris linearis (Burm.) Underw.

| 药 材 名 | 狼萁草。

| 形态特征 | 大型陆生蕨类植物,植株高 60 ~ 150 cm,蔓生。根茎横走,深棕色,幼时基部被棕色毛,后变光滑;叶轴 5 ~ 8 回二叉分枝,1 回叶轴长 13 ~ 16 cm,2 回以上的羽轴较短,末回叶轴长 3.5 ~ 6 cm;各回腋芽卵形,密被锈色毛;具苞片,苞片卵形,边缘具三角形裂片;除第 1 回分叉外,其余各回分叉处两侧均有 1 对托叶状羽片,斜向上,下部的长 12 ~ 18 cm,上部的变小,披针形或宽披针形;末回羽片与托叶状羽片相似,长 5.5 ~ 15 cm,篦齿状羽裂几达羽轴;裂片 15 ~ 40 对,披针形或线状披针形,长 10 ~ 18 mm,基部上侧的数对裂片极小,三角形,长 4 ~ 6 mm;中脉在下面凸起,侧脉斜展。

孢子囊群圆形，细小，1列，着生于基部上侧小脉的弯弓处，由5～7孢子囊组成。

| 生境分布 | 生于疏林下或向阳山坡。分布于湖北西部。

| 资源情况 | 野生资源较少。

| 采收加工 | 全年均可采收，洗净，晒干或鲜用。

| 功能主治 | 止血，接骨，清热利湿，解毒消肿。

里白科 Gleicheniaceae 里白属 Hicriopteris

里白

Hicriopteris glauca (Thunb.) Ching

| 药 材 名 | 里白。

| 形态特征 | 大型陆生蕨类，高 1 ~ 3 m。根茎横走，被宽披针形鳞片。叶远生；叶柄长 50 ~ 100 cm，腹面扁平；顶芽密被棕色披针形鳞片；羽片坚纸质，背面粉白色，幼时背面及边缘有星状毛，后毛脱落，对生，近平展，椭圆形，长 60 ~ 90 cm，2 回羽状深裂，具 1 对羽裂的叶状苞片，二回羽片 30 ~ 40 对，近对生，线状披针形，羽状深裂，长 10 ~ 17 cm，宽 1.5 ~ 2.5 cm，裂片 25 ~ 35 对，互生，狭长圆形或线状披针形，长 1 ~ 1.4 cm，宽 2 ~ 3 mm，第 1 对裂片有时具 1 小裂片；侧脉单一或二叉分枝。孢子囊群圆形，由 3 ~ 4 孢子囊组成，生于羽片背面侧脉的中部，在主脉两侧各排成 1 行。

| 生境分布 | 生于海拔 1 500 m 以下的常绿阔叶林林下、杉木林林间或沟边。分布于湖北西南部山区等。 |

| 资源情况 | 野生资源较少。药材来源于野生。 |

| 采收加工 | **根茎：**秋、冬季采收，洗净，晒干。 |

| 功能主治 | 行气止血，化瘀接骨。 |

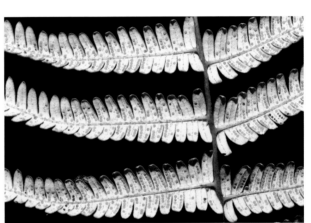

里白科 Gleicheniaceae 里白属 Hicriopteris

光里白

Hicriopteris laevissima (Christ) Ching

| **药 材 名** | 光里白。

| **形态特征** | 陆生中型蕨类植物，植株高 1 ~ 1.5 m。根茎圆柱形，横走，被暗棕色鳞片。叶柄下面圆，上面平，有沟，基部被疣状突起；叶厚纸质，下面灰绿色，由密被鳞片的顶芽两侧生出 1 对 2 回羽状深裂的羽片，或翌年顶芽发育成主轴，主轴再生出顶芽，如此形成多对羽片。羽片卵状长圆形，长 35 ~ 60 cm，中部宽达 25 cm，先端渐尖；小羽片 20 ~ 30 对，几无柄，互生，中部的最长，长达 20 cm，狭披针形，向先端长渐尖，羽状全裂；裂片 25 ~ 40 对，互生，向上斜展，长 7 ~ 13 mm，宽约 2 mm，披针形，全缘，干后内卷；侧脉分叉。孢子囊群圆形，由 4 ~ 5 孢子囊组成，在主脉两侧各排成 1 行。

| 生境分布 | 生于海拔 500 ~ 2 500 m 的山谷中阴湿处。分布于湖北西部。

| 资源情况 | 野生资源较少。

| 采收加工 | 秋、冬季采收，洗净，去除须根及叶柄，晒干。

| 功能主治 | 行气，止血，接骨。

膜蕨科 Hymenophyllaceae 蕗蕨属 Mecodium

小果蕗蕨 *Mecodium microsorum* (v. d. B.) Ching

| 药 材 名 | 小果蕗蕨。

| 形态特征 | 植株高 15 ～ 20 cm。根茎纤细，丝状，长而横走，下面疏生纤维状的根。叶远生，相距 2 ～ 3 cm；叶柄长 5 ～ 10 cm，褐色，无毛；叶片薄膜质，卵形至椭圆形，长 6 ～ 12 cm，宽 4 ～ 6 cm，4 回羽裂；羽片 10 ～ 12 对，互生，几无柄，开展，三角状披针形，先端稍向上弯，基部不对称，其下侧极偏斜，密接；一回小羽片 5 ～ 8 对，无柄，开展，三角状卵形至斜卵形；二回小羽片 3 ～ 5 对，互生，阔楔形至近扇形；末回裂片 2 ～ 4，互生，长圆状线形，先端具钝头，常有浅缺刻，全缘；叶脉叉状分枝，在两面隆起；除叶柄外，叶轴及各回羽轴均有平直的翅。孢子囊群小，多数，位于叶片上半部，

着生于各个裂片的先端。

| **生境分布** | 生于海拔 600 ~ 3 100 m 的山地密林下潮湿的岩石上。分布于湖北东部及南部。

| **资源情况** | 野生资源一般。

| **采收加工** | 夏、秋季采收，晒干或鲜用。

| **功能主治** | 清热解毒，敛疮生肌。

金毛狗脊 *Cibotium barometz* (L.) J. Sm.

| 药 材 名 | 狗脊。

| 形态特征 | 植株高大。根茎平卧，有时转为直立，短而粗壮，带木质，密被棕黄色带有金色光泽的长柔毛。叶多数，丛生成冠状，大形；叶柄粗壮，褐色，基部密被金黄色长柔毛和黄色狭长披针形鳞片；叶片卵圆形，长可达 2 m，3 回羽状分裂，下部羽片卵状披针形，长30 ~ 60 cm，宽 15 ~ 30 cm，上部羽片逐渐短小，至顶部呈狭羽尾状，小羽片线状披针形，渐尖，羽状深裂至全裂，裂片密接，狭矩圆形或近镰形，长 0.5 ~ 1 cm，宽 2 ~ 4 mm；叶亚革质，上面暗绿色，下面粉灰色，叶脉开放，不分枝。孢子囊群着生于边缘的侧脉顶上，略呈矩圆形，每裂片上 2 ~ 12，囊群盖侧裂成双唇状，棕褐色。

| 生境分布 | 生于低海拔地区的山脚沟边及林下阴处的酸性土上。分布于湖北南部。

| 资源情况 | 野生资源较少。药材来源于野生。

| 采收加工 | **根茎：**秋、冬季采挖，除去泥沙，干燥；或除去硬根、叶柄及金黄色绒毛，切厚片，干燥，为"生狗脊片"；或蒸后晒至六七成干，切厚片，干燥，为"熟狗脊片"。

| 功能主治 | 祛风湿，补肝肾，强腰膝。

姬蕨科 Dennstaedtiaceae 碗蕨属 Dennstaedtia

细毛碗蕨 *Dennstaedtia pilosella* (Hook.) Ching

| **药材名** | 细毛碗蕨。

| **形态特征** | 根茎横走或斜升，密被灰棕色长毛。叶近生或几为簇生，柄长 9 ~ 14 cm，直径约 1 mm，幼时密被灰色节状长毛，老时留下粗糙的痕，禾秆色。叶片长 10 ~ 20 cm，宽 4.5 ~ 7.5 cm，长圆状披针形，先端渐尖，二回羽状，羽片 10 ~ 14 对，下部的长 3 ~ 5 cm，宽 1.5 ~ 2.5 cm，对生或几互生，相距 1.5 ~ 2.5 cm，有具狭翅的短柄或几无柄，斜向上或略弯弓，羽状分裂或深裂；一回小羽片 6 ~ 8 对，长 1 ~ 1.7 cm，宽约 5 mm，长圆形或阔披针形，上部先生出，基部上侧 1 羽片较长，与叶轴并行，两侧浅裂，先端有 2 ~ 3 尖锯齿，基部楔形，下延和羽轴相连，小裂片先端具 1 ~ 3 小尖齿；叶脉羽

状分叉，不达齿端，每个小尖齿有小脉1，水囊不显；叶草质，干后绿色或黄绿色，两面密被灰色节状长毛；叶轴与叶柄同色，和羽轴均密被灰色节状毛。孢子囊群圆形，生于小裂片腋中；囊群盖浅碗形，绿色，有毛。

| **生境分布** | 生于海拔 200 ~ 1 500 m 的山地阴处石缝中。湖北有分布。

| **功能主治** | 祛风，清热解表。

姫蕨科 Dennstaedtiaceae 碗蕨属 Dennstaedtia

溪洞碗蕨 *Dennstaedtia wilfordii* (Moore) Christ

| 药 材 名 | 碗蕨。

| 形态特征 | 根茎细长，横走，黑色，疏被棕色长毛。叶2列疏生或近生；叶柄长约14 cm，基部黑褐色，被长毛，向上为红棕色，光滑，有光泽；叶片长约27 cm，长圆状披针形，先端渐尖或尾尖，2～3回羽状深裂，羽片12～14对，长2～6 cm，卵状阔披针形或披针形，先端渐尖或尾尖，羽柄长3～5 mm，互生，相距2～3 cm，斜向上，1～2回羽状深裂，一回小羽片长1～1.5 cm，长圆状卵形，基部楔形，下延，斜向上，羽状深裂或为粗锯齿状，末回羽片先端为2～3叉的短尖头，全缘；叶薄草质，草绿色，通体光滑无毛，叶轴上面有沟，下面圆形，禾秆色。孢子囊群圆形，生于末回羽片的腋中或上侧小裂片先端。

| 生境分布 | 生于海拔 800 ～ 2 400 m 的林下、溪边。分布于湖北西部。

| 资源情况 | 野生资源较少。药材来源于野生。

| 采收加工 | **全草**：夏、秋季采收，晒干或鲜用。

| 功能主治 | 祛风，清热解表。

姬蕨科 Dennstaedtiaceae 姬蕨属 Hypolepis

姬蕨

Hypolepis punctata (Thunb.) Mett.

| 药 材 名 | 姬蕨。

| 形 态 特 征 | 陆生蕨类，植株高达 1 m。根茎横走，粗壮，密生棕色节状长毛。叶远生；叶柄长 30 ~ 55 cm，禾秆色，基部呈棕色，有灰白色节状毛；叶片纸质，近卵形，3 ~ 4 回羽状浅裂，长 35 ~ 75 cm，宽 20 ~ 25 cm，基部圆楔形，先端渐尖，羽片 5 ~ 10 对，狭卵形或卵状披针形，第 1 对最大，长 12 ~ 20 cm，宽 4 ~ 10 cm；二回羽片 10 ~ 20 对，宽披针形或线状披针形，下部的较大，长 2.5 ~ 5 cm，宽 1.2 ~ 2 cm；末回羽片 6 ~ 8 对，长圆形，两侧有 3 ~ 4 对浅裂片，两面有灰白色节状毛；叶脉羽状，侧脉分叉。孢子囊群圆形，生于末回裂片基部两侧或上侧的近缺刻处，无囊群盖，常被略反折的裂

片边缘遮盖。

| **生境分布** | 生于海拔 500 ~ 2 300 m 的潮湿草地、林边，有时生在石隙或墙缝内。湖北有分布。

| **采收加工** | 夏、秋季采收，洗净，鲜用或晒干。

| **功能主治** | 清热解毒，收敛止血。用于烫火伤，外伤出血。

姬蕨科 Dennstaedtiaceae 鳞盖蕨属 Microlepia

边缘鳞盖蕨 *Microlepia marginata* (Houtt.) C. Chr.

| 药 材 名 |

边缘鳞盖蕨。

| 形态特征 |

植株高约 60 cm。根茎长而横走，密被锈色长柔毛。叶远生，叶柄长 20 ~ 30 cm，直径 1.5 ~ 2 mm，深禾秆色，上面有纵沟，几光滑，叶片长圆状三角形，先端渐尖，羽状深裂，一回羽状，羽片 20 ~ 25 对，基部对生，远离，上部互生，接近，平展，有短柄，披针形，近镰状，长 10 ~ 15 cm，先端渐尖，基部不等，上侧钝耳状，下侧楔形，边缘缺裂至浅裂，小裂片三角形，具圆头或急尖，偏斜，全缘，上部各羽片渐短，无柄；侧脉明显，在裂片上为羽状，2 ~ 3 对；叶纸质，上面绿色，下面灰绿色，叶轴密被锈色开展的硬毛，叶下面各脉及囊群盖被疏毛，叶上面也多少有毛。孢子囊群圆形，每小裂片上 1 ~ 6，囊群盖杯形，棕色，坚实，被短硬毛。

| 生境分布 |

生于海拔 300 ~ 1 800 m 的常绿阔叶林灌丛中、竹林下或山沟阴湿处。湖北各地均有分布。

| 资源情况 | 野生资源丰富。

| 采收加工 | 夏、秋季采收，洗净，鲜用或晒干。

| 功能主治 | 清热解毒，祛风活络。

凤尾蕨科 Pteridaceae 凤尾蕨属 Pteris

凤尾蕨

Pteris cretica L. var. *nervosa* (Thunb.) Ching et S. H. Wu

| 药 材 名 |

井口边草。

| 形 态 特 征 |

陆生蕨类，高 50 ～ 100 cm。根茎短，横走，密被棕色披针形鳞片。叶纸质，密生，二型。营养叶叶柄长 12 ～ 35 cm，光滑，禾秆色，有时下部带红棕色；叶片卵形或卵圆形，长 20 ～ 40 cm，宽 15 ～ 25 cm，基部圆楔形，先端尾状，奇数一回羽状，侧生羽片 2 ～ 5 对，线形，长 12 ～ 20 cm，最下部羽片有柄，基部常为二叉状深裂，边缘有刺状锯齿；叶脉羽状，侧脉二叉状或不分叉。孢子叶较大，叶柄长 30 ～ 50 cm；叶片卵圆形，长 25 ～ 40 cm，一回羽状，中部以下的羽片通常分叉，侧生羽片 2 ～ 5 对，线形，长 15 ～ 20 cm，近先端营养部分有尖齿。孢子囊群生于羽片边缘；囊群盖线形，膜质，全缘，灰白色。

| 生 境 分 布 |

生于海拔 2 000 m 以下的阴湿处或石灰岩缝隙中。湖北有分布。

| **资源情况** | 野生资源丰富。药材来源于野生。

| **采收加工** | **全草**：全年均可采收，洗净，晒干。

| **功能主治** | 清热利湿，止血生肌，消肿解毒。

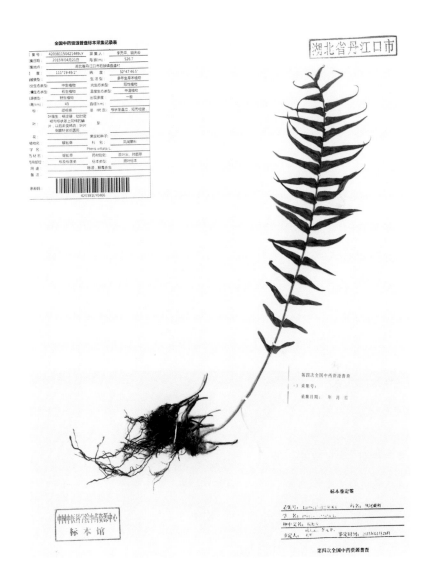

凤尾蕨科 Pteridaceae 凤尾蕨属 *Pteris*

岩凤尾蕨 *Pteris deltodon* Baker

| 药 材 名 | 岩凤尾蕨。

| 形态特征 | 陆生小型蕨类，高 15 ～ 30 cm。根茎短而横生，密生棕黑色钻形鳞片。叶纸质或薄革质，密生，一型；叶柄长 8 ～ 16 cm，禾秆色，基部棕色；叶片卵形或卵状三角形，长 7 ～ 20 cm，宽 4 ～ 7 cm，奇数 1 回羽状分裂，羽片 3 ～ 5 对，顶生羽片最大，有短柄，长 5 ～ 9 cm，宽 1.5 ～ 2.5 cm，无毛，侧生羽片较短，无柄，向上弯弓形、具渐尖头，上部营养叶的边缘有三角形密锯齿；叶脉羽状，侧脉单一或分叉。孢子囊群线形，生于羽片边缘的脉上；囊群盖线形，膜质，灰白色，全缘。

| 生境分布 | 生于海拔 600 ～ 1 200 m 的背阴干燥的钙质土或石灰岩上。分布于

湖北西部。

| 资源情况 | 野生资源较少。药材来源于野生。

| 采收加工 | **全草：** 全年均可采收，鲜用或晒干。

| 功能主治 | 清热利湿，敛肺止咳，定惊，解毒。

凤尾蕨科 Pteridaceae 凤尾蕨属 Pteris

刺齿半边旗
Pteris dispar Kunze

| 药 材 名 | 刺齿半边旗。

| 形态特征 | 陆生、多年生蕨类植物，植株高 30 ~ 80 cm。根茎短而横生，密生棕色披针形鳞片。叶草质，密生，二型；营养叶叶柄栗色至栗褐色，长 8 ~ 12 cm，具 3 ~ 4 棱，光滑，仅在基部有棕色线形鳞片，叶轴及羽轴两侧隆起的狭边上有短刺；叶片长圆形至长圆状披针形，长 15 ~ 40 cm，宽 6 ~ 15 cm，先端尾状，2 回奇数深羽裂或 2 回半边深羽裂；侧生羽片 4 ~ 6 对，柄极短，羽片三角状披针形或三角形，基部偏斜，先端尾状，羽裂几达羽轴，第 1 对最大，长 5 ~ 8 cm，宽 2 ~ 3 cm；裂片 4 ~ 9，长圆形或狭长圆形，仅营养叶顶部有刺尖锯齿；侧脉分叉，小脉伸于锯齿内。孢子叶与营养叶相似

而较长，叶片狭卵形；侧生羽片 5 ~ 7 对，裂片先端渐尖；孢子囊群线形，生于羽片边缘的小脉上，仅顶部不育；囊群盖线形，膜质，灰绿色，全缘。

| 生境分布 | 生于海拔 400 ~ 950 m 的阔叶林中或疏林下。湖北有分布。

| 采收加工 | 全年均可采收，鲜用或晒干。

| 功能主治 | 清热解毒，凉血祛瘀。用于痢疾，泄泻，疟腮，风湿痹痛，跌打损伤，痈疮肿毒，毒蛇咬伤。

凤尾蕨科 Pteridaceae 凤尾蕨属 Pteris

剑叶凤尾蕨 *Pteris ensiformis* Burm.

| 药 材 名 | 凤冠草。

| 形态特征 | 植株高 30 ~ 50 cm。根茎细长，斜升或横卧，直径 4 ~ 5 mm，被黑褐色鳞片。叶密生，二型；叶柄长 10 ~ 30 cm，直径 1.5 ~ 2 mm，与叶轴同为禾秆色，有光泽，光滑；叶片长圆状卵形，长 10 ~ 25 cm（不育叶远比孢子叶短），宽 5 ~ 15 cm，羽状，羽片 3 ~ 6 对，对生，稍斜向上，上部的无柄，下部的有短柄，不育叶的下部羽片三角形，具尖头，长 2.5 ~ 3.5 cm，常为羽状，小羽片 2 ~ 3 对，对生，密接，无柄，斜展，长圆状倒卵形至阔披针形，先端钝圆，基部下侧下延，下部全缘，上部及先端有尖齿，孢子叶的羽片疏离，通常为 2 ~ 3 叉，中央的分叉最长，顶生羽片基部不下延，下部 2 对羽片有时为羽状，小羽片 2 ~ 3 对，向上，狭线形，先端渐尖，

基部下侧下延，先端不育的叶缘有密尖齿，余均全缘，主脉禾秆色，在下面隆起，侧脉密接，通常分叉；叶草质，灰绿色至褐绿色。

| **生境分布** | 生于海拔 150 ~ 1 000 m 的溪边、草地或灌木林下。分布于湖北西部。

| **资源情况** | 野生资源较少。药材来源于野生。

| **采收加工** | **根茎：**全年均可采收，洗净，鲜用或晒干。

| **功能主治** | 清热利湿，凉血止血，解毒消肿。

凤尾蕨科 Pteridaceae 凤尾蕨属 Pteris

溪边凤尾蕨 *Pteris excelsa* Gaud.

| 药 材 名 |

溪边凤尾草。

| 形态特征 |

植株高达 180 cm。根茎短而直立，木质，直径达 2 cm，先端被黑褐色鳞片。叶簇生，叶柄坚硬，粗壮，暗褐色，向上为禾秆色，稍有光泽，无毛；叶片阔三角形，长60 ~ 120 cm 或更长，下部宽 40 ~ 90 cm，2 回深羽裂，顶生羽片长圆状阔披针形，长20 ~ 30 cm 或更长，下部宽 7 ~ 12 cm，向上渐狭，先端渐尖并为尾状，篦齿状深羽裂几达羽轴，裂片 20 ~ 25 对，互生，镰状长披针形，先端渐尖，基部稍扩大，下侧下延，顶部不育叶缘有浅锯齿，侧生羽片5 ~ 10 对，互生或近对生，下部的羽片相距 10 ~ 15 cm，有短柄，基部 1 对最大，上部的羽片较小，无柄；羽轴在下面隆起，禾秆色，无毛，上面有浅纵沟，沟两旁具粗刺；侧脉仅在下面可见，稀疏，斜展，通常2 叉；叶草质，暗绿色，无毛，叶轴禾秆色，上面有纵沟。

| 生境分布 |

生于海拔 600 ~ 2 700 m 的溪边疏林下或灌

丛中。分布于湖北神农架。

| **资源情况** | 野生资源较少。

| **采收加工** | 全年均可采收，除去须根和茎，洗净，晒干。

| **功能主治** | 清热解毒。

凤尾蕨科 Pteridaceae 凤尾蕨属 Pteris

狭叶凤尾蕨 *Pteris henryi* Christ

药材名

片鸡尾草。

形态特征

植株高 30 ~ 50 cm。根茎短，斜出，直径约 1 cm，先端被黑褐色鳞片。叶簇生，一型或略呈二型，不育叶短于能育叶；叶柄长 15 ~ 20 cm（不育叶的柄稍短），基部直径 1 ~ 2 mm，浅禾秆色，光滑或略粗糙，无毛，有 4 棱；叶片长圆状卵形，长 20 ~ 30 cm，宽 10 ~ 15 cm，一回羽状，羽片 2 ~ 6 对，对生，下部的相距 5 ~ 7 cm，极斜向上，基部 1 对有短柄，通常 3 ~ 4 叉，向上的无柄，通常 2 ~ 4 叉，顶生羽片 2 ~ 3 叉，偶单一而具短柄，裂片狭线形，先端长渐尖，基部阔楔形而稍偏斜；孢子叶全缘，不育叶边缘有浅锐锯齿；主脉在两面均隆起，浅禾秆色，侧脉在两面均明显；叶纸质，灰绿色。孢子囊群狭线形，囊群盖线形，棕色，膜质，全缘。

生境分布

生于海拔 400 ~ 2 000 m 的石灰岩缝隙中。分布于湖北西南部。

| **资源情况** | 野生资源较少。药材来源于野生。

| **采收加工** | **全草**：全年均可采收，洗净，鲜用或晒干。

| **功能主治** | 清热解毒，敛疮止血，利湿。

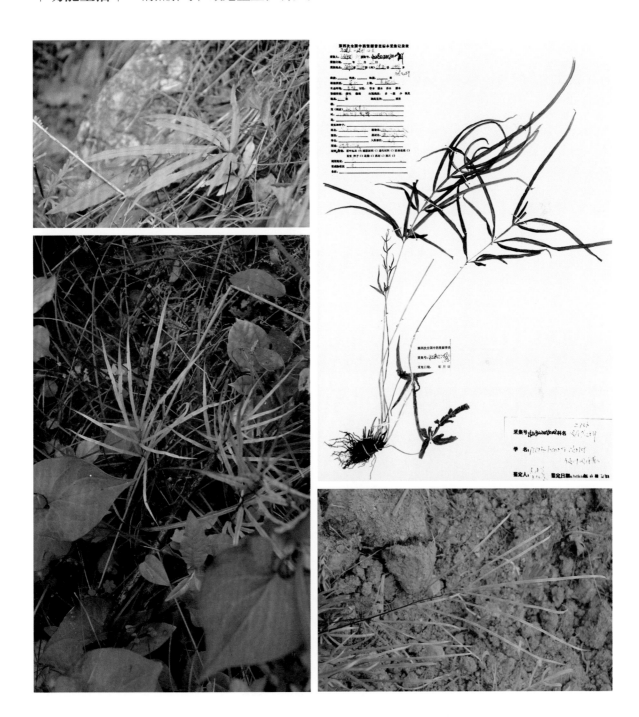

凤尾蕨科 Pteridaceae 凤尾蕨属 Pteris

井栏边草

Pteris multifida Poir.

| 药 材 名 | 凤尾草。

| 形态特征 | 植株高 30 ~ 45 cm。根茎短而直立，直径 1 ~ 1.5 cm，先端被黑褐色鳞片。叶多数，密而簇生，二型；不育叶柄长 15 ~ 25 cm，直径 1.5 ~ 2 mm，禾秆色，稍有光泽；叶片卵状长圆形，长 20 ~ 40 cm，一回羽状，羽片通常 3 对，对生，线状披针形，先端渐尖，叶缘有不整齐的尖锯齿及软骨质边，下部 1 ~ 2 对羽片通常分叉，有时近羽状，顶生 3 叉羽片及上部羽片的基部显著下延，在叶轴两侧形成狭翅；孢子叶有较长的柄，羽片 4 ~ 6 对，狭线形，仅不育部分具锯齿，余均全缘，基部 1 对有时近羽状，下部 2 ~ 3 对通常 2 ~ 3 叉，上部几对的基部下延，在叶轴两侧形成翅；主脉在两面隆起；叶草质，暗绿色。

| **生境分布** | 生于海拔 800 m 以下的石灰岩缝隙内或墙缝、井边。湖北有分布。 |

| **资源情况** | 野生资源丰富。药材来源于野生。 |

| **采收加工** | **全草**：全年均可采收，洗净，晒干。 |

| **功能主治** | 清热利湿，凉血止血，消肿解毒。 |

凤尾蕨科 Pteridaceae 凤尾蕨属 Pteris

半边旗
Pteris semipinnata L.

| 药 材 名 | 半边旗。

| 形态特征 | 植株高 35 ~ 80 cm。根茎长而横走，直径 1 ~ 1.5 cm，先端及叶柄基部被褐色鳞片。叶簇生，近一型；叶柄长 15 ~ 55 cm，直径 1.5 ~ 3 mm，栗红色，光滑；叶片长圆状披针形，长 15 ~ 40 cm，2 回半边深裂，顶生羽片阔披针形至长三角形，先端尾尖，篦齿状，深羽裂几达叶轴，裂片 6 ~ 12 对，对生，开展，镰状阔披针形，长 2.5 ~ 5 cm，向上渐短，先端短渐尖，基部下侧为倒三角形的阔翅，沿叶轴下延达下 1 对裂片，侧生羽片 4 ~ 7 对，对生或近对生，开展，下部的有短柄，向上无柄，半三角形而略呈镰状，长 5 ~ 10 cm；不育裂片的叶有尖锯齿，能育裂片仅先端有 1 尖刺或 2 ~ 3 尖锯齿；叶草质，灰绿色。

| **生境分布** | 生于海拔 850 m 以下的林下或石上。分布于湖北西南部。

| **资源情况** | 野生资源较少。药材来源于野生。

| **采收加工** | **根茎**：全年均可采收，除去须根和茎，洗净，晒干。

| **功能主治** | 清热利湿，凉血止血，解毒消肿。

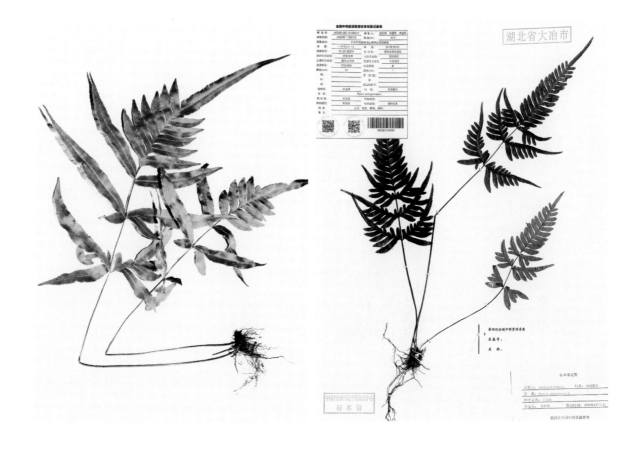

蜈蚣草 *Pteris vittata* L.

| 药 材 名 |

蜈蚣草。

| 形态特征 |

植株高 20 ~ 150 cm。根茎直立，短而粗健，直径 2 ~ 2.5 cm，木质，被蓬松的黄褐色鳞片。叶簇生；叶柄坚硬，长 10 ~ 30 cm 或更长，深禾秆色至浅褐色，幼时密被与根茎上同样的鳞片，以后鳞片渐变稀疏；叶片倒披针状长圆形，长 20 ~ 90 cm，一回羽状，顶生羽片与侧生羽片同形，侧生羽片多数，互生或近对生，下部羽片较疏离，斜展，无柄，向下羽片逐渐缩短，基部羽片仅为耳形，中部羽片最长，狭线形，各羽片间的间隔为 1 ~ 1.5 cm，不育的叶缘有微细而均匀的密锯齿；主脉下面隆起并为浅禾秆色，侧脉纤细，单一或分叉；叶薄革质，暗绿色；叶轴禾秆色，疏被鳞片。

| 生境分布 |

生于海拔 2 000 ~ 3 100 m 的空旷钙质土或石灰岩上。湖北有分布。

| 资源情况 |

野生资源一般。药材来源于野生。

| **采收加工** | **根茎**：全年均可采收，洗净，鲜用或晒干。

| **功能主治** | 祛风除湿，舒筋活络，解毒杀虫。

中国蕨科 Sinopteridaceae 粉背蕨属 Aleuritopteris

银粉背蕨

Aleuritopteris argentea (S. G. Gmel.) Fée

| 药 材 名 | 银粉背蕨。

| 形态特征 | 植株高 15 ~ 30 cm。根茎直立或斜升（偶有沿石缝横走），先端被披针形、棕色、有光泽的鳞片。叶簇生；叶柄长 10 ~ 20 cm，直径约 7 mm，红棕色，有光泽，上部光滑，基部疏被棕色披针形鳞片；叶片五角形，长、宽几相等，均为 5 ~ 7 cm，先端渐尖，羽片 3 ~ 5 对，基部 3 回羽裂，中部 2 回羽裂，上部 1 回羽裂，基部 1 对羽片直角三角形，长 3 ~ 5 cm，宽 2 ~ 4 cm，水平开展或斜向上，基部上侧与叶轴合生，下侧不下延，小羽片 3 ~ 4 对，以圆缺刻分开，基部以狭翅相连，基部下侧 1 小羽片最大，长 2 ~ 2.5 cm，宽 0.5 ~ 1 cm，长圆状披针形，先端长渐尖，有裂片 3 ~ 4 对，裂片三角形或镰形，基部 1 对较短，羽轴上侧小羽片较短，不分裂，长

仅 1 cm 左右，第 2 对羽片为不整齐的 1 回羽裂，披针形，基部下延成楔形，往往与基部 1 对羽片汇合，先端长渐尖，有不整齐的裂片 3 ~ 4 对，裂片三角形或镰形，以圆缺刻分开，自第 2 对羽片向上渐次缩短；叶干后草质或薄革质，上面褐色、光滑，叶脉不明显，下面被乳白色或淡黄色粉末，裂片边缘有明显而均匀的细牙齿。孢子囊群较多；囊群盖连续，狭膜质，黄绿色，全缘，孢子极面观为钝三角形，周壁表面具颗粒状纹饰。

| 生境分布 | 生于海拔 2 400 ~ 3 100 m 的林下岩石上。分布于湖北房县、丹江口、神农架，以及宜昌等地。

| 采收加工 | **全草：**春、秋季采收，除去须根及泥土，晒干或鲜用。

| 功能主治 | 活血调经，补虚止咳。用于月经不调，闭经腹痛，肺结核咳嗽，咯血。

中国蕨科 Sinopteridaceae 粉背蕨属 Aleuritopteris

陕西粉背蕨
Aleuritopteris shensiensis Ching

| 药 材 名 |

陕西粉背蕨。

| 形态特征 |

植株高 15 ～ 35 cm。根茎短而直立，密被鳞片，鳞片中间亮褐色，边缘为有棕色狭边的披针形。叶簇生，叶柄长 8 ～ 25 cm，直径 0.1 ～ 0.2 cm，栗红色，有光泽，光滑，基部疏生鳞片；叶片五角形，尾状长渐尖，长、宽几相等，均 6 ～ 12 cm，基部 3 回羽裂，中部 2 回羽裂，顶部 1 回羽裂，分裂度细；侧生羽片 4 ～ 6 对，对生或近对生；基部 1 对羽片最大，近三角形，先端尾状长渐尖，基部与叶轴合生，无柄，基部下侧 1 ～ 2 小羽片宽披针形，长 3 ～ 5 cm，宽 1 ～ 2 cm，1 回羽裂，有裂片 4 ～ 5 对，彼此以阔翅间隔分开；第 3 小羽片分裂或不分裂，较基部 1 对小羽片短而狭；第 2 对羽片宽披针形，先端长尾尖，基部与叶轴合生，以阔翅沿叶轴下延，有不整齐的裂片 4 ～ 5 对，裂片镰形，先端钝尖，长 1 cm，宽 2 mm；第 2 对以上羽片偶为不整齐的羽裂，裂片大都为镰形，向顶部逐渐缩短；叶干后纸质或薄革质，叶脉不显，上面光滑，下面无粉末；羽轴、小羽轴与叶轴同色，末回裂片全缘或具

微齿。孢子囊群线形或圆形，周壁疏具颗粒状纹饰。

| **生境分布** | 生于海拔 700 m 的石缝中。分布于湖北神农架。

| **功能主治** | **全草**：活血调经，补虚止咳。用于月经不调，经闭腹痛，赤白带下，肺痨咳嗽，咯血。

中国蕨科 Sinopteridaceae 碎米蕨属 *Cheilanthes*

中华隐囊蕨 *Cheilanthes chinensis* (Baker) Domin

| 药 材 名 |　中华隐囊蕨。

| 形态特征 |　植株高（6～）10～25 cm。根茎横走，直径约 3 mm，密被鳞片，鳞片小，钻状披针形，下部深栗色，上部棕色。叶远生或近生；叶

柄长（2～）3～6 cm；叶片长圆状披针形或披针形，二回羽状或 2 回羽裂，羽片 10～20 对，彼此密接，基部 1 对最大，长 2～4 cm，基部宽 1.5～2.5 cm，三角形，具短尾头或钝尖头，基部不等，上侧与叶轴并行，下侧斜出，几无柄，距上 1 对 1～2.5 cm，略向上弯弓，羽裂几达羽轴，裂片 5～8 对，下侧下部 2～4 裂片远较上侧的长，长 1～2 cm（上侧的长 5～10 mm），宽 3～4 mm，线形，具钝头，全缘或下部 1～2 有三角形浅裂片，第 2 对羽片向上略渐缩短，三角形至阔披针形，具尾头或钝头，羽裂至圆齿状，顶部羽片全缘；叶脉羽状分叉，不易见；叶纸质，柔软，干后上面褐绿色，疏被淡棕色柔毛，下面密被棕黄色厚绒毛。孢子囊群生于小脉先端，由少数孢子囊组成，隐没于绒毛中，成熟时略可见。

| 生境分布 |　生于海拔约 2 800 m 的石灰岩缝隙中。分布于湖北西部。

| 功能主治 |　解毒收敛。用于痢疾。

中国蕨科 Sinopteridaceae 碎米蕨属 Cheilanthes

毛轴碎米蕨
Cheilanthes chusana Hook.

| **药 材 名** | 毛轴碎米蕨。

| **形态特征** | 植株高 10 ~ 30 cm。根茎短而直立，被栗黑色披针形鳞片。叶簇生；叶柄长 2 ~ 5 cm，亮栗色，密被红棕色披针形和钻状披针形鳞片以及少数短毛，向上直到叶轴上面有纵沟，沟两侧有隆起的锐边，其上有棕色粗短毛；叶片长 8 ~ 25 cm，中部宽（2 ~ ）4 ~ 6 cm，披针形，具短渐尖头，向基部略变狭，2 回羽状全裂，羽片 10 ~ 20 对，斜展，几无柄，中部羽片最大，长 1.5 ~ 3.5 cm，基部宽 1 ~ 1.5 cm，三角状披针形，先端短尖或钝，基部上侧与羽轴并行，下侧斜出，深羽裂，裂片长圆形或长舌形，无柄，或基部下延而有狭翅相连，具钝头，边缘有圆齿，下部羽片略渐缩短，彼此疏离，有阔的间隔，基部 1 对三角形；叶脉在裂片上羽状，单一或分叉，极斜向上，在

两面不明显；叶干后草质，绿色或棕绿色，两面无毛，羽轴下面下半部栗色，上半部绿色。孢子囊群圆形，生于小脉先端，位于裂片的圆齿上，每齿 1 ~ 2；囊群盖椭圆状肾形或圆肾形，黄绿色，宿存，彼此分离。

| **生境分布** | 生于海拔 120 ~ 830 m 的路边、林下或溪边石缝中。分布于湖北兴山、崇阳、巴东、鹤峰、神农架等地。

| **功能主治** | 止泻利尿，清热解毒，止血散血。用于痢疾，淋痛，喉痛，蛇咬伤，痈疖肿疡。

野雉尾金粉蕨

Onychium japonicum (Thunb.) Kuntze

| 药 材 名 | 野雉尾金粉蕨。

| 形态特征 | 植株高约 60 cm。根茎长而横走，直径约 3 mm，疏被鳞片，鳞片棕色或红棕色，披针形，筛孔明显。叶散生；叶柄长 2 ~ 30 cm，基部褐棕色，略有鳞片，向上禾秆色（有时下部略饰有棕色），光滑；叶片几和叶柄等长，宽约 10 cm 或更宽，卵状三角形或卵状披针形，具渐尖头，4 回羽状细裂，羽片 12 ~ 15 对，互生，柄长 1 ~ 2 cm，基部 1 对羽片最大，长 9 ~ 17 cm，宽 5 ~ 6 cm，长圆状披针形或三角状披针形，先端渐尖，并具羽裂尾头，3 回羽裂，各回小羽片彼此接近，均为上先出，照例基部 1 对最大，末回能育小羽片或裂片长 5 ~ 7 mm，宽 1.5 ~ 2 mm，线状披针形，有不育的急尖头，末回不育裂片短而狭，线形或短披针形，具短尖头；叶轴和各回羽

轴上面有浅沟，浅沟在下面凸起，不育裂片仅有 1 中脉，能育裂片的斜上侧脉
与叶缘的边脉汇合；叶干后坚草质或纸质，灰绿色或绿色，遍体无毛。孢子囊
群长（3 ~ ）5 ~ 6 mm；囊群盖线形或短长圆形，膜质，灰白色，全缘。

| 生境分布 | 生于海拔 50 ~ 2 200 m 的林下沟边或溪边石上。分布于湖北武昌、阳新、竹溪、丹江口、兴山、罗田、通山、恩施、利川、巴东、宣恩、鹤峰、神农架等地。

| 采收加工 | **全草**：夏、秋季采收全草或割取叶片，鲜用或晒干。

| 功能主治 | 清热解毒，止血，利湿。用于跌打损伤，烫火伤，药物中毒，外感风热，咽喉痛，吐血，便血。

中国蕨科 Sinopteridaceae 金粉蕨属 Onychium

湖北金粉蕨 Onychium moupinense Ching var. ipii (Ching) K. H. Shing

| 药 材 名 | 湖北金粉蕨。

| 形态特征 | 植株高 20 ~ 70 cm 或更高，细长。根茎细长，横走，疏被深棕色披针形鳞片。叶近生，不为二型；叶柄纤细，禾秆色，光滑；裂片较短。

孢子囊群几达裂片先端或仅露出极短的不育尖头。

| **生境分布** | 生于海拔 1 060 m 的阴湿处。分布于湖北谷城。

| **功能主治** | 清热解毒。

凤尾旱蕨 *Pellaea paupercula* (Christ) Ching

| 药 材 名 | 凤尾旱蕨。

| 形 态 特 征 | 植株高 10 ~ 35 cm。根茎短而直立，密被鳞片；鳞片厚而硬，亮黑色，有棕色狭边，披针形。叶簇生，近二型；柄长 5 ~ 22 cm，基部棕禾秆色，密被棕色纤维状软鳞片，向上为禾秆色，疏被鳞片，幼时上面有狭纵沟，沟两旁圆形隆起，多年生的叶柄圆柱形，无沟；能育叶片长圆形，长 5 ~ 15 cm，宽 3 ~ 10 cm，具尾头，中部以下二回羽状，上部一回羽状；羽片 3 ~ 7 对，斜上，中部以下的长 3 ~ 7 cm，宽 2 ~ 4 cm，卵状三角形，尾头有极短的柄，羽状深裂达羽轴的狭翅；裂片 2 ~ 3 对，羽轴下侧的裂片比上侧的裂片长，基部 1 裂片尤长，裂片和叶片顶部的羽片均为线形，宽 2 ~ 3 mm，具尖头；

不育叶较能育叶短，裂片或顶部羽片长圆形或阔线形，宽 5 ~ 6 mm，边缘有重浅圆齿；叶脉两面不显，侧脉 2 ~ 3 叉，斜上，不达叶边；叶干后草质，灰褐绿色，两面无毛，叶轴禾秆色，下面圆形，上面有狭沟，沟两旁有圆形隆起的边，密被短毛及 1 ~ 2 棕色鳞毛，羽轴下面和叶轴同色，圆形，上面灰绿色，有浅沟。孢子囊群着生于能育叶的小脉先端；囊群盖淡棕色，连续，由叶边从小脉先端以下处反折而成，反折处向下形成一稍隆起的绿色边沿，盖缘啮蚀状。

| 生境分布 | 生于海拔 1 340 ~ 2 860 m 的干旱河谷石缝。湖北有分布。

| 功能主治 | **全草**：清热利湿，凉血解毒，止泻，强筋活络。用于痢疾，泄泻。

铁线蕨科 Adiantaceae 铁线蕨属 Adiantum

毛足铁线蕨 *Adiantum bonatianum* Brause.

| 药 材 名 | 毛足铁线蕨。

| 形态特征 | 植株高 25 ~ 60 cm。根茎细长横走，被黑色披针形鳞片和棕色、多细胞的长茸毛。叶近生，柄长 10 ~ 20 cm，直径 1 ~ 2 mm，紫黑褐色，有光泽，基部密被与根茎相同的鳞片和多细胞的长茸毛，但干后易被擦落，在叶柄表皮上留下小疣状突起，有粗糙感，向上光滑；叶片阔卵形，长 20 ~ 40 cm，宽 15 ~ 25 cm，具渐尖头，基部圆楔形，三至四回羽状；羽片 5 ~ 7 对，互生，斜展，有长约 1 cm 的柄，基部 1 ~ 2 对羽片最大，长 8 ~ 18 cm，宽 4 ~ 9 cm，三角状卵形，二至三回羽状；一回小羽片 5 ~ 6 对，互生，斜展，有柄，基部的小羽片较大，长 3 ~ 5 cm，宽 2 ~ 3.5 cm，长卵形，具圆钝

头，各对小羽片相距 1.4 ~ 4 cm，向上渐变小；末回小羽片二至四出，互生，相距 2 ~ 5 mm，彼此接近且略重叠，扇形，长 5 ~ 9 mm，顶部宽 4 ~ 11 mm，顶部圆形，具匀密短阔的三角形锯齿，其先端具有软骨质、往往歪倒的长芒刺，两侧全缘，基部为对称的阔楔形，具栗红色、长约 1 mm 的短柄，细如发丝，顶生的末回小羽片与其下的同大或稍大；叶脉多回二歧分叉，直达锯齿尖端，在两面明显；叶干后薄草质，草绿色，两面均无毛；叶轴及各回羽轴均与叶柄同色，有光泽，光滑无毛。孢子囊群每羽片 1 ~ 4；囊群盖圆形或圆肾形，前缘呈深缺刻状，褐色，膜质，全缘，宿存。孢子周壁具不明显的颗粒状纹饰，处理后常存。

| **生境分布** | 生于海拔 1 700 ~ 2 500 m 的林下微酸性的湿润土中。湖北有分布。

| **采收加工** | 夏、秋季采收，晒干。

| **功能主治** | 清热解毒，利尿通淋。用于痢疾，尿路感染，白浊，乳腺炎。

铁线蕨科 Adiantaceae 铁线蕨属 Adiantum

团羽铁线蕨

Adiantum capillus-junonis Rupr.

| 药 材 名 | 团扇铁线蕨。

| 形态特征 | 植株高 8 ~ 15 cm。根茎短而直立，被褐色披针形鳞片。叶簇生；叶柄长 2 ~ 6 cm，直径约 0.5 cm，纤细如铁丝，深栗色，有光泽，基部被与根茎上同样的鳞片，向上光滑；叶片披针形，长 8 ~ 15 cm，宽 2.5 ~ 3.5 cm，奇数一回羽状，羽片 4 ~ 8 对，下部的对生，上部的近对生，斜向上，具明显的柄（长约 3 cm），柄端具关节，羽片干后易从柄端脱落而柄宿存，2 对羽片相距 1.5 ~ 2 cm，彼此疏离，下部数对羽片大小几相等，长 1.1 ~ 1.6 cm，宽 1.5 ~ 2 cm，团扇形或近圆形，基部对称，圆楔形或圆形，两侧全缘，上缘圆形，能育羽片具 2 ~ 5 浅缺刻，不育部分具细牙齿，不育羽片上缘具细牙齿，上部羽片、顶生羽片均与下部羽片同形而略小；叶脉多回二

歧分叉，直达叶边，在两面均明显；叶干后膜质，草绿色，两面均无毛；羽轴及羽柄均为栗色，有光泽，叶轴先端常延伸成鞭状，能着地生根，行无性繁殖。孢子囊群每羽片 1 ~ 5；囊群盖长圆形或肾形，上缘平直，纸质，棕色，宿存。孢子周壁具粗颗粒状纹饰，处理后常保存。

| 生境分布 | 生于海拔 300 ~ 2 500 m 的湿润石灰岩下、阴湿墙壁基部石缝中或背阴湿润的白垩土上。分布于湖北秭归。

| 功能主治 | 清热解毒，利尿，舒筋活血，补肾壮阳，止咳化痰。用于急性肠炎，干咳，哺乳期乳腺炎，颈部淋巴结结核，血淋，遗精，蜈蚣咬伤。

铁线蕨
Adiantum capillus-veneris L.

| 药 材 名 | 铁线蕨。

| 形态特征 | 植株高 15 ~ 40 cm。根茎细长，横走，密被棕色披针形鳞片。叶远生或近生；叶柄长 5 ~ 20 cm，直径约 1 mm，纤细，栗黑色，有光泽，基部被与根茎上同样的鳞片，向上光滑；叶片卵状三角形，长 10 ~ 25 cm，宽 8 ~ 16 cm，具尖头，基部楔形，中部以下多为二回羽状，中部以上为一回奇数羽状，羽片 3 ~ 5 对，互生，斜向上，有柄（长可达 1.5 cm），基部 1 对较大，长 4.5 ~ 9 cm，宽 2.5 ~ 4 cm，长圆状卵形，具圆钝头，一回（少二回）奇数羽状，侧生末回小羽片 2 ~ 4 对，互生，斜向上，相距 6 ~ 15 mm，大小几相等或基部 1 对略大，呈对称或不对称的斜扇形或近斜方形，长 1.2 ~ 2 cm，宽 1 ~ 1.5 cm，上缘圆形，2 ~ 4 浅裂或深裂成条状的裂片，不育

裂片先端钝圆形，具阔三角形的小锯齿或啮蚀状小齿，能育裂片先端截形、直或略下陷，全缘或两侧具啮蚀状小齿，两侧全缘，基部渐狭成偏斜的阔楔形，具纤细、栗黑色的短柄（长 1 ~ 2 mm），顶生小羽片扇形，基部为狭楔形，往往大于其下的侧生小羽片，柄长可达 1 cm，第 2 对羽片距基部 1 对 2.5 ~ 5 cm，向上各对均与基部 1 对羽片同形而渐变小；叶脉多回二歧分叉，直达边缘，在两面均明显；叶干后薄草质，草绿色或褐绿色，两面均无毛；叶轴、各回羽轴和小羽柄均与叶柄同色，往往略向左右曲折。孢子囊群每羽片 3 ~ 10，横生于能育的末回小羽片上缘；囊群盖长形、长肾形或圆肾形，上缘平直，淡黄绿色，老时棕色，膜质，全缘，宿存。孢子周壁具粗颗粒状纹饰，处理后常保存。

| **生境分布** | 生于海拔 100 ~ 2 800 m 的流水溪旁石灰岩上或石灰岩洞底和滴水岩壁上。分布于湖北房县、兴山、五峰、谷城、恩施、宣恩、鹤峰、神农架。

| **资源情况** | 野生资源丰富。

| **采收加工** | **全草**：全年均可采收，洗净，晒干切段或鲜用。

| **功能主治** | 清热利湿，消肿解毒，止咳平喘，利尿通淋。用于淋巴结结核，乳腺炎，痢疾，蛇咬伤，肺热咳嗽，吐血，血崩，产后血瘀，尿路感染及结石，上呼吸道感染等。

铁线蕨科 Adiantaceae 铁线蕨属 *Adiantum*

鞭叶铁线蕨 *Adiantum caudatum* L.

| 药 材 名 | 鞭叶铁线蕨。

| 形态特征 | 植株高 15 ~ 40 cm。根茎短而直立，被深栗色、披针形、全缘的鳞片。叶簇生；柄长约 6 cm，栗色，密被褐色或棕色多细胞的硬毛；叶片披针形，长 15 ~ 30 cm，宽 2 ~ 4 cm，向基部略变狭，一回羽状；羽片 28 ~ 32 对，互生，或下部的羽片近对生，平展或略斜展，基部常反折下斜，相距 5 ~ 8 mm；下部的羽片逐渐缩小，中部羽片半开式，长 1 ~ 2 cm，宽 6 ~ 10 mm，近长圆形，上缘及外缘深裂或条裂成许多狭裂片，下缘几通直而全缘，基部不对称，上侧截形；裂片线形，先端平截，全缘，上部再撕裂为线形的细裂片，细裂片先端平截并具少数牙齿，上部羽片与下部羽片同形，但向顶部逐渐

变小，几无柄；叶脉多回二叉分枝，两面可见；叶干后纸质，褐绿色或棕绿色，两面均疏被棕色多细胞长硬毛和密而短的柔毛；叶轴与叶柄同色，并疏被同样的毛，老时部分毛脱落，先端常延长成鞭状，能着地生根，行无性繁殖。孢子囊群每羽片 5 ~ 12，囊群盖圆形或长圆形，褐色，被毛，上缘平直，全缘，宿存；孢子周壁具粗粒状纹饰，处理后周壁破裂，但不脱落。

| 生境分布 |　生于海拔 100 ~ 1 200 m 的林下或山谷石上及石缝中。分布于湖北兴山。

| 采收加工 |　**全草：**夏、秋季采收，洗净，晒干。

| 功能主治 |　清热解毒，利水消肿。用于痢疾，水肿，小便淋浊，乳痈，烫火伤，毒蛇咬伤，口腔溃疡。

铁线蕨科 Adiantaceae 铁线蕨属 Adiantum

肾盖铁线蕨 *Adiantum erythrochlamys* Diels

| 药 材 名 |

肾盖铁线蕨。

| 形态特征 |

植株高 12 ~ 35 cm。根茎短而横走或斜升，密被栗黑色、有光泽的狭长披针形鳞片。叶簇生或近生；叶柄长 5 ~ 22 cm，直径可达 2 mm，栗色，有光泽，基部密被与根茎上相同的鳞片，向上光滑；叶片披针状长三角形，长 6 ~ 22 cm，基部宽 4 ~ 8 cm，先端渐尖，基部楔形，三回羽状，羽片 4 ~ 7 对，互生，斜向上，有柄，基部 1 对略大，长 2.5 ~ 4 cm，宽约 2 cm，长卵形，中部以下为简单的二回羽状，小羽片 2 对，互生，斜展，相距 6 ~ 18 mm，二至三出，彼此密接且稍重叠，末回小羽片狭扇形或倒卵形，长 5 ~ 14 mm，宽 4 ~ 10 mm，基部狭楔形，不育小羽片的上缘圆形，有明显的波状圆齿，能育小羽片的中央具阔而深的缺刻，两侧也具明显的波状圆齿，外缘和内缘全缘，两侧对称，具纤细的短柄（长约 1 mm），羽片上部为奇数一回羽状，小羽片 3 ~ 4 对，互生，斜向上，相距 4 ~ 9 mm，与末回小羽片同形等大，第 2 对羽片距基部 1 对 2 ~ 4 cm，向上各对均与基部 1 对同形而略变小；叶脉多回二歧分叉，直达边缘，在两面均明显；叶干后纸质，黄绿色或褐绿色，两面无毛；叶轴、各回羽轴和小羽柄均与叶柄同色，有光泽，光滑。孢子囊群每羽片多为1，少有2，横生于每小羽片上缘阔而深的缺刻内；囊群盖圆形或圆肾形，上缘呈深缺刻状，褐色，近革质，全缘，宿存。孢子周壁具颗粒状纹饰，处理后易破坏，但不脱落。

| **生境分布** | 生于海拔 600 ~ 3 100 m 的林下溪旁岩石上或石缝中。分布于湖北兴山、巴东、神农架。

| **功能主治** | 利水通淋，散结消肿。用于热淋，瘰疬溃疡。

铁线蕨科 Adiantaceae 铁线蕨属 Adiantum

扇叶铁线蕨 Adiantum flabellulatum L.

| **药 材 名** | 扇叶铁线蕨。

| **形态特征** | 植株高 20 ~ 45 cm。根茎短而直立，密被棕色、有光泽的钻状披针形鳞片。叶簇生；叶柄长 10 ~ 30 cm，直径 2.5 mm，紫黑色，有光泽，基部被与根茎上相同的鳞片，向上光滑，上面有纵沟 1，沟内有棕色短硬毛；叶片扇形，长 10 ~ 25 cm，2 ~ 3 回不对称的二叉分枝，通常中央的羽片较长，两侧羽片与中央羽片同形而略短，长可达 5 cm，中央羽片线状披针形，长 6 ~ 15 cm，宽 1.5 ~ 2 cm，奇数一回羽状，小羽片 8 ~ 15 对，互生，平展，具短柄（长 1 ~ 2 mm），相距 5 ~ 12 mm，彼此接近或稍疏离，中部以下的小羽片大小几相等，长 6 ~ 15 mm，宽 5 ~ 10 mm，对开式的半圆形（能育的）或斜方形（不育的），内缘及下缘直而全缘，基部为阔楔形

或扇状楔形，外缘和上缘近圆形或圆截形，能育部分具浅缺刻，裂片全缘，不育部分具细锯齿，顶部小羽片与下部的同形而略小，顶生，小羽片倒卵形或扇形，与其下的小羽片等大或稍大；叶脉多回二歧分叉，直达边缘，在两面均明显；叶干后近革质，绿色或常为褐色，两面均无毛；各回羽轴及小羽柄均为紫黑色，有光泽，上面均密被红棕色短刚毛，下面光滑。孢子囊群每羽片 2 ~ 5，横生于裂片上缘和外缘，以缺刻分开；囊群盖半圆形或长圆形，上缘平直，革质，褐黑色，全缘，宿存。孢子具不明显的颗粒状纹饰。

| 生境分布 | 生于海拔 100 ~ 1 100 m 光照充足的酸性红、黄壤上。分布于湖北长阳、蔡甸、梁子湖。

| 采收加工 | **全草**：全年均可采收，洗净，晒干，鲜品随用随采。

| 功能主治 | 清热解毒，舒筋活络，利尿，化痰，消肿，止血，止痛。用于跌打损伤；外用于烫火伤，毒蛇、蜈蚣咬伤，疮痈初起。

铁线蕨科 Adiantaceae 铁线蕨属 Adiantum

假鞭叶铁线蕨 *Adiantum malesianum* Ghatak

| **药 材 名** | 假鞭叶铁线蕨。

| **形态特征** | 植株高 15 ~ 20 cm。根茎短而直立，密被披针形、棕色、边缘具锯齿的鳞片。叶簇生；叶柄长 5 ~ 20 cm，幼时棕色，老时栗黑色，略有光泽，基部被与根茎相同的鳞片，通体被多细胞的节状长毛；叶片线状披针形，长 12 ~ 20 cm 或更长，中部宽约 3 cm，向先端渐变小，基部不变狭，一回羽状，羽片约 25 对，无柄，平展，互生或近对生，相距约 1 cm，基部 1 对羽片不缩小，近团扇形，多少向下反折，其中部的侧生羽片半开式，长 1 ~ 2 cm，宽 6 ~ 10 mm，上缘和外缘深裂，裂片 5 ~ 6 对，长方形，先端凹陷，下缘和内缘平直，顶部羽片近倒三角形，上缘圆形并深裂；叶脉多回二歧分叉，在下面不明显，在上面显著隆起；叶干后厚纸质，褐绿色，上面疏

被短刚毛，下面密被棕色多细胞的硬毛和朝外缘紧贴的短刚毛；羽轴与叶柄同色，密被同样的长硬毛，叶轴先端往往延长成鞭状，落地生根，行无性繁殖。孢子囊群每羽片 5 ~ 12；囊群盖圆肾形，上缘平直，上面被密毛，棕色，纸质，全缘，宿存。

| **生境分布** | 生于海拔 200 ~ 1 400 m 的山坡灌丛下岩石上或石缝中。分布于湖北兴山。

| **功能主治** | 利水通淋，清热解毒。

铁线蕨科 Adiantaceae 铁线蕨属 Adiantum

灰背铁线蕨
Adiantum myriosorum Baker

| 药 材 名 | 灰背铁线蕨。

| 形态特征 | 本种的形体、大小均与掌叶铁线蕨相似，不同之处在于本种叶片下面灰白色，小羽片排列紧密，长角形，上缘浅裂，裂片的不育边缘和羽片先端具三角形尖锯齿；囊群盖圆肾形，上缘深缺刻状；孢子具网状纹饰。

| 生境分布 | 生于海拔 900 ~ 2 500 m 的密林下。分布于湖北竹溪、房县、兴山、长阳、五峰、谷城、恩施、利川、建始、巴东、宣恩、鹤峰、神农架，以及武汉。

| 采收加工 | 全草：夏、秋季采收，晒干。

| 功能主治 |　清热利水。用于烫火伤，跌打损伤，癃闭，冻疮。

掌叶铁线蕨 *Adiantum pedatum* L.

| 药 材 名 | 掌叶铁线蕨。

| 形态特征 | 植株高 40 ~ 60 cm。根茎直立或横卧，被褐棕色阔披针形鳞片。叶簇生或近生；叶柄长 20 ~ 40 cm，栗色或棕色，基部直径可达 3.5 mm，被与根茎相同的鳞片，向上光滑，有光泽；叶片阔扇形，长可达 30 cm，宽可达 40 cm，从叶柄的顶部二叉分枝成左右 2 个弯弓形的枝，再从每个分枝的上侧生出 4 ~ 6 一回羽状的线状披针形羽片，各回羽片相距 1 ~ 2 cm，中央羽片最长，长可达 28 cm，侧生羽片向外略缩短，宽 2.5 ~ 3.5 cm，奇数一回羽状，小羽片 20 ~ 30 对，互生，斜展，具短柄（长 1 ~ 2.5 cm），相距 5 ~ 10 mm，彼此接近，中部对开式的小羽片较大，长可达 2 cm，宽约 6 mm，长三角形，先端圆钝，基部为不对称的楔形，内缘及下缘直而全缘，

先端波状或具钝齿，上缘深裂达 1/2，裂片方形，彼此密接，全缘而中央凹陷或具波状圆齿，基部小羽片略小，扇形或半圆形，有较长的柄，顶部小羽片与中部小羽片同形而渐变小，顶生小羽片扇形，中部深裂，两侧浅裂，与其下的侧生羽片等大或稍大，各侧生羽片上的小羽片与中央羽片上的同形；叶脉多回二歧分叉，直达边缘，在两面均明显；叶干后草质，草绿色，下面带灰白色，两面均无毛；叶轴、各回羽轴和小羽片均为栗红色，有光泽，光滑。孢子囊群每小羽片 4 ~ 6，横生于裂片先端的浅缺刻内；囊群盖长圆形或肾形，淡灰绿色或褐色，膜质，全缘，宿存。孢子具明显的细颗粒状纹饰，处理后常保存。

| **生境分布** | 生于海拔 350 ~ 3 100 m 的林下沟旁。分布于湖北兴山、巴东、咸丰、鹤峰、神农架。

| **采收加工** | **全草**：全年均可采收，洗净，鲜用或晒干。

| **功能主治** | 利水通淋，止痛止崩，清肺止咳。用于小便不利，淋证，牙痛，月经过多，肺热咳嗽。

裸子蕨科 Hemionitidaceae　凤丫蕨属 Coniogramme

峨眉凤丫蕨 Coniogramme emeiensis Ching & K. H. Shing

| 药 材 名 | 峨眉凤丫蕨。

| 形 态 特 征 | 植株高可达 1 m。根茎粗短，横卧，被深棕色披针形鳞片。叶柄长
40 ~ 60 cm，基部直径 4 ~ 5 mm，禾秆色或下面饰有红紫色，上
面有沟，基部略被鳞片；叶片长 30 ~ 50 cm，宽 20 ~ 28 cm，阔卵
状长圆形，二回羽状，侧生羽片 7 ~ 10 对，下部 1 ~ 2 对最大，长
15 ~ 25 cm，宽 10 cm 左右，近卵形，柄长 1 ~ 2 cm，羽状，侧生
小羽片 1 ~ 3 对，长 7 ~ 12 cm，中部宽 1.5 ~ 2 cm，披针形，先
端尾状长渐尖，向基部变狭，楔形，有短柄，顶生小羽片同形，长
12 ~ 20 cm，宽 2.5 ~ 3 cm，基部叉裂，中部羽片三出至 2 叉，向
上的羽片单一，与其下的顶生小羽片同形，但逐渐变小，顶生羽片
较大，基部叉裂，有长柄，羽片边缘有向前伏贴的三角形粗齿，往

往呈浅缺刻状或波状；叶脉分离，侧脉 1 ～ 2 回分叉，先端有棒形水囊，伸达锯齿基部；叶干后草质，上面暗绿色，下面淡绿色，常沿侧脉间有不规则的黄色条纹，两面无毛。孢子囊群伸达侧脉的 3/4 ～ 4/5。

| **生境分布** | 生于海拔 600 ～ 1 750 m 的林下或路边灌丛。分布于湖北巴东、宣恩。

| **功能主治** | 祛风除湿，理气止血。用于风湿关节痛，腰痛，跌打损伤，痢疾，带下。

裸子蕨科 Hemionitidaceae 凤丫蕨属 Coniogramme

普通凤丫蕨 *Coniogramme intermedia* Hieron.

| 药 材 名 | 普通凤丫蕨。

| 形态特征 | 植株高 60 ~ 120 cm。叶柄长 24 ~ 60 cm，直径 2 ~ 3 mm，禾秆色或饰有淡棕色点；叶片与叶柄等长或稍短，宽 15 ~ 25 cm，卵状三角形或卵状长圆形，二回羽状，侧生羽片 3 ~ 5（~ 8）对，基部 1对最大，长 18 ~ 24 cm，宽 8 ~ 12 cm，三角状长圆形，柄长 1 ~ 2 cm，一回羽状，侧生小羽片 1 ~ 3 对，长 6 ~ 12 cm，宽 1.4 ~ 2 cm，披针形，具长渐尖头，基部圆形至圆楔形，有短柄，顶生小羽片远较大，基部极不对称或叉裂，第 2 对羽片三出或单一（少有仍为羽状），第 3 对起羽片单一，长 12 ~ 18 cm，宽 2 ~ 3 cm，披针形，具长渐尖头，呈基部略不对称的圆楔形，有短柄至无柄，顶生羽片较其下的为大，基部常叉裂，羽片和小羽片边缘有斜上的锯

齿；叶脉分离，侧脉 2 回分叉，先端的水囊线形，略加厚，伸入锯齿，但不到齿缘；叶干后草质至纸质，上面暗绿色，下面色较淡并有疏短柔毛。孢子囊群沿侧脉分布，达离叶边不远处。

| 生境分布 | 生于海拔 1 200 ～ 2 600 m 的林下或沟边。分布于湖北房县、兴山、罗田、通山、建始、巴东、宣恩、鹤峰、神农架。

| 采收加工 | **根茎：**全年或秋季采收，洗净，鲜用或晒干。

| 功能主治 | 舒筋活络，祛寒除湿。用于跌打损伤，风湿痹痛，寒湿内蕴。

| 附　　注 | Hieronymus 在发表本种时未指定模式，它包括叶片下面有毛和光滑 2 个类型，我国大都采用无毛类型作为原变种。

裸子蕨科 Hemionitidaceae 凤丫蕨属 Coniogramme

无毛凤丫蕨

Coniogramme intermedia Hieron. var. *glabra* Ching

| 药 材 名 | 无毛凤丫蕨。

| 形态特征 | 植株高约 90 cm。叶柄长 30 ~ 50 cm，直径约 5 mm，禾秆色或下面饰有红紫色，基部疏被鳞片；叶片长约 45 cm，宽约 20 cm，长圆形，两面光滑无毛，二回羽状，侧生羽片 7 ~ 8 对，斜向上，基部 1 对长 18 ~ 22 cm，宽约 10 cm，卵状披针形，一回羽状，侧生小羽片 1 ~ 2 对，长 6 ~ 10 cm，宽 1.5 ~ 2 cm，披针形，具尾状渐尖头，基部圆楔形或近圆形，无柄或略与羽轴合生，顶生小羽片远较大，阔披针形，自第 2 对羽片起向上渐短，单一，中部的长 13 ~ 15 cm，宽 2 ~ 2.5 cm，近线状披针形，具尾状长渐尖头，基

部圆楔形或圆形，柄长 2 ~ 3 mm（上部的无柄）。孢子囊群沿侧脉伸达离叶边不远处。

| 生境分布 | 生于海拔 350 ~ 2 500 m 的湿润林下。分布于湖北房县、兴山、罗田、建始、巴东、宣恩、鹤峰、神农架。

| 功能主治 | 补肾除湿，理气止痛。

裸子蕨科 Hemionitidaceae 凤丫蕨属 Coniogramme

凤丫蕨
Coniogramme japonica (Thunb.) Diels

| 药 材 名 | 凤丫蕨。

| 形态特征 | 植株高 60 ~ 120 cm。叶柄长 30 ~ 50 cm，直径 3 ~ 5 mm，禾秆色或栗褐色，基部以上光滑；叶片与叶柄等长或稍长，宽 20 ~ 30 cm，长圆状三角形，二回羽状，羽片通常 5 对（少则 3 对），基部 1 对最大，长 20 ~ 35 cm，宽 10 ~ 15 cm，卵圆状三角形，柄长 1 ~ 2 cm，羽状（偶有 2 叉），侧生小羽片 1 ~ 3 对，长 10 ~ 15 cm，宽 1.5 ~ 2.5 cm，披针形，有柄或向上的无柄，顶生小羽片远较侧生的大，长 20 ~ 28 cm，宽 2.5 ~ 4 cm，阔披针形，具长渐尖头，通常向基部略变狭，基部为不对称的楔形或叉裂，第 2 对羽片三出、2 叉或从这对起向上均为单一，但渐变小，与其下羽片的顶生小羽片同形，顶生羽片较其下的为大，有长柄，羽片和小

羽片边缘有向前伸的疏矮齿。叶脉网状，在羽轴两侧形成 2 ～ 3 行狭长网眼，网眼外的小脉分离，小脉先端有纺锤形水囊，不及锯齿基部；叶干后纸质，上面暗绿色，下面淡绿色，两面无毛。孢子囊群沿叶脉分布，几达叶边。

| **生境分布** | 生于海拔 100 ～ 1 300 m 的湿润林下和山谷阴湿处。分布于湖北竹溪、五峰、罗田、通山、宣恩、鹤峰、神农架。

| **采收加工** | **全草或根茎：**全年或秋季采收，洗净，鲜用或晒干。

| **功能主治** | 祛风除湿，散血止痛，清热解毒。用于风湿关节痛，瘀血腹痛，闭经，跌打损伤，目赤肿痛，乳痈，各种肿毒初起。

裸子蕨科 Hemionitidaceae 凤丫蕨属 Coniogramme

黑轴凤丫蕨
Coniogramme robusta (H. Christ) H. Christ

| 药 材 名 | 黑轴凤丫蕨。

| 形态特征 | 植株高 50 ~ 70 cm。根茎横走，直径 3 ~ 5 mm，连同叶柄基部疏被褐棕色披针形鳞片。叶远生；柄长 25 ~ 35 cm，直径约 2 mm，亮栗黑色，上面有沟，下面圆形；叶片长圆形或阔卵形，几与叶柄

等长，宽 15 ~ 22 cm，单数一回羽状；侧生羽片 2 ~ 4 对，几同形同大，长 13 ~ 17 cm，宽 3 ~ 6 cm，披针形或长圆状披针形，短尾头，基部略不对称，圆楔形或圆形，上侧略下延，无柄，顶生羽片较其下的为大，有 1 ~ 2 cm 长的柄；羽片边缘软骨质，有矮钝的疏齿。叶脉明显，1 ~ 2 回分叉，先端有棒形或长卵形水囊，伸达锯齿基部以下。叶干后草质，绿色或黄绿色，两面分布到水囊基部，离叶边 2 mm 处。

| 生境分布 | 生于海拔 730 ~ 1 000 m 的地区。湖北有分布。

| 功能主治 | 祛风湿，凉血散瘀。

书带蕨 *Vittaria flexuosa* Fée

| 药 材 名 | 书带蕨。

| 形态特征 | 多年生附生或石生草本。根茎短而横走，密被鳞片，鳞片狭披针形，黑褐色；须根细密。叶丛生，无柄或几无柄；叶片线形，长30 ~ 40 cm，宽3 ~ 8 mm，先端渐尖，基部长渐狭，全缘，革质；中脉在叶上面凹下成狭沟，在叶下面稍隆起，叶缘稍反卷。孢子囊群线形，深陷叶肉中，沿叶缘以里的沟内着生，沟的内沿隆起，子囊群内有隔丝。

| 生境分布 | 附生于海拔 500 ~ 2 300 m 的林中树干或密林下的岩石上。分布于湖北建始、秭归。

| **资源情况** | 野生资源较丰富。药材主要来源于野生。

| **采收加工** | **全草**：全年或夏、秋季采收，洗净，鲜用或晒干。

| **功能主治** | 清热息风，舒筋止痛，健脾消疳，止血。用于小儿惊风，目翳，跌打损伤，风湿痹痛，疳积，干血痨，咯血，吐血。

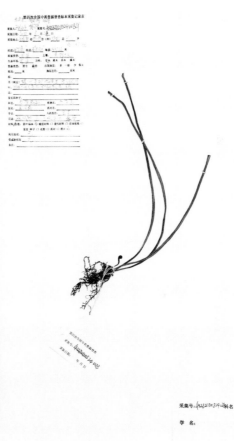

书带蕨科 Vittariaceae 书带蕨属 Vittaria

平肋书带蕨 *Vittaria fudzinoi* Makino

| 药 材 名 | 平肋书带蕨。

| 形态特征 | 多年生附生草本。根茎短，横走或斜升，密被鳞片；鳞片黄褐色，具虹色光泽，蓬松，略卷曲，宽短者长约 5 mm，基部宽约 1 mm，钻状长三角形，边缘具睫毛状齿，狭长者长约 8 mm，基部宽 0.1 ~ 0.2 mm，线状披针形，先端尾状长渐尖，扭曲，近全缘。叶近生，密集成簇生状；叶柄色较深，长 1 ~ 6 cm，或近无；叶片线形或狭带形，长 15 ~ 55 cm，宽约 5 mm，有的宽 8 ~ 10 mm，先端渐尖，基部长下延，反卷；中肋在叶片上面凸起，其两侧叶片凹陷成纵沟槽，几达叶全长，叶片下面中肋粗壮，通常宽扁，与孢子囊群线接近，或较狭窄，两侧有阔的不育带；叶肥厚，革质。孢子囊群线形，着生于近叶边的沟槽中，外侧被反卷的叶边遮盖；隔丝先端细胞头

状或杯状，色略深，长略大于宽。孢子长椭圆形，单裂缝，表面具不很明显的颗粒状纹饰。

| **生境分布** | 附生于海拔 1 300 ～ 2 800 m 的常绿阔叶林中树干上或岩石上。湖北有分布。

| **资源情况** | 野生资源较丰富。药材主要来源于野生。

| **采收加工** | **全草：** 全年或夏、秋季采收，洗净，鲜用或晒干。

| **功能主治** | 理气活血，止痛。用于胃痛，筋骨痛，劳伤，小儿惊风，疳积。

书带蕨科 Vittariaceae 书带蕨属 Vittaria

小叶书带蕨
Vittaria modesta Hand.-Mazz.

| 药 材 名 | 小叶书带蕨。

| 形态特征 | 多年生附生草本，高 6 ～ 14 cm。根茎短，横生，连同叶柄基部密被黑褐色、粗筛孔状、有虹色光泽的披针形鳞片。叶近生；叶柄短；叶片近革质，狭线形或线形，长 5 ～ 12 cm，宽 1 ～ 3 mm，基部渐狭而下延于叶柄，强烈反卷，在中脉两侧形成纵沟；中脉在上面稍凹陷，在下面狭、圆而隆起，不平坦。孢子囊群背生于近中部以上的叶缘内，满布于中脉与叶边之间的沟内，沟的内缘不具隆起的棱脊，通常被强烈反卷的叶缘覆盖，具有长柄的环状隔丝。

| 生境分布 | 附生于海拔 100 ～ 2 000 m 的林中树干或岩石上。分布于湖北长阳。

资源情况	野生资源较丰富。药材主要来源于野生。
采收加工	**全草**：全年均可采收，洗净，鲜用或晒干。
功能主治	舒筋活络。用于跌打损伤，骨折。

蹄盖蕨科 Athyriaceae 蹄盖蕨属 Athyrium

日本蹄盖蕨
Athyrium niponicum (Mett.) Hance

| 药 材 名 | 日本蹄盖蕨。

| 形态特征 | 根茎横卧，斜升，先端和叶柄基部密被浅褐色、狭披针形的鳞片。叶簇生；能育叶长（25 ~）30 ~ 75（~ 120）cm；叶柄长10 ~ 35（~ 50）cm，基部直径（1.5 ~）2 ~ 3（~ 5）mm，黑褐色，向上禾秆色，疏被较小的鳞片；叶片卵状长圆形，长（15 ~）23 ~ 30（~ 70）cm，中部宽（11 ~）15 ~ 25（~ 50）cm，先端急狭缩，基部阔圆形，中部以上二至三回羽状；急狭缩部以下有羽片5 ~ 7（~ 14）对，互生，斜展，有长3 ~ 15 mm的柄，略向上弯弓，基部1对略长，较大，长圆状披针形，长（5 ~）7 ~ 15（~ 25）cm，中部宽（2 ~）2.5 ~ 6（~ 12）cm，先端突然收缩，

长渐尖，略成尾状，基部阔斜形或圆形，中部羽片披针形，一至二回羽状；小羽片（8～）12～15 对，互生，斜展或平展，有短柄或几无柄，常为阔披针形或长圆状披针形，也有披针形，中部的长 1～4（～6）cm，基部宽 1～2 cm，具渐尖头，基部不对称，上侧近截形，具耳状突起，与羽轴并行，下侧楔形，两侧有粗锯齿或羽裂几达小羽轴两侧的阔翅；裂片 8～10 对，披针形、长圆形或线状披针形，具尖头，边缘有向内紧靠的尖锯齿；叶脉在下面明显，在裂片上为羽状，侧脉 4～5 对，斜向上，单一；叶干后草质或薄纸质，灰绿色或黄绿色，两面无毛；叶轴和羽轴下面带淡紫红色，略被浅褐色线形小鳞片。孢子囊群长圆形、弯钩形或马蹄形，每末回裂片 4～12 对；囊群盖同形，褐色，膜质，边缘略呈啮蚀状，宿存或部分脱落；孢子周壁表面有明显的条状折皱。

| 生境分布 | 生于海拔 10～2 600 m 的杂木林下、溪边、阴湿山坡、灌丛或草坡上。湖北有分布。

| 功能主治 | 清热利湿，平肝安神，解毒消肿。

蹄盖蕨科 Athyriaceae 蹄盖蕨属 Athyrium

光蹄盖蕨 *Athyrium otophorum* (Miq.) Koidz.

| 药 材 名 | 光蹄盖蕨。

| 形态特征 | 根茎短，先端斜升，密被深褐色或黑褐色、线状披针形、先端

纤维状的鳞片。叶簇生。能育叶长 45 ~ 70（~ 85）cm；叶柄长（15 ~）25 ~ 35 cm，直径 2.5 ~ 3 mm，基部黑褐色，密被与根茎上相同的鳞片，向上略带淡紫红色，光滑；叶片长卵形或三角状卵形，长 25 ~ 35（~ 50）cm，中部宽 20 ~ 25 cm，先端急狭缩，基部不变狭，二回羽状，羽片约 15 对，急狭缩部以下约有 7 对，基部的对生，向上的互生，几平展，无柄或有极短的柄，披针形，中部的长 10 ~ 12（~ 25）cm，宽 2.5 ~ 3.5 cm，先端长渐尖，基部截形，一回羽状，小羽片 14 ~ 17 对，互生，几平展，无柄，下部的近三角形至长圆状披针形，长 1 ~ 1.7 cm，中部宽 4 ~ 6 mm，具尖头，基部不对称，上侧截形，并有三角形的耳状突起，与羽轴并行，下侧楔形，近全缘或上侧边缘有小锯齿；叶脉在下面明显，在上面不见，在小羽片上为羽状，侧脉 7 ~ 8 对，斜向上，下部的分叉，基部上侧的 2 脉为羽状或 3 叉；叶干后纸质，浅褐色，两面无毛；叶轴和羽轴下面淡紫红色，光滑，上面沿沟两侧边上有贴伏的钻状短硬刺。孢子囊群长圆形或短线形，每小羽片 3 ~ 5 对，生于叶边与主脉中间，稍近主脉；囊群盖同形，浅褐色，膜质，全缘，宿存。孢子周壁表面无折皱，有颗粒状纹饰。

| 生境分布 |　生于海拔 400 ~ 1 400（~ 2 100）m 的常绿阔叶林或竹林下阴湿处。分布于湖北宣恩、咸丰、鹤峰、神农架，以及武汉、宜昌。

| 功能主治 |　清热解毒，凉血。用于风热感冒，湿热斑疹，吐血，肠风便血，血痢，带下。

蹄盖蕨科 Athyriaceae 蹄盖蕨属 Athyrium

中华蹄盖蕨
Athyrium sinense Rupr.

| 药 材 名 |

中华蹄盖蕨。

| 形态特征 |

根茎短，直立，先端和叶柄基部密被深褐色、卵状披针形或披针形的鳞片。叶簇生；能育叶长 35 ~ 92 cm；叶柄长 10 ~ 26 cm，基部直径 1.5 ~ 2 mm，黑褐色，向上禾秆色，略被小鳞片；叶片长圆状披针形，长 25 ~ 65 cm，宽 15 ~ 25 cm，先端短渐尖，基部略变狭，二回羽状；羽片约 15 对，基部的羽片近对生，向上的羽片互生，斜展，无柄，基部 2 ~ 3 对略缩短，基部 1 对羽片长圆状披针形，长 7 ~ 12 cm，宽约 2.5 cm，先端长渐尖，基部对称，截形或近圆形，一回羽状；小羽片约 18 对，基部 1 对狭三角状长圆形，长 8 ~ 10 mm，宽 3 ~ 4 mm，钝尖头，并有短尖齿，基部不对称，上侧截形，下侧阔楔形，并下延在羽轴上成狭翅，两侧边缘浅羽裂；裂片 4 ~ 5 对，近圆形，边缘有数个短锯齿；叶脉在两面明显，在小羽片上为羽状，侧脉约 7 对，下部的 3 叉或羽状，上部的 2 叉或单一；叶干后草质，浅褐绿色，两面无毛；叶轴和羽轴下面禾秆色，疏被小鳞片和卷曲的、棘头状短腺毛。孢子囊群多为长圆形，少有弯钩形或马蹄形，生于基部上侧小脉，每小羽片 6 ~ 7 对；在主脉两侧各排成 1 行；囊群盖同形，浅褐色，膜质，边缘啮蚀状，宿存；孢子周壁表面无折皱。

| 生境分布 | 生于海拔 350 ~ 2 550 m 的山地林下。分布于湖北神农架。

| 采收加工 | 夏、秋季采收，除去须根，洗净，晒干。

| 功能主治 | 清热解毒，驱虫。用于流行性感冒，麻疹，流行性乙型脑炎，流行性脑脊髓膜炎，钩虫病，蛔虫病。

华中蹄盖蕨

Athyrium wardii (Hook.) Makino

| 药 材 名 | 华中蹄盖蕨。

| 形态特征 | 根茎短，直立，先端密被深褐色、线状披针形的鳞片。叶簇生。能育叶长（30 ~ ）45 ~ 60 cm；叶柄长（20 ~ ）25 ~ 30 cm，直径（1 ~ ）2.5 ~ 3 mm，基部黑褐色，密被与根茎上相同的鳞片，向上淡禾秆色，近光滑；叶片三角状卵形或卵状长圆形，小叶可为披针形，长（22 ~ ）25 ~ 35 cm，基部宽（8 ~ ）20 ~ 25 cm，顶部急狭缩，长渐尖，上部羽状深裂，下部一回羽状，羽片羽裂至二回羽状，羽片 5 ~ 8 对，互生，斜展，有柄（长 2 ~ 6 mm），阔披针形，长 3 ~ 15 cm，中部宽（1.2 ~ ）3 ~ 3.5 cm，先端具钝头至长渐尖，基部截形，一回羽状，小羽片 10 ~ 14 对，互生，斜展，无柄，长圆形，长约 2 cm，宽约 8 mm，向顶部略变狭，具急尖头或近钝头，

基部偏斜，上侧截形，并稍呈耳状凸起，下侧下延，边缘有细锯齿，上部的羽片无柄，长圆形，具尖头或钝头，上侧截形或圆楔形，下侧稍下延，下部的半裂，中部的浅裂，上部的不裂；叶脉在下面明显，在上面略可见，在小羽片上为羽状，侧脉 8 对左右，斜向上，小脉 2 叉，但上侧基部的为羽状（第 2 条脉为 3 叉）；叶干后纸质，淡灰褐色，光滑；叶轴禾秆色，略被鳞片，羽轴和主脉下面淡紫色，密被浅褐色的短腺毛。孢子囊群长圆形或短线形，每小羽片上 5 对左右，稍靠近叶边，在主脉两侧各排成 1 行；囊群盖同形，浅褐色，膜质，全缘，宿存。孢子周壁表面无折皱。

| **生境分布** | 生于海拔 700 ~ 1 550 m 的山谷林下或溪边阴湿处。分布于湖北宣恩、咸丰、鹤峰、神农架，以及武汉、宜昌。

| **功能主治** | 清热解毒，止血，驱虫。用于疮毒疔疖，衄血，痢疾，虫积腹痛。

冷蕨
Cystopteris fragilis (L.) Bernh.

| 药 材 名 | 冷蕨。

| 形态特征 | 根茎短横走或稍伸长，带有残留的叶柄基部，先端和叶柄基部被鳞片，鳞片浅褐色，阔披针形。叶近生或簇生。能育叶长（3.5～）20～35（～49）cm；叶柄一般短于叶片，长为叶片的1/3～2/3，当生长在石缝时，有时纤细，稍长于叶片，长5～14（～20）cm，直径（0.2～）1～1.5 mm，基部褐色，向上禾秆色或带栗色，鳞片稀疏，略有光泽；叶片披针形至阔披针形，长17～28 cm，宽（0.8～）4～5（～8）cm，具短渐尖头，通常2回羽裂至二回羽状，小羽片羽裂，偶有一或三回羽状，羽片12～15对，中下部的近对生，几无柄，斜展，下部1～2对稍缩短或几不缩短，卵形至卵状披针形，长（0.4～）2～4（～7）cm，宽（0.2～）1～2.5 cm，先

端钝尖或短渐尖，并有齿，基部上侧与叶轴并行，下侧多少斜切，近对生，彼此距离较大（1.5 ~ 4.5 cm），一般为羽片宽度的 1 ~ 2 倍，一回小羽片 5 ~ 7 对，卵形或长圆形，先端圆或钝尖，并有锯齿，基部上侧平截，下侧楔形，无柄或有短柄，全缘、有锯齿或羽状分裂，中部羽片与基部羽片同形，略长，相距 1.2 ~ 2.5 cm，近对生或互生，顶部羽片羽状深裂，仅先端与上缘有粗尖锯齿；叶脉羽状分叉，主脉稍曲折，小脉伸达锯齿先端；叶干后草质，绿色或黄绿色；叶轴及羽轴，特别是下部羽片着生处多少具稀疏的单细胞至多细胞长节状毛，甚或有少数鳞毛。孢子囊群小，圆形，背生于小脉中部，每小羽片 2 ~ 4 对，向先端的小羽片上侧有 1 ~ 2；囊群盖卵形至披针形，膜质，灰绿色或稍带浅褐色。孢子深褐色，周壁表面有均匀、较密的刺状突起。

| 生境分布 | 生于海拔（210 ~ ）1 500 ~ 3 100 m 的高山灌丛下、阴坡石缝中、岩石脚下或沟边湿地。分布于湖北五峰。

| 采收加工 | **全草：**全年均可采收，洗净，鲜用或晒干。

| 功能主治 | 和胃，解毒。用于胃病，食物中毒。

蹄盖蕨科 Athyriaceae 对囊蕨属 *Deparia*

介蕨

Deparia boryana (Willd.) M. Kato

| 药 材 名 | 介蕨。

| 形态特征 | 根茎横走，先端斜升。叶近簇生。能育叶长达 1.2 m；叶柄长 35 ～ 55 cm，基部直径约 6 mm，疏被褐色线状披针形鳞片，向上淡褐禾秆色，近光滑；叶片阔卵形，长 50 ～ 65 cm，中部宽 30 ～ 50 cm，先端渐尖，基部变狭，圆楔形，二回羽状，小羽片羽状半裂至深裂，羽片 10 ～ 15 对，互生，有柄，近平展，长圆状披针形，下部的长 20 ～ 30 cm，中部宽 9 ～ 11 cm，具渐尖头并略呈尾状，基部对称，近截形，一回羽状，小羽片 15 ～ 18 对，下部的近对生，向上的互生，有短柄或近无柄，平展，长圆形，长 5 ～ 5.5 cm，中部宽 1.5 ～ 1.7 cm，具钝尖头，基部阔楔形，边缘羽状半裂至深裂，裂片长方形，长 6 ～ 8 mm，宽约 5 mm，具截头或圆截头，全缘，

上部的羽片与下部的同形而向上逐渐缩短，2 回浅羽裂至 1 回深羽裂，裂片长方形或近方形，具圆截头或近圆头，全缘；叶脉在裂片上为羽状，侧脉 4 或 5 对，小脉单一或分叉；叶干后草质，草绿色，叶轴、羽轴和小羽轴上疏被褐色披针形小鳞片和 2 ~ 3 列细胞组成的蠕虫状毛。孢子囊小，圆形，背生于侧脉或小脉中部，每裂片 2 ~ 4 对；囊群盖小，圆肾形，红褐色，膜质，全缘，宿存。孢子具周壁，表面有刺状纹饰。

| **生境分布** | 生于海拔 500 ~ 2 400 m 的杂木林下或山谷阴湿处。分布于湖北来凤。

| **功能主治** | 清热解毒，凉血，杀虫。用于钩虫病，子宫出血，流行性感冒，疮痈肿毒。

蹄盖蕨科 Athyriaceae 双盖蕨属 Diplazium

单叶双盖蕨

Diplazium subsinuatum (Wall. ex Hook. et Grev.) Tagawa

| 药 材 名 | 单叶双盖蕨。

| 形态特征 | 根茎细长，横走，被黑色或褐色披针形鳞片。叶远生。能育叶长达
40 cm；叶柄长 8 ~ 15 cm，淡灰色，基部被褐色鳞片；叶片披针形
或线状披针形，长 10 ~ 25 cm，宽 2 ~ 3 cm，两端渐狭，全缘或稍
呈波状，中脉在两面均明显，小脉斜展，每组 3 ~ 4，通直，平行，
直达叶边；叶干后纸质或近革质。孢子囊群线形，通常多分布于叶
片上半部，沿小脉斜展，每组小脉上通常有 1，生于基部上出小脉，
距主脉较远，单生，偶双生；囊群盖成熟时膜质，浅褐色。孢子赤
道面观圆肾形，周壁薄而透明，表面具不规则的粗刺状或棒状突起，
突起顶部具稀少而小的尖刺。

| 生境分布 | 生于海拔 200 ~ 1 600 m 的溪旁林下酸性土或岩石上。分布于湖北神农架。

| 采收加工 | **全草**：全年均可采收，除去泥沙等杂质，晒干。

| 功能主治 | 凉血，止血，利尿通淋。用于目赤肿痛，尿路结石，热淋尿血。

蹄盖蕨科 Athyriaceae　介蕨属 Dryoathyrium

鄂西介蕨 *Dryoathyrium henryi* (Bak.) Ching

| 药 材 名 |

鄂西介蕨。

| 形态特征 |

根茎长横卧，先端斜升。叶近簇生；能育叶长 50 ～ 95 cm；叶柄长 20 ～ 35 cm，基部直径 3 ～ 4 mm，疏被深褐色披针形鳞片，向上禾秆色，近光滑；叶片长圆形，长 30 ～ 60 cm，中部宽 20 ～ 25 cm，先端渐尖，基部略变狭，一回羽状，羽片深羽裂；羽片 12 ～ 18 对，互生，近无柄，略斜展，阔披针形，中部以下的羽片长 12 ～ 20 cm，宽 3 ～ 4 cm，尾状渐尖头，基部近对称，截形或圆楔形，边缘深羽裂；裂片镰状长圆形，长 2 ～ 2.5 cm，宽 6 ～ 8 mm，钝圆头或短尖头，边缘有锐裂的粗锯齿；中部以上的羽片与下部同形，向上逐渐缩短，羽状半裂至深裂，裂片长圆形或斜长方形，全缘或边缘有浅锯齿；叶脉在裂片上为羽状，侧脉 8 ～ 10 对，小脉 2 ～ 3 叉；叶干后草质，暗绿色，叶轴和羽轴上疏被褐色阔披针形小鳞片和 2 ～ 3 列细胞组成的蠕虫状毛。孢子囊群长圆形，有时弯弓形或弯钩形，偶有马蹄形，生于小脉上侧，少横跨小脉上，每裂片 5 ～ 7 对，在主脉两侧各排成 1 行；囊群盖长形，少有弯钩形或马蹄形，褐色，膜质，边缘撕裂成流苏状，宿存；孢子周壁表面有较多的宽条状折皱。

| **生境分布** | 生于海拔 1 000 ~ 2 000 m 的落叶阔叶林下或灌木林下阴湿处。分布于湖北竹溪、兴山、五峰、巴东、神农架。

| **功能主治** | 清热解毒，消肿止痛。用于疮疖，痈疮肿毒，瘀血肿痛。

华中介蕨 *Dryoathyrium okuboanum* (Makino) Ching

| 药 材 名 | 华中介蕨。

| 形态特征 | 根茎横走，先端斜升。叶近簇生；能育叶长达 1.2 m；叶柄长 30 ~ 50 cm，基部直径 3 ~ 5 mm，疏被褐色披针形鳞片，向上禾秆色，近光滑；叶片阔卵形或卵状长圆形，长 30 ~ 80 cm，中部宽 25 ~ 40 cm，先端渐尖并为羽裂，基部弯变狭，圆楔形，二回羽状，小羽片羽状半裂至深裂；羽片 10 ~ 14 对，互生，有短柄或几无柄，基部 1 对略缩短，长圆状披针形，长 20 ~ 28 cm，宽 5 ~ 9 cm，渐尖头，向基部变狭，一回羽状；小羽片 12 ~ 16 对，基部的近对生，向上的互生，无柄，平展，基部 1 对较小，长圆形，长 1 ~ 1.2 cm，宽约 5 mm，钝圆头，基部近对称，阔楔形并下延成狭翅，边缘浅裂至并裂，裂片长圆形，钝圆头，全缘，叶脉在裂片上为羽状，侧脉 2 ~ 4

对，单一，叶干后厚纸质，草绿色，叶轴、羽轴和小羽轴上疏被浅褐色阔披针形小鳞片和 2 ~ 3 列细胞组成的蠕虫状毛。孢子囊群圆形，背生于小脉上，通常每裂片 1，偶有 2 ~ 4；囊群盖圆肾形或略呈马蹄形，褐绿色，膜质，全缘，宿存。孢子周壁表面有棒状或刺状纹饰。

| 生境分布 | 生于海拔 60 ~ 2 100 m 的山谷林下、林缘或沟边阴湿处。分布于湖北五峰、谷城、巴东、宣恩、鹤峰、神农架，以及十堰。

| 采收加工 | **全草：**全年或夏、秋季采收，洗净，鲜用或晒干。

| 功能主治 | 清热消肿。用于疮疖，肿毒。

肿足蕨科 Hypodematiaceae 肿足蕨属 Hypodematium

肿足蕨 *Hypodematium crenatum* (Forssk.) Kuhn

| 药 材 名 | 小金狗。

| 形态特征 | 植株较高大。根茎粗壮，横走，连同叶柄基部密被鳞片，鳞片长 0.5 ~ 3 cm，狭披针形，先端渐狭成线形，全缘，膜质，红棕色。叶近生；叶柄禾秆色，基部有时疏被鳞片，上部被灰白色柔毛；叶片长（7 ~ ）20 ~ 30 cm，卵状五角形，先端渐尖并羽裂，基部圆心形，三回羽状，羽片 8 ~ 12 对，下部 1 ~ 2 对近对生，向上互生，基部 1 对最大，三角状长圆形；叶脉明显，侧脉羽状；叶草质，两面连同叶轴和各回羽轴密被灰白色柔毛。孢子囊群圆形，背生于侧脉中部；囊群盖肾形，浅灰色，膜质，背面密被柔毛，宿存。

| 生境分布 | 生于海拔 50 ~ 1 800 m 的干旱石灰岩缝隙中。分布于湖北石灰岩山地。

| 资源情况 | 野生资源一般。药材来源于野生。

| 采收加工 | **根茎：**夏、秋季采收，洗净，晒干。

| 功能主治 | 祛风利湿。

金星蕨科 Thelypteridaceae 毛蕨属 Cyclosorus

渐尖毛蕨 Cyclosorus acuminatus (Houtt.) Nakai

| 药 材 名 | 渐尖毛蕨。

| 形态特征 | 植株高大。根茎长而横走，褐棕色，先端密被棕色披针形鳞片。叶2列远生；叶柄长30～42 cm，褐色，无鳞片，略被柔毛；叶片长40～45 cm，长圆状披针形，先端尾尖并羽裂，2回羽裂，羽片13～18对，有极短的柄；叶脉在下面隆起，侧脉斜上，每裂片7～9对；叶坚纸质，除羽轴下面疏被针状毛外，羽片上面被极短的糙毛。孢子囊群圆形，生于侧脉中部以上，每裂片5～8对；囊群盖大，深棕色或棕色，密生短柔毛，宿存。

| 生境分布 | 生于海拔100～2700 m的灌丛、草地、田边、路边、沟旁湿地或山谷乱石中。湖北有分布。

| 资源情况 | 野生资源丰富。药材来源于野生。

| 采收加工 | **根茎：**夏、秋季采收，晒干。

| 功能主治 | 清热解毒，祛风除湿，健脾。

金星蕨科 Thelypteridaceae 毛蕨属 Cyclosorus

干旱毛蕨 Cyclosorus aridus (Don) Tagawa

| 药 材 名 | 干旱毛蕨。

| 形态特征 | 植株高大。根茎横走，黑褐色，连同叶柄基部疏被棕色的披针形鳞片。叶远生；叶柄长 35 cm，基部直径 3 mm，与根茎同色，向上渐变为淡褐禾秆色，近光滑；叶片长 60 ~ 80 cm 或更长，中部通常宽20 ~ 25 cm，阔披针形，具渐尖头，基部渐变狭，2 回羽裂，羽片约 36 对，斜展，下部 6 ~ 10 对逐渐缩小成小耳片，近对生，彼此远离，中部羽片互生，披针形，全缘；叶脉在两面清晰，在下面隆起；叶近革质，上面近光滑，下面沿叶脉疏生短针状毛。孢子囊群生于侧脉中部稍上处；囊群盖小，膜质，宿存。

| **生境分布** | 生于海拔 150 ～ 1 800 m 的沟边疏林下或河边湿地。分布于湖北南部。

| **资源情况** | 野生资源一般。药材来源于野生。

| **采收加工** | **全草**：全年均可采收，晒干。

| **功能主治** | 清热解毒，止痢。

金星蕨科 Thelypteridaceae 毛蕨属 Cyclosorus

齿牙毛蕨 Cyclosorus dentatus (Forssk.) Ching

| 药 材 名 | 齿牙毛蕨。

| 形态特征 | 植株高 30 ~ 70 cm。根茎短，直立或稍横卧，先端密被棕色披针形鳞片。叶近生或簇生；叶柄长约 20 cm，与叶轴密被灰白色硬毛；

叶片纸质，披针形至长圆状披针形，长 35 ~ 50 cm，宽 8 ~ 15 cm，先端长渐尖，基部略缩狭，两面密被短毛，2 回羽裂；羽片 12 ~ 18 对，互生，平展，无柄，线形，长 7 ~ 11 cm，宽 1 ~ 1.8 cm，先端长渐尖或尾状，基部楔形，基部的羽片稍缩短，下部 4 ~ 5 对羽片距离稍远，羽裂深达 1/3，裂片稍斜长，长圆形，先端略圆；叶脉羽状，侧脉每裂片 7 ~ 8 对，基部 1 对连接，第 2 对上侧 1 小脉伸达缺刻底部，并与第 1 对延伸的小脉相连，仅下侧 1 脉伸达缺刻以上的叶边；羽轴及中脉两面被毛。孢子囊群圆形，每裂片有 4 ~ 6 对，背生于侧脉中部；囊群盖圆肾形，棕色，被密毛。

| **生境分布** | 生于林下山谷湿地或溪沟边石缝中。湖北有分布。

| **采收加工** | 春、秋季采收，洗净，除去须根与叶柄，晒干。

| **功能主治** | 舒筋活络，消肿散结。用于风湿筋骨痛，手指麻木，跌打损伤，瘰疬痞块。

金星蕨科 Thelypteridaceae 毛蕨属 Cyclosorus

毛蕨
Cyclosorus interruptus (Willd.) H. Ito.

| 药 材 名 | 毛蕨。

| 形态特征 | 植株高达 130 cm。根茎横走，直径约 5 mm，黑色，连同叶柄基部偶有 1 ~ 2 卵状披针形鳞片。叶近生；叶柄长约 70 cm，直径 2 ~ 3 mm，基部黑褐色，向上渐变为禾秆色，几光滑；叶片长约 60 cm，宽 20 ~ 25 cm，卵状披针形或长圆披针形，先端渐尖，并具羽裂尾头，基部不变狭，2 回羽裂；羽片 22 ~ 25 对，顶生羽片长约 5 cm，基部宽约 1.8 cm，三角状披针形，渐尖头，基部阔楔形，柄长约 5 mm，羽裂达 2/3，侧生中部羽片几无柄，斜向上，互生（基部的对生），相距约 2 cm，近线状披针形，先端渐尖，基部楔形，对称，羽裂达 1/3；裂片约 30 对，斜展，长、宽均 3 ~ 4 mm，三角形，尖头。叶脉在下面明显，每裂片有侧脉 8 ~ 10 对，基部 1 对斜展，

其上侧 1 脉出自主脉基部，下侧 1 脉出自羽轴，二者先端交结成 1 钝三角形网眼，并自交结点向缺刻下的膜质联线伸出外行小脉；第 2 对侧脉斜伸到膜质联线，在主脉两侧形成 2 斜长方形网眼；第 3 对侧脉伸达缺刻以上的叶边。叶近革质，干后褐绿色，上面光滑，下面沿各脉疏生柔毛及少数橙红色小腺体，并沿羽轴有 1 ~ 2 淡棕色鳞片；鳞片膜质，阔卵形，有缘毛。孢子囊群圆形，生于侧脉中部，每裂片 5 ~ 9 对，下部 1 ~ 2 对不育，因此在羽轴两侧各形成 1 不育带；囊群盖小，膜质，淡棕色，上面疏被白色柔毛，宿存，成熟时隐没于囊群中。

| **生境分布** | 生于海拔 200 ~ 380 m 的山谷溪旁湿处。湖北有分布。

| **功能主治** | 祛风除湿，舒筋活络。用于风湿骨节疼痛，瘫痪，肢体麻木。

金星蕨科 Thelypteridaceae 毛蕨属 Cyclosorus

华南毛蕨 *Cyclosorus parasiticus* (L.) Farwell

| 药 材 名 | 华南毛蕨。

| 形态特征 | 植株高达 70 cm。根茎横走，连同叶柄基部有深棕色披针形鳞片。叶近生；叶柄长达 40 cm，深禾秆色；叶片长圆状披针形，先端羽裂，具尾状渐尖头，基部不变狭，2 回羽裂，羽片 12 ~ 16 对，无柄，中部以下的对生，向上的互生，彼此接近，全缘；叶脉在两面均可见，侧脉斜上，单一，每裂片 6 ~ 8 对；叶草质，上面沿叶脉疏生针状毛，脉间疏生短糙毛，下面沿叶轴、羽轴及叶脉密生针状毛。孢子囊群圆形，生于侧脉中部以上；囊群盖小，膜质，棕色，上面密生柔毛，宿存。

| 生境分布 | 生于海拔 90 ~ 1 900 m 的山谷密林下或溪边湿地。分布于湖北西部。

| **资源情况** | 野生资源较少。药材来源于野生。

| **采收加工** | **全草**：夏、秋季采收，晒干。

| **功能主治** | 祛风除湿。

金星蕨科 Thelypteridaceae 针毛蕨属 Macrothelypteris

针毛蕨 *Macrothelypteris oligophlebia* (Baker) Ching

| 药 材 名 |

针毛蕨。

| 形态特征 |

植株高 60 ～ 150 cm。根茎短而斜升，连同叶柄基部被深棕色、披针形、边缘具疏毛的鳞片。叶簇生；叶柄长 30 ～ 70 cm，禾秆色，基部以上光滑；叶片几与叶柄等长，下部宽 30 ～ 45 cm，三角状卵形，先端渐尖并羽裂，基部不变狭，3 回羽裂，羽片约 14 对，互生；叶脉在下面明显，侧脉单一或在具锐裂的裂片上 2 叉，每裂片 4 ～ 8 对；叶草质，黄绿色，两面光滑无毛，仅下面有橙黄色、透明的头状腺毛，羽轴常具浅紫红色斑。孢子囊群小，圆形；囊群盖小，圆肾形，灰绿色，光滑，成熟时脱落。

| 生境分布 |

生于海拔 400 ～ 800 m 的山谷水沟边或林缘湿地。湖北有分布。

| 资源情况 |

野生资源较少。药材来源于野生。

| **采收加工** | 根茎：夏、秋季采收，晒干。

| **功能主治** | 清热解毒，止血，消肿，杀虫。

金星蕨科 Thelypteridaceae 针毛蕨属 Macrothelypteris

普通针毛蕨 *Macrothelypteris torresiana* (Gaud.) Ching

| 药 材 名 | 针毛蕨。

| 形态特征 | 植株高 60 ~ 150 cm。根茎短，直立或斜升，先端密被红棕色、有毛的线状披针形鳞片。叶簇生；叶柄长 30 ~ 70 cm，灰绿色，基部被短毛，向上近光滑；叶片长 30 ~ 80 cm，三角状卵形，先端渐尖并羽裂，三回羽状，羽片约 15 对，近对生，基部 1 对最大，渐次缩短；叶脉不明显，侧脉单一或在锐裂的裂片上分叉，每裂片 3 ~ 7 对；叶草质，淡绿色，下面被较多的灰白色细长针状毛和头状短腺毛，上面被短针状毛。孢子囊群小，圆形，每裂片 2 ~ 6 对，孢子囊顶部具 2 ~ 3 头状短毛。

| 生境分布 | 生于海拔 1 000 m 以下的山谷潮湿处。分布于湖北南部。

| **资源情况** | 野生资源较少。药材来源于野生。

| **采收加工** | **根茎：** 夏、秋季采收，晒干。

| **功能主治** | 苦，寒。清热解毒，止血，消肿，杀虫。

金星蕨科 Thelypteridaceae 金星蕨属 Parathelypteris

金星蕨
Parathelypteris glanduligera (Kunze) Ching

| 药 材 名 | 金星蕨。

| 形态特征 | 根茎长而横走，光滑，先端略被披针形鳞片。叶近生；叶柄禾秆色，多少被短毛；叶片长 18 ~ 30 cm，披针形或阔披针形，先端渐尖并羽裂，2 回羽状深裂，羽片约 15 对，互生或下部的近对生，无柄；叶脉明显，侧脉单一，每裂片 5 ~ 7 对，基部 1 对出自主脉基部以上；叶草质，光滑或疏被短毛，上面沿羽轴的纵沟密被针状毛，沿叶脉偶有少数短针状毛，叶轴多少被灰白色柔毛。孢子囊群小，圆形，每裂片 4 ~ 5 对，背生于侧脉的近顶部；囊群盖圆肾形，棕色，厚膜质，背面疏被灰白色刚毛，宿存。

| 生境分布 | 生于海拔 1 500 m 以下的疏林中。湖北有分布。

| **资源情况** | 野生资源一般。药材来源于野生。 |

| **采收加工** | **全草**：夏季采收，晒干或鲜用。 |

| **功能主治** | 清热解毒，利尿，止血。 |

金星蕨科 Thelypteridaceae 金星蕨属 Parathelypteris

中日金星蕨 Parathelypteris nipponica (Franch. et Sav.) Ching

| 药材名 |

扶桑金星蕨。

| 形态特征 |

植株高 40 ~ 60 cm。根茎长而横走，近光滑。叶近生；叶柄长 10 ~ 20 cm，基部棕褐色，被红棕色、阔卵形的鳞片；叶片长 30 ~ 40 cm，中部宽 7 ~ 10 cm，倒披针形，先端渐尖并羽裂，向基部渐变狭，2 回羽状深裂，羽片 25 ~ 33 对，下部 5 ~ 7 对近对生，向下逐渐缩小成小耳形，最下的呈瘤状，中部羽片互生，无柄；叶脉明显，侧脉单一，每裂片 4 ~ 5 对；叶草质，绿色，下面沿羽轴、主脉和叶缘被灰白色、开展的针状毛，脉间密被微细的腺毛及少数橙黄色的圆球形腺体，上面除叶轴和叶脉被短针状毛外，其余近光滑。孢子囊群圆形，每裂片 3 ~ 4 对，背生于侧脉的中部以上；囊群盖中等大小，圆肾形，棕色，膜质，背面被少数灰白色的长针状毛。

| 生境分布 |

生于海拔 400 ~ 2 500 m 的丘陵地区的疏林下。分布于湖北西南部丘陵。

| 资源情况 | 野生资源较少。药材来源于野生。

| 采收加工 | **全草**：夏、秋季采收，洗净，鲜用或晒干。

| 功能主治 | 止血消炎。

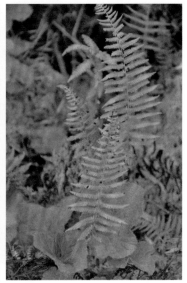

金星蕨科 Thelypteridaceae 卵果蕨属 Phegopteris

延羽卵果蕨
Phegopteris decursive-pinnata (van Hall) Fée

药材名

小叶金鸡尾巴草。

形态特征

植株高 30 ~ 60 cm。根茎连同叶柄基部被红棕色、具长缘毛的狭披针形鳞片。叶簇生；叶柄长 10 ~ 25 cm，淡禾秆色；叶片长 20 ~ 50 cm，披针形，先端渐尖并羽裂，向基部渐变狭，2 回羽裂，或一回羽状而边缘具粗齿，羽片 20 ~ 30 对，互生，中部的最大，狭披针形，先端渐尖，基部阔而下延，羽片间以圆耳状或三角形的翅相连；叶脉羽状，侧脉单一；叶草质，沿叶轴、羽轴和叶脉两面被灰白色的针状毛，下面混生先端分叉或呈星状的毛，叶轴和羽轴下面还疏生淡棕色、毛状或披针形而具缘毛的鳞片。孢子囊群近圆形，背生于侧脉的近先端，每裂片 2 ~ 3 对。

生境分布

生于海拔 2 000 m 以下的丘陵河沟两岸或路边林下。湖北有分布。

资源情况

野生资源较少。药材来源于野生。

| **采收加工** | **根茎**：夏、秋季采收，洗净，鲜用或晒干。

| **功能主治** | 利水消肿，解毒敛疮。

金星蕨科 Thelypteridaceae 新月蕨属 Pronephrium

披针新月蕨
Pronephrium penangianum (Hook.) Holtt.

| 药 材 名 | 鸡血莲。

| 形态特征 | 植株高 1 ~ 2 m。根茎长而横走,褐棕色,疏生披针形鳞片。叶远生;叶柄长可达 1 m,基部直径约 7 mm,褐棕色,向上渐变为淡红棕色,光滑;叶片长圆状披针形,长 40 ~ 80 cm,奇数一回羽状,侧生羽片 10 ~ 15 对,互生,有短柄,阔线形;叶脉在下面明显,侧脉近平展,小脉 9 ~ 10 对,先端联结,在侧脉间基部形成 1 三角形网眼;叶近纸质,褐色或红褐色,光滑。孢子囊群圆形,生于小脉中部或中部稍下处,在侧脉间排成 2 列,每行 6 ~ 7,无盖。

| 生境分布 | 生于海拔 900 ~ 2 000 m 的疏林下或阴地水沟边。分布于湖北西部和南部。

| 资源情况 | 野生资源较少。药材来源于野生。

| 采收加工 | **根茎：** 秋季采收，洗净，晒干。

| 功能主治 | 活血调经，散瘀止痛，除湿。

金星蕨科 Thelypteridaceae 假毛蕨属 Pseudocyclosorus

西南假毛蕨 *Pseudocyclosorus esquirolii* (Christ.) Ching

| 药 材 名 | 毛蕨根。

| 形态特征 | 植株高达 1.5 m。根茎横走。叶远生，深禾秆色，基部以上光滑；叶片阔长圆状披针形，先端羽裂渐尖，基部渐变狭，2 回深羽裂，羽片多对，下部 9 ~ 11 对互生，向下渐变成三角形耳状，向上各对互生，无柄，披针形，长 15 ~ 20 cm，具长尾状渐尖头，基部圆截形，裂片 30 ~ 35 对，披针形；主脉在两面隆起；叶近厚纸质、褐绿色，两面脉间均光滑无毛，下面沿叶轴和羽轴有针状毛，上面沿羽轴纵沟密被伏贴的刚毛。孢子囊群圆形，着生于侧脉中部。

| 生境分布 | 生于海拔 450 ~ 2 000 m 的山谷溪边石上或沟边。分布于湖北西部山区。

| **资源情况** | 野生资源较少。药材来源于野生。

| **采收加工** | **根茎**：秋季采收，洗净，晒干。

| **功能主治** | 散瘀，除湿。

金星蕨科 Thelypteridaceae 假毛蕨属 Pseudocyclosorus

普通假毛蕨 Pseudocyclosorus subochthodes (Ching) Ching

| 药 材 名 | 毛蕨根。

| 形态特征 | 植株高近 1 m。根茎短而横卧，黑褐色，疏被鳞片。叶近生或近簇生；叶柄长 20 ~ 25 cm，基部深棕色，疏被棕色鳞片，向上禾秆色，光滑无毛；叶片长圆状披针形，长 70 ~ 85 cm，具羽裂渐尖头，基部突然变狭，2 回深羽裂，下部有 3 ~ 4 对羽片突然缩小成三角形耳片，中部正常羽片 26 ~ 28 对，近对生或互生，披针形；叶脉在两面明显，主脉隆起；叶近厚纸质，灰绿色，两面脉间光滑无毛，叶轴、羽轴及叶脉下面近光滑或仅疏被短毛，沿羽轴上面纵沟密被伏贴的刚毛。孢子囊群圆形，着生于侧脉中上部；囊群盖圆肾形，厚膜质，淡棕色，宿存。

| 生境分布 | 生于海拔 2 000 m 以下的杂木林下湿地或山谷石上。分布于湖北南部丘陵和山区。

| 资源情况 | 野生资源较少。药材来源于野生。

| 采收加工 | **根茎:** 秋季采收,洗净,晒干。

| 功能主治 | 散瘀,除湿。

铁角蕨科 Aspleniaceae 铁角蕨属 Asplenium

华南铁角蕨 Asplenium austrochinense Ching

| 药 材 名 | 华南铁角蕨。

| 形态特征 | 植株高 30 ~ 40 cm。根茎短粗，横走。叶互生；叶柄下部为青灰色，向上为灰禾秆色；叶片阔披针形，二回羽状，羽片 10 ~ 14 对，下部的对生，向上互生，基部羽片披针形，一回羽状，小羽片 3 ~ 5 对，互生；叶脉在两面明显，在上面隆起，在下面多少凹陷成沟脊状；叶坚革质，干后棕色。孢子囊群短线形，褐色，生于小脉中部或中部以上。

| 生境分布 | 生于海拔 400 ~ 1 100 m 的密林下潮湿岩石上。分布于湖北西部山区。

| 资源情况 | 野生资源一般。药材来源于野生。

| 采收加工 | 全草：夏、秋季采收，洗净，晒干。

| 功能主治 | 利湿化浊，止血。

齿果铁角蕨 *Asplenium cheilosorum* Kunze ex Mett.

|药 材 名| 齿果铁角蕨。

|形态特征| 植株高 30 ~ 50 cm。根茎长而横走，黄褐色，先端密被鳞片，膜质，全缘。叶疏生；叶柄栗褐色，有光泽，为不显著的四棱形，基部密被与根茎上相同的鳞片，向上光滑；叶片线状披针形，长 14 ~ 35 cm，一回羽状，羽片 25 ~ 40 对，互生，平展，近无柄；叶脉羽状，主脉明显，下部与羽片下缘合一，小脉纤细，在两面均明显，2 叉；叶膜质或草质，干后暗绿色，两面均无毛。孢子囊群椭圆形，长 1 ~ 3 mm，棕色；囊群盖椭圆形，黄棕色，膜质，全缘，宿存。

| 生境分布 | 生于海拔 500 ~ 1 800 m 的密林下或溪旁阴湿石上。分布于湖北西部。 |

| 资源情况 | 野生资源一般。药材来源于野生。 |

| 采收加工 | **全草**：夏、秋季采收，洗净，晒干。 |

| 功能主治 | 利湿化浊，止血。 |

铁角蕨科 Aspleniaceae 铁角蕨属 Asplenium

虎尾铁角蕨 *Asplenium incisum* Thunb.

| 药材名 | 岩春草。

| 形态特征 | 根茎先端密被鳞片，鳞片狭披针形，膜质，黑色，全缘。叶密集簇生；叶柄长 4 ~ 10 cm，淡绿色，两侧各有一淡绿色的狭边，有光泽，略被少数褐色纤维状小鳞片，以后鳞片脱落；叶片阔披针形，长 10 ~ 27 cm，两端渐狭，先端渐尖，二回羽状，羽片 12 ~ 22 对，下部的近对生，向上互生；叶脉明显；叶薄草质，光滑，叶轴光滑。孢子囊群椭圆形，棕色，生于小脉中部或下部，紧靠主脉，不达叶边，基部 1 对小羽片常有 2 ~ 4 对；囊群盖椭圆形，灰黄色，薄膜质，全缘，开向主脉，偶有开向叶边。

| 生境分布 | 生于海拔 700 ~ 1 600 m 的林下潮湿岩石上。分布于湖北西南部。

| **资源情况** | 野生资源较少。药材来源于野生。

| **采收加工** | **全草**：夏、秋季采收，洗净，晒干或鲜用。

| **功能主治** | 清热解毒，平肝镇惊，止血利尿。

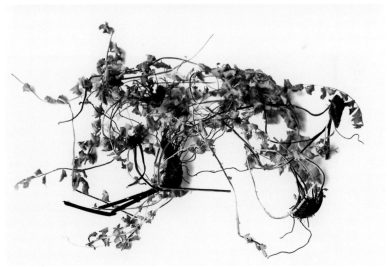

铁角蕨科 Aspleniaceae 铁角蕨属 Asplenium

胎生铁角蕨
Asplenium indicum Sledge

| 药 材 名 | 胎生铁角蕨。

| 形态特征 | 植株高 20 ~ 45 cm。根茎短而直立，密被鳞片，鳞片披针形，先端钻状，棕褐色，薄膜质，全缘。叶簇生，叶柄长 10 ~ 20 cm，绿色或灰禾秆色，上面有纵沟，疏被红棕色狭披针形小鳞片，叶片阔披针形，长 12 ~ 30 cm，顶部渐尖，一回羽状，羽片 8 ~ 20 对，互生或下部的叶对生；叶脉在两面均明显，隆起呈沟脊状，侧脉二回 2 叉，间有 2 叉；叶近革质，两面均呈沟脊状，幼时在羽片下面及羽片柄上均略被褐棕色的狭披针形鳞片，以后逐渐脱落。孢子囊群线形，长 4 ~ 8 mm，成熟时为褐棕色；囊群盖线形，灰棕色，膜质，全缘，生于小脉上侧的开向主脉，生于下侧的开向叶边，宿存。

| **生境分布** | 生于海拔 600 ～ 2 700 m 的密林下潮湿岩石上或树干上。分布于湖北西部。

| **资源情况** | 野生资源较少。

| **采收加工** | 夏、秋季采收，洗净，晒干。

| **功能主治** | 舒筋通络，活血止痛。

铁角蕨科 Aspleniaceae 铁角蕨属 Asplenium

宝兴铁角蕨 *Asplenium moupinense* Franch.

| 药 材 名 |

宝兴铁角蕨。

| 形态特征 |

植株高 10 ~ 20 cm。根茎短而直立，直径 3 ~ 4 mm，密被鳞片；鳞片披针形，长 3 ~ 5 mm，基部宽约 0.5 mm，膜质，褐黑色，有虹色光泽，近全缘。叶簇生；叶柄长 2 ~ 5 cm，直径约 1 mm，栗褐色，有光泽，上面有浅纵沟，密被黑褐色纤维状鳞片，以后部分脱落；叶片阔披针形，长 8 ~ 18 cm，中部宽 2.5 ~ 4 cm，两端渐狭，二回羽状；羽片 16 ~ 24 对，基部的对生，向上互生，近平展，有短柄，下部羽片逐渐缩短成耳形，疏离，中部羽片密接，相距约 9 mm，椭圆状披针形，长 1 ~ 2 cm，基部宽 6 ~ 9 mm，钝头，先端缺刻内往往有 1 小芽孢，1 回羽状深裂，几达主脉；裂片 4 ~ 5 对，互生，上部先生出，斜展，彼此密接，基部 1 对较大，尤以上侧 1 裂片最大，长 4 ~ 6 mm，宽 2 ~ 4 mm，椭圆形，多少呈扇状，近圆头，基部楔形，下延，边缘牙齿状深裂达 1/3 ~ 2/3，向上各对裂片均较小，长方形，先端圆截形并有少数粗大牙齿，两侧全缘；叶脉在上面隐约可见，在下面明显，略隆起，侧脉在基部裂片扇形分枝或近羽状，在中部以上的裂片为 2～3 叉，斜展，纤细，不达叶边；叶草质，干后草绿色，光滑；叶轴上面为草绿色并有阔纵沟，下面栗褐色，略被褐黑色纤维状小鳞片。孢子囊群近椭圆形，长约 2 mm，略斜向上，生于小脉下部，紧靠主脉，每裂片有 1～2，基部 1 对裂片有 2～6，排列不整齐，成熟后为深棕色并满布羽片主脉两侧；囊群盖近椭圆形，灰白色，膜质，全缘，开向主脉，少数开向叶边。

| 生境分布 | 生于海拔 1 600～2 800 m 的林下溪边潮湿岩石上。湖北有分布。

| 资源情况 | 野生资源较少。

| 采收加工 | 夏、秋季采收，洗净，晒干。

| 功能主治 | 清热解毒。用于痢疾，蜈蚣咬伤。

铁角蕨科 Aspleniaceae 铁角蕨属 Asplenium

倒挂铁角蕨 *Asplenium normale* D. Don

| 药 材 名 | 倒挂草。

| 形态特征 | 植株高 15 ~ 40 cm。根茎直立或斜升，粗壮，黑色，全部密被鳞片或仅先端及较嫩部分密被鳞片，鳞片披针形，长 2 ~ 3 mm，厚膜质，黑褐色。叶簇生；叶柄褐色至紫黑色，有光泽，略呈四棱形；叶片披针形，长 12 ~ 24（ ~ 28）cm，一回羽状，羽片 20 ~ 30（ ~ 44）对，互生，平展，无柄；叶脉羽状，纤细，在两面均不见或隐约可见，小脉单一或 2 叉；叶草质至薄纸质，两面均无毛。孢子囊群椭圆形，棕色，彼此疏离；囊群盖椭圆形，淡棕色或灰棕色，有时沿叶脉着生处色较深，膜质，全缘，开向主脉。

| 生境分布 | 生于海拔 600 ~ 2 500 m 的密林下或溪旁石上。分布于湖北中部和

西部山区。

| **资源情况** | 野生资源丰富。药材来源于野生。

| **采收加工** | **全草**：全年均可采收，洗净，晒干或鲜用。

| **功能主治** | 微苦，平。清热解毒，止血。

铁角蕨科 Aspleniaceae 铁角蕨属 Asplenium

北京铁角蕨 *Asplenium pekinense* Hance

| 药 材 名 | 铁杆地柏枝。

| 形态特征 | 植株高 8 ~ 20 cm。根茎短而直立，先端密被鳞片，鳞片披针形，膜质，黑褐色，全缘或略呈微波状。叶簇生；叶柄长 2 ~ 4 cm，直径 0.8 ~ 1 mm，淡绿色，下部疏被与根茎上相同的鳞片，向上疏被黑褐色的纤维状小鳞片；叶片披针形，长 6 ~ 12 cm，先端渐尖，基部略变狭，二回羽状或 3 回羽裂，羽片 9 ~ 11 对；叶脉在两面均明显，在上面隆起，小脉扇状二叉分枝；叶坚草质，叶轴及羽轴两侧有连续的线状狭翅，下部疏被黑褐色的纤维状小鳞片，向上光滑。孢子囊群近椭圆形，长 1 ~ 2 mm，每小羽片有 1 ~ 2，位于小羽片中部，成熟后为深棕色，满铺于小羽片下面；囊群盖灰白色，膜质，全缘，开向羽轴或主脉，宿存。

| 生境分布 | 生于海拔 380 ~ 3 100 m 的岩石上或石缝中。湖北有分布。

| 资源情况 | 野生资源丰富。药材来源于野生。

| 采收加工 | **全草：**全年均可采收，洗净，晒干。

| 功能主治 | 化痰止咳，利膈，止血。

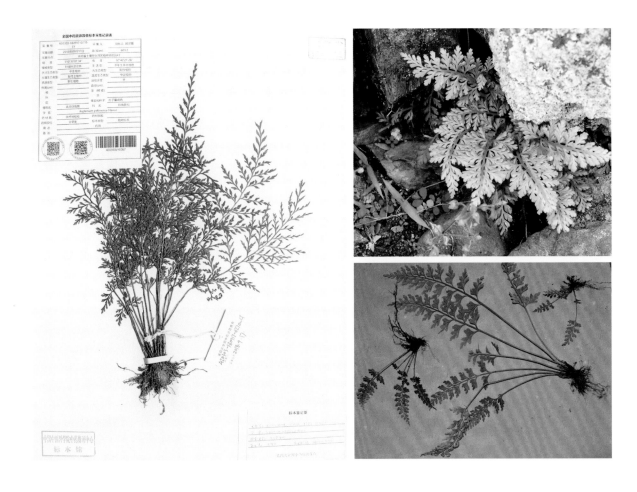

铁角蕨科 Aspleniaceae 铁角蕨属 Asplenium

长叶铁角蕨 *Asplenium prolongatum* Hook.

| **药 材 名** | 倒生莲。

| **形态特征** | 植株高 20 ~ 40 cm。根茎短而直立，先端密被鳞片，鳞片披针形，黑褐色，有棕色狭边，厚膜质。叶簇生；叶柄长 8 ~ 18 cm，淡绿色，上面有纵沟，幼时与叶片通体疏被褐色的纤维状小鳞片，以后鳞片陆续脱落而渐变光滑；叶片线状披针形，长 10 ~ 25 cm，二回羽状，羽片 20 ~ 24 对，下部的对生，向上互生；叶脉明显，略隆起，每小羽片或裂片有小脉 1，先端有明显的水囊，不达叶边；叶近肉质，先端往往延长成鞭状而生根。孢子囊群狭线形，长 2.5 ~ 5 mm，深棕色，每小羽片 1；孢子囊群盖狭线形，灰绿色，膜质，全缘，开向叶边，宿存。

| 生境分布 | 附生于海拔 150 ~ 1 800 m 的林中树干上或潮湿岩石上。分布于湖北西部山区。

| 资源情况 | 野生资源较少。药材来源于野生。

| 采收加工 | **全草：** 秋季采收，洗净，鲜用或晒干。

| 功能主治 | 清热除湿，化瘀止血。

铁角蕨科 Aspleniaceae 铁角蕨属 *Asplenium*

华中铁角蕨 *Asplenium sarelii* Hook.

| 药 材 名 | 孔雀尾。

| 形态特征 | 植株高 10 ~ 23 cm。根茎短而直立，先端密被鳞片，鳞片狭披针形，膜质，黑褐色，边缘有微牙齿。叶簇生；叶柄长 5 ~ 10 cm，淡绿色，近光滑，上面有浅阔纵沟；叶片椭圆形，长 5 ~ 13 cm，3 回羽裂，羽片 8 ~ 10 对，对生，向上互生，叶坚草质，叶轴两侧有线形狭翅，叶脉在两面均明显，在上面隆起，小脉在裂片上为 2 ~ 3 叉，在小羽片基部的裂片为 2 回 2 叉，不达叶边。孢子囊群近椭圆形，长 1 ~ 1.5 mm，棕色，每裂片有 1 ~ 2，生于小脉上部，不达叶边；囊群盖椭圆形，灰绿色，膜质，全缘，开向主脉，宿存。

| 生境分布 | 生于海拔 300 ~ 2 800 m 的潮湿岩壁上或石缝中。湖北有分布。

| **资源情况** | 野生资源较少。药材主要来源于野生。 |

| **采收加工** | **全草**：全年均可采收，洗净，晒干。 |

| **功能主治** | 清热解毒，止咳利咽，利湿消肿，止血止痛。 |

铁角蕨科 Aspleniaceae 铁角蕨属 Asplenium

铁角蕨 *Asplenium trichomanes* L.

| 药 材 名 | 铁角凤尾草。

| 形态特征 | 植株高 10 ~ 30 cm。根茎短而直立，直径约 2 mm，密被鳞片，鳞片线状披针形，厚膜质，黑色，有光泽，全缘。叶多数，密集簇生；叶柄长 2 ~ 8 cm，栗褐色，有光泽，两边有棕色的全缘膜质狭翅，下面圆形；叶片长线形，长 10 ~ 25 cm，具长渐尖头，一回羽状，羽片 20 ~ 30 对，基部的对生，向上对生或互生，平展，近无柄；叶脉羽状，纤细；叶纸质。孢子囊群阔线形，黄棕色，生于上侧小脉；囊群盖阔线形，棕色，膜质，全缘，开向主脉，宿存。

| 生境分布 | 生于海拔 400 ~ 3 100 m 的林下山谷中的岩石上或石缝中。湖北有分布。

| **资源情况** | 野生资源较少。药材来源于野生。

| **采收加工** | **全草**：全年均可采收，鲜用或晒干。

| **功能主治** | 清热利湿，解毒消肿，调经止血。

铁角蕨科 Aspleniaceae 铁角蕨属 Asplenium

三翅铁角蕨 *Asplenium tripteropus* Nakai

药材名

三翅铁角蕨。

形态特征

植株高 15 ~ 30 cm。根茎短而直立，直径约 2 mm，先端密被鳞片，鳞片线状披针形，长约 2 mm，厚膜质，褐棕色或深褐色而有棕色狭边，全缘。叶簇生；叶柄长 3 ~ 5 cm，乌木色，有光泽，基部密被与根茎上相同的鳞片，向上光滑，三角形，在上面两侧和下面的棱脊上各有一棕色的全缘膜质阔翅，质脆；叶片长线形，两端渐狭，一回羽状，羽片 23 ~ 35 对，对生或上部的互生；叶脉羽状，纤细，二叉，斜向上；叶纸质，叶轴向顶部常有 1 ~ 2 (~ 3) 被鳞片的腋生芽孢，能在母株上萌发。孢子囊群椭圆形，锈棕色，生于上侧小脉，位于主脉与叶边之间，每羽片有 3 ~ 6 (~ 11)；囊群盖椭圆形，膜质，灰绿色，全缘，开向主脉。

生境分布

生于海拔 400 ~ 1 350 m 的林下潮湿岩石上或酸性土上。分布于湖北西部山区。

| **资源情况** | 野生资源一般。药材来源于野生。

| **采收加工** | **全草**：夏、秋季采收，洗净，晒干。

| **功能主治** | 舒筋活络，利水通淋。

铁角蕨科 Aspleniaceae 铁角蕨属 Asplenium

变异铁角蕨 *Asplenium varians* Wall. ex Hook. et Grev.

| 药 材 名 | 九倒生。

| 形态特征 | 植株高 10 ~ 22 cm。根茎短而直立，先端密被鳞片，鳞片披针形，膜质，黑褐色，近全缘。叶簇生；叶柄长 4 ~ 7（~ 10）cm，下部或全部为栗色，有光泽，或向上为绿色，疏被黑褐色纤维状鳞片，以后鳞片脱落，上面有浅阔纵沟；叶片披针形，长 7 ~ 13 cm，先端渐尖，基部略变狭，二回羽状，羽片 10 ~ 11 对，下部的对生，向上互生，平展，有极短的柄；叶脉在上面明显，略隆起，在下面不可见，小脉在小羽片上为 2 叉或二回 2 叉，在基部上侧小羽片上为近羽状分枝；叶薄草质，暗灰绿色，叶轴上面有浅阔纵沟，光滑。孢子囊群短线形，生于小脉下部，铺满羽片下面；囊群盖短线形，淡棕色，膜质，宿存。

| 生境分布 | 生于海拔 650 ~ 3 100 m 的杂木林下潮湿岩石上或岩壁上。分布于湖北西部。

| 资源情况 | 野生资源较少。药材来源于野生。

| 采收加工 | **全草**：秋后采收，洗净，晒干。

| 功能主治 | 微涩，凉。归肾经。活血消肿，止血生肌。

闽浙铁角蕨 *Asplenium wilfordii* Mett. ex Kuhn

| 药 材 名 | 闽浙铁角蕨。

| 形态特征 | 植株高 30 ~ 40 cm。根茎木质，密被鳞片，鳞片披针形，膜质，红

棕色，全缘。叶簇生；叶柄长 12 ～ 20 cm，淡绿色或下面为褐色，上面有浅纵沟，下部疏被棕色披针形的小鳞片，向上光滑；叶片椭圆形，长 12 ～ 25 cm，尖头，三回羽状或 4 回羽裂，羽片 9 ～ 15 对，基部的对生，向上互生，斜向上，有长柄；叶脉两面均明显，在上面多少隆起，小脉在裂片或末回小羽片为 2 叉；叶厚纸质。孢子囊群线形，每裂片有 1 ～ 2，囊群盖线形，淡灰色，膜质，全缘，宿存。

| 生境分布 |　生于低海拔的林下石上。分布于湖北通山、通城。

| 资源情况 |　野生资源较少。

| 采收加工 |　夏、秋季采收，洗净，晒干。

| 功能主治 |　舒筋活络，利水通淋。

铁角蕨科 Aspleniaceae 铁角蕨属 Asplenium

狭翅铁角蕨
Asplenium wrightii Eaton ex Hook.

| 药 材 名 | 狭翅铁角蕨。

| 形态特征 | 植株高大。根茎粗壮,密被鳞片,鳞片披针形,厚膜质,褐棕色,全缘。叶簇生;叶柄长 20 ~ 32 cm,淡绿色,基部栗褐色,上面有纵沟;叶片椭圆形,长 30 ~ 80 cm,一回羽状,羽片 16 ~ 24 对,基部的对生或近对生,向上互生;叶脉羽状,小脉二回 2 叉,在下面略隆起,斜向上,不达叶边;叶纸质,叶轴绿色,光滑,下面圆形,上面有纵沟,中部以上两侧有狭翅。孢子囊群线形,褐棕色,生于上侧一脉,自主脉向外,几达叶边,沿主脉两侧排列整齐;囊群盖线形,灰棕色,膜质,全缘,开向主脉,宿存。

| 生境分布 | 生于海拔 230 ~ 1 100 m 的林下溪边岩石上。分布于湖北神农架。

| 资源情况 | 野生资源较少。药材来源于野生。

| 采收加工 | **根茎：**夏、秋季采收，除去叶片和叶柄，洗净，晒干。

| 功能主治 | 活血消肿，止血生肌。

球子蕨科 Onocleaceae 荚果蕨属 Matteuccia

东方荚果蕨 *Matteuccia orientalis* (Hook.) Trev

| 药 材 名 |

东方荚果蕨。

| 形态特征 |

植株高达 1 m。根茎短而直立，木质，坚硬，先端及叶柄基部密被鳞片，鳞片披针形，先端纤维状，全缘，膜质，棕色。叶簇生，二型；不育叶叶柄长 30 ~ 70 cm，基部褐色，向上深禾秆色，连同叶轴被鳞片，叶柄上的鳞片脱落后往往留下褐色的新月形鳞痕，叶片椭圆形，长 40 ~ 80 cm，先端渐尖并为羽裂，叶纸质；能育叶与不育叶等高或较矮，有长柄，叶片椭圆形或椭圆状倒披针形，一回羽状，羽片多数，线形，两侧强烈反卷成荚果状，深紫色，幼时完全包被孢子囊群。孢子囊群圆形，成熟时汇合成线形；囊群盖膜质。

| 生境分布 |

生于海拔 800 m 以上的林下溪边。分布于湖北西部和南部。

| 资源情况 |

野生资源丰富。药材来源于野生。

| 采收加工 | 　根茎及叶柄残基：全年均可采收，洗净，晒干或鲜用。

| 功能主治 | 　祛风，止血。

球子蕨科 Onocleaceae 荚果蕨属 Matteuccia

荚果蕨

Matteuccia struthiopteris (L.) Tod. var. *struthiopteris*

药材名

荚果蕨贯众。

形态特征

植株高 70 ~ 110 cm。根茎粗壮，短而直立，木质，坚硬，深褐色，与叶柄基部密被鳞片，鳞片披针形，先端纤维状，膜质，全缘，棕色。叶簇生，二型；不育叶叶柄褐棕色，上面有深纵沟，基部三角形，具龙骨状突起，密被鳞片，向上逐渐稀疏，叶片椭圆状披针形至倒披针形，长 50 ~ 100 cm，向基部逐渐变狭，2 回深羽裂，羽片 40 ~ 60 对，互生或近对生，叶脉明显，在裂片上为羽状，叶草质，棕绿色；能育叶较不育叶短，有粗壮的长柄，叶片倒披针形，长 20 ~ 40 cm，一回羽状，羽片线形，两侧强烈反卷成荚果状，呈念珠形，深褐色，包裹孢子囊群。孢子囊群圆形，成熟时汇合成线形；囊群盖膜质。

生境分布

生于海拔 100 m 以上的山谷林下或河岸湿地。分布于湖北西部山区。

| 资源情况 | 野生资源较少。药材来源于野生。

| 采收加工 | **根茎及叶柄残基：**春、秋季采挖，削去叶柄、须根，除净泥土，晒干或鲜用。

| 功能主治 | 清热解毒，杀虫，止血。

岩蕨科 Woodsiaceae 岩蕨属 Woodsia

岩蕨
Woodsia ilvensis (L.) R. Br.

| 药 材 名 | 蜈蚣旗根。

| 形 态 特 征 | 植株高 12 ~ 17 cm。根茎短而直立或斜出，与叶柄基部密被鳞片，鳞片阔披针形，先端长渐尖并为纤维状，棕色，膜质，全缘。叶密集簇生；叶柄长 3 ~ 7 cm，栗色，有光泽，基部以上被长节状毛及线状披针形小鳞片，中部以下具关节；叶片披针形，长 8 ~ 11 cm，先端短渐尖，基部稍狭，2 回羽裂，羽片 10 ~ 20 对，无柄，互生或下部的对生，向基部逐渐缩小，中部羽片较大，卵状披针形；叶脉不明显；叶草质，棕绿色，两面均被长毛，下面沿叶轴及羽轴被棕色小鳞片及节状长毛。孢子囊群圆形，着生于小脉的先端；囊群盖碟形，膜质，边缘具长睫毛。

| **生境分布** | 生于海拔 2 000 m 以下的岩石上。分布于湖北北部。

| **资源情况** | 野生资源较少。药材来源于野生。

| **采收加工** | **根茎：** 全年均可采收，洗净，鲜用。

| **功能主治** | 舒筋活络。

岩蕨科 Woodsiaceae 岩蕨属 Woodsia

耳羽岩蕨
Woodsia polystichoides Eaton.

药材名

蜈蚣旗根。

形态特征

植株高 15 ～ 30 cm。根茎短而直立，先端密被鳞片，鳞片披针形，长约 4 mm，先端渐尖，棕色，膜质，全缘。叶簇生；叶柄长 4 ～ 12 cm，禾秆色或棕禾秆色，略有光泽，先端或上部有倾斜的关节，基部被与根茎上相同的鳞片，向上连同叶轴被狭披针形至线形的棕色小鳞片和节状长毛；叶片线状披针形或狭披针形，长 10 ～ 23 cm，具渐尖头，向基部渐变狭，一回羽状，羽片 16 ～ 30 对，近对生或互生，下部 3 ～ 4 对缩小并略向下反折，基部 1 对呈三角形；叶脉明显，羽状，2 叉，先端有棒状水囊；叶纸质或草质，草绿色或棕绿色，上面近无毛，下面疏被长毛及线形小鳞片。孢子囊群圆形，着生于 2 叉小脉的上侧分枝先端，每裂片有 1；囊群盖杯形。

生境分布

生于海拔 2 000 m 以下的林下石上及山谷石缝间。分布于湖北各处山区。

| **资源情况** | 野生资源一般。药材来源于野生。

| **采收加工** | **根茎**：全年均可采收，洗净，鲜用。

| **功能主治** | 舒筋活络。

乌毛蕨科 Blechnaceae 乌毛蕨属 Blechnum

乌毛蕨
Blechnum orientale L.

| 药 材 名 | 乌毛蕨贯众。

| 形态特征 | 植株高 0.5 ~ 2 m。根茎直立，粗短，木质，黑褐色，先端及叶柄下部密被鳞片。叶簇生于根茎先端；叶柄长 3 ~ 80 cm，坚硬，基部往往为黑褐色，向上为棕禾秆色，无毛；叶片卵状披针形，长达 1 m 左右，一回羽状，羽片多数，二型，互生，无柄，下部羽片不育，极度缩小为圆耳形，向上羽片突然伸长，中上部羽片最长，斜展，线形，长 10 ~ 30 cm，先端长渐尖，基部往往与叶轴合生，全缘或呈微波状；叶脉在上面明显，主脉在两面均隆起；叶近革质，灰绿色。孢子囊群线形，紧靠主脉两侧，仅线形的羽片能育；囊群盖线形，开向主脉，宿存。

| **生境分布** | 生于海拔 800 m 以下的潮湿水沟旁、山坡灌丛中或疏林下。分布于湖北西部。 |

| **资源情况** | 野生资源一般。药材来源于野生。 |

| **采收加工** | **根茎及叶柄残基**：秋季采收全株，除去地上部分及须根，洗净，晒干。 |

| **功能主治** | 杀虫，清热，解毒，凉血止血。 |

乌毛蕨科 Blechnaceae 苏铁蕨属 Brainea

苏铁蕨 *Brainea insignis* (Hook.) J. Smith

| **药 材 名** | 苏铁蕨贯众。

| **形态特征** | 大型草本，高达 1.5 m。根茎短而粗壮。主轴直立，圆柱状，单一或分叉，顶部与叶柄基部均密被红棕色长钻形鳞毛。叶革质，簇生于主轴顶部，光滑或主脉下部疏被棕色披针形小鳞片，一回羽状，椭圆状披针形；叶柄长 10 ~ 30 cm；羽片对生或互生，30 ~ 50 对，线状披针形或窄披针形；能育叶与不育叶同形，仅羽片较短狭，较疏离，边缘有时呈不规则浅裂。孢子囊群着生于主脉两侧小脉，主脉两侧各有 1 行斜上的三角形网眼，网眼外的小脉分离，孢子囊沿网眼生长，成熟时散布于主脉两侧至密被能育羽片下面。

| **生境分布** | 生于海拔 450 ~ 1 700 m 的山坡向阳处。分布于湖北西部。

| **资源情况** | 野生资源一般。药材来源于野生。 |

| **采收加工** | **根茎：** 全年均可采收，洗净，晒干或鲜用。 |

| **功能主治** | 清热解毒，活血止血，驱虫。 |

乌毛蕨科 Blechnaceae 荚囊蕨属 *Struthiopteris*

荚囊蕨 *Struthiopteris eburnea* (Christ) Ching

| 药 材 名 | 荚囊蕨。

| 形态特征 | 植株高 18 ~ 60 cm。根茎直立，粗短，密被鳞片，鳞片披针形，先端纤维状，全缘，棕色，厚膜质。叶簇生，二型；叶柄长 3 ~ 24 cm，禾秆色，基部密被与根茎上相同的鳞片，向上渐变光滑；叶片线状披针形，两端渐狭，一回羽状，羽片多数，篦齿状排列，下部羽片向基部逐渐缩小，基部 1 对呈小耳形，向上的羽片为镰状披针形；叶脉不明显，小脉 2 叉；叶坚革质，灰绿色。能育叶与不育叶同形而较狭，孢子囊群线形，着生于主脉与叶缘之间；囊群盖纸质，拱形，开向主脉，宿存。

| 生境分布 | 生于海拔 500 ~ 1 800 m 的溪边石灰岩上。分布于湖北宜昌及神农架。

| 资源情况 | 野生资源较少。药材来源于野生。

| 采收加工 | **根茎**：秋季采收，洗净，晒干或鲜用。

| 功能主治 | 清热利湿，散瘀消肿。

乌毛蕨科 Blechnaceae 狗脊属 Woodwardia

东方狗脊
Woodwardia orientalis Sw.

| 药 材 名 | 东方狗脊。

| 形态特征 | 植株高 70 ~ 100 cm。根茎横卧，黑褐色，坚硬，木质，与叶柄基部密被鳞片，鳞片披针形，长约 1 cm，先端纤维状，全缘，薄膜质，深棕色。叶簇生，叶柄长 20 ~ 55 cm，基部褐色，向上禾秆色并疏被与根茎上同形但较宽的鳞片，叶片卵形，长 35 ~ 45 cm，先端渐尖，基部圆截形，2 回深羽裂达羽轴两侧的阔翅，羽片 6 ~ 8 对，对生或下部的叶近对生；叶脉明显，羽轴及主脉均隆起，棕禾秆色，在羽轴及主脉两侧各有 1 行整齐的狭长网眼；叶革质，淡绿色，在叶轴及羽轴的下面被少数小鳞片。孢子囊群近新月形，着生于羽轴两侧的狭长网眼上；囊群盖同形，厚膜质，隆起，开向主脉，宿存。

| 生境分布 | 生于海拔 500 m 左右的山坡或路旁。分布于湖北南部。

| 资源情况 | 野生资源一般。

| 采收加工 | 夏、秋季采挖，削去须根及叶柄，鲜用或晒干。

| 功能主治 | 祛风除湿，补肝肾，强腰膝，解毒，杀虫。

鳞毛蕨科 Dryopteridaceae 复叶耳蕨属 Arachniodes

多距复叶耳蕨
Arachniodes calcarata Ching

| 药 材 名 | 长尾复叶耳蕨。

| 形态特征 | 植株高 60 ~ 80 cm，根茎横卧，密被棕色、狭披针形或条状钻形鳞片；叶近生，叶柄长 30 ~ 60 cm，禾秆色，基部被鳞片，向上近光

滑，叶片卵状五角形，长约 35 cm，宽约 20 cm，顶部具有与侧生羽片同形的羽状羽片，三回羽状，侧生羽片 4 对，基部 1 对对生，有柄，基部 1 对斜三角形，长约 16 cm，宽约 8 cm，二回羽状，小羽片约 22 对，有柄，基部下侧 1 披针形，长约 8 cm，宽约 2.2 cm，一回羽状，末回小羽片约 16 对，互生，几无柄，长圆形，长约 1.5 cm，宽约 6 mm，钝尖头，具芒状锯齿，第 2 ～ 4 对羽片披针形，羽状；叶干后纸质，灰绿色，光滑，叶轴和羽轴偶被小鳞片；花长达 1.5 cm，宽约 4.5 cm，锐尖头，边缘具有长芒刺的锯齿，基部上侧 1 小羽片伸长超过第 2 对羽片的基部，长达 7 cm，基部宽约 1.4 cm，羽状，第 2 对羽片披针形，长达 14 cm，若基部上侧 1 片小羽片伸长，则为深羽裂；孢子囊群顶生小脉上，每小羽片 5 ～ 7 对（裂片 3 ～ 5），位于中脉与叶边中间，在中脉各排列成 1 行，囊群盖暗棕色，厚膜质，近全缘，脱落。

| 生境分布 | 生于海拔 400 ～ 1 800 m 的山坡林下或溪沟边。湖北有分布。

| 资源情况 | 野生资源较丰富，栽培资源稀少。药材来源于野生。

| 采收加工 | **根茎**：全年均可采挖，除去须根，削去叶柄，晒干或鲜用。

| 功能主治 | 清热解毒。用于内热腹痛，关节酸痛。

鳞毛蕨科 Dryopteridaceae 复叶耳蕨属 Arachniodes

斜方复叶耳蕨 *Arachniodes rhomboidea* (Wall. ex Mett.) Ching

| 药 材 名 |

大叶鸭脚莲。

| 形态特征 |

植株高 50 ~ 80 cm。叶远生；叶柄长 25 ~ 45 cm，禾秆色，基部以上光滑或有少数鳞片；叶片卵状长圆形或卵状三角形，长 30 ~ 50 cm，宽 20 ~ 35 cm，顶部尾尖，两面光滑，三回羽状（偶二回羽状）至 4 回羽裂，羽片 5 ~ 7 对，基部 1 对最大，其基部下侧 1 小羽片明显伸长并羽裂，顶生 1 羽片和其下的侧生羽片同形，末回小羽片近三角形或斜菱形，基部上侧呈三角形凸起，下侧斜切，具锐尖头，边缘生有刺头的粗锯齿（偶为浅裂）；叶纸质。孢子囊群生于小脉先端，靠近锯齿基部；囊群盖圆肾形，边缘有睫毛。

| 生境分布 |

生于海拔 80 ~ 120 m 的林下或溪边。分布于湖北南漳、枣阳、丹江口、恩施、谷城、京山、蔡甸、江夏。

| **采收加工** | **根茎：**全年均可采挖，除去叶，洗净泥土，鲜用或晒干。

| **功能主治** | 祛风止痛，益肺止咳。用于关节痛，肺痨咳嗽。

鳞毛蕨科 Dryopteridaceae 复叶耳蕨属 Arachniodes

异羽复叶耳蕨 *Arachniodes simplicior* (Makino) Ohwi

| 药 材 名 | 长尾复叶耳蕨。

| 形态特征 | 植株高 60 ~ 80 cm。根茎横卧，密被棕色、狭披针形或条状钻形鳞片。叶近生；叶柄长 30 ~ 60 cm，禾秆色，基部被鳞片，向上近光滑；叶片卵状五角形，长约 35 cm，宽约 20 cm，顶部具有与侧生羽片同形的羽状羽片，三回羽状，侧生羽片 4 对，基部 1 对对生，有柄，基部 1 对斜三角形，长约 16 cm，宽约 8 cm，二回羽状，小羽片约 22 对，有柄，基部下侧 1 小羽片披针形，长约 8 cm，宽约 2.2 cm，一回羽状，末回小羽片约 16 对，互生，几无柄，长圆形，长约 1.5 cm，宽约 6 mm，钝尖头，具芒状锯齿，第 2 ~ 4 对羽片披针形，羽状；叶干后纸质，灰绿色，光滑，叶轴和羽轴偶被小鳞片；花长达 1.5 cm，

宽约 4.5 cm，锐尖头，边缘具有长芒刺的锯齿，基部上侧 1 小羽片伸长超过第 2 对羽片的基部，长达 7 cm，基部宽约 1.4 cm，羽状，第 2 对羽片披针形，长达 14 cm，若基部上侧 1 小羽片伸长，则为深羽裂。孢子囊群顶生于小脉上，每小羽片 5 ～ 7 对，裂片 3 ～ 5，位于中脉与叶边中间，在中脉各排列成 1 行；囊群盖暗棕色，厚膜质，近全缘，脱落。

| 生境分布 | 生于海拔 400 ～ 1 800 m 的山坡林下或溪沟边。湖北有分布。

| 采收加工 | 全年均可采挖，除去须根，削去叶柄，晒干或鲜用。

| 功能主治 | 清热解毒。用于内热腹痛，关节酸痛。

鳞毛蕨科 Dryopteridaceae 贯众属 Cyrtomium

镰羽贯众 Cyrtomium balansae (Christ) C. Chr.

| 药 材 名 | 镰羽贯众。

| 形态特征 | 植株高 30 ~ 70 cm,根茎斜升或直立,连同叶柄基部密被披针形鳞片。叶簇生,厚纸质;叶柄长 15 ~ 45 cm,禾秆色,连同叶轴被棕色披针形鳞片;叶片披针形,长 25 ~ 50 cm,宽 10 ~ 15 cm,一回羽状,羽片 10 ~ 20 对,斜卵形,略斜向上,近无柄,中部以下羽片镰状披针形,长 5 ~ 8 cm,宽 1.5 ~ 2.5 cm,先端渐尖,基部上侧呈三角状耳形,下侧楔形,边缘略具细齿或中部以上有疏尖齿,上面光滑,下面疏被纤维状小鳞片;叶脉网状,中脉两侧各有 2 行网眼,每网眼有内藏小脉 1 ~ 2。孢子囊群圆形,背生于内藏小脉中部或上部;囊群盖圆形,盾状,全缘。

| **生境分布** | 生于海拔 200 ~ 1 600 m 的山谷溪沟边或林下阴湿处。湖北有分布。

| **采收加工** | 全年均可采挖，除去泥沙及叶，晒干或鲜用。

| **功能主治** | 清热解毒，驱虫。用于流行性感冒，肠道寄生虫病。

刺齿贯众 *Cyrtomium caryotideum* (Wall. ex Hook. et Grev.) Presl

| 药 材 名 | 大昏鸡头。

| 形态特征 | 植株高 40 ~ 70 cm。根茎短而直立，连同叶柄基部密被深褐色阔披针形大鳞片。叶簇生；叶柄长 15 ~ 30 cm，禾秆色，基部以上近光滑；叶片矩圆状披针形，纸质，长 25 ~ 40 cm，宽 10 ~ 20 cm，仅羽柄有纤维状鳞片，奇数一回羽状，侧生羽片阔镰状三角形，基部圆形，上侧或两侧呈尖三角形耳状凸起，边缘有规则的细刺状尖齿；叶脉网状，主脉两侧各有网眼 6 ~ 7 行，内藏小脉 1 ~ 3。孢子囊群大而密，生于内藏小脉中部；囊群盖褐色，边缘有长睫毛。

| 生境分布 | 生于海拔 400 ~ 2 900 m 的林下阴湿处。湖北有分布。

| 采收加工 | **根茎：**全年均可采挖，除去泥沙和叶，晒干或鲜用。

| **功能主治** | 清热解毒，活血散瘀，利水消肿。用于疔疮痈肿，瘰疬，毒蛇咬伤，崩漏带下，水肿，跌打损伤，蛔虫病，预防流行性感冒，麻疹。

鳞毛蕨科 Dryopteridaceae 贯众属 Cyrtomium

全缘贯众 *Cyrtomium falcatum* (L. f.) Presl

| 药 材 名 |

全缘贯众。

| 形态特征 |

植株高 35 ~ 70 cm。根茎近直立，连同叶柄基部密生黑褐色大鳞片。叶簇生；叶柄长 20 ~ 40 cm，棕禾秆色，向上偶有少数鳞片；叶片矩圆状披针形，革质，长 10 ~ 30 cm，宽 8 ~ 15 cm，沿叶轴及羽柄有纤维状鳞片，奇数一回羽状，羽片卵状镰形或长卵状披针形，基部圆形或上侧多少呈耳形，下侧圆楔形，全缘，有加厚的边（有时锐裂成粗牙齿）；叶脉网状。孢子囊群生于内藏小脉的中部；囊群盖圆盾形，边缘具微齿。

| 生境分布 |

生于近海潮线的石壁上。分布于湖北宣恩、远安。

| 采收加工 |

根茎：全年均可采收，洗净，除去须根与叶柄，晒干。

| 功能主治 | 　驱虫，止血，解热。用于外伤出血，流行性感冒，流行性脑脊髓膜炎，头晕目眩，高血压，痢疾，尿血等。

贯众
Cyrtomium fortunei J. Smith

| 药 材 名 | 粗茎鳞毛蕨。

| 形态特征 | 多年生草本，高 50 ~ 100 cm。根茎粗壮，斜生，有较多坚硬的叶柄残茎及黑色细根，密被棕褐色、长披针形的大鳞片。叶簇生于根基先端；叶柄长 10 ~ 25 cm，基部以上直达叶轴密生棕色条形至钻形狭鳞片；叶片草质，倒披针形，长 60 ~ 100 cm，中部稍上处宽 20 ~ 25 cm，1 回羽状全裂或深裂，羽片无柄，裂片密接，长圆形，近全缘或先端有钝锯齿；上面深绿色，下面淡绿色，侧脉羽状分叉；孢子叶与营养叶同形。孢子囊群着生于叶中部以上的羽片上，生于小叶背面小脉中部以下；囊群盖肾形或圆肾形，棕色。

| 生境分布 | 生于海拔 300 ~ 1 200 m 的林下沼泽地或林下阴湿处。分布于湖北

安陆、长阳、梁子湖、茅箭、南漳、潜江、沙洋、神农架、石首、松滋、随县、铁山、通城、团风、伍家岗、武昌、西陵、浠水、仙桃、襄城、襄州、猇亭、孝昌、兴山、阳新、宜城、宜都、远安、郧西、枣阳、张湾、钟祥、竹山、秭归。

| **功能主治** | 杀虫，清热，解毒，凉血止血。用于风热感冒，温热斑疹，吐血，咯血，衄血，便血，崩漏，血痢，带下，钩虫病、蛔虫病、绦虫病等肠道寄生虫病。

鳞毛蕨科 Dryopteridaceae 贯众属 Cyrtomium

小羽贯众

Cyrtomium lonchitoides (H. Christ) H. Christ

| 药 材 名 | 小羽贯众。

| 形态特征 | 植株高 20 ~ 40 cm。根茎直立，密被棕色披针形鳞片。叶簇生；叶柄长 5 ~ 15 cm，基部直径 1 ~ 3 mm，禾秆色，腹面有浅纵沟，下部密生卵形及披针形、棕色、中间黑棕色的鳞片，鳞片边缘流苏状，向上渐稀疏；叶片线状披针形，长 22 ~ 45 cm，宽 3 ~ 8 cm，先端渐尖，基部略狭，一回羽状，羽片 18 ~ 24 对，互生，平伸，柄极短，宽披针形，略向上弯成镰状，上缘多少隆起，中部的长 1.5 ~ 4 cm，宽 0.8 ~ 1.5 cm，先端渐尖，基部偏斜，上侧截形并有尖的耳状凸，下侧楔形，边缘多少有小齿，具羽状脉，小脉联结成 2 ~ 3 行网眼，在两面均不明显；叶纸质，腹面光滑，背面疏生棕色披针形小鳞片或秃净，叶轴腹面有浅纵沟，疏生披针形及线形、边缘有睫毛的棕

色鳞片，羽柄着生处常有鳞片。孢子囊群遍布羽片背面，疏生棕色披针形小鳞片或秃净；囊群盖圆形，盾状，边缘有长齿。

| 生境分布 | 生于海拔 1 200 ~ 2 700 m 的阔叶林下或松林下，多生于岩石上。湖北有分布。

| 功能主治 | 疏风清热，杀虫散积。用于感冒，虫积，疳积。

鳞毛蕨科 Dryopteridaceae 贯众属 Cyrtomium

大叶贯众
Cyrtomium macrophyllum (Makino) Tagawa

| 药 材 名 | 大叶贯众。

| 形态特征 | 植株高 40 ~ 80 cm。根茎斜升，与叶柄基部疏被暗褐色、阔披针形大鳞片。叶簇生；叶柄长 20 ~ 30 cm，深禾秆色，被疏鳞片；叶片纸质，椭圆形，长 30 ~ 50 cm，沿叶轴、羽柄被少数纤维状鳞片，奇数一回羽状，羽片多至 7 对以上，通常向上渐变小，顶生羽片三尖叉形，长达 10 cm，宽 3 ~ 4 cm，基部圆楔形或楔形，上侧往往稍突出；叶脉网状，中脉两侧各有网眼 7 ~ 8 行。孢子囊群生于内藏小脉中部；囊群盖圆盾形，全缘。

| 生境分布 | 生于密林下或溪沟边。湖北有分布。

| 采收加工 | **根茎：** 全年均可采挖，除去泥沙和叶，晒干或鲜用。

| 功能主治 | 清热解毒，凉血止血。用于流行性感冒，流行性乙型脑炎，崩漏。

鳞毛蕨科 Dryopteridaceae 贯众属 *Cyrtomium*

低头贯众 *Cyrtomium nephrolepioides* (Christ) Copel.

| 药 材 名 | 低头贯众。

| 形态特征 | 植株高 12 ~ 28 cm。根茎直立，密被披针形棕色鳞片。叶簇生；叶

柄长 3 ~ 8 cm，基部直径 1 ~ 2 mm，禾秆色，有时下部带紫色，腹面有浅纵沟，密被卵形及披针形棕色鳞片，鳞片边缘有流苏状的齿；叶片线状披针形，长 10 ~ 24 cm，宽 2 ~ 3 cm，先端渐尖，基部不变狭，奇数一回羽状；侧生羽片 10 ~ 26 对，互生，平伸或略斜向下，有柄，密接，卵形，中部羽片长 1 ~ 2 cm，宽 0.6 ~ 1.2 cm，先端圆形，基部心形，有时为偏斜的心形，全缘常略反卷；具羽状脉，中脉在两面下凹，侧脉联结，不明显；顶生羽片卵形，有时下部具 1 或 2 裂片，长 1.5 ~ 2.5 cm，宽 0.8 ~ 1 cm；叶为坚革质，两面秃净；叶轴腹面有浅纵沟，背面密生披针形、边缘有齿的棕色鳞片。孢子囊群位于中脉两侧各成 1 行；囊群盖圆形，盾状，边缘有不规则的齿缺。

| **生境分布** | 生于海拔 1 000 ~ 1 600 m 的林下岩缝内。湖北有分布。

| **采收加工** | **根茎：**全年均可采挖，洗净，晒干或鲜用。

| **功能主治** | 清热解毒，驱虫。用于流行性感冒，疮痈肿毒，蛇虫咬伤，蛔虫病。

秦岭贯众 *Cyrtomium tsinglingense* Ching & K. H. Shing

| 药 材 名 | 秦岭贯众。

| 形态特征 | 植株高 40 ~ 80 cm。根茎直立，密被棕色披针形鳞片。叶簇生；叶柄长 18 ~ 36 cm，基部直径 3 ~ 4 mm，禾秆色，腹面有浅纵沟，下部密生卵形及披针形、深棕色鳞片，鳞片边缘有齿，常扭曲，向上渐秃净；叶片矩圆形或矩圆状披针形，长 30 ~ 60 cm，宽 15 ~ 26 cm，先端钝，基部不变狭或略宽，奇数一回羽状，侧生羽片 5 ~ 7 对，互生，斜向上，有短柄，基部 1 或 2 对卵形，常较大，其他为矩圆状披针形，中部的长 11 ~ 20 cm，宽 3.5 ~ 5 cm，先端渐尖或急尖成尾状，基部宽楔形或圆楔形，上侧微有耳状凸，边缘有张开的小尖齿；顶生羽片宽倒卵形，2 叉或 3 叉状，长 9 ~ 15 cm，宽 6 ~ 9 cm；具羽状脉，小脉联结成多行网眼，在两面微凸；叶坚

纸质，腹面光滑，背面有棕色披针形小鳞片；叶轴腹面有浅纵沟，有披针形及线形、棕色鳞片。孢子囊群遍布羽片背面；囊群盖圆形，盾状，全缘。

| **生境分布** | 生于海拔 1 050 ~ 2 400 m 的阔叶林下或冷杉林下。分布于湖北郧西、丹江口、咸丰。

| **功能主治** | 清热解毒，凉血祛瘀，驱虫。用于感冒，热病斑疹，白喉，乳痈，瘰疬，黄疸，吐血，便血，崩漏，痔血，带下，跌打损伤，肠道寄生虫病。

鳞毛蕨科 Dryopteridaceae 鳞毛蕨属 Dryopteris

两色鳞毛蕨 *Dryopteris bissetiana* (Baker) C. Chr.

| 药 材 名 |

两色鳞毛蕨。

| 形态特征 |

高 40 ~ 60 cm。根茎横卧或斜升，先端密被黑色或黑褐色狭披针形鳞片。叶簇生；叶柄禾秆色，基部密被黑色狭披针形鳞片，鳞片长 1 ~ 2 cm，先端呈毛状卷曲；叶片卵状披针形，长 20 ~ 40 cm，宽 15 ~ 25 cm，三回羽状，先端渐尖；羽片 10 ~ 15 对，互生；小羽片 10 ~ 13 对，披针形，下侧小羽片较大，基部 1 对小羽片最大，长约 6 cm，宽约 1.5 cm，羽状全裂；末回小羽片 5 ~ 8 对，披针形，长 1 ~ 1.5 cm，宽 3 ~ 5 mm，先端短渐尖，边缘具粗齿至全缘；叶脉两面不明显；叶近革质，干后黄绿色，叶轴和羽轴密被基部棕色泡状、中上部黑色狭披针形的鳞片，小羽轴和末回裂片中脉下面密被棕色泡状鳞片。孢子囊群大，着生于靠近小羽片中脉或末回裂片中脉；囊群盖大，棕色，圆肾形，全缘或边缘有短睫毛。

| 生境分布 |

生于山谷林下或沟边。湖北有分布。

| 采收加工 | 根茎：全年均可采收，除去叶及杂质，鲜用或晒干。

| 功能主治 | 清热解毒。用于预防流行性感冒。

阔鳞鳞毛蕨 *Dryopteris championii* (Benth.) C. Chr.

| 药 材 名 | 毛贯众。

| 形 态 特 征 | 多年生草本，高 50 ~ 80 cm。根茎横卧或斜升，先端及叶柄基部密被披针形、棕色、全缘的鳞片。叶簇生；叶柄密被鳞片，鳞片阔披针形，先端渐尖，边缘有尖齿；叶片卵状披针形，二回羽状；小羽片羽状浅裂或深裂，末回小羽片 10 ~ 13 对，披针形，长 2 ~ 3 cm，基部浅心形至阔楔形，具短柄，先端钝圆，具细尖齿，边缘羽状浅裂至羽状深裂，基部 1 对裂片最大而使小羽片基部最宽，裂片圆钝头，先端具尖齿；侧脉羽状，在叶片下面明显可见；叶轴密被基部阔披针形、先端毛状渐尖、边缘有细齿的棕色鳞片，羽轴具有较密的泡状鳞片；叶草质，干后褐绿色。孢子囊群大，在小羽片中脉两

侧或裂片两侧各 1 行，位于中脉与边缘之间或略靠近边缘处；囊群盖圆肾形，全缘。

| **生境分布** | 生于海拔 300 ~ 1 500 m 的山坡疏林下或灌丛中。湖北有分布。

| **采收加工** | **根茎：**夏、秋季采收，洗净，除去须根和叶柄，晒干。

| **功能主治** | 清热解毒，平喘，止血敛疮，驱虫。用于感冒，目赤肿痛，气喘，便血，疮毒溃烂，烫伤，钩虫病。

█ 鳞毛蕨科 █ Dryopteridaceae █ 鳞毛蕨属 █ Dryopteris

红盖鳞毛蕨 *Dryopteris erythrosora* (Eaton) O. Ktze.

| 药 材 名 | 红盖鳞毛蕨。

| 形态特征 | 高 40 ~ 80 cm。根茎横卧或斜升，连同残存的叶柄基部直径 3 ~ 4 cm。叶簇生；叶柄长 20 ~ 30 cm，直径 3 ~ 4 mm，禾秆色或略呈淡紫色，基部密被栗黑色披针形鳞片，鳞片长 1 ~ 1.5 cm，宽 1 ~ 2 mm，全缘，边缘和先端色较淡，中上部的鳞片较小，较稀疏；叶片长圆状披针形，长 40 ~ 60 cm，宽 15 ~ 25 cm，二回羽状；羽片 10 ~ 15 对，对生或近对生，披针形，长 15 ~ 20 cm，宽 4 ~ 6 cm，羽片之间相距 6 ~ 8 cm，彼此不接近；小羽片 10 ~ 15 对，披针形，长 2 ~ 3 cm，宽 0.8 ~ 1.2 cm，斜向羽片先端，边缘具较细的圆齿或羽状浅裂，基部羽片的基部下侧第 1 对小羽片明显缩小，长不及

相近小羽片的一半；裂片明显地斜向小羽片先端，前方具 1 ~ 2 尖齿；叶轴疏被狭披针形、暗棕色的小鳞片，或鳞片脱落后近光滑，羽轴和小羽片中脉密被棕色泡状鳞片，羽轴和小羽片中脉上面具浅沟，侧脉在上面不明显，下面可见，羽状；叶片上面无毛，下面疏被淡棕色毛状小鳞片。孢子囊群较小，在小羽片中脉两侧排成 1 行至不规则的多行；囊群盖圆肾形，全缘，中央红色，边缘灰白色，干后常向上反卷而不脱落。

| **生境分布** | 生于林下。湖北有分布。

| **功能主治** | 杀虫止蛔。

鳞毛蕨科 Dryopteridaceae 鳞毛蕨属 Dryopteris

黑足鳞毛蕨 *Dryopteris fuscipes* C. Chr.

| 药 材 名 | 黑色鳞毛蕨根。

| 形态特征 | 常绿植物，高 50 ～ 80 cm。根茎横卧或斜升。叶簇生；叶柄基部黑色，密被披针形、棕色、有光泽的鳞片，先端渐尖或毛状，全缘；叶片卵状披针形或三角状卵形，二回羽状；末回小羽片 10 ～ 12 对，三角状卵形，基部最宽，有柄或无柄，先端钝圆，边缘有浅齿，通常长 1.5 ～ 2 cm，宽 8 ～ 10 mm，基部羽片的基部小羽片通常缩小，基部羽片的中部下侧的小羽片通常较长，先端较尖；叶轴、羽轴和小羽片中脉的上面具浅沟；侧脉羽状，在上面不明显，在下面略可见；叶纸质，干后褐绿色；叶轴具较密的、披针形、线状披针形或少量泡状鳞片，羽轴具有较密的泡状鳞片和稀疏的小鳞片。孢子囊

群大，在小羽片中脉两侧各有 1 行；囊群盖圆肾形，全缘。

| **生境分布** | 生于疏林下或灌丛中。湖北有分布。

| **采收加工** | **根茎**：全年均可采挖，除去叶及杂质，洗净，鲜用或晒干。

| **功能主治** | 清热解毒，生肌敛疮。用于目赤肿痛，疮疡溃烂久不收口。

鳞毛蕨科 Dryopteridaceae 鳞毛蕨属 Dryopteris

黑鳞鳞毛蕨 *Dryopteris lepidopoda* Hayata

| 药 材 名 |　等宽鳞毛蕨。

| 形态特征 |　多年生草本。根茎粗壮，直立或斜升，密被红棕色、披针形、全缘鳞片。叶簇生；柄禾秆色，基部密被黑色或褐棕色、线状披针形鳞片，具毛发状尖头，向上渐稀疏；叶片卵圆状披针形或披针形，先端羽裂渐尖，基部不狭缩或略狭缩，2回羽状深裂；侧生羽片约20对，互生，彼此远离；中部羽片披针形，先端渐尖，基部最宽，有短柄，羽状深裂；裂片斜展，先端圆钝头，疏具三角形牙齿，侧边具缺刻状锯齿。叶干后淡绿色，纸质，沿叶轴及羽片背面羽轴被黑色、线状披针形、基部多分叉鳞片；侧脉羽状，分叉，背面明显。孢子囊群圆形，每裂片4 ~ 6对，生于叶缘与中肋之间；囊群盖圆肾形，棕色，成熟

后易脱落。

| **生境分布** | 生于海拔 1 000 ～ 1 800 m 的山地阔叶林下。湖北有分布。

| **采收加工** | **根茎：**全年均可采挖，除去叶及须根，洗净泥沙，鲜用或晒干。

| **功能主治** | 驱虫。用于绦虫病。

鳞毛蕨科 Dryopteridaceae 鳞毛蕨属 Dryopteris

半岛鳞毛蕨 *Dryopteris peninsulae* Kitag.

| 药 材 名 | 辽东鳞毛蕨。

| 形态特征 | 植株高 50 cm 左右。根茎粗短，近直立。叶簇生；叶柄长达 24 cm，淡棕褐色，有 1 纵沟，基部密被棕褐色、膜质、线状披针形至卵状

长圆形且具长尖头的鳞片，向上连同叶轴散生栗色或基部栗色、上部棕褐色、边缘疏生细尖齿、披针形至长圆形的鳞片；叶片厚纸质，长圆形或狭卵状长圆形，长 13～38 cm，宽 8～20 cm，基部多少呈心形，先端短渐尖，二回羽状；羽片 12～20 对，对生或互生，具短柄，卵状披针形至披针形，基部不对称，先端长渐尖且微镰状上弯，下部羽片较大，长达 11 cm，宽达 4.5 cm，向上渐次变小，羽轴禾秆色，疏生线形易脱落的鳞片；小羽片或裂片达 15 对，长圆形，先端钝圆且具短尖齿，基部几对小羽片的基部多少耳形，边缘具浅波状齿，上部裂片的基部近全缘，上部具浅尖齿；裂片或小羽片上的叶脉羽状，明显。孢子囊群圆形，较大，通常仅叶片上半部生有孢子囊群，沿裂片中肋排成 2 行；囊群盖圆肾形至马蹄形，近全缘，成熟时不完全覆盖孢子囊群；孢子近椭圆形，外壁具瘤状突起。

| **生境分布** | 生于阴湿地杂草丛中。湖北有分布。

| **采收加工** | **根茎：**全年均可采挖，挖出后除去叶柄及须根，洗净，鲜用或晒干。

| **功能主治** | 清热解毒，凉血止血，驱虫。用于流行性感冒，流行性乙型脑炎，吐血，衄血，崩漏，产后便血，肠道寄生虫病。

鳞毛蕨科 Dryopteridaceae 耳蕨属 Polystichum

尖齿耳蕨 *Polystichum acutidens* Christ

| 药 材 名 | 尖齿耳蕨。

| 形态特征 | 植株高 25 ～ 100 cm。根茎直立，高可达 10 cm，连同残存的叶柄基部直径可达 3 cm，先端及叶柄基部密被棕色或深棕色、卵形或卵状披针形、长达 8 mm、宽达 3 mm、全缘的厚膜质鳞片。叶簇生；叶柄禾秆色，上面有沟槽，长 5 ～ 40 cm，基部直径 1 ～ 2 mm，向上疏被少数与基部相同的鳞片及较多渐缩小、披针形或长钻形、大多伏贴、边缘有疏长齿的棕色或深棕色膜质鳞片；叶片披针形，先端渐尖，基部不缩狭或略缩狭，长 18 ～ 65 cm，宽 2.5 ～ 12 cm，一回羽状，羽片 25 ～ 45 对，无柄，互生或仅对生，平展，下部的间距较大，有时略斜向下，上部的接近，镰状披针形，长 1 ～ 6 cm，中部宽 3 ～ 10 mm，先端渐尖，常有短芒刺，两侧显著不对称，基

部上侧有三角形耳状突起，其外侧平截或略向外凸起成弧形，与叶轴平行，基部下侧狭楔形，通直或略向内弯，基部以上的两侧边缘有锯齿，齿端通常多少向内弯并有长或短的芒刺；叶脉羽状，在上面不明显，在下面可见或明显，侧脉在中脉上侧的自下而上羽状、2叉状至单一，在中脉下侧的单一或2叉状；叶纸质或薄纸质，干后绿色或灰绿色，上面色较深；叶轴禾秆色，上面有沟槽，下面疏被棕色或深棕色，披针形、线形或长钻形，边缘有疏齿，常伏贴的膜质小鳞片；羽片上面光滑，下面疏被浅棕色或棕色、狭披针形的细小鳞片及短节毛。孢子囊群较小，生于较短的小脉先端，在羽片主脉两侧各有1行，中生或仅中生，通常主脉下侧的下部小脉不育；圆盾形的囊群盖小，深棕色，近全缘，早落。孢子赤道面观豆形，极面观长椭圆形，周壁具折皱，常联结成网状。

| **生境分布** | 生于海拔 600 ~ 2 400 m 的山地常绿阔叶林下，多见于阴湿的石灰岩山谷中。分布于湖北巴东、宣恩、神农架等地。

| **资源情况** | 野生资源较少。药材来源于野生。

| **采收加工** | **全草或根茎：**全年均可采收全草，洗净，鲜用或晒干；或除去叶，将根茎晒干。

| **功能主治** | 平肝，和胃，止痛。用于头晕，胃痛，复合性胃和十二指肠溃疡。

镰羽耳蕨 *Polystichum balansae* Christ

| 药 材 名 | 镰羽贯众。

| 形态特征 | 植株高 30 ~ 70 cm。根茎斜升或直立，连同叶柄基部密被披针形鳞片。叶簇生，厚纸质；叶柄长 15 ~ 45 cm，禾秆色，连同叶轴被棕色披针形鳞片；叶片披针形，长 25 ~ 50 cm，宽 10 ~ 15 cm，一回羽状，羽片 10 ~ 20 对，斜卵形，略斜向上，近无柄，中部以下羽片镰状披针形，长 5 ~ 8 cm，宽 1.5 ~ 2.5 cm，先端渐尖，基部上侧呈三角状耳形，下侧楔形，边缘略具细齿或中部以上有疏尖齿，上面光滑，下面疏被纤维状小鳞片；叶脉网状，中脉两侧各有 2 行网眼，每网眼有内藏小脉 1 ~ 2。孢子囊群圆形，背生于内藏小脉中部或上部；囊群盖圆形，盾状，全缘。

| **生境分布** | 生于海拔 200～1 600 m 的山谷溪沟边或林下阴湿处。分布于湖北神农架、五峰、鹤峰。

| **采收加工** | **根茎：**全年均可采挖，除去泥沙及叶，晒干或鲜用。

| **功能主治** | 清热解毒，驱虫。用于流行性感冒，肠道寄生虫病。

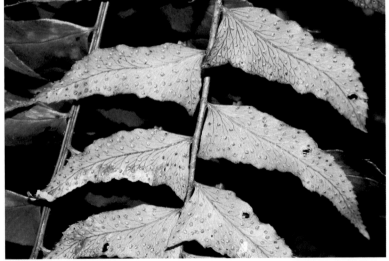

鳞毛蕨科 Dryopteridaceae 耳蕨属 Polystichum

鞭叶耳蕨
Polystichum craspedosorum (Maxim.) Diels

| 药 材 名 |

鞭叶耳蕨。

| 形态特征 |

植株高 10 ~ 20 cm。根茎直立，密生棕色披针形鳞片。叶簇生；叶柄长 2 ~ 6 cm，基部直径 1 ~ 2 mm，禾秆色，腹面有纵沟，密生棕色披针形鳞片，鳞片边缘有齿，下部边缘为卷曲的纤毛状；叶片线状披针形或狭倒披针形，长 10 ~ 20 cm，宽 2 ~ 4 cm，先端渐狭，基部略狭，一回羽状，羽片14 ~ 26 对，下部的对生，向上互生，平展或略斜向下，具极短柄，矩圆形或狭矩圆形，中部的长 0.8 ~ 2 cm，宽 5 ~ 8 mm，先端钝或圆形，基部偏斜，上侧截形，耳状凸明显或不明显，下侧楔形，边缘有内弯的尖牙齿；具羽状脉，侧脉单一，在腹面不明显，在背面微凸；叶纸质，背面脉上有疏或密的黄棕色、线形及毛状鳞片，鳞片下部边缘为卷曲的纤毛状；叶轴腹面有纵沟，背面密生狭披针形、基部边缘纤毛状的鳞片，先端延伸成鞭状，先端有芽孢能萌发新植株。孢子囊群通常位于羽片上侧边缘，成 1 行，有时下侧也有；囊群盖大，圆形，全缘，盾状。

| **生境分布** | 生于海拔 2 300 m 以下阴面干燥的石灰岩上。分布于湖北郧西、竹溪、兴山、五峰、谷城、恩施、建始、神农架等地。

| **资源情况** | 野生资源较少。药材来源于野生。

| **采收加工** | **全草**：全年均可采收，洗净，鲜用或晒干。

| **功能主治** | 清热解毒。用于乳痈，疔肿，肠炎。

鳞毛蕨科 Dryopteridaceae 耳蕨属 *Polystichum*

对生耳蕨 *Polystichum deltodon* (Bak.) Diels

| 药 材 名 | 对生耳蕨。

| 形态特征 | 植株高 13 ~ 42 cm。根茎短而斜升至直立，连同叶柄基部直径 1 ~ 2 cm，先端及叶柄基部密被棕色至深棕色、卵形或卵状披针形、先端渐尖、长达 6 mm、宽达 2 mm、近全缘的厚膜质鳞片。叶簇生；叶柄禾秆色，上面有沟槽，长 3 ~ 16 cm，直径 0.5 ~ 1.5 mm，基部以上疏被棕色至暗棕色、大小不等、卵状披针形或卵形、先端尾状长渐尖、边缘有疏长齿、易脱落的薄膜质鳞片，残留的鳞片大多伏贴；叶片披针形或狭长椭圆状披针形，长 9 ~ 30 cm，中部宽 2 ~ 4.5 cm，先端羽裂渐尖，基部不缩狭或略缩狭，一回羽状，羽片 18 ~ 40 对，通常互生，少有近对生，彼此接近，下部的有较明显的间距，通常近平展，有时上部的略向上斜展，有时大部分或

中部以下的略向下斜展，矩圆形或镰状矩圆形，中部的长 8 ~ 22 mm，基部宽 4 ~ 10 mm，先端略向上弯，急尖并有 1 短芒刺头，两侧显著不对称，上侧基部耳状凸起成三角形或近三角形，其先端急尖或渐尖并具短芒刺头，外侧截形或略凸出成弧形，全缘或有 1 ~ 2 浅钝锯齿，与叶轴平行或略覆盖叶轴，内侧通常有 1 ~ 2 缺刻状浅圆齿或具短刺头的浅锯齿，有时为急尖头的粗锯齿，耳状凸起部位以上的边缘截形或呈略内弯的弧形，通体有粗锯齿或重锯齿，下侧的下部狭楔形，通直，全缘，上部呈上弯的弧形，边缘有粗锯齿，锯齿先端常有短刺头；叶脉在上面不明显，在下面略可见，羽状，侧脉在主脉上侧的自下而上羽状、2 叉状至单一，在主脉下侧的单一或 2 叉状，不育的小脉伸达锯齿基部；叶坚纸质或薄革质，干后浅绿色或浅棕绿色；叶轴禾秆色，上面有沟槽，两面疏被棕色或浅暗棕色、卵形、具长尖头、边缘有疏长齿的膜质鳞片及长钻形、全缘的小鳞片；羽片上面光滑，下面疏被浅棕色、狭披针形的细小鳞片、鳞毛及短节毛。孢子囊群小，生于小脉先端，接近羽片边缘，通常多在主脉上侧自顶部至基部排成 1 行，多达 10，下侧仅在顶部有 1 ~ 3 或不育；圆盾形的囊群盖棕色，边缘啮蚀状，早落。孢子赤道面观豆形，周壁形成少数肌状褶皱。

| 生境分布 | 生于海拔 500 ~ 2 500 m 的山谷阔叶林下阴湿处岩隙。湖北有分布。

| 资源情况 | 野生资源丰富。药材来源于野生。

| 采收加工 | **全草：**全年均可采挖，晒干或鲜用。

| 功能主治 | 活血止痛，消肿，利尿，预防感冒。外用于跌打损伤，蛇咬伤。

鳞毛蕨科 Dryopteridaceae 耳蕨属 Polystichum

宜昌耳蕨 *Polystichum ichangense* Christ

| 药 材 名 | 宜昌耳蕨。

| 形态特征 | 植株高 14 ~ 48 cm。根茎短而斜升或近直立，连同叶柄基部直径 1.2 ~ 2.5 cm，先端密被棕色至深棕色或栗色、披针形、长达 8 mm、边缘有细密小齿的鳞片。叶簇生；叶柄浅禾秆色，长 3 ~ 10 cm，直径 0.5 ~ 1 mm，上面有沟槽，通体疏被卵形并具急尖头或卵状阔披针形，边缘有疏齿，棕色、浅暗棕色或部分栗色，常被伏贴或下部伏贴的膜质鳞片；叶片长椭圆状披针形，长 10 ~ 34 cm，中部宽 1.5 ~ 3.5 cm，先端尾状长渐尖，中部以下渐缩狭，基部宽 1 ~ 2 cm，一回羽状，羽片 17 ~ 35 对，互生或近对生，无柄或基部的略有短柄，通常彼此接近，有时有狭间距或密接而略呈覆瓦状，大部分均不同程度地向下反折斜展，近矩圆形，先端急尖

并略呈斜向上方的截形，两侧显著不对称，上侧基部凸起成近三角形的急尖头或短刺头耳状凸，凸起的外侧平截形或略呈向外凸出的弧形，与叶轴平行或近平行，有时略覆盖叶轴，两侧全缘或各有 1 浅齿，凸起以上部位的边缘近通直，边缘有不整齐的浅或深的尖锯齿 1～6，齿端大多有短刺头，下侧的下部斜形，全缘，通常呈略向内凹的截形，上部呈向上弯的弧形，边缘有 1～4 与上侧相同的锯齿；叶脉羽状，在上面可见，在下面明显，侧脉先端增粗成棒状，几达羽片边缘，在中脉上侧的自下而上羽状、2 叉状至单一，下侧的单一，少见 2 叉状；叶薄纸质，干后浅绿色或灰绿色，上面色略深；叶轴浅禾秆色，上面有沟槽，两面疏被与叶柄上同形而较小的棕色或浅暗棕色伏贴鳞片；羽片上面光滑，下面疏被披针形或狭披针形、浅棕色的细小鳞片。孢子囊群小，生于较短或极短的小脉分枝先端，在羽片主脉上侧 1～8，中生或略近边缘，主脉下侧大多不育，有时在上部有 1～3；圆盾形的囊群盖小，深棕色，中央常呈浅栗色，边缘波状，早落。

| **生境分布** | 生于海拔 1 000～1 600 m 的山地阔叶林下阴湿处岩隙。分布于湖北宜昌。

| **资源情况** | 野生资源稀少。药材来源于野生。

| **功能主治** | 杀虫。

亮叶耳蕨
Polystichum lanceolatum (Bak.) Diels

| 药 材 名 | 亮叶耳蕨。

| 形态特征 | 小型石生植物，高 4 ~ 10 cm。根茎短而直立，连同叶柄基部直径 3 ~ 5 mm，先端被深棕色、卵形、具渐尖头、边缘有疏齿的小鳞片。叶簇生；叶柄浅棕禾秆色，有时浅绿禾秆色，长 3 ~ 10 mm，直径不足 0.5 mm，上面有沟槽，疏被与根茎上相同的鳞片；叶片线状披针形，长 4 ~ 9 cm，宽 0.5 ~ 1.2 cm，先端羽裂短渐尖或近钝头，基部不缩狭或略缩狭，一回羽状，羽片 15 ~ 20 对，互生或对生，

平展或略向上斜展，彼此接近或覆瓦状密接，有短柄，矩圆形，先端截形，有 1～3 具短硬刺头的牙状齿，两侧不对称，上侧基部较宽，有略凸起的耳状凸，凸起先端有短硬刺头或急尖，有时近钝头，外侧近截形，与叶轴平行，凸起以上部位的边缘有 1～2 先端芒刺状或具短硬刺头的牙状齿，下侧狭楔形，平截，全缘；叶脉羽状，少而稀疏，在两面略可见，侧脉单一或 2 叉状，几达齿端；叶厚纸质或近革质，干后通常呈浅棕绿色，有时呈灰绿色，两面同色；叶轴浅棕禾秆色，有时浅绿禾秆色，上面有沟槽，下面

疏被卵形、具尾状长渐尖头、边缘有疏长齿的棕色小鳞片；羽片有光泽，上面光滑，下面疏被浅棕色的短节毛。孢子囊群小，生于较短的小脉分枝先端，主脉上侧 1～3，中生，主脉下侧不育或有 1；圆盾形的囊群盖深棕色，全缘，易脱落。

| **生境分布** | 生于海拔 900～1 800 m 的山谷阴湿处石灰岩缝隙中。湖北有分布。 |

| **资源情况** | 野生资源丰富。药材来源于野生。 |

| **采收加工** | **根茎**：全年均可采挖。 |

| **功能主治** | 清热解毒，调中止痛，止泻。用于脾胃虚寒所致的脘腹冷痛，食少不运，下肢疖肿，刀伤出血，痢疾等。 |

鳞毛蕨科 Dryopteridaceae 耳蕨属 Polystichum

黑鳞耳蕨
Polystichum makinoi (Tagawa) Tagawa

| 药 材 名 | 黑鳞耳蕨。

| 形 态 特 征 | 植株高 40 ~ 60 cm。根茎短而直立或斜升，密生线形棕色鳞片。叶簇生；叶柄长 15 ~ 23 cm，基部直径约 2.5 mm，黄棕色，腹面有纵沟，密生线形、披针形和较大鳞片，大鳞片卵形或卵状披针形，2 色，中间黑棕色，有光泽，长达 13 mm，宽达 6 mm，先端尾状，近全缘；叶片三角状卵形或三角状披针形，长 28 ~ 52 cm，近基部宽 9 ~ 18 cm，先端渐尖，能育，基部略狭，下部 1 ~ 2 对羽片常不育，2 回羽状；羽片 13 ~ 20 对，互生，平伸，具短柄，披针形，先端渐尖，基部不变狭、不对称，下部羽片长 3.5 ~ 8 cm，宽 1 ~ 2 cm，1 回羽状；小羽片 14 ~ 22 对，互生，具短柄，镰状三角形至狭矩圆形，长 0.8 ~ 1.3 cm，宽 0.4 ~ 0.7 cm，先端急尖，基部楔形，上侧具弧

形耳状凸，全缘或近全缘，常具短芒，羽片基部上侧 1 最大，具深缺刻或羽状浅裂；小羽片具羽状脉，侧脉 5 ~ 8 对，2 歧分叉，较明显；叶草质，上面近光滑，下面疏生短纤毛状小鳞片；叶轴腹面有纵沟，背面生线形和披针形鳞片，披针形鳞片淡棕色至棕色（极少数下部叶轴鳞片呈 2 色），先端渐尖，近全缘；羽轴腹面有纵沟，生线形淡棕色或棕色鳞片。孢子囊群每小羽片 5 ~ 6 对，主脉两侧各 1 行，靠近主脉，生于小脉末端；囊群盖圆形，盾状，边缘浅齿裂。

| **生境分布** | 生于海拔 600 ~ 2 500 m 的林下湿地、岩石上。分布于湖北西部。

| **资源情况** | 野生资源较丰富。药材主要来源于野生。

| **采收加工** | **嫩叶**：春季采收，鲜用或晒干。
根茎：全年均可采挖，鲜用或晒干。

| **功能主治** | 清热解毒。用于痈肿疮疖，泄泻痢疾。

鳞毛蕨科 Dryopteridaceae 耳蕨属 Polystichum

革叶耳蕨
Polystichum neolobatum Nakai

| 药 材 名 |　革叶耳蕨。

| 形态特征 |　植株高 30 ～ 60 cm。根茎直立，密生棕色披针形鳞片。叶簇生；叶柄长 12 ～ 30 cm，基部直径 4 ～ 6 mm，禾秆色，腹面有纵沟，密生卵形及披针形鳞片，鳞片棕色至褐棕色，先端扭曲；叶片狭卵形或宽披针形，长 32 ～ 55 cm，宽 6 ～ 11 cm，先端渐尖，基部圆楔形或近截形，略变狭，二回羽状，羽片 26 ～ 32 对，互生，略斜向上，密接，线状披针形，有时呈镰状，中部的长 3.5 ～ 10 cm，宽 1.2 ～ 2 cm，先端渐尖，基部为偏斜的宽楔形或浅心形，柄极短，羽状，小羽片 5 ～ 10 对，互生，略斜向上，密接，斜卵形或宽披针形，先端渐尖成刺状，基部斜楔形，全缘或有少数前倾的小尖齿，基部上侧第 1 片最大，长 1 ～ 2 cm，宽 4 ～ 6 mm，具羽状脉在腹面平或

略凹下，在背面凹下；叶革质或硬革质，背面有纤维状分枝的鳞片；叶轴腹面有纵沟，背面密生披针形和狭披针形鳞片，鳞片棕色至黑棕色，强烈扭曲。孢子囊群位于主脉两侧；囊群盖圆形，盾状，全缘。

| 生境分布 | 生于海拔 1 260 ~ 3 000 m 的阔叶林下。湖北有分布。

| 资源情况 | 野生资源丰富。药材来源于野生。

| 采收加工 | **根茎：** 全年均可采挖。

| 功能主治 | 清热解毒。用于内热腹痛，痢疾，肠炎，乳痈，下肢疖肿。

鳞毛蕨科 Dryopteridaceae 耳蕨属 Polystichum

对马耳蕨

Polystichum tsus-simense (Hook.)

| 药 材 名 | 对马耳蕨。

| 形 态 特 征 | 植株高 30 ~ 50 cm。根茎近直立，与叶柄基部被黑褐色卵状披针形和棕色钻状鳞片。叶簇生；叶柄长 15 ~ 30 cm，禾秆色，向上疏生黑色线形鳞片；叶片披针形，长 15 ~ 30 cm，宽 8 ~ 15 cm，基部不变狭，二回羽状，羽片镰状披针形，基部上侧 1 小羽片大而凸起，与叶轴平行，通常浅裂，向上的小羽片边缘有刺状尖齿，裂片上有羽状脉，小脉单一或分叉。孢子囊群生于小脉先端；囊群盖圆肾形。

| 生 境 分 布 | 生于海拔 400 ~ 3 000 m 的山坡林下沟边或岩石缝中。湖北有分布。

| 资 源 情 况 | 野生资源丰富。药材来源于野生。

| **采收加工** | **根茎：**全年均可采收，以秋季采收为好，除去叶，洗净，鲜用或晒干。
| | **嫩叶：**春季采集，鲜用。

| **功能主治** | 清热解毒，凉血散瘀。用于痢疾，目赤肿痛，乳痈，疮疖肿毒，痔疮出血，烫火伤。

鳞毛蕨科 Dryopteridaceae 耳蕨属 Polystichum

剑叶耳蕨

Polystichum xiphophyllum (Baker) Diels

| **药 材 名** | 剑叶耳蕨。

| **形态特征** | 植株高 25 ~ 60 cm。根茎直立，密被棕色或黑棕色、狭卵形鳞片。叶簇生；叶柄长 12 ~ 36 cm，基部直径 2 ~ 3 mm，禾秆色，腹面有纵沟，密生黑棕色披针形鳞片，下部混生狭卵形鳞片，鳞片基部边缘呈睫毛状；叶片宽披针形，长 18 ~ 40 cm，宽 6 ~ 15 cm，先端渐尖，基部近截形，一回羽状，羽片 16 ~ 20 对，互生，平展，柄长约 1 mm，线状披针形，有时向上微弯成镰状，中部的长 3 ~ 10 cm，宽 7 ~ 16 mm，先端渐尖，基部偏斜，上侧截形，下侧半圆形，有尖齿或近全缘，有时羽片下部呈羽状浅裂状，基部上侧有三角形耳状凸或为一分离的小羽片，小羽片卵形，有时下侧也有一较小的小羽片；羽片具羽状脉，侧脉二回 2 叉状，在腹面隐没，

在背面略明显；叶厚革质，背面疏生纤毛状、基部扩大的黄棕色鳞片；叶轴腹面有纵沟，背面密生鳞片，鳞片线形，基部扩大，边缘纤毛状，通常黑棕色。孢子囊群位于主脉两侧，各 1 行；囊群盖圆形，近全缘，盾状。

| **生境分布** | 生于海拔 650 ~ 1 800 m 的常绿阔叶林下。分布于湖北西部。

| **资源情况** | 野生资源丰富。药材来源于野生。

| **采收加工** | **根茎：**全年均可采挖，除去须根，削去叶柄，晒干或鲜用。

| **功能主治** | 清热利水，活血散瘀。用于内热腹痛，伤风感冒，小便不利，跌打损伤，血瘀经闭。

骨碎补科 Davalliaceae　骨碎补属 Davallia

骨碎补
Davallia mariesii Moore ex Baker

| 药 材 名 | 骨碎补。

| 形态特征 | 植株高约 20 cm。根茎长而横生，密生蓬松的阔披针形鳞片，边缘有不整齐的锯齿。叶远生；叶柄基部有鳞片；叶片五角形，长、宽

均 8 ～ 14 cm，3 回羽状细裂；基部 1 对羽片最大，三角形；1 回小羽片互生，基部下侧 1 小羽片特大，卵状长圆形，向上渐缩小；末回裂片长圆形，单一；叶脉单一或分叉，每齿有小脉 1。孢子囊群生于小脉先端，囊群盖管形，成熟时孢子囊突出于口外，覆盖裂片顶部仅露出外侧的长钝齿。

| **生境分布** | 附生于海拔 200 ～ 700 m 的山地岩石上。湖北有分布。

| **采收加工** | 4 ～ 8 月采挖，洗净，除去附叶，鲜用或晒干，或再用火燎去茸毛。

| **功能主治** | 行血活络，祛风止痛，补肾坚骨。用于跌打损伤，风湿痹痛，肾虚牙痛，腰痛，久泻。